C. A. MAYER

# CLÉMENT MAROT

EDITIONS A.-G. NIZET
PARIS
1972

# Clément Marot

*Bibliographie des Œuvres de Clément Marot*, t. I, *Manuscrits*, t. II, *Editions* (*Travaux d'Humanisme et Renaissance*, X et XIII), Genève, Droz, 1954.

*La Religion de Marot* (*Travaux d'Humanisme et Renaissance*, XXXIX), Genève, Droz, 1960.

*Clément Marot* (*Ecrivains d'hier et d'aujourd'hui*, n° 16), Seghers, 1964, réimprimé en 1969.

*Edition critique des Œuvres complètes de Marot :*
   t. I, *Clément Marot, Les Epîtres*, The Athlone Press, University of London, 1958.
   t. II, *Clément Marot, Œuvres satiriques*, The Athlone Press, University of London, 1962.
   t. III, *Clément Marot, Œuvres lyriques*, The Athlone Press, University of London, 1964.
   t. IV, *Clément Marot, Œuvres diverses*, The Athlone Press, University of London, 1966.
   t. V, *Clément Marot, Les Epigrammes*, The Athlone Press, University of London, 1970.
   t. VI, *Clément Marot, Les Traductions*, (à suivre).

C. A. MAYER

# CLÉMENT MAROT

EDITIONS A.-G. NIZET
3 bis, place de la Sorbonne
PARIS
1972

## Liste des Abréviations

B.d.B : *Bulletin du bibliophile et du bibliothécaire.*
B.H.R. : *Bibliothèque d'Humanisme et Renaissance.*
*Bibliographie* : C.A. Mayer, *Bibliographie des Œuvres de Clément Marot,* 2 vol.
B.S.H.P.F. : *Bulletin de la société de l'histoire du protestantisme français.*
C.F.M.A. : *Classiques français du moyen âge.*
F.S. : *French Studies.*
R.H.L.F. : *Revue d'histoire littéraire de la France.*
R.S.S. : *Revue du seizième siècle.*
S.A.T.F. : *Société des anciens textes français.*
S.T.F.M. : *Société des textes français modernes.*

# I

## NAISSANCE, JEUNESSE, PREMIERES COMPOSITIONS

Les documents que nous possédons sur la vie de Marot sont extrêmement rares. Sur bien des dates, par exemple celle de sa naissance, et sur bien des faits, nous sommes sans renseignements, hors ceux souvent fort vagues, que fournit l'œuvre. Encore le poète a-t-il gardé un silence complet sur bien des choses. Nous ne savons à peu près rien sur la mère de Marot ni sur sa femme. Même sur ses enfants, il ne nous dit rien de précis. Dans ces conditions, il n'est pas surprenant de voir que la plupart des biographes ont fait une part très large à des hypothèses plus ou moins ingénieuses.

Du reste il convient de se garder parfois des déclarations du poète. Tantôt il déforme la vérité dans le seul but, paraît-il, de s'amuser ; tantôt, surtout dans ses démêlés avec les autorités, il fait des négations spécieuses, il invente des histoires rocambolesques [1]. Il faut ajouter à cela que certains poèmes sur lesquels les biographes se sont fondés pour des épisodes de la vie du poète sont certainement apocryphes [2]. Il y a donc lieu de prendre de très nombreuses précautions avant d'accepter comme preuve des déclarations contenues dans un poème.

---

1. Voir plus bas, p. 89, 125 et 165.
2. Par exemple l'épître *A son amy Couillard* (*Les Epîtres*, Appendice II, 1), et l'épître *A Monsieur Pelisson* (*ibid.*, Appendice II, 2). Cf. plus bas, p. 493-496.

Si nous ignorons jusqu'au nom de sa mère, nous sommes
en revanche relativement bien renseignés sur son père, le
rhétoriqueur Jean Marot. Clément, qui semble avoir
éprouvé pour lui beaucoup de vénération, l'a maintes fois
nommé. Dans l'épître qu'il écrivit après la mort de son
père afin de demander au roi la place de valet de chambre[3] du défunt, il en mentionne le nom et l'état :

> Il vous a pleu, Sire, de pleine grace,
> Bien commander qu'on me mist en la place
> Du Pere mien, vostre Serf humble, mort[4] ;

et

> Et ne falloit, Sire, tant seulement
> Qu'effacer Jan & escrire Clement[5].

Il évoque l'origine normande de Jean Marot dans une
épigramme :

> En maistre Alain Normandie prend gloire
> Et plainct encor mon arbre paternel[6].

Dans l'*Eglogue de Marot au Roy, soubz les noms de Pan
& Robin*[7] le poète parle au long de l'encouragement, des
enseignements qu'il a reçus de son père, le berger
« Janot » :

> Ce que voyant, le bon Janot, mon pere,
> Voulut gaiger à Jaquet, son compere,
> Contre ung veau gras deux aignelletz bessons,
> Que quelque jour je feroys des chansons
> A ta louange (o Pan, dieu tressacré),
> Voire chansons qui te viendroient à gré.

---

3. C'est là du moins ce qu'on admet d'habitude, bien que la
situation exacte de Jean Marot à la cour ne nous soit pas
connue. Voir plus bas, p. 36 et 133-134.

4. *Les Epîtres*, XII, *Au Roy* (*Au Roy, pour succeder en l'estat
de son pere*), v. 7-9.

5. *Ibid.*, v. 21-22.

6. *Les Epigrammes*, CCLXXXI, *Clement Marot à Salel sur les
Poetes Françoys mortz avant eulx deux*, v. 2-3.

7. *Œuvres lyriques*, LXXXIX, Eglogue III.

Et me souvient que bien souvent aux festes,
En regardant de loing paistre noz bestes,
Il me souloit une leçon donner
Pour doulcement la musette entonner,
Ou à dicter quelque chanson ruralle
Pour la chanter en mode pastoralle.
Aussi le soir, que les trouppeaulx espars
Estoient serrez & remis en leurs parcs,
Le bon vieillart apres moy travailloit,
Et à la lampe assez tard me veilloit,
Ainsi que font leurs sansonnetz ou pyes
Aupres du feu bergeres accropyes[8].

et

Bien est il vray que ce luy estoit peine ;
Mais de plaisir elle estoit si fort pleine
Qu'en ce faisant sembloit au bon berger
Qu'il arrousoit, en son petit verger,
Quelque jeune ente, ou que teter faisoit
L'aigneau qui plus en son parc luy plaisoit ;
Et le labeur que apres moy il mit tant,
Certes, c'estoit affin qu'en l'imitant
A l'advenir je chantasse le los
De toy (o Pan) qui augmentas son clos,
Qui conservas de ses prez la verdure,
Et qui gardas son trouppeau de froidure.
Pan (disoit il) c'est le dieu triumphant
Sur les pasteurs, c'est celluy (mon enfant)
Qui le premier les roseaulx pertuysa,
Et d'en former des flustes s'advisa.
Il daigne bien luy mesme peine prendre
De user de l'art que je te veulx apprendre.
Appren le donc, affin que montz & boys,
Rocz & estangs appreignent soubz ta voix
A rechanter le hault nom, apres toy,
De ce grand dieu que tant je ramentoy[9].

Dans les éditions de ses poésies, Jean Marot est dit natif de Caen. Pourtant, dans les *Origines de Caen*[10], Huet, le

_____

8. *Œuvres lyriques*, LXXXIX, Eglogue III, v. 49-66.
9. *Ibid.*, v. 67-88.
10. *Les Origines de la ville de Caen et des lieux circonvoisins*, Rouen, Maurry, 1702.

célèbre et savant évêque d'Avranches, donne le village de
Mathieu près de Caen comme lieu de naissance du rhétoriqueur [11]. Le même endroit de Mathieu est donné comme
celui de la naissance de Jean Marot par Boisard, dans les
*Notices biographiques littéraires sur les hommes du Cal-
vados* [12]. Dans les *Essais historiques sur la ville de Caen et
son arrondissement* [13], l'abbé De La Rue donne des indications très précieuses :

> On trouve à Mathieu (près de Caen) un lieu appelé
> la Rue ou la Venelle Marot..., il ne semble pas qu'on
> en puisse rigoureusement conclure que notre poète y
> est né [14].

et

> On lit dans les comptes des revenus de l'abbesse de
> Caen que depuis la fin du xv<sup>e</sup> siècle jusqu'en 1515,
> Jean Marot devait des rentes à l'abbaye pour sa mai-
> son située rue Basse Saint-Gilles. Ces mêmes rentes

---

11. P.-D. Huet, *Les Origines...*, ouvr. cit., p. 52-54 :
    Quoy que Jean Marot fût constamment du village de
    Matthieu proche de Caen où sa famille subsiste encore
    aujourd'huy, il se dit neanmoins natif de Caen dans les
    titres de ses ouvrages où il prend la qualité de Secrétaire
    & de Poete de la magnanime Reyne Anne de Bretagne.
    Il fut ensuite Valet de Chambre de François I & s'étant
    marié à Cahors, il fut pere du celebre Clement Marot, qui
    surpasse & son pere & tous les autres Poetes qui l'avoient
    precedé...
    Le village de Matthieu, pour le dire en passant, est
    appelé dans les anciennes chartes latines *Matomum,
    Mathomum, Matonium.* Sur la fin du treizième siècle on
    l'appela *Matho.* Un originaire de ce village est dit *de
    Mathone.* On l'appela aussi *Matheon & Mateon.* Dans le
    quatorzième siècle, il fut nommé *Mathen, Matheen & Mathi-
    cum.* Dans un registre des Domaines du Roy en Nor-
    mandie en 1316, qui est dans la Chambre des Comptes de
    Paris, il est appelé *Machoen,* en plusieurs endroits par une
    corruption de prononciation, pour *Matheon,* comme le
    même registre écrit *Machyen* pour *Matthieu ; Macé* pour
    *Mathias, Machoen & Matheon* ont dégénéré en *Matthieu*
    comme on l'appelle aujourd'huy.
12. 1848. « Marot (Jean) né à Mathieu en 1463... mort en
1523 », p. 241.
13. 1820.
14. Ouvr. cit., p. 312.

dans les années 1534, 1535 sont payées par les hoirs de Jean Marot, mort en 1523 [15].

Enfin l'inventaire de la série A (Apanage du duc d'Orléans) des Archives du Calvados [16] contient la mention suivante, avec, entre parenthèses, l'appréciation d'un ancien archiviste, F. Chastel :

> ... Recette en la sergenterie d'Oystreham, de la ferme de Mathieu (lieu de naissance de Jean, père de Clément Marot) les parties ci-après : 4 acres de terre et une pièce sises audit terroir, en la delle des espinettes, jouxte Pierre Marot d'une part et le trésor dudit lieu de Mathieu, d'autre... [17]

Ajoutons enfin que le nom de Marot semble encore répandu dans le Calvados, preuve la ferme dite Le Lieu Marot, à Houlgate, ferme qui remonte au XVIIᵉ siècle [18].

Pour une raison totalement inconnue Jean Marot quitta la Normandie pour s'établir à Cahors. D'après les *Chroniques manuscrites du Quercy* rédigées par l'abbé Le Poulbiac [19], un Jehan Marot était établi à Cahors, entre le Pont-Vieux et la Porte-Neuve, comme chapelier, dans le dernier tiers du XVᵉ siècle. Il s'était marié, en 1471, avec une fille du pays de condition modeste [20].

Selon ces mêmes sources quelque peu douteuses, Jean Marot aurait perdu sa femme de bonne heure, et aurait été exclu de la société des chapeliers à cause du mauvais état de ses affaires [21]. Il décida alors de quitter le midi. Sans doute avait-il déjà composé des poèmes, bien que

---

15. Ouvr. cit., p. 313.
16. Compte des recettes et dépenses de Jean Le Sens, receveur des vicomtés de Caen, Vire et Falaise... 1477-1478 (A 160).
17. Je suis redevable de ces renseignements à l'obligeance de M. Gildas Bernard, directeur des Services d'archives du Calvados, à qui je tiens à exprimer ici mes plus vifs remerciements.
18. Information fournie par l'actuel propriétaire du Lieu Marot, M. Coisel.
19. Cité dans les *Œuvres de Jean Marot*, Paris, Coustelier, 1723.
20. *Ibid.*
21. *Ibid.*

nous n'en sachions rien. Nos uniques sources d'information sur le départ de Cahors et la fortune ultérieure de Jean Marot sont son œuvre et celle de son fils. Selon une épître de Clément adressée en 1536 à Michelle de Saubonne, baronne de Soubise [22], c'est grâce à la protection de cette dame, alors au service de la reine Anne de Bretagne, que Jean obtint une place à la cour :

> Et quant à moy tu peulx estre asseurée,
> Tant que j'auray en ce monde durée,
> Que seray tien ; non point seulement pource
> Que long temps a tu fus premiere source
> De bon recueil à mon pere vivant,
> Quant à la court du Roy fut arrivant,
> Où tu estoys adoncq la myeulx aymée
> D'Anne, par tout Royne tant renommée [23].

Toujours selon des indications fournies par l'œuvre de Clément Marot, on peut établir que l'arrivée de Jean Marot à la cour d'Anne de Bretagne a eu lieu en 1506 [24]. Il faut noter cependant que le nom de Jean Marot ne figure sur aucun des états des rois ou reines de nous connus. Toujours est-il que son œuvre montre bien qu'il remplissait pendant plusieurs années la fonction de poète de cour, de propagandiste attitré, écrivant des poèmes laudatifs sur les guerres d'Italie. Ses deux poèmes les plus importants se rapportent effectivement aux deux campagnes italiennes de Louis XII, celle de Gênes en 1507, et celle de Venise en 1509. Portant le titre *Sur les deux heureux voyages de Gênes et Venise victorieusement mys à fin par le Treschrestien roy Loys, douziesme de ce nom, Pere au peuple*, ces deux poèmes furent publiés en un recueil en 1533 [25]. Leur valeur littéraire est nulle, et personne n'a jamais considéré Jean Marot comme un grand poète [26]. Il est d'au-

---

22. *Les Epîtres*, XL, *Epistre à Madame de Soubize partant de Ferrare pour s'en venir en France.* Cf. plus bas, p. 318.
23. *Les Epîtres*, XL, v. 15-22.
24. Voir plus bas, p. 16-17.
25. *Bibliographie*, II, n° 239.
26. Sur Jean Marot, voir la thèse dactylographiée de E. Rutson, *The life and works of Jean Marot*, déposée à la Bibliothèque Bodléienne de l'Université d'Oxford.

tant plus remarquable que Clément a parlé de lui avec vénération toute sa vie durant. Encore en 1543, dans la complainte *De Monsieur le General Guillaume Preudhomme* [27], il le met en scène — sous la fiction du songe — comme lui apparaissant afin de lui narrer ce qui s'est passé quand l'âme du défunt arriva aux Champs Elysées. Peut-être Jean Marot était-il un homme généralement aimé ; peut-être était-il bon père. Nous n'en savons rien. Mais d'une chose on peut être sûr : Marot a dû éprouver pour son père un sentiment de gratitude peu commun, et pourtant facile à concevoir. Né fils d'un petit boutiquier pauvre dans une petite ville du midi, sans ressources, sans avenir, il se voit soudain transplanté aux splendeurs de la cour de France, fréquente les fils des nobles et de bourgeois enrichis et extrêmement puissants, se voit tout à coup permis les espoirs les plus ambitieux, et tout cela grâce au talent, humble mais efficace, de son père, voilà qui explique sans le moindre doute pourquoi Marot ne s'est jamais moqué de son père. Dans l'affection que le poète exprime pour lui il ne faut donc pas voir un jugement favorable de sa poésie.

Sur la naissance du poète, dans l'absence de tout document, nous sommes forcés de procéder par déductions. La plupart de ce que nous savons sur cet événement de même que sur la jeunesse de Marot vient d'une espèce de *curriculum vitae* qu'il donne dans l'*Enfer* [28], composé en 1526, et dans lequel, narrant son emprisonnement au Châtelet sous l'inculpation de luthéranisme, il nous fait le récit de l'interrogatoire que lui a fait subir « Rhadamante [29] ». Voici comment le poète décline ses noms et titres :

> Entends apres (quant au poinct de mon estre)
> Que vers midy les haults Dieux m'ont faict naistre
> Où le Soleil non trop excessif est ;
> Parquoy la terre avec honneur s'y vest
> De mille fruicts, de maincte fleur & plante ;
> Bacchus aussi sa bonne vigne y plante
> Par art subtil sur montaignes pierreuses

---

27. *Œuvres lyriques*, IX, Complainte VII.
28. *Œuvres satiriques*, I.
29. Voir plus bas, p. 122.

Rendants liqueurs fortes & savoureuses.
Maincte fontaine y murmure & undoye,
Et en touts temps le Laurier y verdoye
Pres de la vigne ; ainsi comme dessus
Le double mont des Muses, Parnassus ;
Dont s'esbahyst la mienne fantasie
Que plus d'esprits de noble Poesie
N'en sont yssuz. Au lieu que je declaire
Le fleuve Lot coule son eaue peu claire,
Qui maints rochiers transverse & environne,
Pour s'aller joindre au droict fil de Garonne.
　A brief parler, c'est Cahors en Quercy,
Que je laissay pour venir querre icy
Mille malheurs, ausquelz ma destinée
M'avoit submis. Car une matinée,
N'ayant dix ans, en France fus meiné ;
Là où depuis me suis tant pourmeiné
Que j'oubliay ma langue maternelle,
Et grossement aprins la paternelle
Langue Françoyse es grands Courts estimée,
Laquelle en fin quelcque peu s'est limée,
Suyvant le Roy Françoys, premier du nom,
Dont le sçavoir excede le renom.
　C'est le seul bien que j'ay acquis en France,
Depuis vingt ans, en labeur & souffrance [30].

De ce passage il ressort d'abord que le lieu de naissance du poète est Cahors en Quercy. Ajoutons que Marot parle à plusieurs reprises de Cahors comme sa ville natale [31]. De plus dans toutes les nombreuses éditions de ses Œuvres, son nom est suivi de la mention : « De Cahors en Quercy. »

Le deuxième renseignement qu'on peut tirer de ces vers, c'est que Marot quitta le midi pour le nord qu'il appelle « la France » tout court, alors qu'il était âgé de moins de dix ans. Puisqu'il dit que cet événement eut lieu vingt ans avant, et qu'il écrit dans le printemps de l'année 1526, on peut en déduire que son arrivée au nord de la Loire

---

30. Œuvres satiriques, I, v. 377-408.
31. Voir plus haut et Les Epigrammes, CXLIV, De l'Entrée des Roy & Royne de Navarre à Cahors :
　Prenons le cas, Cahors, que tu me doibves
　Aultant que doibt à son Maro Mantue.

se place en 1506 et sa naissance à Cahors dans la deuxième moitié de l'année 1496.

Il est vrai que le seul document qui mentionne l'âge de Marot semble contredire cette conclusion. Il se rapporte à l'année 1534, quand le poète, en fuite après l'affaire des Placards [32], fut reconnu et arrêté à Bordeaux. C'est la *Chronique du Parlement de Bordeaux* par Jean de Métivier [33], qui contient le procès-verbal suivant :

> Le 27 novembre 1534, Mᵉ Clément Marot, soupçonné de suivre la secte luthérienne, a esté envoyé quérir par N..., huissier en la cour, et, interrogé, a dit estre de l'aage de 28 ans environ, natif de Cahors-en-Quercy, et qu'il estoit valet de chambre du roy et secrétaire de la reine de Navarre et qu'il n'avoit point lettres du roy à cause de son office, mais estoit à son estat.

Si ce texte est exact, Marot, âgé de vingt-huit ans en 1534, n'en aurait eu que treize en 1519 quand il entra au service de Marguerite d'Angoulême, et cela non pas comme page, mais comme secrétaire ou pensionnaire, et après avoir été page auprès de Nicolas de Neufville et clerc à la Chancellerie, ce qui représenterait une jeunesse bien chargée, ne laissant pas le moindre temps à l'éducation. En 1521, lorsqu'il accompagna le mari de Marguerite, le duc d'Alençon, dans la campagne du Hainaut en qualité de secrétaire [34], il n'aurait eu que quinze ans. Tout cela est improbable au plus haut degré. Enfin le poète n'aurait eu que vingt ans en 1526 quand, dans l'*Enfer,* il dit qu'il y a vingt ans qu'il est dans le nord de la France ayant quitté son midi natal « n'ayant dix ans [35] ». Puisque dans ce cas Marot eût dû quitter Cahors immédiatement après sa naissance, l'expresson « n'ayant dix ans » serait absurde [36]. Plusieurs autres

---

32. Voir plus bas, p. 263.
33. P.p. A. de Brezetz et J. Delpit, *Publications de la Société des Bibliophiles de Guyenne,* Bordeaux, 1886, t. I, p. 316.
34. Sur tout cela, voir plus bas, p. 39-40.
35. *Œuvres satiriques,* I, *L'Enfer,* v. 399.
36. L'hypothèse qu'on pourrait avancer sur la foi de ce document, à savoir que Marot naquit en 1506, contredit lourdement tout ce que nous savons de la vie du poète et doit être rejetée.

considérations doivent nous convaincre de la date de
1946 comme celle de la naissance du poète. Dans la
préface de sa première édition, *l'Adolescence Clémentine* [37],
publiée le 12 août 1532, Marot, en parlant de ses
poèmes d'extrême jeunesse, dit que Jean Lemaire de
Belges les vit. Or ce dernier mourut vers 1514. Marot, né
en 1506 selon le document du Parlement de Bordeaux,
aurait dû composer ces poèmes âgé de huit ans tout au
plus. Dans la même *Adolescence Clémentine* Marot donne
une dernière section portant le titre suivant : *Autres
Œuvres de Clement Marot Valet de chambre du Roy. Faictes depuis l'eage de son Adolescence. Par cy devant incorrectement et maintenant correctement imprimées* [38]. Les pièces contenues dans cette section datent sans exception des
années 1527 à 1531. Il est donc évident que Marot, par ce
titre, veut dire que son adolescence à lui s'est terminée à la
fin de 1526. Peut-être a-t-il pensé que chez les Romains
*adolescentia* signifiait l'âge de vingt à trente ans. De toute
manière il a voulu marquer une date décisive à laquelle se
termine ce qu'on peut appeler l'âge d'adolescence. Il ne
saurait guère s'agir de l'âge de vingt ans, âge que le poète
eût atteint s'il était né en 1506. A aucune époque du monde
on n'a appelé un homme de cet âge autrement qu'un ado-
lescent. Puisque les poèmes composés après 1526 sont rangés dans cette section d'œuvres « faictes depuis l'eage de
son Adolescence », il faut conclure que Marot atteignit sa
trentième année en 1526.

Enfin dans *l'Eglogue de Marot au Roy, soubz les noms
de Pan & Robin* [39] composée en 1539 pour remercier François Ier d'avoir fait don au poète d'une maison à Paris [40],
Marot évoque de façon nostalgique sa jeunesse passée, et,
par l'allégorie des saisons, exprime sa hantise de la vieillesse :

37. Paris, G. Tory pour P. Roffet, *Bibliographie,* II, n° 9.
38. Voir plus bas, p. 232-233.
39. *Œuvres lyriques,* LXXXIX, Eglogue III.
40. Voir plus bas, p. 448-458.

> ... car l'yver, qui s'appreste,
> A commencé à neger sur ma teste [41].

A placer la naissance du poète en 1506, on serait obligé
de croire qu'il composa ces vers à l'âge de trente-trois ans !
Il est donc clair qu'il y a une faute dans le procès-verbal du Parlement de Bordeaux et qu'au lieu de vingt-huit
il convient de lire trente-huit ans. En effet, Marot, comme
nous l'avons vu, se donne trente ans en 1526 ; il en aura
donc trente-huit en 1534, et quarante-trois en 1539.

Nous ne savons presque rien sur la jeunesse du poète.
Les légendes sur ses années à Cahors ne reposent que sur
un ou deux vers mal compris [42]. On a souvent cité les vers
de l'*Eglogue de Marot au Roy, soubz les noms de Pan & de
Robin* :

> Sur le printemps de ma jeunesse folle,
> Je ressembloys l'arondelle qui volle
> Puis ça, puis là ; l'aage me conduisoit,
> Sans peur ne soing, où le cueur me disoit.
> En la forest (sans la craincte des loups)
> Je m'en allois souvent cueillir le houx,
> Pour faire gluz à prendre oyseaulx ramaiges
> Tous differendz de chantz & de plumaiges ;
> Ou me souloys (pour les prendre) entremettre
> A faire brics ou caiges pour les mettre ;
> Ou transnouoys les rivieres profondes ;
> Ou renforçoys sur le genoil les fondes ;
> Puis d'en tirer droict & loing j'apprenois,
> Pour chasser loups & abbatre des noix [43].

En fait tout ce passage est imité de près d'un chapitre
de l'*Illustration de Gaule et singularitez de Troye* [44] où Jean
Lemaire de Belges raconte la jeunesse du berger Pâris. Les
vers de Marot n'ont donc aucune valeur documentaire.

Il est probable qu'en arrivant à la cour d'Anne de Bre-

---

41. *Œuvres lyriques*, LXXXIX, v. 237-238.
42. Voir plus bas, p. 183, n. 58.
43. *Œuvres lyriques*, LXXXIX, v. 15-28.
44. J. Lemaire de Belges, *Œuvres*, éd. Stécher, t. I, p. 134 suiv.
Cf. *Œuvres lyriques*, p. 344, n.l.

tagne sur les bords de la Loire, Jean Marot garda son fils
près de lui, du moins pendant quelques années. Dans l'épître *Au Roy,* composée à Venise en 1536, Marot s'écrie :

> Loyre qui des enfance
> Fut mon sejour... [45]

Nous ne savons rien sur son éducation, sauf que plus
tard il la jugea très mauvaise, comme le montrent ces
vers du *2e coq-à-l'âne* :

> En effect, c'estoient de grands bestes
> Que les Regents du temps jadis ;
> Jamais je n'entre en Paradis
> S'ilz ne m'ont perdu ma jeunesse [46].

Après la mort du poète, l'humaniste toulousain Jean de
Boyssoné, dans une lettre célèbre, lui reprocha d'ignorer le
latin en écrivant « Marotus latine nescivit [47] ». Boyssoné
s'adresse à un ami, Jacques de Lect, qui venait de rédiger
un dialogue en latin au sujet de la langue latine en prenant Clément Marot comme l'un de ses interlocuteurs.
Boyssoné l'en critique. Ce n'est pas difficile à comprendre.
Dans l'âge de l'humanisme la culture de Marot n'était
certes pas exceptionnelle. Il ne pouvait s'ériger en érudit,
en grammairien ; il ne pouvait rivaliser avec Guillaume
Budé, Erasme ou Etienne Dolet. Mais c'est là tout ce que
Boyssoné peut vouloir dire. Le fait même que Jacques
de Lect avait donné à Marot le rôle de latiniste prouve
qu'il fut considéré à l'époque comme humaniste et comme
érudit. Boyssoné entend rectifier une exagération et c'est
tout. Marot a fort bien su le latin. Sa première tentative
poétique sera la traduction de la première églogue de Virgile. Par la suite il traduira Ovide et imitera Catulle.

A un moment incertain, Marot entra comme page au service de Nicolas de Neufville, seigneur de Villeroy, secrétaire du roi, lieutenant général au gouvernement de l'Ile-

---

45. *Les Epîtres,* XLIV, v. 50-51.
46. *Œuvres satiriques,* VIII, v. 118-121.
47. La lettre est conservée à la Bibliothèque de Toulouse.

de-France et prévôt des marchands à Paris[48]. Tout ce que nous savons sur cet épisode vient de la préface que Marot rédigea en 1538 pour son œuvre de jeunesse *Le Temple de Cupido*[49] dans l'édition de ses *Œuvres* publiée dans l'été de cette année par Etienne Dolet[50]. Voici le texte de cette épître en prose :

A Messire Nicolas de Neufville,
Chevalier, Seigneur de Villeroy.
Clem. Marot.

En revoyant les escriptz de ma jeunesse, pour les remettre plus clerz, que devant, en lumiere, il m'est entré en memoire que estant encores page, & à toy, treshonoré Seigneur, te composay par ton commandement la queste de ferme Amour. Laquelle je trouvay au meilleur endroit du temple de Cupido, en le visitant, comme l'age lors le requeroit. C'est bien raison donques, que l'œuvre soit à toy dediée, à toy qui la commandas, à toy mon premier maistre, & celluy seul (hors mis les Princes) que jamais je servy. Soit donques consacré ce petit Livre à ta prudence, noble Seigneur de Neufville, affin qu'en recompense de certain temps, que Marot a vescu avecques toy en ceste vie, tu vives çà bas apres la mort avecques luy, tant que ses Œuvres dureront. De Lyon ce quinziesme jour de May. 1538[51].

Il y a donc un lien entre *Le Temple de Cupido* et le stage du poète auprès de Nicolas de Neufville. Comme on croyait que le poème avait été publié en plaquette en 1515, on assignait la date de 1514 à l'entrée de Marot au service du seigneur de Villeroy. En fait la plaquette n'est pas datée. Elle fut très probablement imprimée avant 1520,

---

48. Voir *Registres des délibérations du bureau de la ville de Paris*, p.p. F. Bonnardot, A. Yvetey et P. Guérin, Paris, 1835-1890, t. I, II et III, *passim*.

49. *Œuvres lyriques*, I.

50. Voir plus bas, p. 420 suiv.

51. Notons que dans la première édition du *Temple de Cupido* (*Bibliographie*, II, n° 1) l'œuvre est dédiée, dans une préface beaucoup plus longue, à François Ier. Voir *Œuvres lyriques*, p. 87-88.

mais c'est là tout ce qu'on peut affirmer. On ne peut donc
être sûr de la date à laquelle Marot était auprès de Nicolas
de Neufville ; tout ce qu'on peut dire, c'est qu'entre 1510,
probablement, quand le poète eut quatorze ans et 1519
lorsqu'il entra au service de Marguerite d'Angoulême, il
était auprès de Nicolas de Neufville.

Vers la même période, Marot était clerc à la Chancellerie à Paris. Ici encore nous n'avons de renseignements
que du poète lui-même ; ici encore nous ignorons les dates
exactes. Ainsi la Ballade IV porte le titre : *De soy mesme
du temps qu'il apprenoit à escrire au Palais à Paris* [52], et
dans l'épître *Au Chancellier du Prat, nouvellement Cardinal* on trouve les vers suivants :

> C'est pour Marot, vous le congnoissez ly ;
> Plus legier est que Volucres Coeli,
> Et a suivy long temps Chancellerie,
> Sans proffiter rien touchant seellerie [53].

Ajoutons que le poste de clerc à la Chancellerie était ré-
servé aux fils des familles de la haute bourgeoisie et menait
d'habitude aux emplois dans l'administration. Est-ce à dire
que Jean Marot considérait à un moment une carrière de
fonctionnaire comme la meilleure pour son fils ?

C'est là à peu près tout ce que nous savons de l'enfance,
de l'éducation et de la jeunesse de Marot. C'est très peu
de chose.

### Les Rhétoriqueurs.

Depuis le XVIe siècle, certainement depuis l'*Art poétique*
de Thomas Sebillet [54], on a vu en Marot le premier poète
de la Renaissance, on a insisté sur l'abîme qui le sépare
de ses prédécesseurs immédiats, les Grands Rhétoriqueurs.
Encore dans les années vingt de notre siècle, Henri Guy
a montré abondamment les ridicules des Rhétoriqueurs. Ce

---

52. *Œuvres diverses*, LXX.
53. *Les Epîtres*, XIII, v. 51-54.
54. *Art poétique françoys*, éd. F. Gaiffe, S.T.F.M., Paris, 1910.
Cf. plus bas, p. 49.

n'est que très récemment qu'on tâche à tout prix de les réhabiliter et d'insister sur leurs mérites. Peut-être Guy a-t-il eu tort de consacrer un livre entier au simple éreintement. Pourtant il me semble extrêmement difficile de dire qu'il a exagéré. Aussi la plupart des défenseurs des Rhétoriqueurs n'essayent-ils guère de le réfuter, mais plutôt de montrer le côté positif de poètes comme Molinet et Crétin [55].

Dans le détail, en citant quelques vers et quelques idées, il est effectivement possible de démontrer que les Rhétoriqueurs n'étaient pas aussi ignorants qu'on l'a dit, que bon nombre des idées que nous associons avec la Renaissance et même avec la Pléiade se trouvent déjà exprimées par des hommes comme Molinet, Robertet et Lemaire, qu'ils avaient l'amour de la langue, qu'ils expérimentaient avec les formes poétiques. Ainsi la célèbre ode de Ronsard : « Bel aubepin verdissant [56] » est imitée de très près d'un poème de Molinet : « Noble englentier florissant [57]. » De même, il est certain que sous l'influence de Pétrarque, Jean Robertet exprima l'idée de l'immortalité par la gloire [58], idée qu'on associe généralement avec la Renaissance. On peut allonger la liste. Il n'en est pas moins vrai que la valeur artistique de la production des Rhétoriqueurs est minime. Leurs ridicules sont non seulement réels, mais encore extrêmement nombreux. Ainsi Jean Lemaire de Belges, le seul à trouver grâce devant le jugement de Guy, et qui passe pour un vrai poète, a écrit beaucoup d'œuvres fort médiocres ou franchement atroces, comme par exemple les *Chansons de Namur* :

Par ainsi doncq Braibant plus ne braira
Puisque François Namur guieres n'admire,

---

55. Cf. G. Crétin, *Œuvres poétiques*, éd. K. Chesney, Firmin-Didot, Paris, s.d., et K. Chesney, *Fleurs de Rhétorique*, Oxford, Blackwell.

56. *Œuvres*, éd. Laumonier, S.T.F.M., t. VII, p. 242.

57. Voir C.A. Mayer, *Ronsard et Molinet*, B.H.R., t. XXVI, 1964, p. 417-418.

58. Voir C.M. Douglas, *A critical edition of the works of Jean and François Robertet*, thèse déposée à la Bibliothèque de l'Université de Londres.

> Haynau les het, Ardenne les ardra,
> Bourgoigne boult, mais Artois attendra
> Qu'ils ayent eu, par l'empire du pire.
> Ytalle taille, et Constance conspire ;
> Mais que sans plus lors des Flamengs flamboie,
> France est en frische et Gheldres qui guerroie [59].

Les allitérations, les jeux de rime compliqués, tels la rime couronnée, la rime batelée, la rime équivoquée sont en évidence dans les ouvrages de tous les poètes de cette école; on peut aller jusqu'à dire que ces artifices sont une partie essentielle de leur poétique, et rien n'est plus oiseux que les tentatives de certains critiques d'en nier l'importance.

Outre l'amour de la langue, l'exubérance et la fantaisie verbales, il n'y a en effet que peu de choses à louer chez les Rhétoriqueurs. A l'imitation du *Roman de la Rose*, ils employaient l'allégorie, mais en l'exagérant au point d'en faire non plus un moyen commode de traiter n'importe quel sujet, mais le vrai sujet de leurs poèmes. Ainsi la manière habituelle de commencer un poème est pour le poète de narrer une promenade au cours de laquelle il s'endort sur une prairie, au bord d'un ruisseau, bercé par le chant des « oisellets ». Une fois endormi, le poète voit défiler dans son rêve quantité de personnages allégoriques comme Dame Raison, Bon Courage, Crainte, etc. C'est avec raison que Guy a critiqué cette façon de sauvegarder le réalisme par le songe ! C'est encore Guy qui a observé avec à propos que le sexe des personnages allégoriques est déterminé par le genre du mot ; c'est-à-dire que Raison, Crainte, Hypocrisie sont représentées comme femmes, alors que Bon Courage, Plaisir, Amour apparaissent sous guise d'hommes.

Même leur amour du langage joint à leurs artifices de versification lasse le plus souvent, s'il ne nous paraît pas franchement désagréable. Ainsi, dans l'œuvre de Molinet par exemple, les rimes compliquées au point d'être ridicules, les équivoques et calembours tirés par les cheveux se trouvent partout et surtout là où le sujet du poème semblerait devoir en exclure l'usage. Ainsi dans *Le*

---

59. *Œuvres*, éd. Stécher, 1882 ; t. IV, p. 305.

*Throsne d'honneur* de cet auteur, poème qui est censé être une Complainte, on trouve ces vers :

> Pleure mon oeul, qui es sans solas, las,
> Et lacs, hellas ! ou mort patente tente ;
> Fiere Atropos, attrapant agrippas,
> Quant tu tuas joye, doeul suscitas ;
> Tué tu as mon cœur pulente lente ;
> Regente gente, en la presente sente,
> N'attente attente, or n'ay je en ta morsure,
> Par ta laidure, qu'ardure dure, dure [60].

Guy n'a pas eu tort non plus en affirmant que le sentiment de l'amour, l'élégance, l'esprit, l'amour de la nature sont largement absents de leurs œuvres. Comme le nom qu'ils se donnèrent l'indique, la poésie pour eux était « la seconde rhétorique [61] ». D'où sans doute leur emphase, leur verbiage, leurs artifices. D'où aussi, dans un domaine différent, leur morale purement utilitaire, qui se traduit le plus souvent par un vulgaire pharisaïsme, par une satire générale, impersonnelle et superficielle, et surtout par l'amour des proverbes.

Quant aux genres cultivés par les poètes de cette époque, notre jugement est semblable. Les deux formes auxquelles leur nom est associé, ce que Guy a appelé leur Magnum Opus, c'est-à-dire une longue œuvre en prose mêlée de morceaux en vers, et le Doctrinal, un long poème moralisateur, ne leur ont pas survécu. D'autre part, leurs genres favoris, les poèmes à forme fixe, existèrent avant les Rhétoriqueurs et furent cultivés le mieux par des poètes qui n'appartenaient pas à cette école, comme Christine de Pisan, Villon et Charles d'Orléans. Seule l'épître leur doit une certaine évolution. Avant 1500 le mot d'épître ne paraît pas avoir un sens précis ; on appelle épîtres tantôt des poèmes à forme fixe comme les rondeaux et ballades, tantôt des mélanges de prose et de vers comme l'*Epître*

---

60. *Les Faictz et Dictz,* éd. N. Dupire, S.A.T.F., Paris, 1936, t. I, p. 43.
61. Cf. E. Langlois, *Recueil d'art de seconde rhétorique,* Paris, 1902.

*d'Othea* de Christine de Pisan. Vers 1500 le genre se précise surtout sous l'influence des *Héroïdes* d'Ovide, traduites par Octovien de Saint-Gelais. Comme les *Héroïdes* sont des lettres en vers, censées être écrites par des héroïnes de la mythologie à leurs amants ou maris (Ariane à Thésée, Pénélope à Ulysse, etc.), l'influence d'Ovide sur les Grands Rhétoriqueurs produisit une vogue de l'épître artificielle, véritable espèce de prosopopée, où des héros légendaires, mythologiques, ou simplement défunts s'adressaient à des personnes vivantes. Pourtant, à côté de cette épître artificielle, les Grands Rhétoriqueurs cultivaient l'épître naturelle, c'est-à-dire écrite par le poète, en son propre nom, à un ami.

Des poètes comme Guillaume Crétin et Jean Bouchet avaient donné une large place à l'épître, mais, chez eux, elle n'a rien du charme et du caractère personnel qu'elle prendra chez Marot. Tantôt équivoquée, tantôt allégorique, l'épître des Rhétoriqueurs est lourde et artificielle par le ton, même lorsqu'elle est naturelle par son sujet. Seul Jean Lemaire de Belges sut faire de l'épître un poème original, fin et spirituel. Encore ses deux *Epîtres de l'amant vert*, adressées à Marguerite d'Autriche par son perroquet dévoré par un chien, appartiennent-elles, par le sujet, au genre de l'épître artificielle, et n'ont par conséquent que peu de rapports avec l'épître marotique devenue l'épître tout court.

*Débuts poétiques.*

Il est difficile de savoir à quel moment précis Marot s'est décidé à devenir poète. D'abord il n'est pas certain que ses postes à la Chancellerie et auprès de Nicolas de Neufville fussent une sorte de préparation au métier de poète. On ne pourra sans doute jamais décider si Marot avait d'abord été destiné à une carrière dans l'administration pour sentir soudain la vocation poétique, ou si, dès son enfance il avait voulu suivre le métier de son père. Toujours est-il que d'après la préface de l'*Adolescence Clementine,* Marot a commencé à écrire des vers très jeune et qu'il fut encouragé par le plus grand des Rhétoriqueurs, Jean Lemaire de Belges :

> Esperant de brief vous faire offre de mieulx, & pour
> arres de ce mieulx, desja je vous mectz en veue (à la
> fin de l'Adolescence) Ouvraiges de meilleure trempe
> & de plus polie estoffe, mais l'Adolescence ira devant,
> & la commancerons par la premiere Eglogue des Buc-
> coliques Virgilanes, translatée (certes) en grande jeu-
> nesse, comme pourrez en plusieurs sortes congnois-
> tre, mesmement par les couppes femenines, que je
> n'observoys encor alors, dont Jehan le Maire de Bel-
> ges (en les m'aprenant) me reprint [62].

On sait que Jean Lemaire entra au service d'Anne de
Bretagne en 1511 [63], étant donc à partir de ce moment le
collègue de Jean Marot. Comme on ignore absolument la
date de la mort de Lemaire, et que de toute manière on
ne possède aucun document sur lui après 1514, on doit
placer la rencontre entre le vieux Rhétoriqueur et le jeune
Clément entre les années 1511 à 1514. Qu'il ait exercé de
l'influence sur Marot, cela ne fait pas de doute. Pourtant il
ne faut pas exagérer cette influence. Les premières œuvres
de Marot montrent certes l'empreinte des Rhétoriqueurs,
mais non pas spécialement de Lemaire.

Puisque dans la préface de l'*Adolescence Clementine*
Marot donne la première place parmi ses œuvres d'extrême
jeunesse à la traduction de la première églogue de Virgile,
on peut accepter qu'il s'agit là effectivement de sa première tentative poétique. En l'entreprenant Marot suivit
la mode qui était à l'époque toute aux traductions des
Œuvres de l'Antiquité, preuve les traductions par Octovien
de Saint-Gelais des *Héroïdes* d'Ovide [64] et de l'*Enéide* [65],
de même que les nombreuses traductions de Claude de
Seyssel [66].

---

62. Préface de *L'Adolescence Clementine*, 12 août 1532, Paris,
G. Tory pour P. Roffet (Bibliographie, II, n° 9). Voir *Les Epîtres*,
p. 95-96.

63. Voir Jean Lemaire de Belges, *La Concorde des Deux Langages*, éd. J. Frappier, Paris, Droz, 1947, p. xviii-xix.

64. *Les XXI epistres*, Paris, s.d.

65. *Les Eneydes*, Paris, 1509.

66. Voir C. de Seyssel, *La Monarchie de France et deux autres
fragments politiques*, éd. J. Poujol, Paris, d'Argences, 1961.

La traduction de Marot ne se distingue en rien des ouvrages typiques de l'époque. Le poète lui-même, dans le passage déjà cité de la préface à l'*Adolescence Clementine,* semble s'excuser de cette composition médiocre ; point n'est besoin donc de la discuter.

Même remarque pour les autres traductions faites vers cette époque. Ce sont : *Le Jugement de Minos sur la preference de Alexandre le Grant, Hanibal de Cartage & Scipion le Romain, ja menez par Mercure aux lieux inferieurs devant iceluy Juge, Les tristes vers de Philippes Beroalde sur le jour de vendredy sainct* et l'*Oraison contemplative devant le Crucifix.* La première de ces traductions pourrait poser le problème des connaissances linguistiques de Marot. En fait on a pu prouver que loin de traduire le dialogue X des *Dialogues des Morts* de Lucien de Samosate, comme on aurait pu le croire, Marot a mis en vers la traduction en prose française faite par le Rhétoriqueur Jean Miélot de l'adaptation latine de l'original grec par l'humaniste italien Aurispa, un des pires charlatans de la Renaissance [67].

Le problème de la traduction ne se pose donc pas à proprement parler pour cette œuvre médiocre. Les deux autres ouvrages par contre sont effectivement traduits du latin, ou plutôt du néo-latin, puisqu'il s'agit dans les deux cas d'œuvres d'humanistes italiens du xv⁰ siècle.

---

67. Voir Ph.-A. Becker, *Clement Marot und Lukian, Neuphilologische Mitteilungen,* Helsinki, 1922, XVIII, p. 188-189. La traduction de Miélot, intitulée *Le débat de trois chevalereux princes,* date de 1450 environ ; elle fut imprimée à Bruges vers 1475 (Brunet, V, 596). La paraphrase latine que traduisit Miélot diffère considérablement de l'original grec. Ainsi, mû sans doute par un sentiment de nationalisme, Aurispa fait donner la palme à Scipion, alors que c'est Alexandre qui est le vainqueur dans l'original. Toute la tirade de Scipion est entièrement de l'invention de l'humaniste italien. Puisque Marot n'a fait que suivre fidèlement son modèle, toutes les platitudes de l'ouvrage et toutes les fautes géographiques et historiques dont il fourmille (Saragosse en Sicile — victoire d'Alexandre sur Pyrrhus, etc.) doivent être imputées à Aurispa et à Miélot en premier lieu. Toujours est-il que cet ouvrage montre qu'à ce moment-là Marot n'est certainement pas familier avec l'œuvre de Lucien dont de bonnes traductions latines existaient à l'époque.

Les deux autres œuvres composées pendant l'extrême jeunesse de Marot sont *Le Temple de Cupido* [68] déjà mentionné et *l'Epistre de Maguelonne* [69]. La préface que le poète écrivit en 1538 pour le *Temple de Cupido* [70] montre que cet ouvrage fut rimé pendant que Marot était au service de Nicolas de Neufville. Autrement il est difficile de dater l'ouvrage, la première impression en étant dans une plaquette non datée [71], et sans indication de lieu, mais qui est probablement sortie des presses de Jean Saint-Denis à Paris à une date incertaine [72].

Par son sujet, qui est la « queste de ferme amour », de même que par la forme et sa nature allégorique, ce poème s'apparente à la poésie mi-didactique, mi-lyrique du Moyen Age, et ne se distingue guère des productions des Rhétoriqueurs. Si la pièce n'est pas, comme on l'a cru parfois, un calque du *Temple de Vénus* de Jean Lemaire de Belges [73], à qui Marot ne fait que des emprunts relativement peu importants, elle est pleine de souvenirs du *Roman de la Rose,* des *Arrêts d'amour* de Martial d'Auvergne [74], de *l'Hospital d'Amour* attribué à Alain Chartier [75], des *Droitz nouveaulx* de Coquillart [76], du *Temple de Mars* de Molinet [77] de même que des *Métamorphoses* et de *l'Ars amatoria* d'Ovide.

---

68. *Œuvres lyriques*, I.
69. *Epistre de Maguelonne à son Amy Pierre de Prouvence, elle estant en son Hospital, Œuvres lyriques*, II.
70. Voir plus haut, p. 21.
71. *Bibliographie*, II, n° 1.
72. L'exercice de Jean Saint-Denis va de 1521 en 1531, date de sa mort (voir Ph. Renouard, *Imprimeurs parisiens*, 1965, p. 389). On a généralement assigné la date de 1515 à cette plaquette (voir Villey, *Tableau chronologique des publications de Marot*, R.S.S., t. VII-VIII, 1920-1921, p. 50-51), mais rien ne la confirme.
73. *La Concorde des deux langages*, éd. Frappier, *Textes littéraires français*, Genève, Droz, 1947.
74. *Les Arrêts d'Amour*, éd. J. Rychner, S.A.T.F., Paris, Picard, 1951.
75. *Lhospital damours*, dans *Œuvres*, Paris, Galiot du Pré, 1529.
76. *Œuvres*, Paris, Galiot du Pré, 1532.
77. *Les Faictz et Dictz*, éd. N. Dupire, S.A.T.F., Paris, 1936-1939.

Le poème commence par l'évocation du dieu d'amour :

> Sur le Printemps que la belle Flora
> Les champs couvers de diverse flour a,
> Et son amy Zephirus les esvente,
> Quand doulcement en l'air souspire & vente,
> Ce jeune enfant Cupido. Dieu d'aymer,
> Ses yeulx bandez commanda deffermer,
> Pour contempler de son Throsne celeste
> Tous les Amans qu'il attaint et moleste [78].

Ensuite l'auteur se met en scène, contant comment Cupido, pour se venger de lui de ses vers blâmant l'amour (en fait, si Marot à ce moment là avait déjà écrit des poèmes, ils ne peuvent guère avoir condamné l'amour) lui décocha une « sagette de bois mortel ». Le poète tombe amoureux, mais ne pouvant amollir le cœur de sa belle, se décide à s'éloigner d'elle et à partir à la recherche de Ferme Amour :

> C'est ferme Amour, la Dame pure et munde,
> Qui, long temps a, ne fut veue en ce Monde ;
> Sa grant bonté me feit aller grant erre
> Pour la chercher en haulte Mer et Terre,
> Ainsi que faict ung Chevalier errant,
> Et tant allay celle Dame querant
> Que peu de temps apres ma departie
> J'ay circuy du Monde grant partie,
> Où je trouvay gens de divers regard
> A qui je dy : Seigneurs, si Dieu vous gard !
> En ceste terre avez vous point congnu
> Une pour qui je suis icy venu ?
> La fleur des fleurs, la chaste columbelle,
> Fille de paix, du Monde la plus belle,
> Qui Ferme amour s'appelle [79].

Après avoir cherché longtemps et s'être mêlé aux pèlerins, eux aussi à la quête de Ferme Amour, le poète en trouve enfin le temple :

---

78. *Œuvres lyriques*, I, v. 1-8.
79. *Œuvres lyriques*, I, v. 65-79.

Or est ainsi que son Temple royal
Suscita lors mes ennuyez espritz ;
Car environ de ce divin pourpris
I souspiroit le doulx vent Zephirus
Et y chantoit le gaillard Tityrus ;
Le grant Dieu Pan avec ses pastoureaux,
Gardant Brebis, Boeufz, Vaches & Thoreaux,
Faisoit sonner chalumeaulx, cornemuses
Et flageoletz pour esveiller les Muses,
Nymphes des boys & Deesses haultaines
Suyvans jardins, boys, fleuves & fontaines.
Les oyselletz par grant joye & deduyt
De leurs gosiers respondent à tel bruyt.
  Tous arbres sont en ce lieu verdoians ;
Petitz ruisseaulx y furent undoians,
Tousjours faisans au tour des prez herbus
Ung doulx murmure ; & quand le cler Phebus
Avoir droit là ses beaulx rayons espars,
Telle splendeur rendoit de toutes pars
Ce lieu divin qu'aux humains bien sembloit
Que Terre au Ciel de beaulté ressembloit,
Si que le cueur me dist par previdence
Celluy manoir estre la residence
De ferme Amour, que je queroye alors [80].

Suit la description du temple de Cupido. Marot y emploie
des strophes de dix vers en décasyllabes alternant avec des
strophes en octosyllabes, toutes les strophes étant en
rimes croisées, alors que les passages précédents et suivants sont en décasyllabes à rimes plates. Dans cette description on trouve tous les maniérismes et thèmes des
Rhétoriqueurs, personnages allégoriques, blasons, substitu-

---

80. *Œuvres lyriques*, I, v. 114-137.
  Ces vers sont imités du *Roman de la Rose :*
        M'en vois lors toz sens esbatant,
        E les oiselez escontant,
        Qui de chanter mout s'anguissoient,
        Por les vergiers qui florissoient.
          Jolis, gais e pleins de leece,
        Vers une riviere m'adrece
        Que j'oi près d'ilueques bruire ;
        Car ne me soi aler deduire
        Plus bel que sur cele riviere.
S.A.T.F., t. II, v. 99-107.

tions de rites profanes aux rites de l'Eglise, énumérations des plus célèbres victimes de l'amour, jeux de mots parmi lesquels il en est qui nous semblent du plus mauvais goût, comme par exemple :

> Bien souvent y entre Bacchus,
> A qui Amour donne puissance
> De mettre guerre entre bas culz [81].

Il convient de dire pour terminer que dans l'ensemble le poème n'est nullement inférieur à ses modèles. Au contraire on y trouve quelques vers bien venus ; de plus l'ouvrage, bien que médiéval à plusieurs points de vue, se trouve déjà animé de l'esprit de la Renaissance.

Une autre œuvre composée pendant cette période est l'*Epistre de Maguelonne* [82]. Elle fut publiée en plaquette sans indication de lieu ni de date [83]. L'ouvrage doit son origine à la vogue des *Héroïdes* d'Ovide, devenues populaires grâce à la traduction qu'en avait donnée Octovien de Saint-Gelais [84]. Ces poèmes d'Ovide sont censés être des missives écrites par des héroïnes de la mythologie à leurs maris ou amants absents, et Marot, tout en imitant fidèlement son modèle par ailleurs, a tenté une innovation en faisant tenir la plume, non à une héroïne de la mythologie, mais à celle d'un roman médiéval, *Pierre de Provence et la belle Maguelonne* [85]. Le sujet de ce roman est le suivant. Pierre de Provence, ayant entendu vanter la beauté de Maguelonne, fille de Maguelon, roi de Naples, se rend à sa cour. Les deux jeunes gens découvrent leur amour mutuel, mais comme son père a arrangé pour elle un mariage et ne pourra donc lui permettre d'épouser Pierre, Maguelonne consent à s'enfuir avec Pierre. En route les amoureux sont obligés de passer une nuit à la belle étoile. Maguelonne s'étant endormie, Pierre la caresse et trouve

---

81. *Œuvres lyriques*, I, v. 280-282.
82. Voir plus haut, p. 29.
83. *Bibliographie*, II, n° 2.
84. Voir plus haut, p. 26.
85. *Pierre de Provence et la belle Maguelonne*, éd. A. Biedermann, Paris et Halle, 1913.

entre ses seins trois bagues qu'il lui avait données. Il les met sur une pierre ; un oiseau marin les enlève. Pierre s'élance à sa poursuite. L'oiseau se perche sur une petite île. Pierre, ne sachant pas nager, trouve une barque pour traverser le bras de mer qui sépare l'île de la terre. Un coup de vent subit le pousse en pleine mer, où il est fait prisonnier par des corsaires maures. Maguelonne, à son réveil, se trouve seule. Elle passe plusieurs jours en grande peur, angoisse et douleur à chercher Pierre, et à se plaindre de ce qu'elle croit son infidélité. Elle trouve enfin refuge à la cour de Provence, où elle fonde un hôpital et passe le reste de sa vie à pleurer Pierre.

Marot, suivant le genre des *Héroïdes,* donne la parole à Maguelonne, tout le poème étant partie missive, partie récit et partie plaintes. On a souvent commenté les absurdités du poème. Ainsi Maguelonne écrit à Pierre disparu, sans savoir le moins du monde où il se trouve. Il faut noter que cette incongruité n'est pas inhérente au genre, et que Ovide n'en est pas responsable. Pénélope, dans les *Héroïdes,* dans l'espoir de faire parvenir sa lettre à Ulysse, prend la précaution d'envoyer plusieurs messagers.

La deuxième absurdité du poème, c'est que l'héroïne raconte en grand détail une scène qui s'est passée pendant qu'elle était endormie :

> Sommeil me print, car j'estois bien lassée.
> Finalement m'endormy pres de toy ;
> Dont, contemplant quelque beaulté en moy
> Et te sentant en ta liberté franche,
> Tu descouvris ma poictrine assez blanche,
> Dont de mon sein les deux pommes pareilles
> Veis à ton gré, et tes levres vermeilles
> Baiserent lors les miennes à desir.
>   Sans vilainie en moy prins ton plaisir,
> Plus que ravy, voiant ta doulce amye
> Entre tes bras doulcement endormye [86].

En outre les personnages d'Ovide étaient connus sans exception à son public, de sorte que le poète pouvait se

---

86. *Œuvres lyriques,* II, v. 38-48.

dispenser d'en narrer les aventures. Marot, par contre, choisit un roman relativement obscur et qui ne pouvait jouer le même rôle que les mythes de l'antiquité. Par conséquent le poème de Marot, en dépit de ses longs développements, ne saurait être compris que par ceux qui ont lu le roman de *Pierre de Provence et la belle Maguelonne* : il est improbable que plus d'une partie infime du public de l'époque ait été dans ce cas.

Il est certain qu'avant 1519 Marot composa un certain nombre d'autres poèmes, surtout des pièces brèves, dizains, rondeaux et ballades. Comme il est la plupart du temps impossible de dater ces compositions avec précision, on ne peut assigner à cette période de la vie de Marot que deux ballades et un rondeau. Ce sont : la ballade IV, *De soy mesme du temps qu'il apprenoit à escrire au Palais à Paris* [87], la ballade VII, *De la naissance de Monseigneur le Daulphin* [88] et le rondeau XIII, *De la mort de Monsieur de Chissay* [89]. Toutes ces pièces peuvent effectivement être datées de 1517 ou d'avant 1519 [90]. Du point de vue artistique, aucune d'elles ne mérite notre attention.

Peut-on faire une conclusion sur les œuvres de jeunesse de Marot ? La difficulté de dater un grand nombre de pièces nous met dans l'impossibilité de connaître avec certitude toute la production de Marot jusqu'à l'année 1519 et nous en rend par conséquent incapable. Disons que les œuvres qui appartiennent décidément à cette période nous montrent un Marot suivant résolument la voie de ses prédécesseurs, les Grands Rhétoriqueurs, possédant à fond leur connaissance et leur technique, et laissant percer çà et là un trait qui présage la Renaissance.

---

87. *Œuvres diverses*, LXX.
88. *Œuvres diverses*, LXXIII.
89. *Œuvres diverses*, XIII.
90. Le dauphin François, duc de Bretagne, naquit le 28 février 1517.
Jacques Bérard, seigneur de Chissay, fut tué au mois de janvier 1518 (voir *Œuvres diverses*, p. 79, n. 1) ; enfin la Ballade IV par son titre appartient à la période d'avant l'entrée de Marot au service de Marguerite d'Angoulême en 1519.

## II

## AU SERVICE DE MARGUERITE

S'étant voué à la carrière de poète, Marot dut trouver un protecteur. Peut-être a-t-il pensé à un moment à entrer au service de Florimond Robertet, seigneur d'Alluye, secrétaire et conseiller du roi, secrétaire des finances et trésorier de France, l'homme qui sous Charles VIII, Louis XII et François Ier avait plus ou moins rempli les fonctions de premier ministre[1]. Du moins un vers de la *Déploration de Florimond Robertet*[2] que Marot composa en novembre 1527 à la mort du secrétaire le laisse penser :

> Celluy qui fut la toute ronde sphere
> Par où guettois ma fortune prospere[3].

Robertet fut-il un protecteur de Marot dans le sens le plus large ? l'a-t-il encouragé ? l'a-t-il servi auprès du roi ? Impossible de le savoir. Toujours est-il que la *Déploration* que Marot composa à sa mort montre clairement le respect

---

1. Voir *Œuvres lyriques*, p. 140, n. 1.
2. *Œuvres lyriques*, VI, Complainte IV, *Clement Marot de Cahors en Quercy, varlet de chambre du Roy, sur le trespas de feu messire Florimont Robertet, jadiz chevalier, conseiller du Roy et tresorier de France, secretaire des finances dudict seigneur, et seigneur d'Alluye.* Voir plus bas, p. 150-164.
3. *Œuvres lyriques*, VI, v. 163-164.

que le poète éprouva pour lui ; Robertet ne l'avait sûrement pas desservi.

Le père du poète ayant probablement la charge de valet de la garde-robe du roi[4], Clément semble avoir espéré obtenir de prime abord un emploi auprès de François Ier. De toute manière dans la *Petite Epistre au Roy*[5] il demande la protection royale :

> Si vous supply qu'à ce jeune Rimeur
> Faciez avoir ung jour par sa rime heur,
> Affin qu'on die, en prose ou en rimant :
> Ce Rimailleur, qui s'alloit enrimant,
> Tant rimassa, rima et rimonna,
> Qu'il a congneu quel bien par rime on a[6].

Il n'est malheureusement pas possible de dater cette épître avec précision. Cependant dans l'*Epistre du despourveu*[7], Marot s'adresse à la sœur du roi, Marguerite d'Angoulême, duchesse d'Alençon, comme suit :

> Ainsi je suis poursuit, & poursuivant
> D'estre le moindre & plus petit servant
> De vostre Hostel (magnanime Princesse),
> Aiant espoir que la vostre noblesse
> Me recevra, non pour aulcune chose
> Qui soit en moy pour vous servir enclose ;
> Non pour prier, requeste ou rhetorique,
> Mais pour l'amour de vostre Frere unique,
> Roy des Françoys, qui à l'heure presente
> Vers vous m'envoye, & à vous me presente
> De par Pothon, gentil homme honnorable[8].

Ce passage indique clairement que François Ier recommanda le poète à sa sœur Marguerite qui le prit à son service. Ajoutons que Pothon, chargé selon le poète de le mener auprès de la duchesse, était Antoine Raffin, dit Pothon,

---

4. Voir plus haut, p. 10.
5. *Les Epîtres*, I.
6. *Les Epîtres*, I, v. 21-26.
7. *Les Epîtres*, II, *L'epistre du despourveu à ma Dame la Duchesse d'Alençon & de Berry, Sœur unique du Roy.*
8. *Les Epîtres*, II, v. 170-180.

sieur de Puycalvary, sénéchal d'Agenais et de Gascogne,
capitaine d'une compagnie de cent archers de la garde [9]. Ce
poème, comme le précédent, ne peut être daté par des
preuves internes ou biographiques. Nous avons cependant
une indication nous permettant de situer l'entrée de Marot
au service de Marguerite et partant de dater les deux
poèmes en question. Ainsi dans l'*Epistre au Roy, du temps
de son exil à Ferrare*, composée dans l'été de 1535, Marot
écrit :

> Si m'en allay, evitant ce dangier,
> Non en pays, non à Prince estrangier,
> Non point usant de fugitif destour,
> Mais pour servir l'aultre Roy à mon tour,
> Mon second maistre, & ta sœur, son espouse,
> A qui je fuz, des ans a quatre & douze,
> De ta main noble heureusement donné [10].

« L'autre roy », le « second maistre » de Marot, c'est Henri
d'Albret, roi de Navarre, qui, en 1527, épousa Marguerite,
veuve de son premier mari, le duc d'Alençon. Puisqu'en
1535 Marot dit qu'il y a « des ans quatre et douze » que
le roi l'a donné à Marguerite, on doit placer en 1519 son
entrée au service de la princesse.

Ajoutons que le poète est inscrit à l'état de la maison de
Marguerite d'Angoulême aux gages de quatre-vingt-quinze
livres [11]. Son nom figure cependant parmi les « Autres pensionnaires » et non pas comme secrétaire, alors que le poète

---

9. *Catalogue des Actes de François Ier*, II, 191, 7739.

10. *Les Epîtres*, XXXVI, v. 179-185.

11. *Comptes de Louise de Savoie et de Marguerite d'Angoulême*, p.p. P. Boulenger et A. Lefranc, p. 54 : « Autres pensionnaires... Clement Marot à IIIIxx XV.
Il s'agit de la maison de Marguerite pour l'année 1524. Les
comptes n'existent que pour les années 1512, 1517 et 1524.
Comme Marot n'entra au service de la princesse qu'en 1519,
son nom ne figure qu'une fois dans les comptes, pour l'année
1524. Il existe cependant deux colonnes différentes pour cette
année ; dans la deuxième Marot est inscrit, toujours parmi les
*Autres pensionnaires*, aux gages de 24 livres 15 sous. Peut-être
s'agit-il de gages supplémentaires.

se nomme plusieurs fois « secrétaire de la reine de Navarre [12] ».

On ne saurait dire quelles étaient au juste les fonctions du poète auprès de Marguerite. Sans doute dans une très large mesure était-ce une sinécure et non un poste de secrétaire. Du moins le titre de pensionnaire confirme-t-il cette hypothèse. Marot était donc principalement au service de Marguerite en tant que poète. A partir de ce moment il semble avoir vécu à la cour de la princesse ou tout au moins évolué dans l'entourage de celle que Michelet allait appeler « l'aimable mère de la Renaissance française ».

Il est impossible de faire trop de cas de l'influence que Marguerite exerça sur la Renaissance française. Ce n'est pas seulement qu'elle encouragea et protégea la plupart des humanistes, poètes et écrivains de l'époque, Etienne Dolet, Bonaventure des Périers, Charles de Sainte-Marthe et Victor Brodeau, sans parler de Briçonnet et de Gérard Roussel ; elle donna l'exemple, étant elle-même poète, écrivain et dramaturge et s'intéressant puissamment à la philosophie et la religion [13].

Son rôle politique était considérable, surtout pendant la captivité de François Ier en Espagne quand elle négocia la Paix des Dames, le Traité de Cambrai [14].

Elle avait épousé en 1509 Charles, duc d'Alençon. Après la mort de ce dernier, survenue en 1525, elle épousa Henri d'Albret, roi de Navarre, en 1527 [15]. Elle protègera Marot non seulement quand il fut à son service, de 1519 en 1526, mais encore après cette date, toute sa vie durant.

Le premier événement historique auquel Marot assista dans l'entourage de Marguerite fut le célèbre Camp du drap d'or, c'est-à-dire la rencontre de François Ier et d'Henry VIII d'Angleterre en 1520 dans la plaine située entre Guines et Ardres dans le Pas-de-Calais. Le poète décrivit les magni-

---

12. Voir plus haut, p. 17, et *Les Epigrammes*, CLXXXIX, *De Marot sorty du service de la Royne de Navarre et entré en celluy de Madame de Ferrare.*

13. Voir P. Jourda, *Marguerite d'Angoulême*, Champion, Paris, 1930.

14. *Ibid.*, t. I, p. 112-134, et p. 144-147.

15. *Ibid.*, t. I, p. 155-156.

ficences étalées lors de cette entrevue dans deux poèmes du reste assez médiocres, le Rondeau *De la veue des Roys de France & d'Angleterre entre Ardres & Guynes* [16] et la Ballade *Du triumphe d'Ardres & Guignes faict par les Roys de France & d'Angleterre* [17].

En 1521 Marot accompagne l'époux de Marguerite, le duc d'Alençon, dans la campagne du Hainaut. Ici encore nous ignorons au fond les fonctions du poète, mais il est possible qu'il remplissait réellement celles de secrétaire. Le duc d'Alençon, nommé commandant-en-chef de l'armée française, arriva à Attigny sur l'Aisne vers le 15 juin 1521 [18]. La campagne fut loin d'être brillante, et le duc d'Alençon ne semble pas avoir été destiné par la nature pour le rôle de commandant. Dans une épître composée vers la fin du mois de juillet, *L'epistre du Camp d'Atigny, A ma dicte Dame d'Alençon* [19], Marot, s'adressant à Marguerite, donne une description flatteuse du duc et de l'armée française. Malgré le ton général de bulletin officiel et de propagande à usage interne dont l'épître est remplie, on sent, sans être obligé de lire trop entre les lignes, que l'armée française était en mauvais état, que l'indiscipline était grande et que le duc d'Alençon était un chef inefficace :

> Or est ainsi, Princesse magnanime,
> Qu'en hault honneur & triumphe sublime
> Est florissant en ce Camp, où nous sommes,
> Le Conquerant des cueurs des gentilz hommes :
> C'est Monseigneur, par sa vertu loyalle
> Esleu en Chef de l'Armée Royalle,
> Où l'on a veu de guerre maintz esbatz,
> Adventuriers esmouvoir gros combatz,
> Pour leur plaisir, sur petites querelles,
> Glaives tirer & briser allumelles,
> S'entrenavrans de façon fort estrange ;

---

16. *Œuvres diverses,* XXX, Rondeau xxx.
17. *Œuvres diverses,* LXXIV, Ballade viii. Bien qu'aucun document n'ait été trouvé attestant la présence de Marot à cette entrevue, le fait qu'il y consacre ces deux poèmes indique qu'il a probablement fait partie de l'entourage royal au Camp du drap d'or.
18. B.N. Clairambault, 318, f[os] 5331, 5359.
19. *Les Epîtres,* III.

> Car le cueur ont si treshault, qu'en la fange
> Plustost mourront que fuyr à la lice ;
> Mais Monseigneur, en y mettant police,
> A deffendu de ne tirer espée,
> Si on ne veult avoir la main couppée [20].

La campagne traîna sans résultat pendant l'été. François Ier arriva le 12 octobre, probablement, pour prendre le commandement en personne. Bien qu'aucun succès marquant ne fût obtenu, l'armée française passa à l'offensive, traversa l'Escaut le 22 octobre et obligea le lendemain l'armée impériale à se replier sur Valenciennes. Marot relata ces événements dans une épître en prose [21], où malgré la note de triomphe qu'il sonne en bon propagandiste, on trouve une allusion voilée à la dispute qui paraît avoir eu lieu au conseil de François Ier entre le connétable de Bourbon, le maréchal de la Palice et La Trémoille qui voulaient profiter de la retraite de l'armée impériale pour l'attaquer, et le maréchal de Châtillon, qui conseillait la prudence. Voici comment Du Bellay résume cet épisode : « Et ce jour là Dieu nous avoit baillé noz ennemis entre les mains, que nous ne voulumes accepter, chose qui depuis nous a cousté cher, car qui refuse ce que Dieu presente de bonne fortune, par après ne revient quand on le demande [22]. »

Marot dut rentrer à Paris à la fin de l'année. Ce fut là sa seule expérience de la vie militaire. Outre les deux épîtres mentionnées, cet événement donna naissance à la ballade, *De l'arrivée de Monsieur d'Alençon en Haynault* [23], et du rondeau, *De ceulx qui alloient sur Mulle au Camp d'Attigny* [24]. Enfin la ballade *De Paix & de Victoire* [25] doit se rapporter à la paix conclue à la fin de 1521 [26].

---

20. *Les Epîtres,* III, v. 15-30.
21. *Epistre en prose... touchant l'Armée du Roy en Haynault, Les Epîtres,* Appendice I.
22. *Mémoires,* t. I, p. 162-163.
23. *Œuvres diverses,* LXXV, Ballade IX.
24. *Œuvres diverses,* XXXI, Rondeau XXXI.
25. *Œuvres diverses,* LXXVI, Ballade X.
26. Une version de cette ballade contenue dans le ms 558 de la Bibliothèque de Saint-Omer est suivie de la note que voici :

A partir de cette date un problème important se pose. Marot accompagna-t-il Marguerite dans tous ses déplacements ? Etait-il à la cour ? Ou bien partagea-t-il son temps entre la cour et Paris ? Il semble bien que cette dernière solution soit la bonne. En effet à plusieurs reprises Marot laisse entendre qu'il a un logis à Paris. Ainsi dans l'*Epistre au Roy, du temps de son exil à Ferrare* [27] il proteste contre la saisie de ses livres et de ses papiers :

> Rhadamanthus avecques ses suppostz,
> Dedans Paris, combien que fusse à Bloys,
> Encontre moy faict ses premiers exploicts,
> En saisyssant de ses mains violentes
> Toutes mes grandz richesses excellentes
> Et beaulx tresors d'avarice delivres,
> C'est assçavoir, mes papiers & mes livres
> Et mes labeurs [28].

Puisque, même quand il est à Blois près de la cour, Marot laisse sa bibliothèque et ses papiers, c'est-à-dire ses poèmes manuscrits, à Paris, il faut conclure qu'il y possède un appartement et que c'est là qu'il passe le plus clair de son temps. Il ne faudrait pas croire, comme l'ont fait plusieurs critiques [29], que Marot ait suivi la cour dans tous ses déplacements et ait parcouru la France. Au contraire, en 1526 il se fait arrêter à Paris, alors que Marguerite est absente de la capitale [30] ; de même en 1532, c'est en profitant de l'absence de François Ier et de Marguerite que le Parlement de Paris décréta l'arrestation de Marot qui se trouvait alors à son logis à Paris [31].

---

« Memoire que l'an quinze cens et seize le XXVIIᵉ jour d'aoust fust publiée la paix entre les deux rois à sçavoir d'espaigne et de france que fut faicte à Noyon. » Cependant une allusion au roi d'Angleterre, au v. 33 de la ballade : « Prince aux Angloys, garde ton territoire » rend improbable la date fournie par le ms de Saint Omer, puisque l'Angleterre ne prit aucune part aux négociations de Noyon.

27. *Les Epîtres*, XXXVI.
28. *Les Epîtres*. XXXVI, v. 124-131.
29. Surtout Ph.A. Becker, ouvr. cit.
30. Voir plus bas, p. 46. A ce moment François Ier est encore prisonnier à Madrid.
31. Voir plus bas, p. 103.

On peut cependant admettre que Marot a résidé pendant quelque temps à Orléans et qu'il a fait au moins un séjour à Lyon. Un certain nombre de pièces brèves dans l'*Adolescence Clementine* sont en effet écrites pour les habitants d'Orléans [32]. Comme il est impossible de dater ces poèmes, on ne saurait dire si Marot a été à Orléans dans son enfance, lors des séjours de la cour dans la vallée de la Loire, s'il y a fait des études, ou s'il y a passé quelque temps plus tard lorsqu'il était déjà au service de Marguerite.

Même incertitude pour son séjour à Lyon ; tout ce que nous savons c'est qu'il a écrit, avant 1527, deux pièces pour Jeanne Gaillarde de Lyon [33].

Les amis du poète, bien qu'on ne possède sur eux que des renseignements fort maigres, semblent avoir été surtout les protégés de Marguerite, des fonctionnaires comme Lyon Jamet, de même que les hommes de lettres et poètes de l'époque.

On est dans l'ensemble très mal renseigné sur les activités de Marot pendant les années 1521 à 1526. Il est certain que contrairement à ce qu'on a cru Marot n'a pas pris part à la bataille de Pavie. Il est aisé de démontrer que la légende selon laquelle il y aurait été blessé et fait prisonnier est complètement fausse. Elle tire son origine entièrement de la première élégie [34] censée être écrite par un chevalier blessé au bras gauche à Pavie et fait prisonnier par les impériaux :

> Que diray plus du combat rigoreux ?
> Tu sçais assez que le sort malheureux
> Tumba du tout sur nostre Nation.
> Ne sçay si c'est par destination ;

---

32. *Œuvres diverses*, LIV, Rondeau LIV, *A la fille d'ung Painctre d'Orléans belle entre les autres* ; *Les Epigrammes*, II, *De Barbe et de Jacquette*, et X, *Des Statues de Barbe & de Jaquette*.

33. *Œuvres diverses*, XVIII, Rondeau XVIII, *A ma Dame Jehanne Gaillarde de Lyon, Femme de bon sçavoir*, et *Les Epigrammes*, III, *De Dame Jane Gaillarde Lyonnoise*.

34. *Œuvres lyriques*, LII, Elégie I, *La premiere Elegie en forme d'Epistre*.

Mais tant y a que je croy que Fortune
Desiroit fort de nous estre importune.
   Là fut percé, tout oultre, rudement
Le bras de cil qui t'ayme loyaulment.
Non pas le bras dont il a de coustume
De manyer ou la Lance ou la Plume !
Amour encor le te garde & reserve,
Et par escriptz veult que de loing te serve.
   Finablement avecq le Roy, mon maistre,
Delà les Monts, Prisonnier se veit estre
Mon triste corps navré en grand souffrance.
Quant est du cueur, long temps y a qu'en France
Ton Prisonnier il est sans mesprison.
Or est le corps sorty hors de Prison ;
Mais quant au cueur, puis que tu es la Garde
De sa Prison, d'en sortir il n'a garde.
Car tel Prison lui semble plus heureuse
Que celle au corps ne sembla rigoreuse ;
Et trop plus ayme estre serf en tes mains
Qu'en liberté parmy tous les Humains.
   Aussi fut prins maint Roy, maint Duc et Conte
En ce conflict, dont je laisse le compte.
Car que me vault d'inventer & de querre
En cas d'Amours tant de propos de Guerre ?
J'en laisseray du tout faire à Espaigne
De qui la main en nostre sang se baigne [35].

Il n'a jamais existé d'autre document ou témoignage attestant la présence de Marot à Pavie.

Notons d'abord que rien n'indique que la personne qui tient la parole dans la première élégie est Marot. Il n'est pas question que ce soit un poète qui parle. Au contraire tout porte à croire que c'est un gentilhomme, sans doute un gentilhomme qui suivant la mode de l'époque fait des vers pour sa dame, mais dont le vrai métier est la guerre et le plus grand plaisir la chasse :

   Il vault trop mieulx en ung lieu solitaire
   En Champs ou Boys pleins d'Arbres & de fleurs
   Aller dicter les plaisirs ou les pleurs

----

35. *Œuvres lyriques*, LII, v. 73-102.

Que l'on reçoit de sa Dame cherie ;
Puis, pour oster hors du cueur fascherie,
Voller en Plaine, et chasser en Forest,
Descoupler Chiens, tendre Toilles et Rhetz [36] ;

Ajoutons que dans la version originale de cette élégie,
version qui nous est assurée par quatre manuscrits [37] le
poème porte le titre : *L'epistre du chevallier pris et blecé
devant Pavye*. D'abord Marot n'était pas chevalier, et puis
l'expression « l'épître du chevalier » montre clairement que
le poète tient la plume pour un autre. Comme l'a observé
P. Villey [38], le manuscrit B.N. fr. 1721 contient en regard
du texte le nom Antonius Pastoureau, qui semble donc être
le chevalier en question. On sait qu'un homme du nom de
Pastoureau était au service de la reine Anne de Bretagne [39].

Un très grand nombre de poèmes de Marot sont écrits
pour d'autres personnages. Dans les Elégies surtout, Marot
semble être parfaitement impersonnel [40].

Cependant dès la fin du XVIᵉ siècle la légende est accréditée. Ainsi Claude Fauchet, dans une biographie de Marot
restée manuscrite [41], loue le poète d'avoir été dans plusieurs

---

36. *Œuvres lyriques*, LII, v. 110-116.
37. B.N. fr. 1721, 2335, n.a.f. 477 et 10262. Sur ce problème
de la version originale de cette élégie voir C.A. Mayer, *Un
manuscrit important pour le texte de Marot*, B.H.R., t. XXVIII,
1966, p. 419-426.
38. *Recherches...*, ouvr. cit., p. 112.
39. Le manuscrit 9175 du fonds des Nouvelles Acquisitions
françaises de la Bibliothèque nationale le cite parmi les membres de la maison d'Anne de Bretagne recevant des habits de
deuil à sa mort en avril 1497 (f° 363 v°). Que ce fût lui, ou un
fils ou parent de lui autrement inconnu, il est impossible de le
dire. De toute façon il existait à l'époque une famille du nom de
Pastoureau à la cour de France. Ajoutons que jusqu'à présent
on n'était pas arrivé à identifier le personnage, en dehors de
trois mentions d'un Henri Pastoureau dans l'*Inventaire des insinuations du Châtelet* (art. 1754, 1847 et 1984 ; cf. *Œuvres lyriques*, p. 211, n. 1). V.-L. Saulnier, *Les Elégies de Clément Marot*,
Société d'Enseignement supérieur, Paris, 1952 (p. 135), dit ne
l'avoir pas retrouvé.
40. Voir plus bas, p. 192-193.
41. B.N. fr. 24726, f° 37 suiv.

camps, c'est-à-dire d'avoir participé à plusieurs campagnes[42]. Après cela, la légende se retrouve chez tous les éditeurs et critiques depuis Lenglet-Dufresnoy[43] jusqu'à Ph.A. Becker qui, dans une publication posthume[44], l'a encore étoffée de détails saugrenus, comme par exemple que Marot au cours de la bataille aurait perdu sa valise contenant un grand nombre de poèmes manuscrits.

Puisque la légende n'a d'autre base que ce seul poème, il suffit au fond de démontrer que ce poème ne se rapporte pas à la personne de Marot pour prouver qu'elle est dénuée de toute base. Cependant, bien qu'en règle générale il soit extrêmement difficile de fournir des preuves négatives, il est possible de montrer que Marot n'était pas présent à la bataille de Pavie. D'abord c'est l'absence, en dehors de la première élégie, de la moindre pièce de Marot faisant mention de la bataille. Après tout, deux de ses poèmes sont consacrés au camp du Drap d'or[45], quatre à la campagne du Hainaut[46] ; la campagne d'Italie se terminant par la bataille de Pavie dura de l'automne 1524 jusqu'au mois de février 1525 ; or pas un seul poème de Marot n'existe mentionnant cette campagne, ou attestant sa présence en Italie. De plus les noms de tous les prisonniers français faits à la bataille de Pavie sont connus, figurant sur un registre intitulé : « S'ensuivent les noms des prisonniers prins avec le Roy nostre Sire[47] » ; le nom de Marot n'y est pas. Enfin l'argument le plus décisif de tous me semble le silence absolu de Marot dans le *curriculum vitæ*, déjà mentionné[48], de l'*Enfer* composé en 1526, c'est-à-dire un an après la

---

42. J. Espiner-Scott, dans *Claude Fauchet, sa vie, son œuvre*, Paris, Droz, 1938, semble avoir mal compris ce texte, l'interprétant comme si Fauchet avait loué le poète d'avoir eu un pied dans chaque camp, c'est-à-dire d'avoir donné des gages aux catholiques autant qu'aux protestants !

43. *Ed. cit.*

44. *Clement Marots Buch der Elegien, sein Sinn und seine Bedeutung*, dans *Romanica, Festschrift Prof. Dr. F. Neubert*, Berlin, 1948, p. 9-54.

45. Voir plus haut, p. 38-39.

46. Voir plus haut, p. 39-40.

47. B.N. fr. 17527, f° 6 r°.

48. Voir plus haut, p. 15-16.

bataille de Pavie. Marot n'y dit pas un mot qui fasse croire qu'il ait participé à la guerre. Or il faut noter que ce passage de l'*Enfer* constitue la défense de Marot contre l'accusation d'hérésie portée contre lui, et qu'au lieu d'essayer d'établir son orthodoxie, il décrit simplement, en guise de défense, ses rapports avec François Ier et Marguerite d'Angoulême. Aurait-il négligé un argument aussi probant que celui d'une blessure reçue au service du roi ? Cela est d'autant moins probable que, dans le même passage, Marot parle de la captivité du roi :

> Or suis je loing de ma Dame & princesse,
> Et pres d'ennuy, d'infortune & destresse ;
> Or suis je loing de sa tresclaire face.
> S'elle fust pres (ô cruel), ton audace
> Pas ne se feust mise en effort de prendre
> Son serviteur, qu'on n'a point veu mesprendre ;
> Mais tu vois bien (dont je lamente & pleure)
> Qu'elle s'en va (helas), & je demeure
> Avec Pluton & Charon nautonnier ;
> Elle va voir ung plus grand prisonnier :
> Sa noble Mere ores elle accompaigne
> Pour retirer nostre Roy hors d'Hespaigne,
> Que je souhaitte en ceste compaignie
> Avec ta layde & obscure mesgnie ;
> Car ta prison liberté luy seroit,
> Et, comme Christ, les Ames poulseroit
> Hors des Enfers, sans t'en laisser une Umbre :
> En ton advis, serois je point du nombre ?
> S'ainsi estoit, & la mere & la fille
> Retourneroient, sans qu'Hespaigne & Castille
> D'elles receust les filz au lieu du pere.
>     Mais quand je pense à si grand improcere,
> Qu'est il besoing que soie en liberté,
> Puis qu'en prison mon Roy est arresté ?
> Qu'est de besoing qu'ores je sois sans peine,
> Puis que d'ennuy ma maistresse est si pleine [49] ?

Si Marot avait pris part à la bataille de Pavie, s'il y avait été blessé, s'il y avait été fait prisonnier, s'il avait souffert le même sort que le roi, ne l'aurait-il pas dit dans ce pas-

---

49. *Œuvres satiriques*, I, *L'Enfer*, v. 427-452.

sage où il déclare que puisque son roi est en prison, nul besoin que lui soit en liberté ? La supposition est improbable à l'extrême. Marot, en 1526, évoque la captivité du roi sans souffler mot de sa propre captivité, de sa blessure, de sa participation à la bataille de Pavie. C'est que tout simplement il n'y fut pas.

Ainsi donc entre la fin de 1521 et le printemps 1526 quand il fut arrêté, nous ne savons trop ce que fit Marot. En l'absence de documents tout nous porte à croire qu'il passa une grande partie de cette période à Paris, et qu'il y fréquenta les cercles intellectuels, humanistes et littéraires, avant tout ceux qui évoluaient dans l'entourage de Marguerite d'Angoulême.

C'est pendant ces années qu'on peut situer la plus grande partie de ses œuvres de jeunesse, presque toutes ses compositions qu'il allait publier en 1532 dans l'*Adolescence Clementine*. Il est donc possible de faire ici une conclusion sur les poèmes de jeunesse de Marot.

Une première remarque : en dehors des œuvres d'extrême jeunesse que nous avons déjà discutées, Marot a rangé toutes ses pièces par genres contrairement à l'usage de l'époque [50]. Nous pouvons donc suivre le poète en étudiant ses œuvres selon le genre.

Là où il continue le plus clairement la tradition des Rhétoriqueurs, c'est dans la Complainte et le Chant-Royal.

Le genre de la Complainte, Marot l'a en quelque sorte hérité des Rhétoriqueurs, sans pourtant y faire de changements comparables à ceux qu'il introduisit dans l'Epître. Les deux premières Complaintes seulement, c'est-à-dire celle du baron de Malleville [51] et celle d'*une Niepce, sur la Mort de sa Tante* [52] sont des poèmes de jeunesse. Comme dans le cas du *Temple de Cupido* et de l'*Epistre de Maguelonne*, Marot y imite les Rhétoriqueurs, sans tomber pour autant dans leurs pires excès. Ainsi l'imprécation contre

---

50. Voir plus bas, p. 234.
51. *Œuvres lyriques,* III, Complainte i, *Complaincte du Baron de Malleville Parisien qui avec l'Autheur servit jadis de Secretaire Marguerite de France Sœur unique du Roy, Et fut tué des Turcs à Baruth.*
52. *Œuvres lyriques,* IV, Complainte ii.

la mort, dans la *Complaincte du Baron de Malleville,* est
un lieu commun de la poésie des Rhétoriqueurs :

> Las, or est il à sa dernière dance,
> Où toy, la Mort, luy as faict, sans soulas,
> Faire faulx pas et mortelle cadance
> Soubz dur Rebec sonnant le grand Helas.
> Quant est du corps, vray est que meurdry l'as,
> Mais de son bruit, où jamais n'eut frivole,
> Maulgré ton dard, par tout le Monde il volle,
> Tousjours croissant, comme Lys qui fleuronne.
> Touchant son Ame. immortelle couronne
> Luy a donné celluy pour qui mourut ;
> Mais quelcque bien encor que Dieu luy donne,
> Je suis contrainct par Amour, qui l'ordonne,
> Le regretter et mauldire Baruht [53].

On la retrouvera dans la *Déploration de Florimond Robertet* [54]. De même l'éloge du défunt, prononcé en une espèce
de discours à la Nature ou à quelque autre élément ou per-
sonnification qui constitue la plus grande partie de la
*Complainte du Baron de Malleville,* se trouve déjà chez
Jean Robertet, Molinet et Jean Lemaire. Ce n'est qu'après
1526 que Marot tâchera de renouveler ce genre.

Il n'existe que quatre Chants-Royaux de Marot, dont un
seul qui appartienne à la période d'avant 1526. C'est le
*Chant Royal de la Conception nostre Dame* [55] que Marot
présenta au Puy de la Conception de Rouen en 1521 [56].

Le Chant-Royal semble avoir été un des genres de prédilection des poètes de la fin du xve et du début du xvie siècle. Il était lié au concours poétique connu sous le nom de
Puy de Palinod à Rouen. Tant par son sujet qui était
presque exclusivement l'immaculée conception, que par sa
forme compliquée [57], ce genre artificiel de tous les points

---

53. *Œuvres lyriques,* III, v. 36-48.
54. *Œuvres lyriques,* VI, Complainte iv.
55. *Œuvres diverses,* LXXXVI, Chant-Royal i, *Chant Royal de
la Conception nostre Dame que Maistre Guillaume Cretin voulut
avoir de l'Autheur lequel luy envoya avecques ce Huictain.*
56. Cf. plus bas, p. 259. Voir aussi E. Robillard de Beaurepaire, *Les Puys de Palinod de Rouen et de Caen,* Caen, 1907.
57. Voir T. Sebillet, *Art poétique françoys,* ouvr. cit., p. 137-
138.

de vue jouit d'un prestige si grand que les théoriciens de
l'époque, même quand ils se montrent plutôt hostiles
envers la poétique des Rhétoriqueurs, comme Sebillet, en
font beaucoup de cas. Ce dernier va même jusqu'à faire
cette curieuse affirmation que le Chant-Royal est le genre
lyrique par définition et celui d'où provient toute la poésie
lyrique française :

> ... le chant Royal est le premier et souverain entre
> tous lés chans et que lés autres ne se font qu'a l'ombre
> et imitation de luy [58].

En vue de l'importance que Sebillet donne au Chant-Royal,
sa définition de ce genre est intéressante :

> Aussi s'appelle-il chant Royal de nom plus grave :
> ou a cause de sa grandeur et magesté, qu'il n'appar-
> tient estre chantée que devant lés Roys : ou pource
> que véritablement la fin du chant Royal n'est autre
> que de chanter lés louenges, prééminences et dignités
> dés Roys tant immortelz que mortelz : comme il est
> a presumer que la Balade ayt esté ainsi nommée a
> cause du bal, auquel se peut croire que par son chant
> se souloit accommoder au temps de son origine...
> Mais afin que tu ne me dies curieus d'étymologies (qui
> touchent toutesfois de bien près la force et sustance
> de la chose), je me contenteray de ce peu que je t'en
> ay dit, pour te aviser au reste que le plus souvent la
> matiere du chant Royal est une allegorie obscure
> envelopant soubz son voile louenge de Dieu ou Déesse,
> Roy ou royne, Seigneur ou Dame : laquelle autant
> ingénieusement déduitte que trouvée, se doit continuer
> jusques à la fin le plus pertinemment que faire se
> peut ; et conclure en fin ce que tu prétens toucher en
> ton allégorie avec propos et raison [59].

Il était naturel que, dans sa jeunesse au moins, Marot
rivalisât avec les poètes du jour dans ce genre si estimé.
Nous savons qu'il présenta son premier Chant-Royal au
Puy de 1521. En effet, le manuscrit français 1537 de la
Bibliothèque Nationale, qui porte le titre : *Poésies fran-*

---

58. *Art poétique françoys*, ouvr. cit., p. 141.
59. *Ibid.*, p. 136-137.

*çoises couronnées au puy de la Conception de Rouen depuis
1519 jusqu'en 1528,* reproduit ce poème pour l'année 1521.
En voici le texte :

> Lors que le Roy par hault desir & cure
> Delibera d'aller vaincre Ennemys,
> Et retirer de leur prison obscure
> Ceulx de son Ost à grands tourmens submis,
> Il envoya ses Fourriers en Judée
> Prendre logis sur place bien fondée.
> Puis commenda tendre en forme facile
> Ung Pavillon pour exquis Domicile,
> Dedans lequel dresser il proposa
> Son Lict de camp nommé, en plein Concile,
> La digne Couche où le Roy reposa.

> Au Pavillon fut la riche paincture
> Monstrant par qui noz pechez sont remis ;
> C'estoit la nue, ayant en sa closture
> Le Jardin clos, à tous humains promis,
> La grand Cité des haulx Cieulx regardée,
> Le Lys Royal, l'Olive collaudée,
> Avec la Tour de David immobile.
> Parquoy l'Ouvrier sur tous le plus habile
> En lieu si noble assist & apposa
> (Mettant en fin le dict de la Sybille)
> La digne Couche où le Roy reposa.

> D'antique ouvrage a composé Nature
> Le boys du Lict où n'a ung poinct obmis ;
> Mais au Coissin plume tresblanche & pure
> D'ung blanc Coulomb le grand Ouvrier a mis.
> Puis Charité tant quise & demandée
> Le Lict prepare avec Paix accordée ;
> Linge trespur Dame Innocence fille ;
> Divinité les trois Rideaulx enfile ;
> Puis à l'entour les tendit & posa
> Pour preserver du vent froit & mobile
> La digne Couche où le Roy reposa.

> Aulcuns ont dit noire la Couverture,
> Ce qui n'est pas ; car du Ciel fut transmis
> Son lustre blanc, sans aultre art de taincture
> Ung grand Pasteur l'avoit ainsi permis ;
> Lequel jadis, par grace concordée,

De ses Aigneaulx la toison bien gardée
Transmist au cloz de Nature subtile,
Qui une en feit, la plus blanche & utile
Qu'oncques sa main tissut ou composa,
Dont elle orna (oultre son commun stile)
La digne Couche où le Roy reposa.

Pas n'eut ung Ciel faict à frange & figure
De fins Damas, Sargettes ou Samis ;
Car le hault Ciel que tout Rond on figure
Pour telle Couche illustrer fut commis ;
D'ung tour estoit si precieux bordée
Qu'oncques ne fut de vermine abordée.
N'est ce donc pas d'humanité fertile
Œuvre bien faict ? veu que l'Aspic hostille
Pour y dormir approcher n'en osa ?
Certes, si est, & n'est à luy servile
La digne Couche où le Roy reposa.

Envoy

Prince, je prends en mon sens puerile
Le Pavillon pour saincte Anne sterile,
Le Roy pour Dieu qui aux Cieulx repos a,
Et Marie est (vray comme l'Evangile)
La digne Couche où le Roy reposa.

Dans le manuscrit le poème est précédé d'une enluminure représentant un lit qu'on fait à trois. Deux femmes tiennent les rideaux, une troisième arrange l'oreiller et les draps. L'intérieur du baldaquin est vert, le dehors est rouge, la couverture est blanche. On voit dans le lointain une armée sur pied qui semble garder cette couche royale. Malgré le titre du manuscrit qui pourrait nous faire penser que le poème de Marot fut couronné, nous avons le témoignage de Sagon nous assurant du contraire :

Rouen a veu triumpher ce françoys
Sur son theatre, & Marot nulle foys.
Et si y fut avec sa muse vaine ;
Mais il perdit & son temps & sa peine,
Veu que jamais n'y gaigna ung seul prix [60].

---

60. François Sagon, *Le rabais du caquet de Frippelippes*, s.l.n.d. Voir plus bas, p. 259.

Marot ne l'a jamais contredit sur ce point. Il faut donc croire qu'il ne remporta pas de prix au Puy de Rouen.

Dans ses ballades écrites avant 1526-1527, Marot suit également de près le style des Rhétoriqueurs. Des dix-neuf ballades composées par Marot, treize furent publiées dans l'*Adolescence Clementine* du 12 août 1532 et tombent donc de toute probabilité dans cette catégorie. Dans toutes ces pièces, Marot fait preuve, plutôt que de lyrisme, de virtuosité, témoin ce tour de force qu'est la ballade *Du Jour de Noel* composée entièrement en rimes en « ac », « ec », « ic », « oc » et « uc » :

> Or est Noel venu son petit trac.
> Sus donc, aux champs, Bergieres, de respec !
> Prenons chascun Panetiere et Bissac,
> Fluste, Flageol, Cornemeuse et Rebec !
> Ores n'est pas temps de clorre le bec.
> Chantons, saultons et dansons ric à ric,
> Puis allons veoir l'Enfant au pauvre nic,
> Tant exalté d'Helye, aussi d'Enoc,
> Et adoré de maint grant Roy & Duc !
> S'on nous dit nac, il fauldra dire noc.
> Chantons Noel, tant au soir qu'au desjucq !
>
> Colin, Georget et toy Margot du Clac,
> Escoute ung peu et ne dors plus illec !
> N'a pas long temps, sommeillant pres d'ung Lac,
> Me fut advis qu'en ce grand chemin sec
> Ung jeune Enfant se combatoit avec
> Ung grand Serpent et dangereux Aspic.
> Mais l'Enfanteau, en moins de dire pic,
> D'une grant Croix luy donna si grant choc
> Qu'il l'abbatit et luy cassa le sucq.
> Garde n'avoit de dire en ce defroc :
> Chantons Noel tant au soir qu'au desjucq !
>
> Quand je l'ouy frapper et tic et tac,
> Et luy donner si merveilleux eschec,
> L'Ange me dist d'ung joyeulx estomach :
> Chante Noel en Françoys ou en Grec,
> Et de chagrin ne donne plus ung zec ;
> Car le Serpent a esté prins au bric.
> Lors m'esveillay et comme fantastic
> Tous mes trouppeaulx je laissay pres ung Roc ;

Si m'en allay, plus fier q'un Archeduc,
En Bethleem. Robin, Gaultier et Roch,
Chantons Noel tant au soir qu'au desjucq !

  Prince devot, souverain Catholiq,
Sa maison n'est de pierre ne de Bric,
Car tous les Ventz y soufflent à grant floc ;
Et qu'ainsi soit demandez à Sainct Luc
Sus dont, avant, pendons soucy au croc !
Chantons Noel tant au soir qu'au desjucq [61] !

Comme nous l'avons vu [62], deux ballades appartiennent
à la période d'avant l'entrée du poète au service de Marguerite, deux autres furent composées lors de la campagne
de 1521 [63] ; deux autres, la ballade *Des enfans sans soucy* [64]
et *Le cry du jeu de l'Empire d'Orleans* [65] furent écrites pour
des associations de clercs et donc probablement avant 1521.
Une ballade se rapporte au Camp du Drap d'or en 1520 [66] ;
une autre, composée à une date incertaine, traite le sujet
traditionnel de l'amant maltraité mais fidèle [67]; trois autres,
également impossibles à dater avec précision, sont d'inspiration religieuse. Ce sont : *Du Jour de Noel* [68], *De Caresme* [69],
et *De la passion nostre Seigneur Jesuchrist* [70]. La seule de
ce groupe de ballades qui soit vraiment digne d'attention
est celle qui vante les prouesses *De frere Lubin,* puisque la
satire y permet au poète de donner expression à sa verve
et à son esprit :

  Pour courir en poste à la Ville
  Vingt fois, cent fois, ne sçay combien,

---

61. *Œuvres diverses,* LXXVII, Ballade XI. Sur la Ballade, voir
*ibid.,* p. 8-10.
62. Voir plus haut, p. 34.
63. Voir plus haut, p. 39-40.
64. *Œuvres diverses,* LXVII, Ballade I.
65. *Œuvres diverses,* LXVIII, Ballade II.
66. *Œuvres diverses,* LXXIV, Ballade VIII, *Du triumphe d'Ardres & Guignes faict par les Roys de France & d'Angleterre.*
67. *Œuvres diverses,* LXXII, Ballade VI, *D'ung Amant ferme
en son amour quelcque rigueur que sa Dame luy fasse.*
68. Voir plus haut, p. 52.
69. *Œuvres diverses,* LXXVIII, Ballade XII.
70. *Œuvres diverses,* LXXIX, Ballade XIII.

Pour faire quelcque chose vile :
Frere Lubin le fera bien.
Mais d'avoir honneste entretien,
Ou mener vie salutaire,
C'est à faire à ung bon Chrestien :
Frere Lubin ne le peult faire.

Pour mettre (comme ung homme habile)
Le bien d'aultruy avec le sien
Et vous laisser sans croix ne pile :
Frere Lubin le fera bien.
On a beau dire : je le tien,
Et le presser de satisfaire ;
Jamais ne vous en rendra rien :
Frere Lubin ne le peult faire.

Pour desbaucher par ung doulx stile
Quelcque fille de bon maintien,
Point ne fault de Vieille subtile :
Frere Lubin le fera bien.
Il presche en Theologien ;
Mais pour boire de belle eau claire,
Faicte la boire à vostre Chien :
Frere Lubin ne le peult faire.

#### Envoy

Pour faire plus tost mal que bien ;
Frere Lubin le fera bien ;
Et si c'est quelcque bon affaire :
Frere Lubin ne le peult faire [71].

Jusqu'en 1526-1527 donc Marot n'a fait subir à la ballade aucune innovation [72].

---

71. *Œuvres diverses*, LXIX, Ballade III, *D'ung qu'on appelloit Frere Lubin.*

72. La Ballade V (*Œuvres diverses*, LXXI) *A ma Dame la Duchesse d'Alençon laquelle il supplie d'estre couché en son estat,* fut certainement écrite en 1528, bien qu'à partir de l'*Adolescence Clementine* de 1532 le poète essayât de créer l'impression qu'elle avait été composée en 1519 dans le but d'obtenir pour lui un emploi au service de la duchesse. En fait dans la version originale cette ballade est adressée non à Marguerite d'Angoulême, mais à Jean de la Barre, comte d'Etampes, maître de la garde-robe du roi. Cf. plus bas, p. 137-139.

Pour les rondeaux il est également difficile dans la plupart des cas de décider à quel moment précis chaque poème fut composé, bien qu'il soit possible d'en dater plusieurs [73]. Marot composa en tout soixante-six rondeaux. Cinquante-huit de ces pièces furent publiées dans l'*Adolescence Clementine* du 12 août 1532 et composées par conséquent avant 1527. Un autre rondeau, *Sur la devise de Madame de Lorraine : Amour et Foy* [74], parut pour la première fois dans l'*Adolescence Clementine* publiée à Lyon en juillet 1533 [75], avant d'être publié dans la *Suite de l'Adolescence Clementine* [76] vers la fin de cette même année, et appartient donc très probablement à la jeunesse de Marot.

Plus qu'aucun autre genre, en dehors peut-être de la Complainte, les rondeaux de Marot sont donc liés à sa jeunesse, puisque cinquante-huit sur soixante-six de ces pièces furent composées avant 1527, c'est-à-dire avant que le poète n'eût atteint la trentaine. A partir d'alors Marot semble avoir renoncé à peu près complètement au rondeau. Dans son *Art poétique françoys* [77], Thomas Sebillet le dit très clairement :

> ... lés Poétes de ce temps lés plus frians ont quitté lés Rondeaus a l'antiquité, pour s'arrester aus Epigrammes et Sonnetz, Poémes de premier pris entre lés petis. Et de fait tu lis peu de Rondeaus de Saingelais, Sceve, Salel, Héroet : et ceus de Marot sont plus exercices de jeunesse fondés sur l'imitation de son pere, qu'œuvres de téle estofe que sont ceus de son plus grand eage : par la maturité duquel tu trouveras peu de rondeaus creus dedans son jardin [78].

Il n'y a rien d'étonnant à cela. Le rondeau est sans doute le genre de prédilection des poètes du quinzième siècle. Christine de Pisan, Charles d'Orléans de même que les Grands Rhétoriqueurs l'ont tous cultivé.

---

73. Voir plus haut, p. 34 et 40.
74. *Œuvres diverses,* LIX, Rondeau LIX.
75. *Bibliographie,* II, n° 14 *bis*.
76. *Bibliographie,* II, n° 15.
77. Ouvr. cit.
78. *Ibid.,* p. 120.

Assez paradoxalement, c'est Marot qui a perfectionné le rondeau au point d'en faire un véhicule pour la libre expression poétique. C'est probablement son père, Jean Marot, qui a donné au rondeau sa forme définitive [79]. Au début, le nom de rondeau s'appliquait à des formes très diverses n'ayant en commun que la présence d'un refrain. Une évolution très lente semble s'être faite, aboutissant au rondeau marotique.

Ce serait pourtant une erreur que de reléguer, comme on l'a fait trop souvent, les rondeaux de Marot au rang de simples compositions de rhétoriqueur sans importance. Ce n'est pas seulement qu'il a su mettre dans ces poèmes infiniment de charme ; mais encore qu'avant d'abandonner ce genre désuet, il a essayé de le rénover par l'inspiration pétrarquiste. Car, s'il évoque parfois la belle dame sans mercy, l'amant martyr, et un ou deux autres lieux communs de la poésie du XVe siècle, il emploie de préférence les thèmes rendus célèbres par Pétrarque et qu'avaient mis à la mode les poètes pétrarquistes italiens de la fin du XVe et du début du XVIe siècle.

Ici une question se pose. Suivant les conclusions de J. Vianey sur le pétrarquisme dans la littérature française [80], on a accepté que ce n'est que vers le milieu du XVIe siècle que le pétrarquisme a pénétré en France. Il est vrai que Vianey a consacré plusieurs pages à Mellin de Saint-Gelais et à Marot, mais pour ce dernier, ce sont, en dehors de quelques épigrammes, les blasons du beau et du laid tétin qui sont représentés comme des poèmes pétrarquistes [81]. On a cru notamment que dans sa jeunesse Marot

---

79. Cf. Ph.-A. Becker, *Clément Marot*, ouvr. cit., p. 212 : « Das Rondeau hat seine stereotype Form erst gegen Ende des 15. Jahrhundert erhalten. Marot übernahm sie fertig von seinem Vater. »

80. J. Vianey, *Le Pétrarquisme en France au seizième siècle*, Montpellier, 1909.

81. Selon Vianey (ouvr. cit., p. 45-50) ces poèmes seraient imités du genre du *capitolo* italien. Il me semble que précisément dans le cas de ces deux poèmes l'imitation est très difficile à prouver. Marot a pu trouver l'inspiration pour ces deux poèmes dans *Les Regrets de la Belle Heaulmiere* de Villon par exemple.

ignorait tout de la poésie italienne et n'a pris contact avec elle que lors de son exil à Ferrare[82].

Nous savons aujourd'hui que le pétrarquisme a pénétré en France beaucoup plus tôt que ne l'avait pensé Vianey[83]. Le père de Clément, Jean Marot, notamment a peut-être mérité le titre de premier pétrarquiste français par son rondeau xxx (« S'il est ainsi que ce corps t'abandonne ») imité de près du sonnet de Serafino Aquilano (*Se questo miser corpo t'abandonna*[84]). Il serait étonnant si le fils n'avait pas suivi le père dans cette voie nouvelle[85]. Il n'est pas difficile d'admettre qu'avec l'énorme essor de l'influence italienne en France au début du xvıᵉ siècle, avec la présence de tant d'artistes, poètes, hommes politiques et courtisans italiens à la cour de François Iᵉʳ, l'influence de la poésie italienne dût être très grande en France précisément à ce moment.

Qu'on considère ce poème :

> En esperant, espoir me desespere
> Tant que la mort m'est vie tres prospere ;
> Me tourmentant de ce qui me contente,
> Me contentant de ce qui me tourmente
> Pour la douleur du soulas que j'espere.

---

82. J'ai moi-même répété cette affirmation dans la préface des *Epîtres*, p. 13. Cf. R. Weiss, *The Spread of Italian Humanism*, Hutchinson University Library, London, 1964, p. 100.

83. Cf. l'ouvrage de F. Simone, *Il Rinascimento Francese, Studi e ricerche*, Turin, 1961.

84. Voir C.A. Mayer et D. Bentley-Cranch, *Le premier pétrarquiste français, Jean Marot*, B.H.R., t. XXVII, 1965, p. 183-185.

85. Que Marot ait bien connu Pétrarque, c'est ce qui se voit également dans *Le Chant Royal dont le Roy bailla le refrain* (*Œuvres diverses*, LXXXVIII, Chant-Royal III). Le refrain de ce poème est effectivement un vers célèbre du poète italien : « Piaga per allentar d'arco non sana. » Pour bien souligner le caractère d'exercice littéraire ou de pastiche, Marot, dans le premier vers du poème, emploie une des plus célèbres images de Pétrarque, à savoir celle du « vert laurier », qui tire son origine du jeu de mots sur Laure. Le poème contient également trois *concetti* pétrarquistes, l'amant « tout pasle » (v. 12), le « perçant Traict » que la dame tire « de l'Arc de ses doulx yeux » (v. 16-17) et « du feu la flamme esprise, Qui plus fort croist quand estaindre on l'essaye » (v. 30-31).

> Amour hayneuse en aigreur me tempere ;
> Puis temperance aspre comme Vipere
> Me refroidist soubz chaleur vehemente
> En esperant.
> L'enfant aussi, qui surmonte le pere,
> Bande ses yeulx pour veoir mon improvere ;
> De moy s'enfuyt & jamais ne s'absente,
> Mais, sans bouger, va en obscure sente
> Cacher mon dueil affin que mieulx appere
> En esperant [86].

Il est intitulé : *Rondeau par contradictions,* et comme l'indique ce titre, il est construit entièrement sur une série d'antithèses, à tel point que chaque vers en contient une. Or l'usage d'antithèses pour exprimer la force de l'amour est un des *concetti* pétrarquistes les plus fréquents, et dont les poètes de la fin du XVe siècle, comme Tebaldeo, et Serafino surtout, ont usé et abusé [87]. Ici donc, l'inspiration pétrarquiste est évidente.

Le même *concetto* se retrouve dans le rondeau *De l'Amoureux ardant* [88] :

> Au feu qui mon cueur a choisy
> Jectez y, ma seule Deesse,
> De l'eau de grace & de lyesse !
> Car il est consommé quasi [89].

où, sous l'influence de Serafino, Marot se montre plus précieux que d'ordinaire. Dans le rondeau *De celluy qui incite une jeune Dame à faire Amy* [90], par contre, l'antithèse est exprimée de façon très discrète :

---

86. *Œuvres diverses,* XXVI, Rondeau XXVI.

87. Sur les sources de ce poème, voir *Œuvres diverses,* p. 93-95. Sur la question générale du pétrarquisme de Marot, voir C.A. Mayer et D. Bentley-Cranch, *Clément Marot, Poète Pétrarquiste,* B.H.R., t. XXVIII, 1966, p. 32-51. Sur les possibilités de sources françaises, voir D. Poirion, *Le Poète et le Prince. L'évolution du lyrisme courtois de Guillaume de Machaut à Charles d'Orléans,* Paris, Presses Universitaires de France, 1965.

88. *Œuvres diverses,* V, Rondeau V.

89. *Ibid.,* v. 1-4.

90. *Œuvres diverses,* IV, Rondeau IV.

A mon plaisir vous faictes feu et basme [91].

L'échange des cœurs, tant chanté par Serafino, et qu'à
l'imitation du poète italien avait déjà employé Jean Marot [92],
revient deux fois dans les rondeaux de Clément. La pièce,
*A une Dame pour luy offrir cueur & service* [93], est entièrement construite sur ce *concetto* :

> Tant seullement ton Amour je demande
> Te suppliant que ta beaulté commande
> Au cueur de moy comme à ton serviteur,
> Quoy que jamais il ne desservit heur
> Qui procedast d'une grace si grande.
>
> Croy que ce cueur de te congnoistre amande,
> Et voulluntiers se rendroit de ta bande
> S'il te plaisoit luy faire cest honneur
>             Tant seullement.
> Si tu le veulx, metz le soubz ta commande !
> Si tu le prendz, las, je te recommande
> Le triste Corps ! ne le laisse sans Cueur !
> Mais loges y le tien, qui est vainqueur
> De l'humble Serf qui son vouloir te mande
>             Tant seullement.

Il est intéressant de noter que Marot semble s'être inspiré,
dans ce poème, des *Azolani* de Bembo plutôt que de Serafino [94]. Dans le rondeau *Pour ung qui est allé loing de
s'Amye* [95] on trouve plus de préciosité dans le développement des idées et surtout dans celle de la distinction entre
le cœur et le corps :

> Loing de tes yeux t'amour me vient poursuivre
> Aultant ou plus qu'elle me souloit suivre
> Aupres de toy ; car tu as (pour tout seur)
> Si bien gravé dedans moy ta doulceur
> Que mieulx graver ne se pourroit en cuivre.

91. *Ibid.*, v. 1.
92. Voir plus haut, p. 57, et art. cit.
93. *Œuvres diverses*, LII, Rondeau LII.
94. Voir *Œuvres diverses*, p. 120.
95. *Œuvres diverses*, LVI, Rondeau LVI.

Le corps est loing ; plus à toy ne se livre.
Touchant le cueur, ta beaulté m'en delivre.
Ainsi je suis (long temps a) sans mon cueur
        Loing de tes yeux.
Or l'homme est mort qui n'a son cueur delivre ;
Mais endroit moy ne s'en peult mort ensuyvre,
Car, si tu as le mien plein de langueur,
J'ay avec moy le tien plein de vigueur,
Lequel aultant que le mien me faict vivre
        Loing de tes yeux.

Le thème de la séparation du cœur et du corps se retrouve dans le rondeau *De celluy qui ne pense qu'en s'Amye*[96], bien que Marot lui donne dans ce poème une tournure qui ne doit rien à Pétrarque :

Toutes les nuyctz je ne pense qu'en celle
Qui a le Corps plus gent qu'une pucelle
De quatorze ans sur le poinct d'enrager,
Et au dedans ung cueur (pour abreger)
Autant joyeux qu'eut oncque Damoyselle.

Elle a beau tainct, ung parler de bon zelle
Et le Tetin rond comme une Grozelle.
N'ay je donc pas bien cause de songer
        Toutes les nuictz ?
Touchant son cueur, je l'ay en ma cordelle,
Et son Mary n'a sinon le Corps d'elle.
Mais toutesfois, quand il vouldra changer,
Prenne le Cueur, et, pour le soulager,
J'auray pour moy le gent Corps de la belle
        Toutes les nuictz.

Dans deux rondeaux Marot emploie le *concetto* de la blessure que reçoit l'amant par les yeux ou la bouche de sa dame. C'est par un baiser qu'elle l'a « navré » dans le rondeau *D'alliance de Sœur*[97] :

---

96. *Œuvres diverses,* XLIII, Rondeau XLIII.
97. *Œuvres diverses,* XLIX, Rondeau XLIX.

> Las, elle m'a navré de grand vigueur
> Non d'ung cousteau, ne par haine ou rigueur,
> Mais d'ung baiser de sa bouche vermeille [98].

alors que dans le rondeau *De l'Amant doloreux* [99] c'est le regard de la bien-aimée qui a blessé le poète :

> Avant mes jours mort me fault encourir
> Par ung regard dont m'as voulu ferir,
> Et ne te chault de ma griefve tristesse ;
> Mais n'est ce pas à toy grande rudesse,
> Veu que tu peulx si bien me secourir [100] ?

Ce *concetto* revient dans la ballade « Amour me voyant sans tristesse [101] ».

A l'instar des poètes italiens, Marot évoque la douce haleine de son amie dans le rondeau *Du baiser de s'Amye* [102] :

> En la baisant m'a dit : Amy sans blasme,
> Ce seul baiser qui deux bouches embasme
> Les arres sont du bien tant esperé.
> Ce mot elle a doulcement proferé,
> Pensant du tout appaiser ma grand flamme.
>
> Mais le mien cueur adonc plus elle enflamme,
> Car son alaine odorant plus que basme
> Souffloit le feu qu'Amour m'a preparé
>             En la baisant.
> Brief mon esprit, sans congnoissance d'ame,
> Vivoit alors sur la bouche à ma Dame ;
> Dont se mouroit le corps enamouré ;
> Et si la Levre eust gueres demouré
> Contre la mienne, elle m'eust sucé l'ame
>             En la baisant.

La nature colorée par les souffrances du poète est présente

---

98. *Ibid.*, v. 6-8.
99. *Œuvres diverses*, XI, Rondeau xi.
100. *Ibid.*, v. 1-5.
101. *Œuvres diverses*, LXXXIII, Ballade xvii, *Ballade d'une dame et de sa beaulté par le nouveau serviteur.*
102. *Œuvres diverses*, LV, Rondeau lv.

comme arrière-plan dans le rondeau *De celluy qui est demeuré et s'Amye s'en est allée* [103] :

> Tout à part soy est melancolieux
> Le tien Servant, qui s'esloigne des lieux
> Là où l'on veult chanter, dancer et rire.
> Seul en sa chambre, il va ses pleurs escrire,
> Et n'est possible à luy de faire mieulx.
>
> Car, quand il pleut, et le Soleil des Cieulx
> Ne reluist point, tout homme est soucieux,
> Et toute Beste en son creux se retire
>      Tout à part soy.
> Or maintenant pleut larmes de mes yeux.
> Et toy qui es mon Soleil gracieux
> M'as delaissé en l'ombre de martyre.
> Pour ces raisons loing des aultres me tire,
> Que mon ennuy ne leur soit ennuyeux,
>      Tout à part soy [104].

Comme Pétrarque, Marot emploie un oiseau, en l'occurence « l'aronde », pour représenter son cœur dans un de ses plus beaux rondeaux, *D'ung soy deffiant de sa Dame* [105].

En dehors de ces *concetti*, Marot a emprunté à la poésie pétrarquiste quelques thèmes célèbres. L'amant malheureux qui chérit son malheur, sa maladie, fait le sujet du rondeau *Du confict en douleur* [106] :

> Si j'ay du mal, maulgré moy je le porte,
> Et s'ainsi est qu'aulcun me reconforte,
> Son reconfort ma douleur point n'appaise.
> Voyla comment je languis en mal aise
> Sans nul espoir de liesse plus forte.
>
> Et fault qu'ennuy jamais de moy ne sorte
> Car mon estat fut faict de telle sorte
> Des que fuz né. Pourtant ne vous desplaise
>      Si j'ay du mal.
> Quand je mourray, ma douleur sera morte ;
> Mais ce pendant mon povre cueur supporte

---

103. *Œuvres diverses,* XLVI, Rondeau XLVI.
104. Cf. plus bas, p. 63.
105. *Œuvres diverses,* XLII, Rondeau XLII.
106. *Œuvres diverses,* XXV, Rondeau XXV.

Mes tristes jours en Fortune maulvaise,
Dont force m'est que mon ennuy me plaise,
Et ne fault plus que je me desconforte
          Si j'ay du mal.

Le thème de la tristesse et de la solitude de l'amant malheureux est développé dans le rondeau *De celluy qui est
demeuré et s'Amye s'en est allée* [107] et enfin celui de la dame,
objet de toute vertu et perfection, fait le charme du rondeau *De celluy qui nouvellement a receu Lettres de
s'Amye* [108], où il se trouve allié à l'invocation à la dame de
jouir de sa jeunesse, thème cher à Serafino :

          A mon desir d'un fort singulier estre
     Nouveaulx escriptz on m'a faict apparoistre
     Qui m'ont ravy tant qu'il fault que par eulx
     Aye Lyesse ou Ennuy langoreux ;
     Pour l'ung ou l'autre Amour si m'a faict naistre.

     C'est par ung cueur que du mien j'ay faict maistre,
     Voyant en luy toutes vertus accroistre ;
     Et ne crains fors qu'il soit trop rigoreux
          A mon desir.
     C'est une Dame en faictz et dictz adextre ;
     C'est une Dame ayant la sorte d'estre
     Fort bien traictant ung loyal Amoureux.
     Pleust or à Dieu que feusse assez heureux
     Pour quelcque jour l'esprouver et congnoistre
          A mon desir.

Alors qu'il est aisé de voir que Marot a emprunté à la
poésie pétrarquiste des thèmes et des *concetti* célèbres, il
est infiniment plus difficile de trouver des sources précises
pour ses rondeaux pétrarquistes. C'est que Marot, à la différence de Ronsard, n'imite presque jamais de façon servile [109]. Ici et là il nous est possible de trouver un vers imité

---

107. *Œuvres diverses*, XLVI, Rondeau XLVI.
108. *Œuvres diverses*, XL, Rondeau XL.
109. Cf. J. Vianey, *Le Pétrarquisme en France au seizième
siècle*, ouvr. cit., p. 46 : « Non pas que Marot ait copié ses modèles ; il n'était pas plagiaire ; mais comme il s'est bien approprié
leur esprit ! »

de Pétrarque ou une strophe inspirée à peu près certainement de quelques vers de Serafino, mais dans l'ensemble,
tout nous porte à croire que Marot, connaissant comme tous
ses contemporains lettrés la poésie italienne, en a imité
quelques traits, mais sans suivre de près tel ou tel poète
pétrarquiste.

En dehors de ce qu'il a pris chez Serafino qu'il semble
avoir imité plusieurs fois, les ressemblances les plus frappantes que présente sa poésie pétrarquiste sont avec les
ouvrages de poètes relativement peu connus comme Olimpo
di Sassoferrato et Chariteo. Olimpo ne devint vraiment
célèbre que dans la deuxième moitié du siècle, quand sa
poésie connut un succès très grand auprès du peuple plutôt
qu'auprès de l'élite lettrée. Bien que ses ouvrages aient été
publiés dès le début du siècle [110], ils ne semblent guère avoir
été connus des courtisans. Chariteo, d'autre part, établi à
Naples, paraît avoir été peu lu dans le Nord. Du reste, seulement deux éditions de ses *Œuvres* sont connues dans la
première moitié du xvi° siècle [111]. Il ne faudrait pas conclure de ces observations qu'il fût impossible pour Marot
d'avoir lu les ouvrages de ces deux poètes. Les échanges
culturels entre les deux pays sont malgré tout encore assez
mal connus. Avec le grand nombre d'Italiens de tant de
conditions diverses à la cour de France, il n'est pas exclu
qu'un poète comme Marot pût prendre connaissance d'auteurs plus ou moins ignorés en Italie.

Que Marot ait su imiter intelligemment les traits les plus
caractéristiques du pétrarquisme, sans pour autant calquer,
comme le feront ses successeurs, son œuvre sur celle des
poètes italiens, suffit pour montrer combien il était maître
de son art, et cela dès ses poèmes de jeunesse. Alors que
chez Serafino, Tebaldeo et les autres poètes pétrarquistes
italiens, les *concetti* sont le plus souvent de simples clichés
dont l'originalité ne consiste, pour ainsi dire, que dans
leur caractère artificiel, ces mêmes métaphores, antithèses
et pointes prennent chez Marot infiniment plus de fraîcheur

---

110. *Strambotti d'amore*, Pérouse, 1518.
111. *Tutte le opere volgari*, Naples, 1509 ; et *Opere*, Venise,
A. di Bindosi, s.d. (1515).

et de charme. Certes Marot était indéniablement meilleur poète que Tebaldeo ou Serafino [112] ; mais il est vrai aussi que Marot arrive à allier, de façon parfaitement naturelle et aisée, les thèmes et les manières pétrarquistes à ceux de la poésie du xv⁰ siècle, et surtout à les faire siens.

Le meilleur exemple d'éclectisme est fourni sans doute par le rondeau *De l'Amant doloreux* où Marot allie l'inspiration pétrarquiste au lyrisme français du xv⁰ siècle. Le vers 6 de ce poème :

> Auprès de l'eau me fault de soif perir

rappelle de façon précise le concours poétique de Charles d'Orléans : « Je meurs de soif auprès de la fontaine », alors que la dernière strophe est imitée d'Olimpo di Sassoferrato [113].

C'est donc dès sa jeunesse, et non à partir de son exil à Ferrare, que Marot connut et imita les poètes pétrarquistes. On ne trouve plus guère de *concetti* pétrarquistes dans les poèmes que Marot composa après 1538. Il n'y a dans cette constatation rien de surprenant. A l'époque où Marot se trouva à la cour de Ferrare, la préciosité des poètes du début du siècle, de Tebaldeo et de Serafino notamment, était passée de mode. Marot, en abandonnant leur manière, ne fit donc que se conformer à la nouvelle mode italienne.

L'oubli relatif dans lequel sont tombés les rondeaux de Marot s'explique par le fait que Du Bellay, dans *La Deffence et Illustration de la langue françoise*, condamna le rondeau et la ballade comme « espiceries qui corrompent le goust de nostre langue ». A partir de ce moment-là il était inévitable que ceux qui s'intéressent à Marot s'occuperaient de

---

112. Cf. R. Weiss, ouvr. cit., p. 100 : « Marot's sentiments, his feelings, his rhetorical finery, do not differ very much from those of Cariteo, Tebaldeo or Serafino. He merely happened to be a better poet. » M. Weiss parle, il est vrai, des Epigrammes et non des Rondeaux de Marot, et accepte, semble-t-il, la théorie de Vianey sur le rôle de l'exil dans la prise de conscience par Marot de la poésie italienne, mais quant à l'appréciation de la grandeur de Marot et de sa supériorité sur Tebaldeo et Serafino il n'y a certes pas lieu d'en discuter.

113. *Œuvres diverses*, XI. Voir C.A. Mayer et D. Bentley-Cranch, *Clément Marot, Poète Pétrarquiste, art. cit.*, p. 44-45. Cf. aussi Poirion, *ouvr. cit.*, p. 620.

ses autres genres et négligeraient le rondeau si méprisé. Pour les rondeaux d'amour de Marot ce mépris est immérité. On trouve dans ces poèmes une expression discrète du chagrin de l'amant délaissé, comme par exemple dans le rondeau *De celluy qui est demeuré et s'Amye s'en est allée* déjà cité [114], ou bien dans le rondeau *Du confict en douleur* [115], où le vieux thème de l'amant martyr et mourant s'allie de façon heureuse au thème pétrarquiste de l'amant malheureux aimant son mal.

Les rondeaux d'amour contiennent également quelques-uns des plus beaux vers de Marot. Quoi de mieux venu, de plus charmant, que ce chant d'amour :

> Plus qu'en aultre lieu de la ronde
> Mon cueur volle comme l'Aronde
> Vers toy en prieres et dictz [116].

De même que dans le cas des Rondeaux, la plupart des Chansons furent de toute probabilité composées dans cette période de la vie de Marot. Du moins un assez grand nombre parmi elles fut publié dans les divers recueils de chansons musicales imprimées à partir de 1528 par l'éditeur parisien Pierre d'Attaingnant [117]. Comme il est probable qu'il y eut un laps de temps entre la composition de ces poèmes et leur mise en musique, on peut dater la majorité des chansons d'avant 1527.

La chanson fut cultivée au moyen âge [118], sans être pour-

---

114. *Œuvres diverses*, XLVI, Rondeau XLVI. Voir plus haut, p. 62.

115. *Ibid.*, XXV, Rondeau XXV.

116. *Ibid.*, XLII, Rondeau XLII, v. 1-3.

117. Voir J. Rollin, *Les Chansons de Clément Marot*, Paris, Fischbacher, 1951.

118. Cf. E. Droz, *Les formes littéraires de la chanson française au quinzième siècle*, dans *Gedenkboek Scheurleen*, La Haye, 1925, p. 99-103 : « En 1392, Eustache Deschamps rédigea le premier *Art de rhétorique* en langue vulgaire. Pour lui, comme pour les auteurs latins qui l'ont précédé, la poésie n'est que la musique naturelle qui, selon les cas, prend la forme du rondeau, de la ballade ou du virelai. Les poèmes peuvent être ennoblis et embellis par la mélodie de la musique artificielle. Cette union profonde des vers et de la musique régira toute la

tant considérée comme un genre littéraire distinct [119]. Ainsi les chansons de Charles d'Orléans sont des rondeaux. Beaucoup d'autres sont des ballades. De plus, à l'époque où Marot commença à s'intéresser à la chanson, elle était d'essence toute populaire et plus ou moins méprisée des poètes établis. Le grand mérite de Marot est donc d'avoir donné droit de cité à la chanson [120].

Tout en transformant un genre populaire en genre littéraire, Marot a gardé le caractère simple et direct du vrai lyrisme populaire, et c'est là ce qui distingue très évidemment ses chansons de ses élégies et de ses cantiques. Sebillet cependant ne semble guère faire de différence entre ces différents genres lyriques. Il les traite en un seul chapitre *Du Cantique, Chant Lyrique ou Ode et Chanson,* et c'est là le chapitre qui sans nul doute fit enrager les jeunes poètes de la Pléiade et provoqua la *Deffence et Illustration de la langue françoise.* Non seulement Sebillet assimile-t-il l'ode au chant lyrique, mais encore, parlant spécifiquement de la chanson, il dit :

> La chanson approche de tant près l'Ode, que de son et de nom se resemblent quasi de tous poins : car aussy peu de constance ha l'une que l'autre en forme de vers, et usage de ryme. Aussy en est la matière toute une. Car le plus commun suget de toutes deus sont, Venus, sés enfans, et sés Charites : Bacchus, sés

---

production du XVe siècle, et les théoriciens auront beau faire une distinction entre les deux arts, les faits prouvent que la chanson, produit de cette union, jouit d'une vogue incontestable. » (p. 99.)

119. « Le mot chanson n'a jamais désigné un genre littéraire, mais tous les vers, rondeaux, ballades, virelais, bergerettes accompagnés de musique. » (*Ibid.,* p. 101.)

120. Il est probable que la chanson courtoise des trouvères et les chansons populaires médiévales, telles les chansons de toile, etc., ont passé dans la tradition. (Cf. J. Rollin, ouvr. cit., p. 76-78.) A première vue, les chansons de Marot ne se distinguent guère des chansons anonymes contenues dans les nombreux recueils imprimés (voir plus haut, p. 66). Ph.A. Becker, (*Clément Marot, sein Leben und seine Dichtung,* Munich, 1926, p. 226-227) a fait des rapprochements intéressants entre ces compositions anonymes et les Chansons de Marot. (Cf. aussi J. Rollin, ouvr. cit., p. 79-82.)

flaccons, et ses saveurs. Neantmoins tu trouveras la Chanson moindre en nombre de coupletz que le chant Lyrique, et de plus inconstante façon et forme de stile, notamment aujourd'huy, que lés Musiciens et Chantres font de tout ce qu'ilz trouvent, voient et oient, Musique et Chanson, et me doute fort qu'entre cy et peu de jours ilz feront de Petit pont, et de la Porte baudès dés chansons nouvelles. Pourtant peus tu aisément entendre que de t'en escrire forme et règle certaine, seroit à moy teméraire entreprise, a toy leçon inutile. Ly donc lés chansons de Marot (autant souverain autheur d'elles, comme Saingelais de chans lyriques) désquéles les sons et differences t'enseigneront plus de leur usage, qu'avertissement que je te puisse icy ajouter. Et ne t'esbahis au reste de ce que j'ay separé cés trois, le Cantique, l'Ode, et la Chanson, que je pouvois comprendre soubz l'appellation de Chanson : Car encor que nous appellions bien en François, Chanson, tout ce qui se peut chanter : et cés trois soient indifféremment fais pour chanter, comme leurs noms et leurs usages portent, toutesfois congnois tu bien qu'ilz ont en forme et stile quelque dissimilitude, laquéle teue t'eut fait douter, et comme je l'ay exprimée, ne te peut que soulager [121].

Sebillet est ici plus obscur que d'ordinaire, et bien plus que le sujet ne le justifie. Non qu'il faille le blâmer d'avoir condamné comme artificielle la division de la poésie lyrique en genres distincts et fixes. Mais ce qui est clair, et aurait dû l'être même pour Sebillet, c'est que, dans l'œuvre de Marot, la chanson est à peu près le seul genre qui ait une unité marquée. En ce qui concerne la complainte, l'élégie, le cantique et même l'épître, il arrive au poète d'hésiter, de changer d'avis, et de mettre la même pièce tantôt dans l'une tantôt dans l'autre de ces catégories. Rien de tel ne se produit quant aux chansons. Le caractère distinctif de la chanson marotique, ce n'est pas la forme strophique, que nous retrouvons dans la plupart des cantiques, ni le sujet, qui est l'amour comme dans les élégies et dans de nombreuses épigrammes, mais bien le ton populaire, la simplicité, la parfaite aisance.

---

121. *Art poétique françoys*, ouvr. cit., p. 150-152.

Le critère que fournit la mise en musique du poème ou l'intention du poète de le mettre en musique, ne semble pas non plus entrer en jeu pour la définition du genre. Il est vrai que dans deux cas, les chansons XXIV et XXV [122], Marot semble avoir destiné ces poèmes à être chantés, puisque le titre de la deuxième pièce, dans l'*Adolescence Clementine*, est ainsi conçu : *Chanson de Noel, sur le chant de la precedente* ; cependant bon nombre de chansons ne furent jamais mises en musique du vivant du poète [123]. Par contre, un grand nombre de poèmes de Marot, autres que des chansons, furent mis en musique peu de temps après leur composition. Ce qu'il faut noter à ce propos c'est qu'il ne s'agit pas là exclusivement de poèmes lyriques. Non seulement les élégies et les rondeaux et ballades attirèrent les compositeurs, mais des épigrammes et des épîtres [124]. Dans ces conditions, comment peut-on affirmer que pour Marot le caractère distinctif de la chanson fût sa susceptibilité d'être mise en musique [125] !

Un problème particulier se pose à propos des Chansons. Marot était-il musicien ? A-t-il composé lui-même la musique de ses chansons ? Les a-t-il chantées lui-même [126] ?

---

122. *Œuvres lyriques*, XXXIII, « Quand vous vouldrez faire une Amye », et XXXIV, « Une Pastourelle gentille ».

123. C'est le cas de presque toutes celles publiées pour la première fois dans les *Œuvres* de 1538. Cf. Rollin, ouvr. cit., p. 195.

Ajoutons que dans *Clément Marot, l'homme et l'œuvre*, Paris, 1950, p. 136, P. Jourda a avancé l'hypothèse selon laquelle une partie des chansons de Marot aurait été écrite sur la demande de l'imprimeur Attaingnant.

124. F. Lesure dans *Autour de Clément Marot et de ses musiciens* (*Revue de Musicologie*, 1951, p. 109-119) a compilé une liste des pièces de Marot publiées dans des recueils de musique avant d'avoir parues dans une édition littéraire de Marot.

125. Les arguments qu'avance J. Rollin (ouvr. cit., p. 107-113) pour établir que Marot a destiné certaines de ses œuvres et surtout les chansons à être mises en musique, me semblent très loin d'être concluants.

126. La réponse affirmative à ces questions forme la thèse de M. Rollin dans *Les Chansons de Clément Marot*, ouvr. cit. Ses arguments reposent presque entièrement sur l'usage que fait Marot de métaphores musicales, comme par exemple « chanter » pour composer, etc., usage par lequel Marot ne fait qu'employer

Aucun témoignage, aucun fait ne nous permet de l'affirmer. Non seulement lui-même ne s'est jamais vanté d'avoir composé des airs ou d'avoir chanté autrement que de façon toute métaphorique, mais aucun contemporain ne lui attribue une connaissance de la musique [127].

Le sentiment d'amour dans les Chansons n'est pas original ; Marot y suit de près ses modèles, c'est-à-dire les chansons populaires. Toutes les gammes du sentiment d'amour, de l'amour soumis à la grivoiserie et à l'éloge du vin pour fuir les douleurs amoureuses, le poète les parcourt dans ce recueil [128].

Reste à dire quelques mots sur les dizains, huitains, etc., composés pendant cette période. Ces poèmes, publiés d'abord dans l'*Adolescence Clementine* de 1532, parurent tous parmi les Epigrammes en 1538. Pourtant, malgré ce titre, nouveau alors dans la littérature française, ces pièces ne sont pas différentes, dans leur forme, des dizains et huitains des Rhétoriqueurs. Comme ailleurs, Marot se montre tout simplement meilleur poète que ses devanciers.

---

la langue poétique de son temps et suivre ses maîtres, Virgile, Catulle, etc. La thèse de M. Rollin a été réfutée de façon catégorique par V.-L. Saulnier, B.H.R., t. XV, 1953, p. 130-136 ; et F. Lesure, art. cit.

127. L'épigramme de Marot à Maurice Scève mérite attention de ce point de vue :

> *A Maurice Seve, Lyonnoys*
> En m'oyant chanter quelcque fois
> Tu te plainds qu'estre je ne daigne
> Musicien, & que ma voix
> Merite bien que l'on m'enseigne,
> Voyre que la peine je preigne
> D'apprendre ut, re, my, fa, sol, la.
> Que Diable veulx tu que j'appreigne ?
> Je ne boy que trop sans cela.
> (*Les Epigrammes*, CXXXIV).

S'agit-il d'une pure plaisanterie ? Elle semblerait fort curieuse, sinon impossible, venant de la part d'un musicien connu pour sa belle voix !

128. Il est vrai que de nombreux érudits ont voulu voir des sentiments personnels dans les Chansons de même que dans les Elégies et certaines Epigrammes de Marot, et se sont ingéniés à découvrir l'identité de ses maîtresses, la nature de ses relations, etc. Voir *Œuvres lyriques*, p. 19.

Cependant, comme pour les rondeaux, le problème du pétrarquisme se pose pour ces pièces. Depuis l'étude pénétrante de J. Vianey sur l'influence du pétrarquisme sur la poésie française de la Renaissance [129], on a toujours reconnu l'inspiration pétrarquiste des épigrammes de Marot. Pourtant la question des dates de composition et de publication de ces poèmes a induit en erreur ce critique avisé de même que ses successeurs. En effet, puisque le titre d'Epigramme figure pour la première fois dans l'édition des *Œuvres* de Marot publiée en 1538 [130], on a pu penser que toutes les pièces appartenant à ce genre furent publiées pour la première fois dans cette édition et qu'elles ont donc été composées entre 1534 et 1538, c'est-à-dire au cours des années d'exil et après le retour du poète. Il était ainsi possible de maintenir l'hypothèse selon laquelle Marot n'aurait connu la poésie pétrarquiste qu'à Ferrare. Or, sur les cent cinquante et un poèmes publiés en 1538 sous le titre d'*Epigramme* [131], quarante-quatre avaient figuré dans l'*Adolescence* ou la *Suite* sous celui de Huitains, Dizains, Blasons, etc. Parmi ces pièces publiées dès 1532 et 1533 et réimprimées en 1538 dans *Le Premier Livre des Epigrammes*, dix au moins sont d'inspiration nettement pétrarquiste ; plusieurs d'entre elles ont été citées comme exemples du pétrarquisme de Marot [132]. Un parfait échantillon en est le *Le Dizain de May*, publié dans l'*Adolescence Clementine* et qui paraîtra dans le *Premier Livre des Epigrammes* de 1538 sous le titre : *Du moys de May & d'Anne* :

---

129. *Le Pétrarquisme en France au seizième siècle*, ouvr. cit.
130. *Bibliographie*, II, n° 71.
131. Dans ce nombre ne sont pas compris les poèmes appartenant à d'autres auteurs, un sonnet et une traduction publiés avec les épigrammes de Marot.
132. Voir C.-A. Mayer et D. Bentley-Cranch, *Clément Marot, Poète Pétrarquiste, art. cit.* Cf. aussi Vianey, *ouvr. cit.*, et D. Magrini, *Clemente Marot e il Petrarchismo* dans *G. Mazzoni, Miscellanea di Studi Critici*, Florence, 1907. Cet article est non seulement superficiel, mais il souffre d'une présentation insuffisante. La plupart des poèmes discutés ne sont cités ni par leur titre ni par leur incipit mais par des renvois à l'édition de B. Saint-Marc. L'auteur se contente souvent d'affirmations sans preuve.

May qui portoit Robe reverdissante,
De fleurs semée, ung jour se mist en place,
Et quand m'Amye il vit tant florissante,
De grand despit rougist sa verte Face,
En me disant : tu cuydes qu'elle efface
(A mon advis) les fleurs qui de moy yssent.
Je luy responds : toutes tes fleurs perissent
Incontinent que Yver les vient toucher ;
Mais en tout temps de Madame florissent
Les grands vertus que Mort ne peult secher [133].

Dans tous ces poèmes l'inspiration pétrarquiste est évidente et des plus heureuses. Marot y rejoint, à travers les poètes italiens, l'*Anthologie grecque* et Anacréon, montrant une fois de plus à quel point il sut être le précurseur des plus grandes réussites de la Pléiade et le vrai responsable de bon nombre des innovations que l'on a attribuées à ce groupe.

Aussi un de ces poèmes d'apparence pétrarquiste, est-il imité probablement d'une pièce des Προγυμνάσματα du rhéteur grec Aphthonius [134]. C'est le *Blason de la Rose envoyée pour estreines* [135] :

La belle Rose à Venus consacrée
L'Œil & le Sens de grand plaisir pourvoit ;
Si vous diray Dame qui tant m'agrée
Raison pourquoy de rouges on en voit.

---

133. *Les Epigrammes*, VIII. Cf. plus bas, p.
134. On connaît deux éditions grecques de cet ouvrage, la première publiée à Venise en 1508, la seconde, en 1515, par Junta à Florence. Une traduction latine, par Ioannes Maria Cataneus, en fut publiée en 1517.
135. *Les Epigrammes*, XI. Le titre de cette pièce devient en 1538 : *De la Rose envoyée pour Estreines*. Ce poème est imité d'assez près de la deuxième pièce des Προγυμνάσματα :

Διήγημα τὸ κατὰ ῥόδον

Voir L. Spengel, *Rhetores Graeci*, t. II, 1854, p. 22. Ajoutons que le *Dizain du Songe* (« La nuyct passée en mon Lict songeoye ») publié dans l'*Adolescence Clementine*, et dont le titre devient en 1538 *D'ung Songe* (*Les Epigrammes*, VII), est imité de près d'une pièce attribuée à Pétrone dans l'*Anthologia latina* (éd. Riese, I, 2, n° 702) : « Te vigilans oculis, animo te nocte requiro ». Cf. plus bas, p. 82.

Ung jour Venus son Adonis suyvoit
Parmy Jardins pleins dEspines & Branches,
Les Piedz tous nudz & les deux Bras sans manches,
Dont d'ung Rosier l'Espine luy mesfeit.
Or estoient lors toutes les Roses blanches,
Mais de son sang de vermeilles en feit.
  De ceste Rose ay ja faict mon proffit
Vous estrenant, car plus qu'à aultre chose
Vostre Visage en doulceur tout confict
Semble à la fresche & vermeillete Rose.

Il faut noter à ce propos que l'*Anthologie grecque* commença à être connue en France vers ce moment-là [136]. C'est en 1533 que Michel d'Amboise publia *Les cent epigrammes* [137] portant fortement l'empreinte de l'*Anthologie grecque*. Or, loin d'imiter cette œuvre directement, Michel d'Amboise traduisit la presque totalité de ses épigrammes de l'*Erotopaignion* d'Angeriano, collection de poèmes latins imités de l'*Anthologie grecque*. Le recueil de ce poète napolitain jouit d'un très vif succès en France, témoin les trois éditions de l'*Erotopaignion* qui parurent à Paris dans la première moitié du xvi<sup>e</sup> siècle [138].

Marot, bien qu'il ait probablement lu Angeriano, ne semble guère l'avoir imité. Par contre un assez grand nombre de ses dizains et huitains sont tout à fait dans le genre des épigrammes de l'*Anthologie grecque* [139].

---

136. Voir James Hutton, *The Greek Anthology in France and in the Latin writers of the Netherlands to the year 1800*, Cornell Studies in Classical Philology, t. XXVIII, Ithaca, Cornell University Press, 1946, et P.M. Smith et C.A. Mayer, *La Première Epigramme française : Clément Marot, Jean Bouchet et Michel d'Amboise. Définition, Sources, Antériorité*, B.H.R., t. XXXII, 1970, p. 579-602. Voir aussi plus bas, p. 413-414.
137. Paris, A. Lotrian et J. Longis. Sur cette œuvre voir *La Première Epigramme française...*, art. cit.
138. *Hieronymi Angeriani* Ἐρωτοπαιγνιον, Paris, Vatellus, s.d. (1520).
*Idem*, Paris, G. Soquand, s.d. (1525).
*Idem*, Paris, P. Calvarin, s.d. (1530).
139. Voir J. Hutton, ouvr. cit. : « Marot however was writing *dizains* and *huitains*, pretty certainly with the classical epigram in mind, as early as the twenties, and he prevails in any case by the value of his work... More than a mere word was invol-

C'est certainement l'influence de l'*Anthologie grecque*
qui se voit dans les épitaphes satiriques que Marot composa dans cette période. Ce genre est en effet très en
évidence dans le recueil grec, et obtiendra une immense
popularité dans la Renaissance, comme du reste dans les
siècles ultérieurs. Il est étonnant, vu les changements dans
les mœurs, et dans les rites funèbres, que l'épitaphe satirique soit passée de la littérature grecque à notre civilisation sans le moindre changement. Ainsi la plaisanterie qui
fait le sel de ces poèmes est le vœu facétieux remplaçant
le vœu : Que la terre te soit légère, dans l'épitaphe sérieuse.
Marot en donne un parfait échantillon :

*De frere Jehan Levesque Cordelier
natif d'Orléans*

Cy gist, repose et dort leans
Le feu Evesque d'Orleans ;
J'entends l'Evesque en son surnom,
Et frere Jehan en propre nom ;
Qui mourut l'an cinq cens & vingt
De la verolle qui luy vint.
  Or, affin que Sainctes & Anges
Ne prennent ces boutons estranges,
Prions Dieu qu'au frere Frappart
Il donne quelcque Chambre à part [140].

Résumons en disant que l'influence pétrarquiste sur les
Rondeaux et Epigrammes, de même que l'imitation des
Anthologies grecque et latine dans les pièces courtes, que
ce soient des Epigrammes érotiques ou des Epitaphes satiriques, montre l'éminent rôle d'innovateur qu'a joué Marot.
Mieux encore, ces influences ont donné des résultats des
plus heureux, ces poèmes étant sans doute parmi les plus
beaux de la Renaissance française.
  Un fait qui peut surprendre, c'est que Marot, connu prin-

---

ved ; a consciousness of the classical epigram would be vividly
evoked by a term then new in the vernacular, and there would
be a consequent impulse to assimilate one's verse to the inner,
if not the outer form of the classical type. »
140. *Œuvres diverses*, XCVI, Epitaphe VII.

cipalement pour ses épîtres, n'en a écrit, à notre connaissance, que sept pendant cette période de sa vie. Ce sont,
outre les épîtres déjà mentionnées, c'est-à-dire la *Petite
Epistre au Roy* [141], *L'epistre du despourveu à ma Dame la
Duchesse d'Alençon & de Berry, Sœur unique du Roy* [142], et
*L'epistre du Camp d'Atigny, A ma dicte Dame d'Alençon* [143],
les épîtres suivantes :

> *Epistre à la Damoyselle negligente de venir veoir ses
> Amys* [144].
> *Epistre pour le Capitaine Bourgeon, A Monsieur de
> la Rocque* [145].
> *Epistre faicte pour le Capitaine Raisin audict Sei-
> gneur de la Rocque* [146].
> *L'epistre des Jartieres blanches* [147].

Ces épîtres sont en quelque sorte un premier crayon du
génie de Marot dans le genre épistolaire. Seules *L'epistre
du despourveu* et *L'epistre du Camp d'Atigny* [148] restent
fermement dans la tradition des Rhétoriqueurs, l'une par
l'emploi du songe et des personnages allégoriques, l'autre
par le récit lourd et gauche dénué de tout art. La *Petite
Epistre au Roy*, d'autre part, est d'abord un véritable tour
de force de versification [149] :

> En m'esbatant je faiz Rondeaux en rime,
> Et en rimant bien souvent je m'enrime ;
> Brief, c'est pitié d'entre nous Rimailleurs,
> Car vous trouvez assez de rime ailleurs,
> Et quand vous plaist, mieulx que moy rimassez,
> Des biens avez et de la rime assez.

---

141. *Les Epîtres*, I.
142. *Ibid.*, II.
143. *Ibid.*, III.
144. *Ibid.*, IV.
145. *Ibid.*, V.
146. *Ibid.*, VI.
147. *Ibid.*, VII. Je n'étudie pas ici l'épître dite « de Margot » (*Epistre en laquelle Margot se dresse sur le maistre argot
pour tanser comme une insensée le gros Hector qui l'a laissée,
Les Epîtres*, VIII) d'authenticité douteuse (voir *Les Epîtres*,
p. 54).
148. *Les Epîtres*, II et III.
149. Voir *ibid.*, p. 48.

> Mais moy, à tout ma rime & ma rimaille,
> Je ne soustiens (dont je suis marry) maille [150].

Toute l'épître est construite de façon à ce que le mot *rime*
revienne d'une façon ou d'une autre dans les dernières trois
syllabes de chaque vers. Ce n'est pas tout. Le ton badin,
amusant que prend le poète dans cette épître montre qu'il
emploie les jeux de versifications compliqués comme comiques, alors que les Rhétoriqueurs y avaient vu une des
principales beautés de la poésie. Ce n'est pas seulement que
Marot rompt ici avec une tradition bien établie ; il fait
mieux : en renonçant à considérer la rime et le verbiage
pur et simple comme poésie, Marot opère une véritable
rénovation artistique.

De même, il abandonne, avec l'épître du capitaine Bourgeon [151], l'allégorie des Rhétoriqueurs, en employant les per-
sonnifications de qualités abstraites, non dans un but
sérieux, mais afin d'obtenir un effet comique :

> Quand Desespoir me veult faire gemir,
> Voicy comment bien fort de luy me mocque :
> O Desespoir, croy que soubz une rocque,
> Rocque bien ferme et pleine d'asseurance,
> Pour mon secours est cachée Esperance ;
> Si elle en sort, te donnera carriere,
> Et pource donc reculle toy arriere.
>   Lors Desespoir s'en va seignant du nez ;
> Mais ce n'est rien, si vous ne l'eschinez ;
> Car aultrement jamais ne cessera
> De tormenter le bourgeon, qui sera
> Tousjours bourgeon, sans Raisin devenir,
> S'il ne vous plaist de luy vous souvenir [152].

A de très rares exceptions près, Marot ne reviendra à
l'usage de l'allégorie que là où elle lui sert d'arme de guerre,
où elle lui permet de faire la satire, comme dans l'*Enfer* [153]
et *La Déploration de Florimont Robertet* [154].

---

150. *Ibid.*, I, v. 1-8.
151. *Ibid.*, V, *Epistre pour le Capitaine Bourgeon, A Monsieur de la Rocque.*
152. *Ibid.*, v. 22-34.
153. *Œuvres satiriques*, I. Voir plus bas, p. 116-127.
154. *Œuvres lyriques*, VI, Complainte IV. Voir plus bas, p. 150-
164.

L'épître *A la Damoyselle negligente de venir veoir ses Amys* [155] montre déjà assez clairement le style familier de Marot ; l'*Epistre des Jartieres blanches* [156] est un des meilleurs échantillons de la parodie chez Marot, l'engouement pour le symbolisme des couleurs étant très en évidence à l'époque, témoin le chapitre du *Gargantua* sur les couleurs [157].

Enfin l'*Epistre faicte pour le Capitaine Raisin audict Seigneur de la Rocque* [158] est le premier et un des meilleurs exemples du talent de Marot comme narrateur. C'est dans ce poème qu'il nous donne un récit burlesque et pseudo-allégorique de la maladie vénérienne et de son traitement, plaisanterie commune au temps de la Renaissance :

> ... Amys, j'ay des nouvelles
> D'un malheureux que Venus, la déesse,
> A forbanny de soulas & liesse.
> Tu diras vray, car maulx me sont venus
> Par le vouloir de impudique Venus,
> Laquelle feit, tant par Mer que par Terre,
> Sonner ung jour contre femmes la Guerre,
> Où trop tost s'est maint Chevalier trouvé,
> Et maint grand homme a son dam esprouvé ;
> Maint bon Courtault y fut mis hors d'alaine,
> Et maint Mouton y laissa de sa laine.
> Brief, nul ne peult (soit par Feu, Sang ou Mine)
> Gaigner proffit en guerre feminine ;
> Car leur ardeur est aspre le possible,
> Et leur harnois, hault & bas, invincible.
> Quant est de moy, jeunesse pauvre & sotte
> Me feit aller en ceste dure flotte,
> Fort mal garny de lances & escus.
> Semblablement le gentil Dieu Bacchus
> M'y amena, accompaigné d'Andoilles,
> De gros Jambons, de Verres et Gargoilles,
> Et de bon Vin versé en maint Flascon ;
> Mais je y receu si grand coup de Faulcon,
> Qu'il me fallit soubdain faire la poulle
> Et m'enfuir (de peur) hors de la foulle.

---

155. *Les Epîtres*, IV.
156. *Ibid.*, VII.
157. Chapitre IX, *Les couleurs et livrée de Gargantua.*
158. *Les Epîtres*, VI.

Ainsi navré, je contemple & remire
Où je pourrois trouver souverain Mire ;
Et, prenant cueur aultre que de malade,
Vins circuir les limites d'Archade,
La Terre neufve & la grand Tartarie,
Tant qu'à la fin me trouvay en Surie,
Où ung grand Turc me vint au corps saisir,
Et, sans avoir à luy faict desplaisir,
Par plusieurs jours m'a si tresbien frotté
Le Dos, les Rains, les Bras et le Costé,
Qu'il me convint gesir en une couche,
Criant les Dentz, le Cueur, aussi la Bouche ;
Disant : helas, o Bacchus, puissant Dieu,
M'as tu mené expres en ce chault lieu
Pour veoir à l'œil moy, le petit Raisin,
Perdre le goust de mon proche Cousin ?
Si une fois puis avoir allegeance,
Certainement j'en prendray bien vengeance ;
Car je feray une armée legiere
Tant seulement de lances de fougiere,
Camp de Taverne & pavoys de Jambons,
Et Bœuf sallé, qu'on trouve en mangeant bons,
Tant que du choc rendray tes Flascons vuides,
Si tu n'y metz grand ordre & bonnes guydes.
Ainsi j'eslieve envers Bacchus mon cueur,
Pource qu'il m'a privé de sa liqueur,
Me faisant boyre en chambre bien serrée
Fade Tisane, avecques eau ferrée,
Dont souvent fais ma grand soif estancher [159].

Ces années au service de Marguerite, de 1519 à 1526, voient donc une transformation considérable dans la poésie de Marot. Bien qu'il n'abandonne pas les genres des Rhétoriqueurs, bien qu'il n'ait introduit encore aucune innovation marquante, il est clair qu'il a rompu dès cette période avec la poétique des Rhétoriqueurs, et ce faisant a permis le libre développement de la poésie française.

A quelles conclusions peut-on arriver concernant les œuvres de Marot composées pendant cette période? D'abord, comme pour ses œuvres de jeunesse, il est certain qu'il n'a pas rompu nettement avec ses devanciers, du moins pour

---

159. *Les Epîtres*, VI, v. 10-63.

la forme. Au contraire, il cultive les genres chers aux Rhétoriqueurs. Quant au fond pourtant il est aisé de voir que
Marot a innové, qu'il a abandonné, dans une très large
mesure, les sujets des Rhétoriqueurs, leur emploi de l'allégorie de même que leur style alambiqué. La simplicité
des chansons, le pétrarquisme discret des rondeaux, et
surtout peut-être l'imitation de l'*Anthologie grecque* en
font foi de la façon la plus éclatante.

C'est vers cette époque que commence ce qu'Abel Lefranc
a appelé le *Roman d'amour de Clément Marot* [160]. A la cour
de Marguerite Marot eut l'occasion de rencontrer Anne
d'Alençon, fille de Charles, bâtard d'Alençon et frère illégitime de Charles, duc d'Alençon. Appartenant à une ligne
illégitime, la jeune fille était sans doute moins inaccessible
au poète que ne l'aurait été une femme de noblesse légitime. Marot lui dédiera, en 1538, le second livre des épigrammes, lançant ainsi en quelque sorte la mode des *can-
zonieri* [161]. Quatorze épigrammes chantent l'amour du poète
pour la jeune fille. Dans une de ces épigrammes, il nous
donne même, chose unique dans sa poésie, des précisions
sur la personne aimée :

> J'ay une lettre entre toutes eslite ;
> J'ayme ung pais, & ayme une chanson :
> N est la lettre, en mon cœur bien escripte
> Et le pais est celuy d'Alençon ;
> La chanson est (sans en dire le son) :
> Alegez moy, doulce, plaisant brunette ;
> Elle se chante à la vieille façon,
> Mais c'est tout ung, la brunette est jeunette [162].

Il faut noter que la lettre N se prononçait Anne au XVIe siècle, ce qui rend explicite le troisième vers de ce poème.
Cette épigramme, Marot ne l'a jamais publiée, peut-être
à cause de son caractère trop personnel [163]. De toute façon,

---

160. *Grands Ecrivains français de la Renaissance,* Paris,
Champion, 1914.
161. Voir plus bas, p. 442-443.
162. *Les Epigrammes,* CCVIII.
163. Elle fut publiée trois ans après la mort du poète dans
l'édition *Epigrammes de Marot, Faitz à l'imitation de Martial,*
Poitiers, 1547, *Bibliographie,* II, n° 154.

elle ne permet aucun doute quant à l'identité d'Anne. Les autres épigrammes dédiées à elle ne nous renseignent par contre guère sur les relations entre le poète et la jeune fille. Aussi faut-il non seulement renoncer à vouloir reconstruire les péripéties des amours du poète pour la jeune princesse, mais encore déclarer nettement que de telles conjectures sont vaines. L'identité d'Anne a été établie par Abel Lefranc avec beaucoup de perspicacité dans *Le Roman d'amour de Clément Marot* [164]. Cependant la plupart des dates, précisions et détails fournis par ce grand seiziémiste ont dû être abandonnés en présence de nos connaissances actuelles. Ainsi l'élégie xxiv [165], poème qui porte le titre *Epistre faicte par Marot,* date non pas du mois de mai 1526 comme l'a prétendu Lefranc, mais clairement du retour d'exil de Marot, c'est-à-dire fin 1536 ou début 1537 [166]. Le poète du reste ne nomme pas Anne dans ce poème, et il n'est pas sûr qu'il soit adressé à elle. De même les prétendues allusions à Anne dans l'*Adieu aux Dames de Court* [167] sont illusoires, étant extrêmement vagues et générales. De toute façon, ce poème n'est certainement pas de Marot, puisque, entre autres arguments, on doit noter que le poète était absent de la Cour quand ce poème fut écrit [168].

De plus l'argumentation de Lefranc concernant les Elégies qui seraient adressées à Anne n'entraîne pas la conviction. Il suffit de noter qu'Anne n'y est pas mentionnée une seule fois. Sauf la dernière, qui ne fut pas publiée par le poète, les élégies de Marot sont ce qu'il a écrit de moins personnel et il est vain de vouloir y découvrir des indices de sa vie amoureuse [169].

Enfin les détails du « roman d'amour » de Marot et d'Anne que Lefranc a tâché d'établir sont pour la plupart imaginaires, puisqu'il n'a su éviter le danger de prendre à la lettre de simples lieux communs poétiques, voire des *concetti* pétrarquistes, comme l'échange des cœurs. Anne en

---

164. Ouvr. cit.
165. *Œuvres lyriques,* LXXV.
166. Voir plus bas, p. 193, n. 97.
167. *Œuvres lyriques,* Appendice I.
168. Voir plus bas, p. 394 suiv., et *Œuvres lyriques,* p. 46.
169. Voir *Œuvres lyriques,* p. 19-20.

somme n'a été qu'une maîtresse non pas platonique, mais toute poétique. Tout au plus peut-on admettre qu'il y eut une espèce d'amitié entre elle et Marot. Ce dernier crut peut-être, en la chantant, plaire à sa protectrice, Marguerite d'Angoulême. De plus, à la cour de Marguerite les deux jeunes gens eurent probablement l'occasion de se parler. Il n'en reste pas moins vrai que l'amitié, si amitié il y eut, entre Clément Marot et Anne d'Alençon fut littéraire, fut surtout et avant tout un jeu, un prétexte pour le poète, lui permettant d'écrire des poèmes d'amour.

Les quatorze épigrammes dédiées à Anne sont difficiles à dater. Douze d'entre elles furent publiées dans les *Œuvres* en 1538 [170]. Les deux autres, épigrammes CCVIII et CCIX, figurent dans l'édition posthume de 1547 [171]. Sur les douze épigrammes publiées en 1538, trois, à savoir les épigrammes XXIV, XXV et XXXI avaient été imprimées déjà dans *La Suite de l'Adolescence Clementine* [172] vers la fin de 1533, bien que dans cette édition ces pièces ne portent pas encore le titre d'épigramme. Le premier de ces poèmes est peut-être le plus célèbre du groupe entier. Dans l'édition princeps il porte le titre *Le Dixain de neige*, titre changé en 1538 à *D'Anne qui luy jecta de la neige* :

> Anne (par jeu) me jecta de la Neige
> Que je cuidoys froide certainement
> Mais c'estoit feu, l'experience en ay je,
> Car embrasé je fuz soubdainement.
>     Puis que le feu loge secretement
> Dedans la neige, où trouveray je place
> Pour n'ardre point ? Anne, ta seule grace
> Estaindre peult le feu que je sens bien,
> Non point par Eau, par Neige ne par Glace
> Mais par sentir ung feu pareil au mien [173].

Sans qu'on puisse assigner une date précise à ce poème pas plus qu'aux autres dédiés à Anne, on peut être sûr qu'il est antérieur à 1533, puisqu'il figure dans le ms 477 du

---

170. Voir plus bas, p. 420 suiv.
171. Voir plus haut, p. 79, n. 163.
172. *Bibliographie*, II, n° 15.
173. *Les Epigrammes*, XXIV.

fonds Nouvelles Acquisitions françaises de la Bibliothèque Nationale qui contient un groupe important de pièces de Marot dont aucune n'est postérieure à la fin de 1530[174]. Il serait évidemment faux de tirer des conclusions quant aux relations entre Marot et Anne en se basant sur ce poème qui est imité de près d'une épigramme de l'*Anthologie latine,* « Me nive candenti[175] », épigramme attribuée à Pétrone. Le poème, tout en montrant l'art consommé de Marot, n'exprime ni ses expériences ni ses émotions personnelles.

A l'exception du poème déjà cité où Marot parle explicitement d'Anne d'Alençon, on pourrait en dire autant de tous les poèmes écrits pour cette maîtresse. N'oublions pas du reste qu'en décembre 1540 Anne épousa Nicolas de Bernay, et qu'à l'occasion de ce mariage, Marot offrit à celle qui avait été sa maîtresse poétique, cette étrenne des plus gaillardes :

> Vostre mary a fortune
> Opportune ;
> Si de jour ne veult marcher
> Il aura beau chevaucher
> Sur la brune[176].

preuve, à nos yeux du moins, qu'il n'y eut jamais de véritable amour au cœur de Marot pour Anne, sa « sœur ».

Cette amitié littéraire nous a valu pourtant quelques-uns des poèmes d'amour les plus délicats de la langue française. Dans ces poèmes Marot évite non seulement l'érotisme et la grivoiserie, typiques cependant de l'époque et qui n'étaient certes pas inconnues à sa Muse, mais encore les clichés de la poésie d'amour du moyen âge qu'on retrouve tant de fois dans ses élégies. Dans ces poèmes dédiés à Anne, Marot substitue à tout cela le naturel et l'élégance, qualités typiques de son génie.

---

174. Voir C.A. Mayer, *Un manuscrit important pour le texte de Marot,* B.H.R., t. XXVIII, 1966, p. 419-426.

175. *Anthologia latina,* éd. F. Buecheler et A. Riese, Leipzig, Teubner, 1906, t. I, 2, n° 706.

176. *Œuvres diverses,* CLXXIV, Etrenne XLI.

## III

## PREMIERES PERSECUTIONS

Nous avons vu que sur la vie privée, le caractère et les croyances de Clément Marot, avant 1526, nous ne savons rien. Au service de Marguerite d'Angoulême, il est certain qu'il a dû entrer en contact avec les novateurs en matière de religion, tels Briçonnet, Gérard Roussel et Lefèvre d'Etaples. De plus il est probable qu'il a connu certains des écrits de Luther [1].

Bien qu'il soit difficile de déterminer la date à laquelle Marot devint suspect aux autorités ecclésiastiques, il est probable que ce fut avant 1526, témoin ce rondeau, composé avant le printemps de cette année, date de sa première arrestation, et dans lequel le poète dément les bruits selon lesquels il aurait été emprisonné :

> *A ses Amys ausquelz on rapporta*
> *qu'il estoit prisonnier*

Il n'en est rien de ce qu'on vous revelle ;
Ceulx qui l'ont dit ont faulte de cervelle,
Car en mon cas il n'y a mesprison,

---

1. Marguerite s'était fait faire une traduction du *De votis monasticis* de Luther par Papillon. Dans le *Second Chant d'Amour fugitif* (*Œuvres satiriques*, IV), composé avant 1533, Marot reprend les arguments qu'avance Luther dans cet écrit (voir plus bas, p. 190, n. 78).

Et par dedans ne vy jamais prison.
Doncques, Amys, l'ennuy qu'avez, ostez le !

Et vous, Causeurs pleins d'envie immortelle,
Qui vouldriez bien que la chose fust telle,
Crevez de dueil, de despit ou poison !
　　　Il n'en est rien.
Je rys, je chante en joye solennelle,
Je sers ma Dame, & me consolle en elle,
Je rime en Prose (& peult estre en raison)
Je sors dehors, je rentre en la maison.
Ne croyez pas doncques l'aultre nouvelle !
　　　Il n'est est rien [2].

Il est vrai que dans ce poème Marot ne dit pas un mot de religion. Il se pourrait donc à la rigueur que les bruits en question fissent de lui un criminel de droit commun, hypothèse, somme toute, peu croyable ! Puisque nous en sommes réduits aux conjectures, il est plus facile d'admettre que dès la composition de ce rondeau Marot savait qu'auprès des autorités il sentait mal de la foi.

Au printemps de l'année 1526 Marot subit son premier emprisonnement. L'affaire a souvent été contée et commentée ; elle présente cependant toujours un grand nombre d'obscurités et de doutes. Voici la théorie traditionnelle, trouvée dans la plupart des biographies de Marot : le poète mangea de la viande pendant le carême ; il fut dénoncé pour ce crime par une femme qui avait été sa maîtresse, qui lui avait été infidèle, dont il s'était vengé dans un poème la mettant au pilori. La dénonciation étant faite à un théologien de la Sorbonne, le docteur Bouchart, ce dernier fit incarcérer Marot au Châtelet. Marot s'adressa alors à lui dans l'épître A Monsieur Bouchart [3], pour protester de son innocence. L'épître n'ayant pas obtenu de résultat, Marot écrivit à son ami Lyon Jamet une épître restée célèbre [4], pour appeler son ami à son secours. Grâce à l'appui de Lyon Jamet, Marot fut transféré du Châtelet à Chartres par l'évêque de cette ville, Louis Guillard. A Chartres le poète fut

---

2. *Œuvres diverses*, XXI.
3. *Les Epîtres*, IX.
4. *Les Epîtres*, X.

logé non dans une prison, mais dans une auberge, d'où il fut du reste bientôt libéré.

Cette théorie traditionnelle est presque entièrement basée sur les écrits que le poète a consacrés à cette affaire. C'est d'abord l'épître à M. Bouchart. Au fond ce poème ne nous révèle pas grand-chose, sauf que Marot semble tenir Bouchart pour responsable de son emprisonnement :

> Donne response à mon present affaire,
> Docte Docteur. Qui t'a induict à faire
> Emprisonner, depuis six jours en ça,
> Ung tien amy, qui onc ne t'offensa [5] ?

qu'il est inculpé de luthéranisme :

> Et vouloir mettre en luy crainte & terreur
> D'aigre justice, en disant que l'erreur
> Tiens de Luther ? [6]

et qu'il se défend de cette accusation :

> ... Point ne suis Lutheriste
> Ne Zuinglien, & moins Anabatiste :
> Je suis de Dieu par son filz Jesuchrist [7].

Il n'y a pas un mot dans l'épître pour suggérer que Marot a commis le crime d'avoir transgressé la loi du jeûne quadragésimal.

Deuxièmement il y a la célèbre épître *A son amy Lyon Jamet*. En racontant à son ami la fable du lion et du rat, du rat pris dans une souricière parce qu'il n'a su résister à l'appât de la viande, Marot laisse entendre de façon assez claire que l'accusation contre lui est fondée sur le manquement à l'abstinence, d'autant plus qu'il décrit la faute du rat de la façon suivante :

> Cestuy Lyon, plus fort qu'ung vieulx Verrat,
> Veit une fois que le Rat ne sçavoit

---

5. *Les Epîtres*, IX, v. 1-4.
6. *Ibid.*, v. 5-7.
7. *Ibid.*, v. 7-9. Cf. plus bas, p. 94 et 236.

> Sortir d'ung lieu, pour autant qu'il avoit
> Mangé le lard & la chair toute crue [8] ;

Le troisième poème se rapportant à cette affaire est l'*Enfer* composé

> En la prison claire & nette de Chartres [9].

Dans ce poème, Marot conte par le menu, bien que sous le voile — du reste fort transparent — de l'allégorie, son emprisonnement. Il ne mentionne aucune accusation précise, mais se défend d'être luthérien [10]. Par contre c'est dans cet ouvrage qu'on trouve la première allusion à la dénonciation de la part d'une femme :

> Bien avez leu, sans qu'il s'en faille ung A,
> Comme je fus par l'instinct de Luna
> Mené au lieu plus mal sentant que soulphre [11]

Cette histoire est développée pleinement dans la ballade *Contre celle qui fut s'amye* :

> Ung jour rescripviz à m'Ayme
> Son inconstance seulement ;
> Mais elle ne fut endormie
> A me le rendre chauldement.
> Car des l'heure tint parlement
> A je ne sçay quel Papelard
> Et luy a dict tout bellement :
> Prenez le, il a mangé le Lard !
>
> Lors six Pendars ne faillent mye
> A me surprendre finement ;
> Et de jour, pour plus d'infamie,
> Feirent mon emprisonnement.
> Ilz vindrent à mon logement :
> Lors, ce va dire ung gros Paillart,

---

8. *Les Epîtres*, X, v. 16-19.
9. *Œuvres satiriques*, I, v. 9.
10. *Ibid.*, v. 349-358. Voir plus bas, p. 125.
11. *Œuvres satiriques*, I, v. 21-23.

Par la Morbieu, voila Clement !
Prenez le, il a mangé le Lart !

Or est ma cruelle Ennemye
Vangée bien amerement.
Revange n'en veulx ne demye.
Mais, quand je pence voirement,
Ell'a de l'engin largement
D'inventer la science & l'art
De crier sur moy haultement :
Prenez le, il a mangé le Lart !

### Envoy

Prince, qui n'eust dit plainement
La trop grand chaleur dont elle art,
Jamais n'eust dit aucunement :
Prenez le, il a mangé le Lart [12] !

Les autres poèmes se rapportant à son emprisonnement
sont le rondeau :

### De l'inconstance de Ysabeau

Comme inconstante & de cueur faulse & lasche
Elle me laisse. Or puis qu'ainsi me lasche,
A vostre advis ne la doibs je lascher ?
Certes ouy, & aultrement fascher
Je ne la veulx, combien qu'elle me fasche.

Il luy fauldroit (au train qu'à mener tasche)
Des Serviteurs à journée & à tasche ;
En trop de lieux veult son cueur attacher
Comme inconstante.
Or, pour couvrir son grand vice & sa tache,
Souvent ma plume à la louer s'attache ;
Mais à cela je ne veulx plus tascher,
Car je ne puis son maulvais bruyt cacher
Si seurement qu'elle ne se descache
Comme inconstante [13].

---

12. Œuvres diverses, LXXX, Ballade xiv.
13. Œuvres diverses, LXIII, Rondeau lxiii.

### et le *Rondeau parfaict A ses Amys apres sa delivrance*

En liberté maintenant me pourmaine,
Mais en prison pour tant je fuz cloué.
Voyla comment Fortune me demaine !
C'est bien & mal. Dieu soit de tout loué.

Les Envieux ont dit que de Noé
N'en sortirois ; que la Mort les emmaine !
Maulgré leurs dentz, le neud est desnoué.
En liberté maintenant me pourmaine.

Pourtant, si j'ay fasché la Court Rommaine,
Entre meschans ne fuz oncq alloué.
Des bien famez j'ay hanté le dommaine ;
Mais en prison pourtant je fuz cloué.

Car aussi tost que fuz desadvoué
De celle là qui me fut tant humaine,
Bien tost apres à sainct Pris fut voué.
Voyla comment Fortune me demaine.

J'eus à Paris prison fort inhumaine ;
A Chartres fuz doulcement encloué.
Maintenant voys où mon plaisir me maine ;
C'est bien & mal. Dieu soit de tout loué.

Au fort, Amys, c'est à vous bien joué
Quand vostre main hors du parc me ramaine.
Escript & faict d'un cueur bien enjoué
Le premier jour de la verte Sepmaine [14].

De ces textes on a construit l'hypothèse selon laquelle la maîtresse infidèle se serait appelée Ysabeau, et qu'elle l'eût dénoncé à un « papelard » pour avoir mangé du lard en carême.

Plausible ou non, cette hypothèse a satisfait, à partir du XVIᵉ siècle certainement, la curiosité non seulement du public mais encore de tous les critiques et historiens. Pourtant, dès qu'on l'examine dans quelque détail, des difficultés, improbabilités et discordances deviennent évidentes.

Comme nous venons de le voir, l'hypothèse est entière-

---

14. *Œuvres diverses*, LXIV, Rondeau LXIV.

ment basée sur les déclarations du poète. Or les affirmations de Marot relatives à ses déboires sont sujettes à caution, surtout lorsqu'il s'agit de ses démêlées avec les autorités. Quand, plus tard, il fera le récit de sa fuite après l'affaire des Placards, il dira :

> Nous estions assez esbahys,
> Lyon, il t'en peult souvenir ;
> Il n'estoit temps de revenir ;
> Il failloit chercher seureté
> Du paouvre Clement arresté,
> Qui surprins estoit à Bordeaulx
> Par vingt ou quarante bedeaulx
> Des sergens dudict parlement.
> Je diz que je n'estoys Clement
> Ne Marot, mais ung bon Guillaume
> Qui, pour le prouffict du Royaume,
> Portoys en grande dilligence
> Paquet et lettres de creance.
> Je n'avoys encores souppé,
> Mais si tost que fuz eschappé,
> Je m'en allay ung peu plus loing ;
> Par dieu, il en estoit besoing [15] ;

alors qu'un procès-verbal du Parlement de Bordeaux montre qu'il déclina bel et bien ses noms et titres [16].

La première question qui s'impose concerne la date à laquelle furent composées les pièces que Marot a consacrées à cette affaire. Comme nous venons de le voir, c'est dans six poèmes que le poète nous a livré le récit de son emprisonnement. Cinq de ces compositions virent le jour de l'impression en 1534, dans *Le Premier Livre de la Metamorphose d'Ovide translaté de Latin en François par Clement Marot... Item. Certaines œuvres qu'il feit en prison, non encores imprimeez* [17]. Elles figurent à la fin de cette édition, dans une section portant le titre : *Certaines œuvres qu'il feit en la prison.* Il s'agit des pièces que nous venons d'énumérer, à l'exception toutefois de l'*Enfer,* publié pour

15. *Œuvres satiriques,* IX, v. 138-154.
16. C.A. Mayer, *La Religion de Marot,* Genève, Droz, 1960, p. 25.
17. *Bibliographie,* II, n° 21.

la première fois en 1539, à Anvers [18]. Le texte de l'*Enfer*
ne permet cependant aucun doute quant à la date de composition ; le poème traite de toute évidence de l'emprisonnement du poète en 1526 et fut donc de toute probabilité
écrit cette année-là. De même, en ce qui concerne les cinq
pièces publiées en 1534, il est infiniment probable qu'elles
se rapportent toutes à l'affaire de 1526 [19], et non à celle de
1532 [20]. En effet, en 1532, bien qu'un mandat d'amener fût
lancé contre lui, Marot ne fut pas arrêté. A moins d'accuser
le poète d'une supercherie il faut donc accepter que la ballade et les deux épîtres furent effectivement composées pendant son emprisonnement en 1526, et que les deux rondeaux publiés dans la même section furent composés, le
premier quelque temps avant son arrestation, le second
immédiatement après sa délivrance. Comme on ne voit pas
la raison pour laquelle le poète aurait prétendu que des
poèmes composés en réalité en 1532 avaient été écrits en
1526, l'hypothèse d'une supercherie est entièrement gratuite. En toute conscience il faut admettre que toutes ces
pièces datent de l'année 1526.

Est-il vrai que tous les déboires de Marot sont dûs à une
dénonciation formulée par une ancienne maîtresse ? La
chose semble douteuse. On n'est jamais arrivé, malgré des
prodiges d'ingéniosité, à identifier la mystérieuse amie du
poète. Le nom d'Ysabeau n'a fait son apparition qu'en 1538,
quand Marot, dans l'édition de ses *Œuvres* publiée par
Dolet [21], changea, de façon significative, les titres de deux
des pièces relatives à son emprisonnement. Le rondeau
« Comme inconstante & de cueur faulse & lasche » dont
le titre, dans l'édition princeps [22], est *Rondeau qui fut la
cause de sa prise*, sera intitulé *De l'inconstance de Ysabeau*. De même le titre de la ballade « Ung jour rescripviz

---

18. *Bibliographie*, II, n° 79.
19. Pourtant, dans deux articles, le premier dans *Modern
Language Notes* en 1940, le second dans B.H.R. en 1967, M. Françon a prétendu, contre toute évidence, que ces poèmes se rap-
portaient non à l'affaire de 1526, mais à celle de 1532 (voir plus
bas, p. 103 suiv.).
20. Voir plus bas, p. 420 suiv.
21. *Bibliographie*, II, n° 70.
22. Voir plus haut, p. 87.

à m'Amye » change de *La Ballade qu'il feit en prison* en *Contre celle qui fut s'Amye.*

Le nom d'Ysabeau n'apparaît, comme nous l'avons vu, qu'en 1538, preuve que Marot a essayé de fourvoyer son public. Mieux encore, l'idée même d'attribuer à une vengeance féminine ses démêlées avec les autorités religieuses trahit l'intention du poète de transposer dans le domaine du jupon et donc de la frivolité une affaire extrêmement sérieuse tout à fait du genre de celles qui se terminaient d'ordinaire sur le bûcher à l'époque.

Reste à expliquer comment l'idée de la vengeance d'une maîtresse infidèle a pu venir à Marot. Ici, comme dans d'autres passages de l'*Enfer*[23], il s'est probablement souvenu de Villon.

On sait que Villon, ayant commis un vol avec effraction au collège de Navarre et se sachant dénoncé par un de ses complices, s'enfuit de Paris après avoir, dans le *Lais,* donné comme cause de son départ un amour malheureux[24]. Plus tard, dans le *Testament,* Villon nommera sa maîtresse infidèle, lui attribuant la cause de ses déboires ; c'est à cause d'elle qu'il a été fouetté tout nu, et qu'il doit souffrir « Pour ung plaisir mille douleurs[25] ». Cette Catherine de Vaucelles, qu'on n'a jamais retrouvée dans le moindre document, selon l'opinion la plus répandue n'a jamais existé. Marot, le premier éditeur de Villon, pouvait-il soupçonner la vérité sur les affirmations de ce dernier ? Il est certain que l'affaire du collège de Navarre ne fut découverte qu'assez récemment, mais même sans savoir que l'amour de Villon était fictif, Marot a pu le deviner. Malgré ses vers touchants, la poésie d'amour de Villon comporte tant de ricanements obscènes que le lecteur diligent peut fort bien en conclure que le chagrin d'amour n'est qu'une mauvaise excuse. Ainsi donc l'idée d'attribuer à la vengeance d'une maîtresse infidèle ses démêlés avec la justice, a fort bien pu être suggérée à Marot par sa familiarité avec l'œuvre de Villon.

---

23. V. 353-358. Voir *Œuvres satiriques,* p. 68.
24. *François Villon : Œuvres,* éd. Foulet, Paris, Champion, 1932 ; *Le Lais,* v. 14-48. Cf. P. Champion, *François Villon et son temps,* Paris, 1920.
25. Ed. cit., *Le Testament,* v. 624.

Ajoutons que si le nom d'Ysabeau n'apparaît qu'en 1538, celui de Luna, en revanche, a probablement fait son apparition dès 1526. En effet, dans toutes les versions connues de l'*Enfer*, imprimées aussi bien que manuscrites, ce nom figure au v. 22. Si Marot avait donné un autre nom à cette maîtresse fictive dans une version originale de cette satire publiée en 1539, on s'expliquerait mal qu'aucun des divers scribes qui ont copié le poème ne l'ait reproduit. La concordance de tous les textes existants montre que Luna est bien le seul nom que Marot ait donné à cette femme dans l'*Enfer*. Les contemporains déjà l'ont glosé. Ainsi dans son édition de l'*Enfer*, en 1542 [26], Etienne Dolet écrit :

> Marot prend Luna pour une femme inconstante et pleine de malice qui fut cause de son emprisonnement.

C'est probablement la tradition littéraire qui explique également le choix de ce nom. En effet « Luna » est le nom de la maîtresse de Chariteo dans son *Libro di sonetti et canzoni di Chariteo intitulato Endimione* [27]. Or nous savons que c'est précisément à l'époque où il composa ses rondeaux, c'est-à-dire entre 1520 et 1526 environ, que Marot fut sous l'influence des poètes pétrarquistes italiens, parmi lesquels Serafino Aquilano, Olimpo di Sassoferrato et Chariteo semblent avoir été ses préférés, ceux en tout cas à qui il a le plus emprunté [28]. L'explication la plus simple du nom de Luna, c'est donc que Marot s'est souvenu de Chariteo : il a recouru à une sorte de nom générique, celui qu'un poète italien à la mode venait de donner à la femme aimée, froide et distante.

Ajoutons que la légende de la vengeance féminine, source des malheurs du poète, servira encore à deux reprises : dans l'épître *A son amy Couillard* que le fils du poète, Michel, essaya de faire passer comme œuvre de son

---

26. *Bibliographie*, II, n° 129.
27. *Le Rime di Benedetto Gareth detto Il Chariteo*, éd. E. Percopo, Naples, 1892, 2 vol., vol. I, p. LXVI suiv.
28. Voir C.A. Mayer et D. Bentley-Cranch, *Clément Marot, poète pétrarquiste*, art. cit.

père, il laisse entendre que la fuite de 1534, après l'affaire des placards, est due à une dénonciation féminine :

> A la seule parolle
> D'une femme trop folle [29] !

Enfin, pour expliquer la fuite de Marot en 1542, on a longtemps cru qu'elle résultait de la haine qu'éprouva pour lui la duchesse d'Etampes [30]. Il semble donc prudent d'admettre que la dénonciation de la part d'une ancienne maîtresse n'est qu'une invention de Marot ; il est oiseux de chercher l'identité de cette femme et d'émettre des hypothèses sur Luna et Ysabeau.

Ensuite, les deux épîtres envoyées prétenduement du Châtelet, l'une à Bouchart, l'autre à Lyon Jamet, ont-elles vraiment été composées en prison ? Parlant de l'épître à Lyon Jamet, Villey a dit :

> On est tenté de se demander si elle n'a pas été composée après coup, par une sorte de retour amusé que fit Marot sur son aventure. Il n'est aucunement sûr qu'elle soit de la prison, et écrite dans le dessein de gagner réellement Lyon Jamet à la cause du prisonnier [31].

Ajoutons que, dans ce cas, il n'est pas nécessaire non plus de croire que l'épître à Bouchart ait vu le jour dans les ténèbres du Châtelet. Il peut paraître surprenant que le régime des prisons, si terrible à cette époque, ait permis aux prisonniers d'écrire des lettres, de communiquer avec leurs amis pour leur demander secours. On sait quelle impression terrifiante le Châtelet laissa dans l'esprit de Marot. Tout au long de l'*Enfer,* on lit son horreur pour ce « lieu plus mal sentant que soulffre ». Et il aurait pu y écrire deux épîtres, dont l'une est parmi les plus charmantes qu'il ait jamais composées ? Au fond, il est impos-

---

29. *Les Epîtres,* Appendice II, 1. Sur l'authenticité de ce poème, voir *ibid.,* p. 57-60.
30. Voir plus bas, p. 483-485.
31. *Recherches sur la chronologie des œuvres de Marot,* Paris, Leclerc, 1921, p. 27.

sible de rien affirmer avec certitude. Cependant, l'année suivante, incarcéré à la Conciergerie, le poète trouva moyen d'adresser au roi la célèbre épître « pour le deslivrer de prison ». Quoi qu'il en soit, les deux pièces soi-disant composées au Châtelet en 1526 ne furent publiées qu'en 1534, dans *Le Premier Livre de la Metamorphose d'Ovide* [32], de sorte que si ces poèmes datent vraiment du temps de l'incarcération, nous n'en connaissons pas la version originale. De presque toutes les pièces tant soit peu dangereuses, nous avons plusieurs états, preuve que Marot y a effectué d'assez importants changements [33]. Il serait étonnant qu'il n'eût pas revu ces deux poèmes, avant de les livrer à l'impression. De toute manière, l'épître *A Monsieur Bouchart*, telle qu'elle se lit dans l'édition princeps et dans toutes les impressions jusqu'en 1538, n'a pu être écrite par Marot dans le but de sortir de prison. N'y lit-on pas ces vers curieux :

> Point ne suis Lutheriste
> Ne Zuinglien, encores moins Papiste [34].

Nous connaissons, il est vrai, de cette épître, une version manuscrite très différente du texte de 1534, comme du reste du texte définitif de 1538. Elle se trouve dans le manuscrit français 17527 de la Bibliothèque nationale :

> ### Dudict Mazot (sic), *luy estant en prison*
>
> Donne responce à mon piteux affaire,
> Docte docteur. Qui ta induict à faire
> Emprisonner depuis six jours en ça
> Ung tien servant qui onc ne t'offensa,
> Et voulloir mectre en luy craincte et terreur
> D'aigre justice, en le chargeant d'erreur
> Lutherienne, en tant de lieux mauldicte,

---

32. *Bibliographie*, II, n° 21.
33. Voir *Le Texte de Marot*, B.H.R., t. XIV, 1952, p. 314-328, et t. XV, 1953, p. 71-91.
34. V. 7-8. Sur cette variante, voir plus bas, p. 236. Cf. aussi *La Religion de Marot*, ouvr. cit., p. 98.

Contraire à tous et à tous interdicte ?
Je ne fuz oncq, ne suis et ne seray
Cynon (sic) cristien, et mes jours passeray
En, par, et pour, et dessouz Jesucrist.
Je suis celluy qui ay faict maint escript
Dont une ligne on ne sçauroit extraire
Qui à l'Eglise ou à Dieu soit contraire.
Je suis celluy qui prend plaisir et peyne
A louer Dieu et la vierge tant plaine
De grace infuse ; et pour bien le prouver,
On le pourra en mes œuvres trouver.
Brief suis celuy qui croit, honore et prise
La saincte, vraye et catholique Eglise ;
Autre doctrine en moy ne veulx boutter ;
Ma loy est bonne, et sy ne fault doubter
Qu'à mon pouvoir ne la prise et exaulce,
Veu qu'ung payen prise la sienne faulce.
Que quiers tu doncq, o docteur catholique ?
Que quiers tu doncq ? As tu aulcune picque
Encontre moy, ou si tu prens saveur
A me trister dessoubz autruy faveur ?
Je croy que non ; ains quelque faulx entendre
T'a faict sur moy telle rigueur estandre.
Doncques refrains de ton couraige l'ire.
Que pleust à Dieu que tu peusses bien lire
Dedans mon cueur, de franchise interdict :
Si le verroys autre qu'on ne t'a dict.
    Atant me taiz, cher seigneur, nostre maistre,
Te suppliant à ce coup amy me estre.
Et si pour moy en pitié tu n'es mys,
Faiz quelque chose au moins pour mes amys,
En me rendant par une hors-bouttée
La liberté laquelle m'as ostée.

                                **Alleluya.**

Ce manuscrit est une Chronique parisienne d'une partie
du règne de François 1er (1523-1534) [35]. On y trouve des
notes historiques, des lettres royales, des arrêts du Parle-

---

35. Le ms. provient de la Bibliothèque du couvent de Saint-
Germain-des-Prés. Il est décrit par V.L. Bourrilly, dans le *Journal d'un bourgeois de Paris sous le règne de François Ier*, Paris,
1910, p. 399.

ment, des textes de traités, des poésies de circonstance, des pièces concernant l'Université, les luthériens, etc. La seconde partie du volume est presque entièrement composée de poésies de Clément Marot. Ici encore, on peut remarquer qu'aucune pièce n'est postérieure à 1532. Le copiste est inconnu, mais de toute évidence, c'était un catholique ardent. En effet, le recueil contient de nombreuses pièces contre les luthériens, dont deux contre Louis de Berquin, l'une intitulée *Contre Berquin Lutherien bruslé à Paris* [36], l'autre *Contre Berquin heretique* [37]. De plus, dans la *Déploration de Florimond Robertet,* que le scribe a copiée sans nom d'auteur, et sous le titre *Comment la mort parle à chacun,* il n'y a que le discours de la mort. Tout le reste a été omis par ce scribe catholique, que la description de « Dame Romaine » au début de cette pièce, devait trop choquer pour qu'il pût en copier le texte.

On peut aller plus loin et affirmer que le scribe a certainement appartenu au monde des clercs parisiens puisqu'il a copié un certain nombre de pièces concernant l'Université de Paris. Il est donc possible que ce manuscrit nous donne la version originale de l'épître *A Monsieur Bouchart,* si toutefois Marot a effectivement pris la plume pendant son séjour au Châtelet pour demander à Bouchart sa mise en liberté. L'hypothèse selon laquelle le scribe aurait reçu cette épître des mains de Bouchart est tentante, mais il est impossible d'affirmer quoi que ce soit. Il convient de noter que le texte manuscrit est à la fois plus orthodoxe et plus humble que celui des deux versions imprimées. Si cette version représente l'état original du poème, Marot l'a changée assez considérablement, la rendant plus hardie, pour la publier.

Une question d'une importance tout aussi grande est l'identité du docteur Bouchart. Ph.-A. Becker, le seul critique à avoir essayé d'identifier ce personnage, a cru qu'il s'agissait de Nicolas Bouchart, professeur de théologie au collège de Navarre [38] ; or rien n'indique qu'il ait joué un

---

36. F° 111 v°.
37. F° 132 v°.
38. *Clément Marot, sein Leben und seine Dichtung,* ouvr. cit., p. 36-37.

rôle dans les poursuites contre Marot [39]. Becker s'appuie sur le fait que Bouchart aurait été chargé, en 1525, de poursuivre, au nom de la Sorbonne, Pierre Caroli devant le Parlement ; au cours de cette enquête un témoin aurait inculpé Marot ! Non seulement il ne s'agit là que d'une hypothèse, mais encore je doute fort que Nicolas Bouchart ait joué le rôle d'accusateur de Caroli devant le Parlement, rôle qui convenait mieux à un avocat qu'à un théologien. Le passage de Du Plessis d'Argentré invoqué par Becker :

> D. Syndicus... protulit quasdam propositiones Caroli cum earum censuris... hac de causa perorando apud Senatum D. Bochart nomine sacri Ordinis petiitque, veu le feu ja fort enflambé tant autour du Royaume, qui etiam in penetralibus nostris, qui s'augmente chacun jour... [40].

ne se rapporte pas à un théologien, mais à l'avocat de la Sorbonne, Jean Bochart ou Bouchard [41].

Il se peut que Becker ait aussi confondu Nicolas Bouchart avec Geoffroi Boussart, cité par Du Plessis d'Argentré à propos du procès contre Caroli [42]. Or Geoffroi Boussart avait été régent au collège de Navarre, puis, en 1514, chancelier de l'Université ; en 1525, il occupait la fonction du doyen de la faculté de théologie [43].

Malgré le titre, il est peu probable que le destinataire de l'épître *A Monsieur Bouchart, docteur en théologie*, ait été

---

39. J. de Lanoy, *Regie Navarrae gymnasie Parisiensis historia*, I, 402, et II, 987, le cite simplement comme professeur au collège de Navarre. Il fut chargé, en 1526, d'un rapport sur les ouvrages d'Ulrich von Hutten (L. Delisle, *Notice sur un registre des procès-verbaux de la Faculté de Théologie de Paris pendant les années 1505-1533*, Paris, 1899, p. 66, n° LXIX).
40. Du Plessis d'Argentré, *Collectio judiciorum de novis erroribus*, Paris, 1728, II, p. 8.
41. Voir plus bas, p. 99-102.
42. Ouvr. cit., II, p. 22.
43. Voir A.L. Herminjard, *Correspondance des Réformateurs dans les pays de langue française*, Genève, 1866-1897, t. I, p. 16 ; L. Delisle, ouvr. cit., p. 8 : « Reverendus pater et egregius vir magister Gauffridus Boussart, insignus ecclesie Parisiensis cancellarius ac prefate Facultatis decanus. »

un théologien. En effet, Marot affirme que Bouchart l'a fait emprisonner, et il le supplie de le faire relâcher. Or un théologien de la Sorbonne n'avait le pouvoir ni de lancer des mandats d'amener, ni d'ordonner la mise en liberté d'un prisonnier. Marot, écroué au Châtelet sous l'autorité du prévôt Gabriel d'Allègre et du lieutenant criminel Gilles Maillart[44], n'avait pas affaire aux théologiens de la Sorbonne. Rappelons que le Châtelet était le siège de la prévôté de Paris[45], et qu'il n'y a aucune trace d'une intervention de la Sorbonne, comme il y en eut une dans le procès de Dolet. De même, il est impossible de supposer que Marot fut arrêté sur l'ordre de la commission spéciale pour la répression de l'hérésie, créée en 1525 et formée de deux théologiens et de deux conseillers[46]. Car enfin, s'il en avait été ainsi, on voit mal comment l'évêque de Chartres, Louis Guillard, put par la suite demander que l'affaire — et le prisonnier — lui fût transmise, sous prétexte que le crime de Marot relevait de la juridiction ecclésiastique[47]. Avouons qu'on voit mal l'évêque de Chartres réclamer un prisonnier à la Sorbonne[48]. Au contraire, l'intervention de Guillard montre clairement que Marot n'avait eu affaire qu'aux autorités de première instance simplement, et que, jusqu'à

44. Voir C.A. Mayer, *Clément Marot et le Grand Minos*, B.H.R., t. XIX, 1957, p. 482-484.

45. Voir R. Doucet, *Les Institutions de la France au seizième siècle*, Paris, 1948. Si Marot avait été inculpé devant le Parlement de Paris, il aurait été incarcéré à la Conciergerie, comme le fut plus tard Dolet.

46. Voir délibération du Parlement de Paris du 29 mars 1525 n.s. (Dom Toussaint Du Plessis, *Histoire de l'église de Meaux*, Paris, 1731, t. II, p. 277) ; Remonstrances du Parlement de Paris à la régente Louise de Savoie du 10 avril 1525 n.s. (Arch. Nat. X²ᵃ 1527, f° 321 v° à 323 v°), lettre de la régente au pape du 19 avril 1525 n.s. (P. Balan, *Monumenta saeculi XVI historiam illustrantia*, Innsbruck, 1885, n° 261, p. 344), Acte consistorial du 17 mai 1525 (J. Fraikin, *Nonciatures de France, Nonciatures de Clément VII*, t. I, Paris, 1906, p. 434) et Bulle du pape du 17 mai 1525 (Isambert, *Recueil général des anciennes lois françaises*, Paris, 1821-1833, t. XII, p. 231-232).

47. *Gallia Christiana*, t. VIII, p. 408-409. Cf. *La Religion de Marot*, ouvr. cit., p. 11.

48. Ajoutons que les documents instituant la commission spéciale sont explicites pour déclarer cette commission la plus haute instance, contre laquelle il n'y a pas d'appel.

cette intervention, ni la Sorbonne, ni la commission spéciale pour la répression de l'hérésie n'étaient officiellement
associées à l'accusation contre le poète. Je ne vois donc
pas que le destinataire de l'épître à M. Bouchart puisse
être un théologien de la Sorbonne. S'il est vrai qu'un
nommé Bouchart fut responsable de l'arrestation de Marot,
ce ne saurait être Nicolas Bouchart du collège de Navarre.
Il est probable que ce fut un avocat du nom de Jean Bouchard, assez célèbre à l'époque [49]. C'est que celui-ci était
« conseiller en la Conservation des privilèges royaux de
l'Université de Paris [50] », qui était une juridiction spéciale,
formant un tribunal de première instance pour les membres de l'Université [51]. De 1523 à 1526, la Conservation des
privilèges se confondait avec le bailliage de Paris, créé

---

49. Cf. E. Maugis, *Histoire du Parlement de Paris de l'avène-
ment des rois Valois à la mort d'Henri IV*, Paris, 1913-1916,
t. III, p. 185 (Catalogue des conseillers au Parlement) : « Jean II
Bouchard ou Bochart, Sgr. de Noroy et de Champigny, greffier
des requêtes de l'hôtel... ex-avocat céans... »
Un de ses plaidoyers figure dans le ms. français 5307 de la
B.N., lequel constitue un recueil des « Plaidoiries faites, en la
grand chambre du parlement de Paris, du 11 août 1522 au
6 avril 1524 n.s. par Guillaume Poyet, avocat de Louise de
Savoie, demanderesse ; François de Monthelon, avocat de Charles, duc de Bourbon, connétable, défendeur ; Jean Bouchard,
avocat d'Anne de France, duchesse douairière de Bourbon,
défenderesse ; et Pierre Lizet, avocat général pour le procureur
du roi, dans l'affaire de la succession de Suzanne de Bourbon. »
Son nom figure également dans la série généalogique, Carrés
d'Hozier, 116, et Dossiers bleus, 114.
50. On ignore cependant la date de sa nomination à cette
fonction. Il devint conseiller lai au Parlement de Paris, le
21 juillet 1544 (*Catalogue des Actes,* VII, 500, n° 26106, où il est
appelé « conseiller en la Conservation des privilèges royaux de
l'Université de Paris »). Cf. J. Blanchard, *Les Présidens au
mortier du Parlement de Paris... ensemble un catalogue de tous
les conseillers*, Paris, 1647, p. 66 : « Jean Bouchard, reçu le
21 juillet 1544. Lorsqu'il fut pourvu de cette charge, il estoit
conseiller du Roy en la conservation des privilèges royaux de
l'université de Paris & greffier de l'Hostel. »
Maugis, ouvr. cit., p. 185, place sa nomination comme conseiller le 18 juillet 1544 : « Reçu conseiller le 18 juillet au lieu
d'Antoine Minard fait VIᵉ Président. »
51. Voir R. Doucet, ouvr. cit., II, p. 793.

spécialement pour Jean de la Barre [52], mais il fut supprimé
le 17 avril 1526, lors de la nomination de Jean de la Barre
comme prévôt de Paris [53].

Si Bouchard était conseiller en la Conservation des privilèges royaux de l'Université de Paris à l'époque de l'arrestation de Marot — rappelons que nous ignorons la date
de sa nomination — ses fonctions durent le mettre en
d'étroits rapports avec le Châtelet et les officiers de la
prévôté de Paris d'une part et avec l'Université de l'autre.
De toute manière, Bouchard semble avoir été l'avocat permanent de la Faculté de théologie. Ainsi, lors de l'abolition de la pragmatique sanction, au début de 1518, ce fut
lui qui, au nom de la Sorbonne, éleva de violentes protestations, au point qu'il dut prendre la fuite, et fut ajourné
à comparoir à Orléans le 11 septembre, François 1er ayant
très mal pris la chose [54]. En 1524, la Sorbonne le choisit

---

52. *Ibid.*, t. I, p. 273 : « Le bailliage de Paris... était en réalité
la Conservation des privilèges royaux de l'Université de Paris »,
Archives Nationales, X1a 8611, f° 408 v° (création du bailliage
de Paris et nomination de Jean de la Barre, en 1523) ; *Journal
d'un bourgeois de Paris,* ouvr. cit., p. 11 : « ... le Roy crea aussy
et ordonna à tousjours en la ville de Paris un bailliage pour
estre divisé et hors la prevosté de Paris, et pour en faire une
jurisdiction à part et pour, par icelle, cognoistre des causes des
privilegiez de l'Université de Paris. Et, pour ce faire y establit
et ordonna ung baillif lequel se nommoit monsieur de la Barre,
qui estoit l'un de ses mignons, natif de Paris et de pauvres
gens ; auquel il donna ledict bailliage gratis, à cause qu'il estoit
en sa grace. Et fut dict que le prevost de Paris ne le lieutenant
civil ne cognoistroient plus des causes de privilegiez, mais qu'en
première instance ledit baillif ou son lieutenant en cognoistroient. »
53. *Cat. des Actes,* V, 754, n° 18588.
54. Voir *Journal d'un bourgeois de Paris,* ouvr. cit., p. 56 :
« Peu de temps après (mars-avril 1518), le Roy envoya à Paris
monsieur Fumée, l'un des maistres des requestes de son hostel,
pour informer des murmures et maulvaises paroles qui avoient
esté dictes par la ville de Paris et preschees par les sermons et
esglises, à cause de ladicte Pragmatique, et aussi pour prendre
prisonniers quatre advocatz qui avoient esté appelez au conseil
par l'Université pour faire une consultation touchant la Pragmatique, c'est asçavoir : maistres Jacques Dixhommes, Aligret,
Bouchard et de Lothier... » ; et p. 60 : « (le 2 septembre 1518
furent) ajournez à Paris par un huyssier du grand Conseil à estre

pour la représenter devant le Parlement dans son procès contre Pierre Caroli [55]. En 1525, il parut devant le Parlement au nom de la Faculté de théologie et des Frères Mineurs de Meaux, pour réclamer les châtiments les plus sévères pour ceux qui parleraient contre le culte de la Vierge et des saints [56]. Enfin, dans le procès très important intenté par le gardien de l'ordre des Cordeliers, Corion (ou Coreau [57]), à Guillaume Briçonnet, ce fut encore lui qui représenta le parti de l'orthodoxie contre les novateurs. Ici, il avait été choisi par la Sorbonne, instigatrice du procès, comme il appert des registres de la Faculté :

> Anno Domini millesimo quingentesimo vicesimo quinto, die prima mensis augusti...
> Retulit honorandus magister noster Corion que, faciendo sermonen in ecclesia Sancti Martini civitatis Meldensis, die dominica XVII mensis julii ultime elapsi, prout ei fuerat per Facultatem, rogante et hoc requirente magistro nostro Marciale Masurier, ejusdem ecclesie curato, injunctum, contingerant, et quod, in odium illius sermonis, dominus episcopus Meldensis fecerat eundem Corion ex officio citari ad diem secundam hujus mensis, a qua citatione per consilium Facultatis, videlicet domini Bouchart, appelavit per procuratorem hora assignationis ad curiam Parlamenti formaliter tamquam ab abusu. Hinc supplicabat dictus Corion quod Facultas susciperet causam et eum defenderet, etc. Quibus auditis, post maturam deliberationem, etc, fuit conclusum in primis prosequeretur viriliter [58].

Ce personnage semble donc tout indiqué pour le rôle d'accusateur de Marot. Avocat attitré de la Sorbonne, il

---

et comparoir en personne en la ville d'Orléans, au samedy unziesme jour dudict moys... Bouchard, avocatz en Parlement, qui avoient esté à la consultation faicte par l'Université à cause de la Pragmatique. » Cf. A. Renaudet, *Préréforme et Humanisme*, Paris, 1953, p. 583.

55. Voir plus haut, p. 97.
56. Du Boulay, *Histoire de l'Université*, ouvr. cit., VI, p. 184.
57. Sur ce procès, voir B.N. ms. fr. 6528, et S. Berger, *Le Procès de Guillaume Briçonnet au Parlement de Paris en 1525*, B.S.H.P.F., XLIV (1895), p. 20.
58. L. Delisle, ouvr. cit., p. 67.

était en quelque sorte le conseiller légal des théologiens, poursuivant devant les tribunaux les novateurs et ennemis de la Faculté. En rapport avec le Châtelet, rien ne lui était plus facile que de faire sévir ses collègues de la prévôté contre Marot. Le poète avait donc raison de s'adresser à Bouchard. Seulement, si notre hypothèse est valable, il eut tort de le qualifier de docteur en théologie et de le gratifier des titres de « docte docteur » et de « notre maître ». Peut-être Marot a-t-il confondu lui-même Jean Bouchard avec Nicolas Bouchart [59] ; il a pu croire que le conseiller en la Conservation des privilèges royaux de l'Université de Paris, le défenseur de la Sorbonne, l'homme responsable de son arrestation était un théologien.

Enfin, est-il vrai que le crime de Marot fut d'avoir rompu le jeûne quadragésimal ? Ici, le doute n'est guère possible. D'abord, le poète l'a dit à deux reprises, dans l'épître à Lyon Jamet [60] et dans la ballade *Contre celle qui fut s'Amye* [61]. On doit noter toutefois que, dans l'épître *A Monsieur Bouchart*, Marot ne fait aucune allusion à ce crime ; en demandant à Bouchard pourquoi il l'a fait arrêter, il prétend, à tort ou à raison, ignorer complètement sur quoi repose l'accusation de luthéranisme portée contre lui. Même remarque pour l'*Enfer*, où il raconte au long l'interrogatoire que lui a fait subir le lieutenant criminel Maillart [62] et où il se défend assez vaguement contre l'accusation de luthéranisme, sans parler de celle d'avoir mangé de la viande en temps de carême. Mais si les affirmations de Marot sont vagues et douteuses, nous avons ici d'autres preuves qui nous permettent de conclure que son crime était selon toute probabilité celui qu'il avoue dans l'épître

---

59. Sur la graphie du nom, notons que les documents nous la donnent tantôt comme Bouchard ou Bochard, tantôt comme Bouchart ou Bochart. Notons également que le titre de l'épître de Marot : *Marot à Monsieur Bouchart, Docteur en Theologie* dans les *Œuvres* de 1538 (Lyon, Gryphius, *Bibliographie*, II, n° 71), était, dans l'édition princeps (*Le Premier Livre de la Metamorphose*, Paris, E. Roffet, 1534, *Bibliographie*, II, n° 21) : *Epistre qu'il envoya à Bouchard, docteur en Theologie*.

60. *Les Epîtres*, X.

61. *Œuvres diverses*, LXXX, Ballade xiv.

62. V. 303-452.

à Lyon Jamet. C'est que six ans plus tard, Marot fut de nouveau poursuivi pour avoir mangé de la viande pendant le carême. Il est intéressant de noter que l'autorité judiciaire qui procéda cette fois contre le poète fut le Parlement et non pas la prévôté de Paris. Voici ce que nous apprennent les documents. Pour le matin du 18 mars 1532 (1531 a.s.), le registre du Parlement porte cette note :

> Ce jour, la matiere mise en deliberation, la dite court a commis & commect Mes Nicole Hennequin & Jehan Tronsson, conseillers seans, pour faire & instruire le procès Mes Laurens & Loys Meigretz, Mery Deleau, André Leroy, Clement Marot, Martin de Villeneufve & leurs complices, estans chargez d'avoir mangé de la chair durant le temps de Karesme & autres jours prohibez, & sauf s'ils demandent estre renvoyez pardevant les juges d'Eglise, d'en ordonner par ladite court : & administrera les temoins audis commissaires le procureur general, & seront les fraiz faitz sur les mil livres ordonnées pour les affaires de ladite court [63].

On s'est demandé si ces deux affaires n'en formaient en réalité qu'une, c'est-à-dire si le Parlement a simplement repris en 1532 l'accusation pour le délit qui avait déjà mené le poète au Châtelet en 1526. Si nous voulons savoir la cause du premier emprisonnement de Marot, il faut pouvoir répondre à cette question.

Le procès dont nous venons de citer le premier document est extrêmement intéressant et jette une lumière assez inattendue sur les mœurs politiques et judiciaires de l'époque. Le premier fait saillant dans cette affaire, c'est qu'elle se déroula devant la Chambre de la Tour Carrée. Il peut sembler étrange qu'un délit religieux fût évoqué devant cette instance qui avait pour mission de frapper les financiers et non les hérétiques. En effet, créée le 16 novembre 1527, après la condamnation de Semblançay, la Chambre de la Tour Carrée était destinée à liquider la

---

63. Arch. Nat., Registres du Parlement de Paris, X 1535, f° 150 v°. Sur les complices de Marot, voir *La Religion de Marot,* ouvr. cit., p. 51 suiv.

succession du malheureux contrôleur, à poursuivre les financiers et à les frustrer de leurs fortunes au profit du grand-maître Anne de Montmorency [64]. Autre détail frappant : alors que le document du 18 mars nomme les six hommes comme également coupables d'avoir mangé de la viande, ils ne subirent pas tous le même sort : le seul à être sérieusement poursuivi fut Laurent Meigret. Il paraît que le Parlement essaya effectivement d'arrêter Marot, qui était encore malade de la peste :

> ... ; mesmes ung jour ilz vindrent
> A moy mallade, & prisonnier me tindrent,
> Faisant arrest sus ung homme arresté
> Au lict de mort & m'eussent pis traicté,
> Si ce ne fust ta grand' bonté, qui à ce
> Donna bon ordre avant que t'en priasse,
> Leur commandant de laisser choses telles,
> Dont je te rends les graces immortelles [65].

Ainsi, s'il faut en croire Marot, le roi lui-même fit arrêter les poursuites. Peut-être s'agit-il là d'une flatterie, car, d'après un document important, ce fut le secrétaire de Marguerite de Navarre qui tira le poète d'affaire :

> Mercredy, 20ᵉ jour de mars 1531 (1532 n.s.), mane. Cedit jour Estienne Clavier, secretaire des roy & royne de Navarre, a pleigé & cautionné Clement Marot, sub pena convicti & a promis ne partir de la ville sans en advertir la court ung ou deux jours auparavant avec toute submission accoustumée [66].

Six jours plus tard, deux autres accusés, André Leroy et Martin de Villeneuve, sont relâchés sur « humble soumis-

---

64. Voir A. Spont, *Semblançay (?-1527), La bourgeoisie financière au début du seizième siècle*, Paris, 1895, p. 265-279.

65. *Les Epîtres*, XXXVI, *Epistre au Roy, du temps de son exil à Ferrare*, v. 31-38.

66. Archives Nationales, Registres du Parlement de Paris, X 1535, fᵒ 150 vᵒ. Estienne Clavier (ou Clavyer) est inscrit comme secrétaire dans l'état de Marguerite de Navarre pour l'année 1539 (B.N. ms. n.a.f. 9175, fᵒ 708 rᵒ).

sion [67] ». Il semble qu'ils furent considérés comme hors de cause dès le 21 mars, jour où le Parlement lança un mandat d'amener contre Laurent et Louis Meigret et Mery Deleau, sans nommer les trois autres inculpés :

> Veu par la court les charges et informations faictes par auctorité d'icelle à la requeste du procureur général du Roy à l'encontre de Mes Laurens et Loys Meigretz et Méry de l'Eau, et oy ledit procureur général du Roy, et tout considéré, la court a ordonné et ordonne que lesdits Mes Laurens et Loys Meigretz et de l'eau seront prins au corps en quelque lieu que trouvez puissent estre, hors lieu sainct, et amenez es prison de la Conciergerie du Palais, pour y estre à droit. Et où ils ne pourront estre appréhendez seront adjournez à trois briefz jours à comparoir en personne en ladite court, pour respondre audit procureur général du Roy, à telles fins et conclusions qu'il vouldra contre eulx prendre et élire, et seront leurs biens saisiz et mis en la main du Roy [68].

Nous ne savons pas ce qu'il advint de Louis Meigret et de Mery Deleau qui, comme les trois autres complices, arrivèrent probablement à se tirer d'affaire. Quant à Laurent Meigret, il fut arrêté au milieu de la Cour, à Châteaubriant, en 1532, lors du séjour de François 1er auprès de sa maîtresse, Françoise de Foix, épouse de Jean de Laval [69]. Il fut sans doute incarcéré à la Conciergerie et dut par la suite comparaître devant la Chambre de la Tour Carrée. Sur son procès, nous n'avons qu'un rapport aussi concis que contradictoire, fait à l'évêque d'Auxerre par son agent, un nommé Balavoine :

> On ne dict encores rien du Magnifique Meigret. L'accusateur de M. de Chartres le porsuict roidement [70].

---

67. Voir A. François, *Le magnifique Meigret, valet de chambre de François Ier, ami de Marot*, Genève, 1947, p. 23.
68. Archives Nationales, Registres du Parlement, X1a 1535, f° 157 r°. Dans la marge de ce document figure le nom de Lizet.
69. *Cat. des Actes*, VII, 697, n° 28417.
70. Bibl. de l'Institut, coll. Godefroy, vol. 2555, f°s 17 et 18. Cit. par A. François, *Le Magnifique Meigret*, ouvr. cit., p. 25.

Notons en passant que M. de Chartres n'est autre que
Louis Guillard, celui qui avait tiré Marot du Châtelet en
1526. Son intervention s'explique sans doute par le fait
que, le délit de Meigret tombant sous la juridiction ecclésiastique, l'évêque de Chartres fut associé à l'accusation.

Les seuls autres documents que nous possédions sur le
sort du prévenu sont des notes du Bourgeois de Paris et
de l'auteur de la *Chronique du roi Françoys 1er*. Selon le
premier :

> L'an mil cinq cens trente quatre, penultiesme jour
> d'aoust, le magnifique Meigret, par sentence des com-
> missaires de la Tour quarrée, fist amende honnorable,
> la torche de cire ardente au poing et en chemise, au
> parquet civil de la cour, et sur la pierre de marbre, et
> devant la grande eglise Nostre Dame, parce qu'il estoit
> lutherien et mengeoit de la chair en caresme et aux
> vendredys et samedys. Et furent ses biens au Roy
> confisquez et fut banny pour cinq ans du royaume [71].

Ainsi Meigret semble avoir été en prison du printemps
1532 jusqu'au milieu de 1534, où il fut banni du royaume
après confiscation de ses biens, alors qu'aucun de ceux qui
sont nommés dans l'acte original comme ses complices,
coupables au même degré que lui, ne semble avoir été l'objet de poursuites sérieuses. Cette constatation, de même
que le fait que la Chambre de la Tour Carrée fut saisie de
l'affaire, entraîne la conviction que l'accusation d'avoir
mangé de la viande en carême n'était qu'un prétexte, et
qu'on en voulait à Laurent Meigret et à ses richesses. Il
était en effet extrêmement opulent, et avait fait preuve de
beaucoup d'habileté dans ses opérations de banque. Parmi
ses débiteurs se trouvaient le roi François 1er et François
de Bourbon, comte de Saint-Pol, auquel il avait prêté
20 000 écus [72]. Du reste, la *Cronique du Roy Françoys Premier de ce nom* ne dit mot de l'accusation d'hérésie, et
représente le procès et la condamnation du Magnifique

---

71. *Journal d'un Bourgeois de Paris*, ouvr. cit., p. 374.
72. A. François, ouvr. cit., p. 17-18.

comme d'ordre purement financier [73]. Longtemps après, accusé d'espionnage à Genève et interrogé sur cette vieille affaire, Laurent Meigret répond que « Montmorency l'a tellement maltraité qu'il l'a fait tenir en prison par faux témoins, et quand il ne le sut faire autre, il lui a mis sus qu'il avoit mangé de la chair, et tous ceux qui insterent, Dieu les a punis [74] ». Meigret n'avait alors aucune raison de nier l'accusation d'avoir fait gras en carême. S'il l'a niée, c'est qu'elle était fausse. Ajoutons que l'hôtel du trésorier Lambert Meigret, frère du Magnifique, impliqué dans l'affaire, passa à Anne de Montmorency [75].

Il me semble donc qu'il est oiseux de se demander si Marot enfreignit les règles de l'abstinence une seconde fois, en compagnie de Laurent Meigret. Par contre, que le nom de Marot figure au nombre des complices du Magnifique, cela a de l'importance. Il se peut que les hommes responsables de l'accusation de Meigret aient ajouté le nom du poète pour donner plus de poids à l'accusation d'hérésie. A notre connaissance, il était le seul parmi les inculpés à avoir déjà été emprisonné pour fait d'hérésie et le seul contre lequel une vieille accusation pût être reprise. Ce document apporte une preuve de la véracité des affirmations de Marot concernant l'emprisonnement de 1526, à savoir que le chef d'accusation était la transgression des lois de l'abstinence. Ajoutons ici qu'il est dans les habitudes de Marot de prendre à la lettre un dicton ou proverbe.

---

73. « En ce temps fut condempné le magnifique Megret à faire amende honnorable et banny jusques à cinq ans », (p.p. G. Guiffrey, Paris, 1860, p. 108). Cette note se trouve au milieu d'un passage traitant des condamnations des trésoriers Besniers, Carré, Lambert Meigret, Spifame, Poncher et Ruzé (p. 107-109).

74. A. François, ouvr. cit., p. 20.

75. *Ibid.*, et *Cronique du Roy Françoys I<sup>er</sup>*, ouvr. cit., p. 108 : « Son frère (c'est-à-dire le frère du Magnifique), le trésorier Megret, avoit esté prins prisonnier au Palais à Paris en l'an cinq cens vingt et sept et mené en la conciergerie du Palais où il fut longuement, puis fut envoyé en Suisse où il fut quelque espace de temps, puis il y mourut. » (Lambert Meigret mourut à Soleure, le 14 juin 1533.) Cf. également *Journal d'un bourgeois de Paris*, ouvr. cit., p. 374-375 : « Longtemps auparavant que le susdit magnifique Meigret fist amende honnorable, son frère, le conseiller en Parlement (c.-à-d. Jean Meigret), avoit esté pri-

Ainsi, pour faire allusion à son abjuration à Lyon en 1536 — rappelons qu'au cours de cette cérémonie le patient était frappé à coups de verges — il se sert du proverbe : « battre le chien devant le lion » dans ces vers :

> Assez longtemps s'est esbatu
> Le petit chien en ta caverne
> Que devant toy on a batu [76].

Ainsi, bien que l'expression : « Il a mangé le lard » soit attestée avant Marot dans le sens d'être coupable [77], il est évident que Marot, prenant à la lettre une expression métaphorique, l'emploie au sens littéral, et, par le refrain de la Ballade XIV :

> Prenez-le, il a mangé le Lard,

laisse entendre très clairement que son crime était d'avoir fait gras en carême. Du reste il ne le dit pas seulement dans ce refrain ; dans le célèbre passage de l'*Epître à son amy Lyon* :

> Cestuy Lyon, plus fort qu'ung vieulx Verrat.
> Veit une fois que le Rat ne sçavoit
> Sortir d'ung lieu, pour autant qu'il avoit
> Mangé le lard & la chair toute crue [78] ;

il exprime précisément la même chose.

De plus, l'affaire de 1532 montre que Marot devait passer pour un luthérien notoire, de sorte que son nom pouvait être associé à celui d'un homme qu'on voulait ruiner et frustrer de ses biens en l'accusant d'hérésie.

Nous pouvons maintenant essayer de retracer la marche probable des événements. De son propre aveu, Marot mangea de la viande en temps de carême ; on ignore la date exacte et les circonstances de l'affaire, toutes les précisions

---

sonnier par le Roy, parce que, sans le congé du Roy, il avoit esté au pays de Suysse, pour recueillir les biens que y avoit delaissé son frère, le tresorier Meigret, quand il y mourut. »

76. *Œuvres lyriques*, LXXVII, v. 42-44. Sur l'abjuration de Marot, voir plus bas, p. 369-373.

77. Voir *Marot et « celle qui fut s'Amye »*, art. cit.

78. *Epîtres*, X, v. 16-19.

fournies par des érudits comme Becker et Guy n'étant que de pures conjectures, fondées sur des dires du poète, ou sur une connaissance insuffisante du procès de Laurent Meigret, ou enfin sur de simples erreurs [79]. Il est vrai que Sagon accuse le poète d'avoir mangé de la viande en carême « non pas caché, mais devant tout le monde [80] », mais ce vers fut écrit en 1535 et se rapporte à la condamnation de Laurent Meigret. Voici le passage :

> Pource qu'on dict, & l'hystoire est commune
> (Dont on a eu cognoissance trop tard [81])
> Que tu mengeois en Karesme du lard.
> Non pas caché, mais devant tout le monde,
> Qui t'a congneu de vie trop immunde,
> Et de ce lard tu faisois maintz Megret
> A l'homme ethique, hereticque en secret,
> Qui sans gouster l'esperit vif de la lettre
> S'est faict juger au vivre infidele estre.

Or Meigret avait été condamné comme luthérien et pour avoir mangé de la viande en carême, en 1534, comme nous

---

79. Selon Becker, Marot a mangé du lard en compagnie de Laurent Meigret et des autres complices, publiquement, en 1524, car il est impossible que l'action puisse se placer en 1526, attendu qu'en cette année le carême commença le 14 février, de sorte qu'il n'y aurait pas eu assez de temps entre cette date et celle de l'intervention de Guillart, le 13 mars, pour la dénonciation, l'arrestation et les deux épîtres. Toujours selon Becker, ce crime ne saurait avoir eu lieu non plus en 1525, puisqu'au commencement de cette année Marot était encore prisonnier des impériaux après la bataille de Pavie. En fait, il est prouvé que Marot ne fut pas à Pavie et n'a jamais été prisonnier de guerre.

80. *Le coup d'essay de Françoys de Sagon, Secretaire de l'abbé de sainct Ebvroul. Contenant la responce à deux epistres de Clement Marot retiré à Ferrare. L'une adressante au Roy treschrestien. L'autre à deux damoyselles seurs.*

81. C'est sur la foi de ce vers que M. A. François a cru que l'affaire de 1532 reposait sur le même chef d'accusation que celle de 1526, bien qu'il ait montré que la raison pour laquelle Meigret fut poursuivi n'eut rien de religieux. Il est de toute manière difficile d'éclaircir le sens de ce vers. Quiconque a lu les pamphlets de Sagon — et non pas seulement des extraits — est frappé par la pauvreté de cette poésie où les chevilles forment la partie la plus importante. Pour trouver une rime, Sagon met n'importe quoi.

venons de le voir, et Marot avait été impliqué dans l'affaire. Sagon ne dit que ce que tout le monde savait. Mais comme l'accusation contre Meigret était un pur prétexte et ne correspondait très probablement pas à la vérité, la tirade de Sagon perd de ce fait sa valeur de témoignage. Que Marot ait enfreint les lois du jeûne quadragésimal, cela ne fait pas de doute. Qu'il l'ait fait en public et que ce geste ait eu le sens d'une manifestation, c'est possible, mais ce n'est pas le témoignage de Sagon, en l'occurrence fort suspect, qui peut confirmer la chose. Disons donc encore une fois que sur les circonstances, comme sur la date de l'action de Marot, nous ne savons à peu près rien.

Au commencement de mars 1526 donc Marot fut écroué au Châtelet qui était le siège de la prévôté de Paris ; il faut en conclure que le poète ne fut poursuivi que par l'autorité judiciaire de première instance, et non par la commission spéciale de parlementaires et de théologiens instituée par Clément VII. Il est difficile d'expliquer pourquoi il en fut ainsi. Vu le manque de documents, il est oiseux de formuler des hypothèses pour expliquer ce qui semble une curieuse carence de la part d'un corps constitué spécialement pour combattre l'hérésie. Cela seul peut expliquer l'intervention de l'évêque de Chartres qui allait sauver Marot. Paris étant soumis pour la juridiction ecclésiastique à l'autorité de l'évêque de Chartres [82], Guillard demanda que l'affaire fût transmise à Chartres, et que le prisonnier fût livré entre ses mains. On n'a de document ni sur ce transfert ni sur l'emprisonnement de Marot à Chartres. Plusieurs éditions de ses Œuvres [83] affirment, en tête de l'*Enfer,* que ce poème fut composé en la prison de l'Aigle à Chartres. Or, il n'a jamais existé de prison de ce nom ; par contre on connaît une hôtellerie de ce nom. Ce fut probablement dans cette « prison » que Marot attendit d'être relâché. Il ne semble pas qu'à Char-

---

82. Nous avons vu que l'évêque de Chartres joua le rôle de procureur dans les procès de Laurent Meigret. Toutefois, Meigret était emprisonné à Paris, à la Conciergerie, et ne fut jamais transféré à Chartres. C'est qu'à la différence de Marot, il fut poursuivi par le Parlement et non par la prévôté de Paris.
83. Voir *Bibliographie,* II, n° 140.

tres on ait songé à procéder contre le poète. D'après ce qu'il dit dans son *Rondeau à ses amys, après sa delivrance,* il fut remis en liberté le 1er mai 1526. François 1er venait de rentrer en France après sa captivité à Madrid ; il est possible que ce soit sur son ordre que Marot recouvra sa liberté.

Mais pourquoi Guillard prit-il la peine de sauver le poète ? Comme Marot ne lui a jamais adressé de vers, il est difficile de croire à une amitié entre les deux hommes. De plus, l'évêque de Chartres devait bientôt se montrer l'intrépide persécuteur des luthériens, et devenir un des hommes les plus haïs des protestants, comme le prouve son épitaphe :

> *Epitaphe de Me Loys Guillard, Evesque*
> *de Chartres, de Chalons sur la Saone, de*
> *Senlis et illustre macquereau de Paris*
> Dessous ce vil tombeau sont les os d'un caffart,
> D'un ignorant Prelat, Evesque papistique,
> Qui estans ruffien, macquereau impudique
> Contrefaisoit tousjours le devot pappelard.
>     Veux-tu sçavoir son nom ? c'est l'evesque Guillard
> Qui en vivans ne fit que d'Eveschez traficque,
> Brassans quelque malheur contre la Republique,
> Contre Dieu et la Paix en faveur du Guisard.
>     Il estoit du Conseil de tous les factieux,
> Catholiques cours, Papaux seditieux
> Le chef, et tous les pours monopolaient chez luy.
>     Pleurés Hervy, Marcel, Rousselet et le Prestre,
> Semelle, Hotteman, las, pleurés ce bon prestre
> Qui estoit d'entre vous le support et l'appuy [84].

De plus, nous savons que Guillard fut le disciple et l'ami du théologien flamand Josse Clichtove qui l'avait suivi à Chartres, en 1525, où il mourut chanoine, en 1543 [85]. Or,

---

84. B.N. fonds français 25567, f° 146 v°.
85. Voir Cristiani, *Josse Clichtove et son Antilutherus* dans *Rev. des questions historiques,* t. LXXXIX (1911), p. 120-134 ; aussi Van der Haeghen, *Bibliographie des Œuvres de Josse Clichtove,* 1888, et F. Lehoux, *Gaston Olivier, aumônier du roi Henri II (1552),* Paris, 1957, p. 116-117.

Clichtove après avoir été l'ami et le collaborateur de
Lefèvre d'Etaples, devint un des ennemis les plus achar-
nés des idées nouvelles. En 1524, il publia un important
ouvrage contre Luther[86] et, vers la même époque, il fut
un des chefs de l'opposition antiévangélique au sein de la
Sorbonne[87]. C'est à lui qu'est due la *Determinatio Theo-
logicae Facultatis Parisiensis super doctrina lutheriana*[88].

A cause de l'épître *A son amy Lyon*, on a toujours sup-
posé que Jamet, à la demande de son ami emprisonné,
intercéda en sa faveur auprès de Guillard ; ce dernier ne
semble pourtant guère avoir été homme à venir au secours
d'un individu accusé de luthéranisme. Faut-il croire que
Jamet s'adressa effectivement à l'évêque de Chartres et que
ce dernier, peut-être pour se faire bien voir de Marguerite d'Angoulême, accepta de sauver son protégé ? Notons
cependant que les deux documents par lesquels l'évêque
de Chartres demande que Marot lui soit délivré ne sont
pas signés de son nom, mais par un nommé Billon, probablement son secrétaire. Peut-on supposer que l'affaire ait
été menée à son insu, et n'ait représenté que l'intrigue
d'un secrétaire signant des documents au nom de son
maître pour sauver un inculpé à la demande d'un ami
commun ?

Deux autres problèmes d'ordre biographique se posent
à propos de cette affaire, l'identité de l'ami du poète, Lyon
Jamet, et l'origine du sobriquet « rat pelé » dont les ennemis du poète comme Sagon et La Huetterie useront et
abuseront plus tard[89].

*L'Epistre à son amy Lyon* contient la première mention
de celui qui tout au cours de la vie du poète sera son
grand ami. On ne sait malheureusement pas grand chose

---

86. *Antilutherus, tres libros complectens : primus contra
effrenem vivendi licentiam, quam falso libertatem christianam
ac evangelicam nominat Lutherus... secundus contra abrogatio-
nem missae... tertius contra enervationem votorum monastico-
rum,* Paris, S. de Colines, 1524.

87. Voir L. Delisle, *Notice sur un registre de la Faculté de
théologie de Paris,* Paris, 1899, p. 47, n° XXI, et p. 75, n° LXXXI.

88. Voir A. Clerval, article *Clichtove,* dans *Dictionnaire théologique,* t. III, col. 236-243.

89. Voir plus bas, p. 388.

de Lyon Jamet. Dans le *premier coq-à-l'âne* [90] Marot nous
informe que Jamet était natif de Sanxay en Poitou. Un
autre document nous apprend qu'il était clerc de finances [91].
Nous le retrouverons à peu près constamment aux côtés
de Marot pendant les années suivantes ; ce sera lui qui
s'occupera de la sépulture du poète.

L'expression « rat pelé », qui a fait dire à plusieurs
érudits que la physionomie de Marot évoquait l'image du
rat et que le poète était chauve [92], cette expression, il est
intéressant de le noter, fut créée par Marot lui-même en
1536. Elle tire son origine principalement de l'*Epistre à
son amy Lyon,* où, comme nous allons le voir, le prénom
de son ami lui suggère la vieille fable du lion et du rat
et le force donc en quelque sorte à prendre le rôle du rat,
du rat pris dans une souricière parce qu'il n'a su résister
à l'appât du lard. Pour un poète élevé à l'école des Rhétoriqueurs, il n'y a dans tout cela rien que de naturel. Dix
ans plus tard, à Venise, Marot écrit une épître au dauphin
pour demander la permission de rentrer en France [93].
Dans ce poème, Marot se souvient qu'il s'était autrefois
mis en scène comme rat, et que, dans le *Roman de Renard,*
cet animal porte le nom de « Sire Pelé », et c'est là l'origine du jeu de mots « rappelé » dans les vers :

> ... En vous parlant ainsy,
> Plusieurs diront que je m'ennuye icy,
> Et pensera quelque caffart pellé
> Que je demande à estre rappellé [94].

Cette épître fut publiée bientôt après sa rédaction [95], et
Sagon, qui n'a jamais inventé quoi que ce soit, ne fut pas

---

90. *Œuvres satiriques,* VII.
91. Voir *Les Epîtres,* p. 127, n. 2.
92. Voir J. Plattard, *Marot, sa carrière poétique, son œuvre,*
Boivin, Paris, 1938, et J. Pannier, *Les Portraits de Clément Marot,
notes iconographiques et biographiques,* B.H.R., t. IV, 1944,
p. 144-170.
93. *Au tresvertueux prince, Françoys, Daulphin de France,
Les Epîtres,* XLV.
94. V. 13-16.
95. Dans une plaquette s.l.n.d. (*Bibliographie,* II, n° 50).

lent à s'emparer de cette trouvaille et à traiter son ennemi rentré d'exil de « rat pelé ». Nul besoin donc d'y voir un sobriquet inspiré par sa physionomie.

Des pièces composées au cours de cette première persécution deux sont restées célèbres, l'épître *A son amy Lyon* et l'*Enfer*. L'épître surtout montre à un très haut degré l'art de Marot et le style nouveau dans la poésie française, direct, simple et familier. Pour appeler à son secours son ami Lyon Jamet, le poète emploie la fable au lieu des froides abstractions allégoriques dont il s'était servi, quelques années plus tôt, dans l'*Epistre du despourveu*. Et la fable du lion et du rat qu'il rime à cette occasion, bien qu'inspirée en partie par le prénom de son ami ce qui montre la persistance de l'engouement pour les jeux de mots, ne doit dans son essence rien à la tradition des Rhétoriqueurs, mais représente au contraire le premier exemple dans la poésie française du style narratif sobre et limpide. La Fontaine, dans sa fable du lion et du rat ne l'a certainement pas dépassé. Du reste, le grand fabuliste n'a-t-il pas avoué lui-même avoir beaucoup appris à la lecture de Marot [96] ?

Le charme du poème consiste, outre dans sa concision, dans le mélange de réalisme animalier et de qualités humaines dont les animaux de la fable sont investies. Ainsi le rat, devant le lion, se comporte comme un cul-terreux devant son seigneur :

> Puis mist à terre ung genoul gentement,
> Et, en ostant son bonnet de la teste,
> A mercié mille foys la grand Beste [97],

Cependant, le lion, pris dans son piège, se comporte non seulement comme roi des bêtes, étalant un souverain mépris pour le pauvre rat, mais montre des traits caractéristiques du lion :

---

96. *Lettre à M. de Saint-Evremond, Œuvres,* éd., H. Régnier, 11 vol., Paris, 1883-1893, t. IX, 403.
> J'ai profité dans Voiture,
> Et Marot par sa lecture
> M'a fort aidé, j'en conviens.
97. *Les Epîtres,* X, v. 24-26.

Lors le Lyon ses deux grands yeux vestit,
Et vers le Rat les tourna ung petit [98]

L'épître montre également beaucoup d'esprit ; comme il
l'avait déjà fait dans plusieurs de ses ouvrages antérieurs,
Marot arrive à tirer un effet leste et spirituel de l'emploi
des rimes équivoquées et des allitérations dans lesquelles
on pourrait par ailleurs voir un vestige de la poétique des
Rhétoriqueurs :

> Adonc le Rat, sans serpe ne cousteau,
> Y arriva joyeulx & esbaudy,
> Et du Lyon (pour vray) ne s'est gaudy,
> Mais despita Chatz, Chates & Chatons,
> Et prisa fort Ratz, Rates & Ratons,
> Dont il avoit trouvé temps favorable
> Pour secourir le Lyon secourable,
> Auquel a dit : tays toy, Lyon lié,
> Par moy seras maintenant deslié ;
> Tu le vaulx bien, car le cueur joly as ;
> Bien y parut, quand tu me deslias.
> Secouru m'as fort Lyonneusement :
> Ors secouru seras Rateusement [99].

Notons encore l'adresse du poète en glissant dans le récit
de sa fable des allusions aussi précises que possible à sa
mésaventure personnelle. Marot se trouve emprisonné pour
avoir mangé de la viande en carême ; le rat est pris au
piège

> ... pour autant qu'il avoit
> Mangé le lard & la chair toute crue [100]

La conclusion ou la morale de la fable est presque aussi
concise que chez La Fontaine, bien que Marot, vu les circonstances dans lesquelles il composa ce poème, soit obligé
d'ajouter une requête personnelle :

---

98. *Les Epîtres*, X, v. 47-48.
99. *Ibid.*, v. 34-46.
100. *Ibid.*, X, v. 18-19.

> Voyla le compte en termes rimassez,
> Il est bien long, mais il est vieil assez,
> Tesmoing Esope & plus d'ung million.
>   Or viens me veoir pour faire le Lyon ;
> Et je mettray peine, sens & estude
> D'estre le Rat, exempt d'ingratitude ;
> J'entends, si Dieu te donne autant d'affaire
> Qu'au grant Lyon, ce qu'il ne vueille faire [101].

*L'Enfer* est une satire d'une rare force. Comme dans le cas de l'épître *A son amy Lyon,* la tradition des Rhétoriqueurs est encore visible, mais le plus souvent transformée avec bonheur. Pour narrer une expérience personnelle, en l'occurrence son emprisonnement, Marot a recours au vieux procédé de l'allégorie. C'est ce qui explique la transformation du Châtelet en Hadès et de la Cour en Olympe. Mais la ressemblance ne va pas plus loin. L'allégorie, dans l'*Enfer,* revient au fond à une comparaison réaliste et parfaitement naturelle. Dès le début du poème Marot explique qu'il égale le Châtelet, ce « lieu plus mal sentant que soulphre » à l'Enfer :

> Si ne croy pas qu'il y ait chose au monde
> Qui mieulx ressemble ung Enfer tresimmonde :
> Je dy Enfer & Enfer puys bien dire [102] ;

Et puis, cette allégorie, dans l'*Enfer,* n'est pas, comme chez les Rhétoriqueurs, une froide convention servant à dire des banalités ; elle possède une force intrinsèque. C'est une arme de guerre. Puisque le Châtelet est comparé à l'Hadès, il s'en suit que, dans la description de la prison, les différents officiers de justice, tels le prévôt de Paris, le lieutenant criminel de la prévôté et leurs subordonnés, se trouvent mis en scène comme juges d'enfer. De cette manière le poète peut se dispenser d'une longue polémique, d'une description fastidieuse ou d'une série d'épithètes : il lui suffit de traiter ses ennemis de Cerbère ou de Rhadamante.

De plus, par le mythe de l'*Enfer* Marot obtient d'autres

---

101. *Ibid.,* v. 69-76.
102. *Œuvres satiriques,* I, v. 13-15.

effets comiques. Ainsi, tout en maintenant l'allégorie de l'Hadès et en transposant les noms des officiers et des institutions, il lui arrive une ou deux fois de mêler la réalité à la fantaisie. Par exemple, dans la scène de l'interrogatoire, Marot explique au juge d'enfer Rhadamante, de façon saugrenue, que son nom n'est autre que celui du pape Clément, pour lui demander fort innocemment s'il ne craint pas le pape, puisque

> ... C'est celluy qui afferme
> Qu'il ouvre Enfer quand il veult & le ferme ;
> Celluy qui peult en feu chauld martyrer
> Cent mille esprits, ou les en retirer [103].

Rien de plus comique que ce mélange du réel et de l'imaginaire. Mais le poète a d'autres visées. En effet le pouvoir du pape sur les âmes en purgatoire était une doctrine assez répandue à l'époque. Rejetée avec force par la Sorbonne, elle était enseignée cependant par les ordres mendiants. Ainsi en 1842 le cordelier Jean Lange prêcha la proposition suivante dans la cathédrale de Tournay : « Animae in purgatorio existentes sunt de jurisdictione papae, et si vellet possit totum purgatorium evacuare [104]. » Ainsi Marot, accusé d'hérésie, prend plaisir à rappeler à la Sorbonne que le pape soutenait des dogmes que la Faculté n'avait cessé de combattre.

Le poème commence par une réflexion personnelle :

> Comme douleurs de nouvel amassées
> Font souvenir des lyesses passées,
> Ainsi plaisir de nouvel amassé
> Faict souvenir du mal qui est passé [105].

Puis le poète évoque rapidement son séjour dans la « prison claire & nette de Chartres [106] » pour parler de son vrai sujet, le Châtelet, qu'il compare à l'Enfer. Après une allu-

---

103. V. 355-358.
104. A. Renaudet, *Préréforme et Humanisme*, ouvr. cit., p. 21.
105. V. 1-4.
106. V. 9.

sion à Luna [107], il se lance dans la description de cette prison horrible, de ce « lieu plus mal sentant que soulphre [108] ».

Guidé par Cerberus, ce « chien poussif », il pénètre d'abord dans

> ... ung aultre vieil manoir
> Tout plein de gens, de bruict & de tumulte [109]

En réponse à la question du prisonnier le guide explique :

> Saiche qu'icy sont d'Enfer les faulxbourgs [110]

c'est-à-dire le Palais de Justice où ont lieu les procès civils. Dans un long passage du poème Marot condamne non seulement la corruption de la justice, mais encore la manie de la chicane :

> Là les plus grands les plus petitz destruisent,
> Là les petitz peu ou poinct aux grands nuisent,
> Là trouve l'on façon de prolonger
> Ce qui se doibt & se peult abreger ;
> Là sans argent paovreté n'a raison,
> Là se destruict maincte bonne maison,
> Là biens sans cause en causes se despendent,
> Là les causeurs les causes s'entrevendent,
> Là en public on manifeste & dict
> La maulvaistié de ce monde mauldict,
> Qui ne sçauroit soubs bonne conscience
> Vivre deux jours en paix & patience [111].

La lenteur de la justice, sujet de plainte traditionnel dans la littérature du moyen âge, est traitée au long dans ce passage, mais d'une façon qui comme tant d'autres aspects de ce poème introduit la Renaissance ; au lieu d'imprécations ou de narrations, Marot a recours à une

---

107. Voir plus haut, p. 86.
108. V. 23.
109. V. 34-35.
110. V. 40.
111. V. 51-62.

image. Le procès avec ses attributs de lenteur, tortuosité
et méchanceté devient un serpent :

> ... Or sçaiches, Amy, doncques,
> Qu'en cestuy parc où ton regard espends
> Une maniere il y a de Serpents,
> Qui de petits viennent grands & felons,
> Non poinct vollantz, mais traynnants & bien longs ;
> Et ne sont pas pourtant Couleuvres froiddes,
> Ne verds Lezards, ne Dragons forts & roydes ;
> Et ne sont pas Cocodrilles infaicts,
> Ne Scorpions tortuz & contrefaicts ;
> Ce ne sont pas Vipereaulx furieux,
> Ne Basilics tuantz les gens des yeulx ;
> Ce ne sont pas mortiferes Aspics,
> Mais ce sont bien Serpents qui vallent pis.
>   Ce sont Serpents enflés, envenimés,
> Mordantz, mauldicts, ardantz & animés,
> Jettants ung feu qu'à peine on peult estaindre,
> Et en picquant dangereux à l'attaindre.
> Car qui en est picqué ou offensé
> En fin devient chetif ou insensé ;
> C'est la nature au Serpent, plein d'exces,
> Qui par son nom est appellé Proces.
> Tel est son nom, qui est de mort une umbre ;
> Regarde ung peu, en voyla ung grand nombre
> De gros, de grands, de moyens & de gresles,
> Plus mal faisants que tempestes ne gresles.
>   Celuy qui jecte ainsi feu à planté
> Veult enflammer quelcque grand'parenté ;
> Celluy qui tire ainsi hors sa languete
> Destruira brief quelcun, s'il ne s'en guete ;
> Celluy qui siffle & a les dents si drues
> Mordra quelcun, qui en courra les rues ;
> Et ce froid là, qui lentement se traine,
> Par son venin a bien sceu mettre haine
> Entre la mere & les maulvais enfants,
> Car Serpents froids sont les plus eschauffantz.
> Et de touts ceulx qui en ce parc habitent,
> Les nouveaulx nays qui s'enflent & despitent
> Sont plus subjects à engendrer icy
> Que les plus vieulx. Voyre & qu'il soit ainsi,
> Ce vieil Serpent sera tantost crevé,
> Combien qu'il ait mainct lignage grevé.
> Et cestuy là plus antique qu'ung Roc,

> Pour reposer, s'est pendu à ung croc.
> Mais ce petit, plus mordant qu'une Loupve,
> Dix grands Serpents dessoubs sa pence couve ;
> Dessoubs sa pence il en couve dix grands,
> Qui quelcque jour seront plus denigrantz
> Honneurs & biens que cil qui les couva ;
> Et pour ung seul qui meurt ou qui s'en va
> En viennent sept. Dont ne fault t'estonner,
> Car, pour du cas la preuve te donner,
> Tu doibs sçavoir qu'yssues sont ces bestes
> Du grand Serpent Hydra qui heut sept testes,
> Contre lequel Hercules combattoit ;
> Et quand de luy une teste abbattoit,
> Pour une morte en revenoit sept vifves [112].

Bien que longue et prolixe, l'image est puissante et n'est pas sans rappeler celle du jeune ours dont se servira Rabelais pour représenter le procès [113]. On en mesurera toute la nouveauté et force en comparant ce passage de l'*Enfer* avec le long poème d'Eustorg de Beaulieu, *Les Gestes des Solliciteurs* [114], traitant le même sujet quelques années plus tard, mais dans lequel l'auteur, fidèle à la manière des xiv$^e$ et xv$^e$ siècles nous donne une description sèche, longue et ennuyeuse de toutes les tribulations auxquelles se soumet le litigant.

La satire des procès et des plaideurs est complétée par celle des avocats que Marot appelle les « mordants » et les « criarts ». Ici comme dans l'image du serpent-procès, Marot rompt avec la tradition du moyen âge. Au lieu de générale et abstraite, sa satire est précise et concrète ; on voit les gestes, on entend la voix des divers avocats :

> Regarde bien, je te fais assçavoir
> Que ce mordant que l'on oyt si fort bruyre
> De corps & biens veult son prochain destruire.
> Ce grand criart qui tant la gueulle tort,
> Pour le grand gaing, tient du riche le tort [115].

---

112. V. 126-181.
113. *Tiers Livre*, XLII.
114. *Les gestes des solliciteurs. Ou les lisans pourront cognoistre qu'est ce de solliciteur estre et qui sont leurs reformateurs*, Bordeaux, J. Guyart, 1529.
115. V. 102-106.

Mieux encore, l'attaque de Marot gagne en force pour n'être pas universelle ; parmi la foule des « criarts » et « mordants », le poète nous dépeint un avocat bon et généreux qui protège les pauvres :

> Ce bon vieillart (sans prendre or ou argent)
> Maintient le droict de maincte paovre gent [116].

Ce « bon vieillart » est peut-être Matthieu Chartier, l'avocat le plus respecté de l'époque [117].

Le portrait du juge « Minos » est également flatteur :

> Hault devant eulx le grand Minos se sied
> Qui sur leurs dicts ses sentences assied.
> C'est luy qui juge ou condampne ou deffend,
> Ou taire faict quand la teste luy fend [118].

Minos désigne le prévôt de Paris qui siégeait au Châtelet et qui, étant chargé de la police, formait avec ses différents subordonnés, notamment ses lieutenants civil et criminel, le plus important tribunal de première instance [119]. Au mois de mars 1526 cette position était occupée par Gabriel d'Allègre, maréchal de France, conseiller et chambellan du roi [120].

---

116. V. 107-108.
117. Dans un libelle composé vers la fin du siècle (A. Loisel, *Pasquier ou Dialogue des Advocats*, p.p. M. Dupin, Paris, 1844), l'auteur prête à Etienne Pasquier les propos suivants (p. 74) : « Or entre les advocats, celuy qui tenoit le premier lieu des consultants estoit feu M. Matthieu Chartier... il estoit comme l'oracle de la ville, à cause tant de son sçavoir, experience et long usage, que de sa preud'hommie et integrité de sa vie. On disoit de luy qu'il donnoit tous les mois cent francs à la boiste des pauvres... »
118. V. 47-50.
119. Voir R. Doucet, *Les Institutions de la France au seizième siècle*, ouvr. cit., t. I, p. 263-264.
120. Voir C.A. Mayer, *Clément Marot et le grand Minos*, B.H.R., t. XIX, 1957, p. 482-484. Le 18 avril 1526, c'est-à-dire quelques jours après que Marot sortit du Châtelet pour être mis sous la juridiction ecclésiastique de l'évêque de Chartres, et au moment donc où Marot composa l'*Enfer*, Allègre résigna sa fonction de prévôt de Paris en faveur de Jean de la Barre, comte d'Etampes.

En bon satirique, Marot termine sa description du monde
palatin par une réflexion amère sur la méchanceté du
monde ; pourtant, et ici encore la Renaissance se révèle
avec éclat, le poète cherche des causes plus précises, et
— chose malgré tout fort étonnante dans un poème écrit
largement dans le but de se disculper de l'accusation de
luthéranisme — il rend responsable de cette méchanceté le
manque de charité de l'église catholique :

> ... Et si tu quiers raison
> Pourquoy Proces sont si fort en saison,
> Sçaiche que c'est faulte de charité
> Entre Chrestiens. Et à la verité,
> Comment l'auront dedans leur cueur fichée,
> Quand par tout est si froidement preschée ?
> A escouter voz Prescheurs, bien souvent
> Charité n'est que donner au Couvent.
> Pas ne diront combien Proces differe
> Au vray Chrestien, qui de touts se dict frere.
> Pas ne diront qu'impossible leur semble
> D'estre Chrestien & playdeur tout ensemble,
> Ainçois seront eulx mesmes à playder
> Les plus ardantz. Et à bien regarder,
> Vous ne vallez de guere mieulx au Monde
> Qu'en nostre Enfer où toute horreur abonde [121].

Après cette longue introduction Marot en vient à la
partie principale du poème, à savoir le récit de son interrogatoire par le juge Rhadamantus, c'est-à-dire, le lieutenant criminel Gilles Maillart [122] dont l'esprit cauteleux et
rusé, l'adresse à tirer des aveux furent célèbres à l'époque [123]. D'abord la méthode de Maillart est décrite en
détail :

---

121. V. 187-202.
122. Maillart était lieutenant criminel de la prévôté de Paris
de 1501 jusqu'à sa mort en 1529. Voir *Catalogue des Actes de
François I*er*, I, 683, 3572.
123. Bonaventure des Périers le met en scène dans le
conte xxx des *Nouvelles Recreations ou joyeux Devis*. Maillart
y arrive à tirer des aveux d'un suspect par une ruse.

> ... il mitigue & pallie
> Son parler aigre, & en faincte doulceur
> Luy dict ainsi : Vien ça, fais moy tout seur,
> Je te supply, d'ung tel crime & forfaict.
> Je croiroys bien que tu ne l'as point faict,
> Car ton maintien n'est que des plus gaillards ;
> Mais je veulx bien congnoistre ces paillards
> Qui avec toy feirent si chaulde esmorche.
> Dy hardyment ; as tu peur qu'on t'escorche ?
> Quand tu diras qui a faict le peché,
> Plus tost seras de noz mains despeché.
> De quoy te sert la bouche tant fermée,
> Fors de tenir ta personne enfermée ?
> Si tu dys vray, je te jure & promects
> Par le hault Ciel, où je n'iray jamais,
> Que des Enfers sortiras les brisées
> Pour t'en aller aux beaulx champs Elysées,
> Où liberté faict vivre les esprits
> Qui de compter verité ont appris.
> Vault il pas mieulx doncques que tu la comptes
> Que d'endurer mille peines & hontes ?
> Certes, si faict. Aussi je ne croy mye
> Que soys menteur, car ta phizionomie
> Ne le dict point, & de maulvais affaire
> Seroit celluy qui te vouldroit meffaire.
> Dy moy, n'ais peur... [124].

Si ces détails nous paraissent amusants, c'est que l'art d'interroger les suspects n'a guère changé depuis le temps de Marot. Prétendre savoir ce qu'on ignore, feindre d'ignorer ce qu'on sait, promettre l'impunité en échange de dénonciations, etc., voilà toujours l'essentiel des méthodes policières. Cependant, lorsque Rhadamantus ne réussit pas par la douceur, il emploie la torture :

> Ce nonobstant, si tost qu'il vient à veoir
> Que par doulceur il ne la peult avoir,
> Aulcunesfoys encontre elle il s'irrite,
> Et de ce pas, selon le demerite
> Qu'il sent en elle, il vous la faict plonger
> Au fonds d'Enfer, où luy faict alonger

---

124. V. 240-265.

Veines & nerfs, & par tourments s'efforce
A esprouver s'elle dira par force
Ce que doulceur n'a sceu d'elle tirer [125].

C'est dans sa condamnation de la torture que Marot
s'élève à la haute poésie, l'indignation et la pitié lui inspirant ces vers magnifiques :

O chers Amys, j'en ay veu martirer
Tant que pitié m'en mettoit en esmoy !
Parquoy vous pry de plaindre avecques moy
Les Innocents qui en telz lieux damnables
Tiennent souvent la place des coulpables [126].

La torture était généralement admise au XVIe comme du
reste au XVIIe siècle, et les seuls à la condamner furent
Marot et Montaigne. Pour trouver une condamnation d'une
éloquence et d'une véhémence égales à celle de Marot, il
faudra attendre Voltaire.

Le poète passe maintenant à sa déposition. Le récit en
est absolument fantaisiste. D'une part le cadre allégorique
du poème qui lui a permis de traiter d'enfer le Châtelet
force Marot de représenter la cour comme l'Olympe et de
parler de sa maîtresse Marguerite d'Angoulême et du roi
François 1er sous les traits de Minerve et de Jupiter. De
plus, s'il est probable que Marot ait effectivement essayé
de se prévaloir de ses hautes connexions devant Maillart,
il est certain qu'il n'a pu parlé de la façon suivante :

Mais puis qu'envie & ma fortune veulent
Que congneu sois & saisy de tes laqs,
Sçaiche de vray, puis que demandé l'as,
Que mon droict nom je ne te veulx poinct taire,
Si t'advertis qu'il est à toy contraire.
Comme eaue liquide au plus sec element ;
Car tu es rude & mon nom est Clément [127] ;

125. V. 275-283.
126. V. 284-288.
127. V. 342-348.

Rappelons toutefois que c'est le côté absurde du passage, en permettant au poète ce mélange de réalisme et de fantaisie, qui en fait le sel. C'est ce même aspect qui rend possibles les négations parfaitement spécieuses, spécieuses au point d'être franchement comiques :

> Et pour monstrer qu'à grand tort on me triste :
> Clement n'est poinct le nom de Lutheriste ;
> Ains est le nom (à bien l'interpreter)
> Du plus contraire ennemy de Luther [128] ;

Il serait difficile d'imaginer argument plus cocasse. En écrivant cette absurdité, Marot n'a pu penser à se disculper, mais tout simplement à se moquer.

Pourtant, même en dehors de la satire si fine et mordante que nous avons déjà notée [129], cette partie du poème contient des passages d'une très grande beauté. C'est d'abord la description de son pays natal, description dans laquelle Marot, tout en restant fidèle, dans les grandes lignes, à la technique médiévale du *locus amoenus* tiré de Virgile [130], la dépasse largement par la précision des détails et l'amour sinon de la nature, du moins de la patrie, largement inspirée par la poésie latine :

> Entends apres (quant au poinct de mon estre)
> Que vers midy les haults Dieux m'ont fait naistre,
> Où le Soleil non trop excessif est ;
> Parquoy la terre avec honneur s'y vest
> De mille fruicts, de maincte fleur & plante ;
> Bacchus aussi sa bonne vigne y plante
> Par art subtil sur montaignes pierreuses
> Rendants liqueurs fortes & savoureuses.
> Maincte fontaine y murmure & undoye,
> Et en touts temps le Laurier y verdoye
> Pres de la vigne ; ainsi comme dessus
> Le double mont des Muses, Parnassus ;

---

128. V. 349-352.
129. Voir plus haut, p. 117.
130. Sur le *locus amoenus* dans la poésie médiévale, voir la thèse de M.A. James, *La Nature dans l'Œuvre de Clément Marot* (Ph. D., Liverpool, 1968).

> Dont s'esbahyst la mienne fantasie
> Que plus d'esprits de noble Poesie
> N'en sont yssuz. Au lieu que je declaire
> Le fleuve Lot coule son eaue peu claire,
> Qui maints rochiers transverse & environne,
> Pour s'aller joindre au droict fil de Garonne [131].

C'est surtout l'éloge magnifique de la Renaissance aussi
inattendu dans cette défense du prisonnier, aussi spontané que la diatribe contre l'église catholique :

> Et d'aultre part (dont noz jours sont heureux)
> Le beau verger des lettres plantureux
> Nous reproduict ses fleurs à grands jonchées
> Par cy devant flaistries & seichées
> Par le froid vent d'ignorance & sa tourbe
> Qui hault sçavoir persecute & destourbe,
> Et qui de cueur est si dure ou si tendre
> Que vérité ne veult ou peult entendre.
> O Roy heureux, soubs lequel sont entrés
> (Presque periz) les lettres & Lettrés [132] !

La composition de cette satire fut, à n'en point douter,
un acte extrêmement courageux, et témoigne d'une grande
indépendance d'esprit. Certes, ce poème ne fut publié que
treize ans après sa composition et sans l'aveu du poète,
mais il circulait depuis longtemps en manuscrit, de sorte
qu'il figure dans bon nombre de recueils du xvi<sup>e</sup> siècle,
et, comme la circulation littéraire consistait encore principalement en manuscrits passés de main en main, il est
à peu près certain que l'*Enfer* fut largement diffusé. Du
reste, Marot nous apprend lui-même qu'il lut son poème
devant le roi [133]. Au nom de l'humanité, Marot proteste
contre les abus d'une justice brutale et tracassière. Il
n'était certes pas le papillon léger et frivole qu'on a pu
voir en lui, ni un flatteur sans conscience et sans prin-
cipes, poursuivi par la justice pour ses espiègleries. Un
homme qui répondrait à cette description et qui, ayant été

---

131. V. 377-394.
132. V. 367-376.
133. *Les Epîtres*, XXXVI, v. 26-27.

emprisonné pour une peccadille, aurait été relâché, comme le fut Marot, grâce à la protection d'amis influents, eût sans doute employé ses premiers moments de liberté autrement qu'à dénoncer les abus de la justice. Marot savait fort bien que cet écrit, même s'il n'était pas publié, pouvait lui faire de grands torts. Un poète frivole aurait inondé de flatteries et d'éloges ses amis puissants, en les assurant d'ailleurs que tout est pour le mieux dans les prisons, le traitement étant sévère mais juste, etc. En écrivant l'*Enfer*, Marot s'est montré un homme intelligent et courageux, et un grand poète.

Puisque toute sa vie durant Marot fut poursuivi comme luthérien, il convient de considérer ici la portée du geste pour lequel le poète fut poursuivi. Manger de la viande en carême, c'est violer un commandement de l'Eglise. Dans ses thèses de 1517, Luther ne dit rien du jeûne ni des commandements de l'Eglise. Aussi ne saurait-on parler de protestantisme, d'hérésie, ni même d'opposition au catholicisme orthodoxe, si Marot avait commis ce crime dix ans plus tôt. Mais au moment où il mangea du lard en carême, cette action ne constituait rien moins qu'une manifestation décisive de luthéranisme. En effet, au cours de l'année 1524, le dominicain et docteur de Sorbonne Aimé Meigret prononça à Lyon et à Grenoble des sermons qui scandalisèrent non seulement le Parlement de Grenoble et l'archevêque de Lyon, mais encore la régente Louise de Savoie, de sorte que, malgré la protection qu'étendait sur lui Marguerite d'Alençon, le malheureux jacobin fut jeté en prison [134]. Parmi les propositions qu'il avait avancées se trouvaient les suivantes :

> Quod ille maledicit et est detractor qui dicit : Que Luther est un méchant homme.

et :

> Jeusner ainsi que l'on nous fait faire, ne manger

---

134. Voir N. Weiss, *Le réformateur Aimé Meigret*, B.S.H.P.F., XXXIX, p. 248 et H. Hauser, *Etudes sur la réforme française*, Paris, 1909, p. 71 suiv.

chair le vendredy, vivre en continence, sont d'elles-
mêmes de très belles choses. Mais qui nous les commande sur peine d'éternelle damnation (d'autre commandement ne veux-je parler) nous oste la liberté que
J.C. nous a donnée et nous met en intolérante servitude [135].

La question du jeûne est alors d'une extrême importance.
Les propositions de Meigret furent condamnées par la Sorbonne [136] et, le 8 janvier 1525, l'archevêque de Lyon dési-
gna une commission spéciale de deux maîtres de la Faculté
de théologie de Paris et de deux conseillers au Parlement
pour lui faire le procès [137]. Le lendemain, la Sorbonne, en réponse aux murmures l'accusant de sympathie pour les luthériens, décida de prêter collectivement un serment anti-luthé-
rien. La cérémonie eut lieu le 11 janvier [138]. De son côté, le
Parlement, également inquiété par les progrès de l'hérésie,
demanda, le 20 mars 1525, à l'évêque de Paris de donner
vicariat à une commission spéciale formée des conseillers
Philippe Pot et André Verjus, et des théologiens Guillaume
du Chesne et Nicole Leclerc pour juger les coupables [139].
Le 29 mars, le Parlement demanda à l'évêque de Meaux
de donner vicariat à la même commission spéciale, où le
conseiller Philippe Pot est remplacé par Jacques de la
Barde [140]. Le 10 avril suivant, le Parlement de Paris adresse
à la régente Louise de Savoie des remontrances sur l'état
du royaume, où il déplore, en premier lieu, les progrès du
luthéranisme [141], se plaint de la protection dont les coupables ont souvent bénéficié [142] et demande à la régente d'obtenir du pape Clément VII un rescrit autorisant la com-

---

135. Hauser, ouvr. cit., p. 76.
136. Du Plessis d'Argentré, *Collectio judiciorum de novis
erroribus*, t. II, p. 9-17.
137. Voir N. Weiss, art. cit. Sur le procès de Meigret, voir
H. Hours, *Procès d'hérésie contre Aimé Meigret*, B.H.R., t. XIX,
1957, p. 14-43.
138. Voir *La Religion de Marot*, ouvr. cit., Appendice I, 2.
139. *Ibid.*, Appendice I, 4.
140. *Ibid.*, Appendice I, 5.
141. *Ibid.*, Appendice I, 6.
142. *Ibid.*, Appendice I, 6.

mission spéciale instituée dès le 29 mars [143] à procéder
contre tous suspects, y compris les plus hauts dignitaires
de l'église. La régente transmit cette demande au pape,
dans une lettre du 29 avril [144], et sa requête fut considérée
par le Consistoire à Rome le 12 mai 1525 [145]. Le 17 mai, le
Consistoire accéda, par un bref, à la demande [146] et le même
jour le souverain pontife publia une bulle adressée à Louise
de Savoie, au Parlement et à l'Université de Paris, par
laquelle il institua commissaires pour la recherche des sectateurs de l'hérésie luthérienne Jacques de la Barde et
André Verjus, conseillers clercs au Parlement de Paris, et
les théologiens Nicolas Leclerc et Guillaume du Chesne [147].
La bulle indique la procédure à suivre. Entre autres direc-
tives, on note la restriction du droit d'appel et la contrainte
des témoins à déposer. Elle ordonne la plus grande rigueur
envers les coupables. Parlant des progrès de l'hérésie luthérienne en France, le pape enumère les erreurs de cette
secte, notamment :

> ... multi reperiuntur qui hujusmodi errores et dog-
> mata imitarentur et publicarent, et nonnulli hujus-
> modi erroribus infecti sanctae matris ecclesiae prae-
> cepta contemnerent ac jejunia per ipsam ecclesiam et
> Sanctorum Patrum sanctiones indicta non observa-
> rent, ac aliqui spiritu maligno imbuti quadragesima-
> libus et aliis diebus quibus ex praecepto Ecclesiae
> jejunandum erat, absque aliqua necessitate carnibus
> vesci veriti non fuissent...

Trois jours plus tard, il adressa des lettres à la régente,
à la Sorbonne et au Parlement pour les exhorter à combattre l'hérésie luthérienne [148], et le 10 juin Louise de Savoie,
par des lettres patentes, ordonna l'exécution de la bulle
papale [149].

---

143. Voir plus haut, p. 128.
144. Voir *La Religion de Marot*, ouvr. cit., Appendice I, 7.
145. *Ibid.*, Appendice I, 8.
146. *Ibid.*, Appendice I, 9.
147. *Ibid.*, Appendice I, 10.
148. *Ibid.*, Appendice I, 11, 12 et 13.
149. *Ibid.*, Appendice I, 14.

Ces textes sont formels, ils montrent qu'il existait en France des luthériens, que leur présence et les progrès de leur secte inquiétaient fort Rome et les autorités ecclésiastiques et civiles en France, et ils établissent avant tout qu'on reconnaissait les luthériens à leur refus d'observer le jeûne quadragésimal [150]. Il semble donc impossible de croire qu'un homme en relation avec les cercles officiels et tant soit peu au courant des affaires du jour ait, à ce moment-là, mangé de la viande en carême par simple imprudence, ou que ce geste ait pu être une gaminerie, comme on l'a prétendu [151], dépourvue de la moindre signification. Au moment où Marot enfreignait les lois de l'église concernant le jeûne, son action ne pouvait être qu'un acte de luthéranisme.

Peu de temps après sa libération, probablement au mois d'août 1526, Marot se trouva au château d'Amboise pour y lire devant le roi des fragments de sa traduction des *Métamorphoses* d'Ovide. Dans le prologue à son édition du *Premier livre* [152] publiée en 1534, le poète s'adresse au roi de la façon suivante :

> Long temps avant que vostre liberalité Royalle m'eust faict successeur de l'estat de mon pere, le mien plus affectionné (& non petit) desir, avoit tousjours esté (Sire) de povoir faire œuvre en mon labeur poetique, qui tant vous agreast, que par là je peusse devenir (au fort) le moindre de voz domestiques... Pour ces raisons, & aultres maintes, deliberay mettre la main à la besongne : & de tout mon povoir, suyvre & contrefaire la veine du noble poete Ovide... dont au chasteau d'Amboise vous en pleut ouyr quelque commencement... [153]

---

150. Rappelons le texte du Bourgeois de Paris à propos de Laurent Meigret : « ... parce qu'il estoit lutherien et mengeoit de la chair en caresme et aux vendredys et samedys ». Cf. *La Religion de Marot*, ouvr. cit., p. 17.

151. Voir Imbart de la Tour, *Les Origines de la Réforme*, Paris, 1905-1935.

152. *Bibliographie*, II, n° 21.

153. *Ibid.*

On note que cette lecture eut lieu avant que Marot n'entrât au service du roi, c'est-à-dire avant 1527 [154]. Or la Cour se trouva à Amboise du 30 juillet au 27 août 1526 [155]. Cette version originale nous est malheureusement inconnue [156].

---

154. Voir plus bas, p. 135.
155. *Cat. des Actes.*, VIII, 450-451. Notons que la Cour était à Amboise les 24 et 25 mai 1524, et de nouveau du 10 juin au 1er juillet 1524. Il semble pourtant difficile de situer la première version de cette traduction publiée en 1534 à dix ans avant l'impression de la version définitive.
Ajoutons enfin que l'événement a pu se placer au mois de septembre 1526 puisque la Cour était à Amboise du 8 au 13 septembre.
156. Voir plus bas, p. 247.

# IV

## 1527

C'est vers la fin de l'année 1526 que Marot atteignit sa trentième année [1]. Cette date est-elle d'une importance particulière dans la vie et la carrière du poète ? Comme nous ne savons presque rien de sa vie avant 1526 et que nos connaissances ne nous permettent aucunement de faire des affirmations concernant son caractère et sa façon de vivre avant cette date, il serait parfaitement oiseux d'émettre des hypothèses sur des changements dans sa vie [2].

D'autre part l'année 1527 semble une des années les plus importantes pour Marot, peut-être tout simplement parce que nous sommes particulièrement bien renseignés sur les circonstances de sa vie, tant par des documents que par des poèmes pouvant être datés avec précision.

C'est au cours de l'année 1527 que Marot réalisa son ambition d'être au service du roi. Dès l'année 1519 il avait exprimé ce désir dans la *Petite Epistre au Roy* :

---

1. Rappelons que nous ignorons la date exacte de la naissance du poète. Cf. plus haut, p. 17 et 18.

2. Becker (ouvr. cit., p. 237-238) notamment a cru que les amours de Marot pendant cette époque ont fait de lui un poète lyrique chantant des expériences personnelles, et que les persécutions dont il fut l'objet ont eu un résultat analogue. En fait, on ne sait à peu près rien sur les amours de Marot et la plupart de ses poèmes d'amour sont impersonnels. Voir plus bas, p. 192-193.

Si vous supply qu'à ce jeune Rimeur
Faciez avoir ung jour par sa rime heur,
Affin qu'on die, en prose ou en rimant :
Ce Rimailleur, qui s'alloit enrimant,
Tant rimassa, rima et rimonna,
Qu'il a congneu quel bien par rime on a [3].

Dans l'*Enfer* il avait réitéré ce désir, et, cette fois, l'espoir
de voir ses tentatives couronnées de succès :

Rien n'ay acquis des valeurs de ce monde
Qu'une maistresse en qui gist & abonde
Plus de sçavoir, parlant & escripvant
Qu'en aultre femme en ce Monde vivant.
C'est du franc Lys l'yssue Marguerite,
Grande sur terre, envers le Ciel petite ;
C'est la Princesse à l'esprit inspiré,
Au cueur esleu, qui de Dieu est tiré
Mieulx (& m'en croys) que le festu de l'Ambre ;
Et d'elle suys l'humble Valet de chambre.
C'est mon estat, ô Juge Plutonique ;
Le Roy des francs, dont elle est Sœur unique,
M'a faict ce bien, & quelcque jour viendra
Que la Sœur mesme au Frere me rendra [4].

Ces vers suggèrent qu'au moment de les écrire le poète
avait obtenu des promesses sérieuses. A-t-il déjà pensé à ce
moment-là à prendre la succession de son père ? Quoi qu'il
en soit ce fut ce qui arriva. Cette succession, comme tant
d'autres détails de la biographie de Marot, est pourtant
assez obscure. Nous ignorons la nature exacte de la fonction qu'occupait Jean Marot [5] ; nous ignorons également
la date exacte de sa mort [6]. Comme son nom ne se trouve
pas mentionné dans l'*Enfer*, il est possible qu'au printemps
de 1526 il fût encore en vie. Toujours est-il que Clément
obtint le poste de valet de chambre du roi à la place de

---

3. *Les Epîtres*, I, v. 21-26.
4. *Œuvres satiriques*, I, *L'Enfer*, v. 413-426.
5. Voir plus haut, p. 10.
6. Voir plus haut, p. 13.

son père à la mort de ce dernier, comme il ressort de l'épître *Au Roy* [7] :

> Certes, mon cas pendoyt à peu de chose,
> Et ne falloit, Sire, tant seulement
> Qu'effacer Jan & escrire Clement.
> Or en est Jan par son trespas hors mis [8]

et :

> Je quiers, sans plus, Roy de los eternel,
> Estre Heritier du seul bien Paternel [9]

Marot, au début de l'année 1528, ayant déjà droit à une année de gages comme valet de chambre du roi [10], il semblerait que Jean Marot mourût vers la fin de 1526.

Toujours selon l'épître *Au Roy* [11] Marot, son père mort, en demanda immédiatement la place :

> Ainsi disoit le bon Vieillard mourant,
> Et aussi tost que vers vous fuz courant,
> Plus fut en vous Liberalité grande,
> Qu'en moy desir d'impetrer ma demande [12].

et François Ier la lui promit :

> Or, si le cueur que j'ay de prendre soing
> A vous servir, si ceste Charte escripte,
> Ou du Deffunct quelcque faveur petite
> Ne vous esmeut (o Sire) à me pourveoir,
> A tout le moins vous y vueille esmouvoir
> Royal promesse, en qui toute asseurance
> Doibt consister. Là gist mon esperance [13]

Le poète fut inscrit à l'état du roi comme valet de cham-

---

7. *Les Epîtres*, XII.
8. *Ibid.*, v. 20-23.
9. *Ibid.*, v. 31-32.
10. Voir plus bas, p. 145.
11. *Les Epîtres*, XII.
12. *Ibid.*, v. 79-82.
13. *Ibid.*, v. 86-92.

bre, mais seulement à partir de l'année 1528 [14]. D'autre part,
une lettre de François Ier en date du 1er novembre 1527 qua-
lifie Marot : « nostre cher & amé valet de chambre ordinaire [15]. » De ces documents il faut conclure que Marot fut
nommé valet de chambre du roi vers le début de l'année
1527, mais que pour une raison inconnue — pure carence ? — son nom ne fut pas inscrit à l'état du roi pour
cette année. Le résultat fut qu'à la fin de l'an, au moment
du versement des gages, le poète s'aperçut, de la façon la
plus dure, de cette omission. Il entra immédiatement en
campagne, d'abord pour obtenir son dû, et puis pour se
faire inscrire à l'état de l'année suivante. Il est malaisé de
reconstruire l'ordre précis de ses démarches. Probablement
l'épître *Au Roy* [16] en est la première. Elle est un récit, sans
doute exact en partie, des événements, et confirme les
conclusions que nous avons pu tirer des documents :

> Il vous a pleu, Sire, de pleine grace,
> Bien commander qu'on me mist en la place
> Du Pere mien, vostre Serf humble, mort ;
> Mais la Fortune, où luy plaist, rit & mord.
> Mords elle m'a, & ne m'a voulu rire,
> Ne mon nom faire en voz Papiers escrire.
> L'Estat est faict, les Personnes rengées,
> Le Parc est clos, et les Brebis logées
> Toutes, fors moy, le moindre du Trouppeau,
> Qui n'a Toyson ne Laine sur la peau [17].

Après avoir insisté sur la promesse royale, Marot, dans un
passage probablement fictif, met en scène son père, sur
son lit de mort, qui conseille à son fils de suivre la carrière

---

14. Le ms. 7856 du fonds français de la Bibliothèque Nationale, qui est une collection d'états de plusieurs rois, reines,
princes, etc., contient à la page 939, au milieu de la liste des
valets de chambre de François Ier, la mention suivante : « Clement Marot en 1528, hors en 1542. » Un autre document (Arch.
Nat. KK 99, 1529, f° XII) le montre sur une liste d'officiers de
l'hôtel du roi pour l'année 1529.

15. Arch. Nat. Registre secret de la cour des aides de Paris,
commençant en 1515 et finissant en 1553, Z 1A 162.1.

16. *Les Epîtres*, XII.

17. *Ibid.*, v. 7-16.

de poète de cour et de demander sa place au roi. François Ier accéda à la demande de son poète en lui donnant
un « acquit au comptant » pour le montant de ses gages
de l'année 1527. Cet « acquit » étant tiré sur la Caisse de
l'Epargne, fondée en 1523 [18], et soumise à un contrôle extrêmement rigoureux, Marot dut, pour le convertir en espèces, le faire sceller par le chancelier Duprat avant de le présenter au trésorier Preudhomme. Il s'adressa donc à
Duprat [19], puis, son acquit dûment scellé, au trésorier Guillaume Preudhomme [20], sieur de Fontenay-Trésigny et de
Panfon, secrétaire du roi [21]. Ce dernier cependant refusa
d'honorer l'acquit, peut-être parce que ce document était
signé par Claude Robertet, secrétaire ordinaire du roi [22], et
non du roi lui-même. C'est du moins ce que laisse entendre
la seconde épître adressée par Marot au cardinal Duprat
sous le titre précis : *Audict Seigneur pour se plaindre de
Monsieur le Tresorier Preudhomme, faisant difficulté
d'obeir à l'Acquit despesché* [23] :

> Puissant Prelat, je me plainds grandement
> Du Tresorier qui ne veult croire en Cire
> En bon Acquit, en expres Mandement,
> En Robertet, n'en Françoys, nostre Sire [24].

Comme le poète ne parlera plus de cette affaire, et qu'il
écrira deux poèmes à la gloire de Preudhomme après la
mort du trésorier survenue en 1543 [25], montrant qu'il ne lui
garda pas rancune, il est certain qu'il finit par obtenir le
montant de son « Acquit au comptant ».

---

18. *Cat. des Actes*, I, 331, n° 1. Sur la caisse de l'Epargne
voir R. Doucet, ouvr. cit., t. I, p. 290-296.
19. *Les Epîtres*, XIII.
20. *Les Epigrammes*, CL, *A M. Guillaume Preudhomme, Tresorier de l'Espergne*.
21. *Cat. des Actes*, IV, 362, 12700, et V, 702, 18305.
22. Fils de Florimond Robertet (voir plus bas, p. 151, n. 87),
il était baron d'Alluye (*Cat. des Actes*, V, 489, 17195).
23. *Les Epîtres*, XIV.
24. *Ibid.*, v. 1-4.
25. *Œuvres lyriques*, IX (Complainte VII), et *Œuvres diverses*,
CXXXIII (Epitaphe XLIV).

Marot, ayant touché ses gages pour l'année 1527, entra
immédiatement en campagne pour être inscrit à l'état pour
l'année 1528. Dans ce but il écrivit une épître au cardinal
Jean de Lorraine [26], archevêque de Reims, lui demandant
d'user de ses bons services auprès du maître de la garde-
robe du roi, Jean de la Barre, comte d'Etampes, prévôt
de Paris depuis le 18 avril 1526 [27]. Il n'est pas clair pourquoi le poète demanda au cardinal de Lorraine d'intercéder
auprès de Jean de la Barre. Il est difficile de croire avec
Becker [28] qu'au début de 1528, c'est-à-dire au moment de
composer cette épître, Marot eût songé à obtenir la place
de valet de la garde-robe, et non celle de valet de chambre [29],
puisque la lettre de François Ier du 1er novembre 1527 [30] qua-
lifie le poète de valet de chambre. Il est plus probable qu'il
a réellement cru, ou que Jean de la Barre était responsable
des nominations pour l'état du roi, ou bien que ce personnage, le principal favori de François Ier à cette époque, pourrait l'aider à accéder à la place qui lui était promise. En
même temps Marot composa pour Jean de la Barre une
ballade dont voici le texte :

*Au conte destampes par ledit marot*

Conte prudent saige et rassis
Fortune que jay tant suyvie
Par force ma ung temps assis
Au froit Giron de paouvre vie.
Me y asseoir encor me convie ;
Mais je respondz comme lasse .
De y estre assis nay plus d'envie ;
Il n'est que d'estre bien couché.

Des grandz importuns excessifz
Ne suys point jay trop la pepie
Fectes pour moy je vous en prie

---

26. *Les Epîtres*, XV. Sur Jean de Lorraine, voir A. Collignon,
*Le mécénat du cardinal Jean de Lorraine (1498-1550)*, Paris-
Nancy, 1910 (*Annales de l'Est*, 24e année, n° 2).
27. Voir plus haut, p. 100.
28. Ouvr. cit., p. 49.
29. Cf. aussi plus haut, p. 133.
30. Voir plus bas, p. 146.

> Ce dont le roy vous a touche
> A'ffin que a bon tiltre je crye
> Il nest que destre bien couché [31].

Ce n'est qu'en 1532, à l'occasion de la publication de ces pièces dans l'*Adolescence Clementine* [32], que le nom de Jean de la Barre est omis. Nous en ignorons la raison exacte. Marot s'était-il aperçu que c'était le Grand-Maître et non le maître de la garde-robe qui était responsable des nominations ? C'est après tout peu probable. Jean de la Barre, dont on ne retrouve plus guère le nom dans les documents [33], semble être tombé de la faveur de François Ier [34], de sorte que Marot jugea sans doute opportun de nommer l'homme qui avait remplacé ce dernier comme favori royal et qui était à l'époque le personnage le plus puissant à la cour, Anne de Montmorency, et sa principale protectrice, Marguerite d'Angoulême. Les changements effectués dans l'épître au cardinal de Lorraine sont minimes. Les vers :

> J'entends pourveu que d'Estempes le conte
> Vueillez prier de vouloir tenir compte

sont remplacés par :

> J'entends pourveu que Monsieur le grand Maistre
> Vueillez prier vouloir souvenant estre [35]

La ballade par contre fut complètement remaniée, portant le titre *A ma Dame la Duchesse d'Alençon laquelle il supplie d'estre couché en son estat* [36]. Par ce titre, comme par la place qu'il assigne à cette ballade [37], le poëte veut faire

---

31. Texte du ms. Gueffier (*Bibliographie*, I, p. 18-47).

32. *Ed. cit.*

33. Il mourut en 1534.

34. Voir plus bas, p. 403.

35. *Les Epîtres*, XV, v. 31-32.

36. *Œuvres diverses*, LXXI, Ballade v.

37. Elle figure après la ballade *De soy mesme du temps qu'il aprenoit à escrire au Palais à Paris* qui doit avoir été composée entre 1515 et 1519 et avant les quatre ballades « historiques », c'est-à-dire *De la naissance de Monseigneur le Daulphin*, com-

croire que le poème fut composé avant 1519 dans le but
d'obtenir une place auprès de Marguerite d'Alençon. Il
s'agit donc dans ce dernier cas d'une véritable supercherie
dont la raison est difficile à trouver. N'oublions pas que
cette ballade, dans son état original [38], fut publiée dans l'édition subreptice d'Olivier Arnoullet [39]. Marot, en la donnant
dans l'*Adolescence* avec un destinataire et un titre différent et avec un texte largement remanié, semble vouloir
faire croire que c'est l'état original qui est une supercherie
— ne proteste-t-il pas dans la préface contre les éditions
subreptices ayant mal imprimé ses poèmes [40] ? — et qu'il
n'a jamais mentionné Jean de la Barre, et à plus forte raison ne lui a jamais adressé le moindre poème. De tout cela
se dégage la conclusion ou bien que Marot s'est brouillé
avec Jean de la Barre, ce dernier l'ayant peut-être desservi
dans cette affaire, ou bien que l'ancien favori de François Iᵉʳ
était tombé en disgrâce, de sorte qu'en 1532 le nommer eût
été de mauvaise politique.

En dehors des pièces déjà citées on connaît un autre
poème composé à l'occasion de la campagne de Marot pour
être inscrit à l'état. C'est un dixain adressé à Montmorency [41]. Vu les problèmes que nous venons d'analyser il
est difficile de savoir si ce poème fut composé en 1528,
adressé à Montmorency, ou s'il fut, lui aussi, adressé
d'abord à Jean de la Barre, ou encore s'il fut composé en
1532.

Les démarches de Marot furent couronnées de succès. Le
25 mars 1528, François Iᵉʳ écrivit à Montmorency la lettre
suivante :

Mon cousin. Pource que Clement Marot, l'ung de

---

posée en 1517, *Du triumphe d'Ardres & Guignes faict par les
Roys de France & d'Angleterre,* composée en 1520, *De l'arrivée
de Monsieur d'Alençon en Haynault,* composée en 1521, et enfin
*De Paix & de Victoire* qui date, elle aussi, de 1521 (*Œuvres
diverses,* LXXIII, LXXIV, LXXV et LXXVI).
38. Voir plus haut, p. 137.
39. Voir plus bas, p. 228.
40. Voir plus bas, p. 230.
41. *Les Epigrammes,* XXI, *A Monsieur le grant Maistre pour
estre mis en l'Estat.*

mes varletz de chambre fut oublyé en l'estat de l'année passée, je vous ay bien voulu escrire en sa faveur, à ce que ne le veuillez oublyer en celluy de la presente. Vous advisant que je veulx et entendz qu'il y soyt mis deux gaiges contenus en son acquict de l'année passée ; de quoy je vous prye n'y faire faulte. Escript à St. Germain en Laye, ce xxv$^{me}$ jour de mars 1528.

François<br>
contresignée  Robertet [42]

Marguerite d'Angoulême, de son côté, écrivit à Montmorency le 28 mars :

A mon nepveu monsieur le grant maistre.

Mon nepveu, avant mon partement de Compiegne pour aller en Bearn, je vous priay de ne voulloir oblyer Marot aux prochains estatz, et pour ce que la souvenance depuis ce temps vous en pourroit estre passée, vous l'ay bien voulu ramentevoyr ; vous priant derechef mon nepveu, le mectre hors d'estre plus payé par acquitz, et suivant l'intention du roy le mectre en l'estat de ceste presente année. Ce faisant, me ferez bien grant plaisir, estimant que l'aurez traicté comme l'ung des miens. Priant Dieu, mon nepveu, vous donner et continuer sa grace. Escript de Saint Germain en Laye, ce XXVIII$^e$ jour de mars. Vostre bonne tante et amye

Marguerite [43].

Comme nous l'avons vu, Marot fut effectivement inscrit à l'état de la maison du roi pour l'année 1528 comme valet de chambre.

Au mois d'août de cette année eut lieu un événement qui causa de grands remous dans l'opinion publique, l'exécution du trésorier Semblançay. Jacques de Beaune, seigneur de Semblançay, trésorier général du royaume, fut accusé de malversations par Louise de Savoie et François I$^{er}$. Il fut arrêté le 13 janvier 1527, condamné à mort, et pendu à

---

42. Bib. Nat., fonds français, ms. 3012, f° 47.

43. Bib. Nat., fonds français, ms. 3026, f° 18, et *Lettres de Marguerite d'Angoulême*, éd. Genin, Paris, 1841, p. 238.

Montfaucon, le 12 août de la même année [44]. Il paraît que
Semblançay fût innocent et ne fût poursuivi qu'à cause de
la rapacité de Louise de Savoie et d'Anne de Montmorency.
Aussi la plupart des contemporains ont-ils exprimé de la
pitié pour lui. Cependant Roger de Collerye, dans un sixain
intitulé *Epitaphe de feu Jacques de Beaulne en son vivant
seigneur de Semblançay-lez-Tours,* se montre franchement
hostile :

> Tresoriers, amasseurs de deniers
> Vous et voz clercs se n'estes gros asniers
> Bien retenir debvez ce quolibet,
> Que pareil bruyt avez que les musniers,
> Car, par larcin, en ces jours derniers
> Vostre Guydon fut pendu au gibet [45].

Le même ton hostile se trouve dans une pièce anonyme,
*Balade contre les tresoriers & gens de finance sur la mort
Sant Blancey :*

> Tremblez, tremblez, larrons gros & petiz !
> Retirez vous, gens trop fins et subtilz !
> Absentez vous bientost & prenez terre,
> Gens de finance et tresoriers gentilz
> Qui d'atrapper estes tant ententifz.
> Sur vous surviengne tempeste & tonerre !
> Craignez la court qui vous donna la guerre
> Bien asprement, quant je l'ay pancé,
> Souviegne vous de la mort Sant Blancey [46] !

Cet événement fut l'occasion pour Marot de composer
deux poèmes, à savoir *La complainte du riche infortuné
messire Jaques de Beaune, seigneur de Samblançay* [47], et
l'épigramme *Du Lieutenant Criminel de Paris et de Samblançay* [48]. La complainte semble avoir été rimée pour le

---

44. Voir A. Spont, *Semblançay (?-1527), La bourgeoisie financière au début du seizième siècle,* ouvr. cit., et R. Doucet, *Les
Institutions de la France au seizième siècle,* ouvr. cit., p. 288-
289.
45. *Œuvres,* éd. Héricault, Paris, 1855, p. 278.
46. B.N. ms. fr. 17527, f° 11 v°, première strophe.
47. *Œuvres lyriques,* V, Complainte III.
48. *Les Epigrammes,* XLIII.

jour de l'exécution même, et peut-être, selon la coutume de l'époque, avoir été débitée en plaquettes ou placards à Montfaucon. Ainsi l'auteur de la *Cronique du Roy Françoys Premier* écrit :

> ... et cependant on ne parloit à Paris que de la mort dudict Samblançay. Les aulcuns en disoyent du bien, les aultres du mal, et de luy furent faictes plusieurs ballades, et pour ce en ay ycy mis une qui fut trouvée sur le pont aux musniers trois jours apres sa mort [49].

pour donner ensuite le texte du poème de Marot [50].

Il est probable que l'épigramme fut composée le jour de l'exécution ou peu de jours plus tard, bien qu'à la différence de la complainte elle ne fût publiée qu'en 1533. En voici le texte :

> Lors que Maillart, Juge d'enfer [51], menoit
> A Montfaulcon Samblançay l'ame rendre
> A vostre advis lequel des deux tenoit
> Meilleur maintien ? Pour le vous faire entendre,
> Maillart sembloit homme qui mort va prendre
> Et Samblançay fut si ferme vieillart [52]
> Que l'on cuidoit (pour vray) qu'il menast pendre
> A Montfaulcon le Lieutenant Maillart.

---

49. Ouvr. cit., p. 61.

50. Ouvr. cit., p. 61. Une plaquette imprimée certainement en août 1527 et intitulée *Sensuyvent les Regretz messire Jaques de beaulne chevalier seigneur de sainct Blancay,* nous est connue (*Bibliographie,* II, n° 4). C'est un petit in-4° gothique de quatre feuillets dont l'unique exemplaire se trouve à la Bibliothèque de Versailles.

Il semble donc évident que Marot était à ce moment à Paris et non pas avec la cour qui avait quitté la capitale au début du mois et se trouvait alors à Coucy.

Cf. plus haut, p. 41, et plus bas, p. 168.

51. Dans l'*Enfer* (*Œuvres satiriques,* I) Marot avait mis en scène le lieutenant criminel de la prévôté de Paris, Gilles Maillart, sous les traits du juge d'enfer Rhadamante (v. 218 suiv.). C'est ce qui explique l'épithète de « juge d'enfer ». Sur Gilles Maillart voir *Œuvres satiriques,* p. 63, n. 1 et p. 64, n. 3. Voir plus haut, p. 122.

52. La constance dont Semblançay fit preuve lors de son exécution fut notée par tous les témoins. Cf. *Œuvres lyriques,* p. 137, n. 2 et n. 3.

Cette épigramme est célèbre à juste titre. Voltaire en a relevé la grandeur :

> Il faut prendre garde qu'il y a quelques épigrammes héroïques, mais elles sont en très petit nombre dans notre langue. J'appelle *épigrammes héroïques* celles qui présentent à la fin une pensée ou une image forte et sublime, en conservant pourtant dans les vers la naiveté convenable à ce genre. En voici une de Marot. Elle (l'épigramme sur Semblançay) est peut-être la seule qui caractérise ce que je dis... Voilà, de toutes les épigrammes dans le goût noble, celle à qui je donnerais la préférence [53].

Si l'année 1527 vit Marot réaliser sa principale ambition, elle ne se passa pas pour lui sans déboires. Dans l'automne Marot fut de nouveau emprisonné, cette fois à la Conciergerie. Nous ne sommes guère mieux renseignés sur cette affaire que sur celle de 1526, n'ayant pour documents qu'une lettre de François Ier et l'épître *Marot, Prisonnier, escript au Roy pour sa delivrance* [54]. L'arrestation de Marot doit se placer vers le milieu du mois d'octobre ; en effet en réponse à l'épître du poète dans laquelle il dit qu'il y a quinze jours qu'il est en prison, François Ier écrivit au Parlement [55] le 1er novembre. La cause de cet emprisonnement est également obscure. Selon la lettre du roi ce fut « la rescousse de certains prisonniers ». Selon l'épître du poète, il « recourut ung certain Prisonnier [56] ». A part la discordance entre les deux versions — un prisonnier selon Marot, plusieurs prisonniers selon le roi — on note l'absence de tout détail. Quelle était l'identité du prisonnier ? Etait-ce un ami de Marot, un luthérien, ou bien un inconnu que le poète aurait délivré par pure sympathie pour la victime d'une justice dont il venait tout juste de connaître la bru-

---

53. *Connaissances des Beautés et des Défauts de la Poésie et de l'Eloquence dans la langue française* (article « Epigramme »), *Œuvres complètes de Voltaire,* éd. L. Moland, 52 vol., Paris, 1877-1885, t. XXIII, p. 376.

54. *Les Epîtres,* XI.

55. Voir plus bas, p. 145.

56. *Les Epîtres,* XI, v. 19.

talité et la corruption ? Nous n'en savons malheureusement rien. Il est certain cependant que l'intervention de Marot fut violente et qu'il se rendit coupable de voies-de-fait contre les officiers de police. C'est ce qui explique que Marot distingue entre l'accusation par la partie civile et l'accusation au nom du roi :

> Mais pour venir au poinct de ma sortie :
> Tant doulcement j'ay chanté ma partie,
> Que nous avons bien accordé ensemble,
> Si que n'ay plus affaire, ce me semble,
> Sinon à vous [57].

Selon l'épître, Marot, ayant été arrêté dans le palais même du roi [58], tâcha d'obtenir sa liberté en offrant des pots de vin à son procureur :

> Et toutesfois j'ay plus grand appetit
> De pardonner à leur folle fureur
> Qu'à celle là de mon beau Procureur.
> Que male Mort les deux Jambes luy casse !
> Il a bien prins de moy une Becasse,
> Une Perdrix, et ung Levrault aussi,
> Et toutesfoys je suis encor icy.
> Encor je croy, si j'en envoioys plus,
> Qu'il le prendroit, car ilz ont tant de glus
> Dedans leurs mains, ces faiseurs de pipée,
> Que toute chose où touchent est grippée [59].

Après l'échec de cette tentative il prit la plume pour demander au roi d'être relâché, l'assurant qu'il a déjà

---

57. *Les Epîtres*, XI, v. 43-47. On sait que les bas officiers de justice, huissiers et sergents, avaient l'habitude de se constituer partie civile lorsque l'inculpé ou les personnes auxquelles ils portaient les exploits faisaient preuve de violence. Cf. Rabelais, *Quart Livre*, XII, « Les Chicanoux », et Racine, *Les Plaideurs*.
58. C'est du moins le sens le plus probable du v. 9 :
> Trois grands Pendars vindrent à l'estourdie,
> *En ce Palais*, me dire en desarroy :
> Nous vous faisons Prisonnier par le Roy.

Marot, il est vrai, est à la Conciergerie quand il écrit ces vers. Il me semble pourtant difficile de croire que l'expression « ce palais » puisse désigner cette prison.
59. *Les Epîtres*, XI, v. 32-42.

satisfait à la partie civile [60]. Le roi intervint effectivement
et écrivit la lettre demandée par Marot, ordonnant sa mise
en liberté. La Cour des aides du Parlement de Paris, saisie
de l'affaire, ordonna, le 4 novembre 1527, que Marot fût
interrogé par deux conseillers ; le lendemain, ayant entendu
leur rapport et considéré tous les documents, elle ordonna
l'élargissement de Marot :

Du lundy 4 novembre 1527. Presens Mre Loys
Picot, chevalier, premier president, Mre François de
Marcilhac, second president, Benoist Larcher & Cleriadus de la Roziere, conseillers. Ce jour, par le sr
Castillon ont esté presentées à la cour les lettres missives du Roy desquelles la teneur s'ensuit. De par le
Roy. Nos amés & féaux nous avons esté avertis de
l'emprisonnement de nostre cher & bien amé valet de
la chambre ordinaire Clement Marot : & duement
informés de la cause dudit emprisonnement : qui est
pour raison de la rescousse de certains prisonniers.
Et, pour ce qu'il a satisfait à sa partie & qu'il n'est
detenu que pour nostre droit, à cette fin, nous voulons, nous mandons & tres expressement enjoignons
que, toutes excusations cessantes, ayés à le delivrer
& mettre hors desdites prisons. Si n'y faites faute,
car tel est nostre plaisir. Donné à Paris le 1er jour de
novembre. *Signé :* François, & *au-dessous :* Robertet,
& *au dos & superscription :* A nos amés & féaux les
generaux conseillers sur le fait de la justice de nos
aydes à Paris. Apres la lecture desquelles, la cour a
fait response audit Castillon que, ouie la partie & les
gens du Roy, elle obeiroit au vouloir & bon plaisir du
Roy : & à tant s'est retiré ledit de Castillon &, lui
retiré, a commis & deputé Mes Benoist Larcher & Cleriadus de la Roziere, conseillers dudit seigneur, pour
interroger ledit Marot, pour en faire leur rapport le
lendemain. Du mardy, 5 novembre 1527. La cour,
apres avoir vu les charges & informations à l'encontre dudit Marot, les interrogations & confessions, les
conclusions du procureur general du Roy, & ouie la
partie civile, a elargi par tout *quousque* ledit Marot,

---

60. Voir plus haut, p. 144.

en faisant les soumissions & s'elisant domicile en la
maniere accoutumee [61].

Peu de jours après, le 29 novembre 1527, un des premiers protecteurs de Marot, Florimond Robertet [62], mourut [63]. Il fut enterré à Blois [64], la ville où il avait sa maison, l'hôtel d'Alluye [65]. Marot suivit probablement le cortège funèbre portant la dépouille mortelle du ministre de
Paris à Blois. Il se trouva en tout cas dans cette ville

---

61. Arch. Nat. Registre secret de la cour des aides de Paris,
commençant en 1515 et finissant en 1553, Z 1A 162.1.
62. Voir plus haut, p. 35.
63. Cf. *Journal d'un bourgeois de Paris,* ouvr. cit., p. 275 :
« audict an mil cinq cens vingt sept, le vendredy penultiesme
jour de novembre, maistre Floremond Robertet, tresorier de
France et secretaire du Roy, mourut au Palays à Paris, duquel
il estoit concierge. Il fut fort aymé du Roy, tellement qu'on dit
que par deux fois il l'alla visiter, et, à son trespas, le Roy
ordonna qu'on luy fist tout plein d'honneur. Il fut gardé mort
en sa maison où il mourut, au Palays, et chacun l'alloit voir
qui vouloit. »
64. Cf. *Journal d'un bourgeois de Paris,* ouvr. cit., p. 275-276 :
« Item, trois jours après, il fut porté en grand triomphe en
l'eglise des Augustins à Paris, pour le garder jusques à ce qu'il
fust porté inhumer à Bloys, où il avoit esleu sa sepulture. Et
audict convoy des Augustins avoit grand nombre de luminaire,
tant de par les prevost des marchans et eschevins de la ville
de Paris. Et y estoient les archers et hacquebutiers de la dicte
ville, qui portoient les torches de cire allumées que la ville avoit
baillé pour faire le convoy, et y en avoit quarante torches et
cent torches de par luy. Et estoient audict convoy le prevost et
eschevins de la ville et grand nombre de seigneurs et gentilz-
hommes du Roy et gens des finances, et estoit le cœur desdictz
Augustins tendu de velour noir. Et y avoit une chapelle de boys,
soubsz laquelle estoit son corps ; et après son service faict, il
fut porté en l'eglise Nostre Dame des Champs, où il fut la nuict
et le lendemain, et y fut faict aussi son service. Puis de là il
fut porté à Bloys avec les cent torches, et fut son trespas publié
par la ville de Paris par dix huict crieurs, tous habillez de noir
et portans ses armes. »
Il fut enterré à Saint-Honoré de Blois (voir J. Bernier, *Histoire de Blois,* 1682, p. 52).
65. L'hôtel d'Alluye est parfaitement conservé à l'heure
actuelle. Etant le siège d'une compagnie d'assurances, ce bâti-
ment est un des rares monuments de la Renaissance qui n'ont
pas passé à l'état de musée.

vers la fin de l'année 1527. En effet, le 2 décembre 1542, Thomas Malingre, pasteur à Yverdon, écrivit une longue épître de bienvenue à Marot qui venait d'arriver à Genève. Or dans ce poème, Malingre dit à Marot, à propos de certains abus catholiques qu'il énumère :

> Veu qu'il y desja quinze ans passez
> Que ces abuz tu cognoissois assez,
> Et savois bien tout peché et tout vice
> Estre aboly par le seul sacrifice
> Que Jesus Christ fit pour nous en la croix,
> Comme tu m'as ouy prescher à Bloys
> En exposant l'epistre des Hebrieux
> Et des Romains et plusieurs autres lieux,
> En detestant publiquement la messe,
> Comme contraire à Christ et sa promesse [66].

Marot répondit à cette épître par un dizain daté du 5 mai 1543 :

> Je ne suis pas tout seul qui s'esmerveille
> De ton savoir, bonté, croix et constance,
> Et des Sermons où grandement traveille ;
> Mais aussi font les plus sages de France,
> Et à bon droit, car tu es l'excellence
> Et le premier des Jacobins de Bloys,
> Qui tous estaz à Jesus assemblois
> Par tes sermons et ta vie angelique,
> En quoi faisant, à saint Paul resemblois
> Cent mille fois plus qu'à saint Dominique [67].

De ces textes, il ressort que Malingre, avant de se réfugier en Suisse [68], fut dominicain à Blois où il prêcha des sermons publics sur les épîtres de saint Paul, et que Marot était présent à ces sermons ; c'est à cette occasion qu'il fit la connaissance du prédicateur. La date de cet événement doit être l'hiver 1527, puisque, dans son épître écrite le 2 décembre 1542 — ou de toute manière dans l'hiver de

---

66. Voir *Bibliographie*, II, n° 268 ; et *La Religion de Marot*, ouvr. cit., p. 39, 67-68 et 95-96.
67. *Les Epigrammes*, CCXXVII.
68. Sur Malingre, voir *La Religion de Marot*, ouvr. cit., p. 66-69.

1542 — Malingre dit : « Il y a desja quinze ans. » Comme
le poète fut emprisonné à Paris du milieu du mois d'octobre jusqu'au début du mois de novembre 1527, le début
du mois de décembre, précisément date de l'arrivée à Blois
de la dépouille mortelle de Florimond Robertet, est effectivement la seule date possible du séjour de Marot dans cette
ville. Comme le poète laisse entendre dans *La Deploration
de Florimond Robertet* [69] qu'il a suivi le cortège funèbre, il
faut conclure, malgré le caractère allégorique de sa description, qu'il dit littéralement la vérité.

La rencontre avec Malingre à cette occasion est un événement d'une certaine importance dans la vie de Marot.
Comme nous l'avons vu, le poète assista aux sermons évangéliques du hardi dominicain qui dut deux ans plus tard
se réfugier en Suisse [70], et ces sermons étaient basés sur les
épîtres aux Romains de saint Paul. Or *La Deploration de
Florimond Robertet* que Marot composa pendant ces
jours [71], est non seulement pleine de souvenirs des épîtres
aux Romains, mais représente le poème le plus religieux et
le plus évangélique de Marot, celui où il exprime le plus
clairement et de la façon la plus magnifique son opposition
à l'Eglise catholique et son adhésion aux idées de Luther.
Impossible de ne voir dans tout cela que pure coïncidence.

S'il est impossible de croire à un changement fondamental dans le caractère du poète [72], il est pourtant certain que
du point de vue littéraire les années 1526-1527 marquent
un tournant extrêmement important dans sa carrière. C'est
à cette époque que le poète atteignit la trentaine [73] ; c'est à
ce moment-là qu'il rompit avec la poétique des Rhétoriqueurs. Entre les années 1519 et 1525 nous avons pu noter
que lentement, par degrés, en nuances, Marot s'éloigne de
ses prédécesseurs. En 1527 cette évolution est terminée, la

---

69. *Œuvres lyriques*, VI, Complainte IV.
70. Voir *La Religion de Marot*, ouvr. cit., p. 66.
71. Une plaquette en fut publiée vers la fin de l'année 1527.
Voir *Bibliographie*, II, n° 5.
72. Voir plus haut, p. 132.
73. Ne connaissant pas la date exacte de la naissance de
Marot (voir plus haut, p. 17-18) nous pouvons seulement affirmer
que son trentième anniversaire tomba dans la deuxième moitié
de 1526.

rupture est complète, du moins aussi complète qu'elle le
sera jamais. On peut le voir très clairement dans les
genres qu'il emploie. Avant 1526, il écrit, comme nous
l'avons vu, dans les genres des Rhétoriqueurs, la complainte, le rondeau, la ballade, le chant-royal et le dizain.
Après 1526-1527, il abandonne ces formes presque totalement. Ainsi sur les soixante-six rondeaux de Marot,
cinquante-huit datent d'avant 1527 ; huit seulement furent
composés après cette date [74]. De même des dix-neuf ballades de sa plume, quatorze furent composées avant 1527,
et cinq entre 1527 et 1538 [75].

Il est probable que la coïncidence de cette rupture avec
la trentaine du poète n'est pas accidentelle, mais que Marot
a voulu marquer de façon éclatante la fin de ses années
d'apprentissage et d'évolution. Qu'il en fût ainsi, le titre
même de la première édition, l'*Adolescence Clémentine*,
nous le prouve [76]. Rappelons que Marot y donne dans un
appendice sous le titre : *Autres pieces qui ne sont de l'eage
de sa dite Adolescence*, un nombre de poèmes composés en
1527 ou après, preuve que tous les poèmes figurant dans
l'*Adolescence* proprement dite datent bel et bien d'avant
1527 [77].

Nous avons déjà vu qu'avant d'abandonner le genre du
rondeau, Marot a essayé de le renouveler par l'inspiration
pétrarquiste [78]. Pour ce qui est des genres qu'il a continué
à cultiver [79], notamment l'épître et, à un moindre degré, la

---

74. Sur les détails de la publication de ces pièces, voir
*Œuvres diverses*, p. 6-7.
75. *Ibid.*, p. 8.
76. Voir plus haut, p. 18.
77. Un seul poème forme une exception. C'est *Le dizain de
May*, « May qui portoit Robe reverdissante » (*Epigrammes*,
VIII, *Du moys de May & d'Anne*) qui semble dater du mois de
mai de l'année 1527, puisque le manuscrit français 1717 de la
Bibliothèque Nationale donne ce poème sous le titre : *Le disain
de may faict par maistre Clement marot l'an mil cinq cens
XXVII Le roy estant au bois de Vincennes,* et que la Cour se
trouva effectivement au Bois de Vincennes au mois de mai 1527
(*Cat. des Actes,* VIII, p. 453).
78. Voir plus haut, p. 57-66.
79. Le cas des Ballades est légèrement différent ; celles
écrites avant 1526 suivent entièrement la manière et l'inspiration

complainte, on peut montrer que Marot a fait subir à ces genres des transformations tout aussi importantes, mais surtout après 1526.

Ainsi les complaintes écrites avant cette date sont dans le pur style rhétoriqueur [80], celles composées en 1527 par contre trahissent de la part du poète un soucis très évident d'inspiration nouvelle. *La complaincte du riche infortuné messire Jaques de Beaune, seigneur de Samblançay* [81] est une tentative, bien que vouée à l'échec, de retrouver le lyrisme puissant de Villon :

> Certainement, ma triumphante vie
> Jadis mettoit en grand tourment Envie ;
> Mais de ma mort or doibt estre contente.
> Je, qui avoys ferme entente et attente
> D'estre en Sepulchre honnorable estendu,
> Suis tout debout à Montfaulcon pendu.
> Là où le vent (quand est fort & nuysible)
> Mon corps agite, et quand il est paisible,
> Barbe & Cheveulx tous blancs me faict branler
> Ne plus ne moins que fueilles d'arbre en l'Air.
> Mes yeux, jadis vigilans de nature,
> De vieulx Corbeaux sont devenus pasture ;
> Mon col, qui eut l'accol de Chevalier,
> Est accolé de trop mortel collier ;
> Mon corps, jadis bien logé, bien vestu,
> Est à present de la Gresle battu,
> Lavé de Pluye, et du Soleil seiché,
> Au plus vil lieu qui peulst estre cherché [82].

et de l'allier à un ton de chroniqueur populaire [83].

La deuxième complainte que Marot écrivit en 1527 est non seulement le poème le plus important datant de cette année, mais encore le poème le plus long qu'il ait écrit, et certes une de ses compositions les plus magnifiques. Comme

---

des Rhétoriqueurs, tandis que les poèmes que Marot composa dans ce genre après 1526 sont d'une inspiration et d'un style tout différent. Cf. plus haut, p. 52-54.

80. Voir plus haut, p. 47-48.
81. *Œuvres lyriques*, V, Complainte III.
82. *Ibid.*, v. 33-50.
83. Voir plus haut, p. 140-142.

nous l'avons vu, Florimond Robertet, un des premiers protecteurs du poète [84], mourut le 29 octobre 1527 [85]. A beaucoup de points de vue, Robertet semble avoir été un brillant homme de la Renaissance, intelligent, à l'esprit ouvert, s'intéressant aux idées nouvelles et exerçant un important mécénat [86]. Il est fort probable que Marot éprouva un regret très réel à la mort du ministre. Il semble aussi avoir gardé des relations avec la famille du défunt [87], puisqu'un recueil manuscrit copié par Jean Robertet, neveu de Florimond, contient la version originale mais revue de la complainte de Marot, preuve que le scribe était en contact

---

84. Voir plus haut, p. 35-36.

85. Voir plus haut, p. 146.

86. Il encouragea les artistes, acquit la statue en bronze de David par Michel-Ange, malheureusement perdue (voir G. Gaye, *Carteggio inedito d'artisti dei secoli XIV, XV, XVI*, Florence, 1839-1840, t. II, p. 102-105, et F. Reiset, *Un bronze de Michel-Ange,* dans *Athenaeum Français*, 1853, p. 488, 516, 559), et commanda à Léonard de Vinci le tableau de la Vierge à la quenouille (voir E. Moller dans Burlington Magazine, août 1926, et J. Cartwright, *Isabella d'Este,* Londres, 1903, t. I, p. 321). Il fit construire l'Hôtel d'Alluye à Blois et le château de Bury par des architectes italiens. Il protégea les érudits et poètes et fut célébré dans de nombreux poèmes. Ce fut grâce à l'influence de Robertet que son ami Guillaume Budé obtint sa place au service du roi (voir L. Delaruelle, *Répertoire analytique de la correspondance de Guillaume Budé,* Toulouse et Paris, 1907, lettres 114, 151, 158, 161). Il rencontra Thomas More (*ibid.*) ; Robert Gaguin lui adressa une lettre (voir *Roberti Gaguini Epistole et Orationes,* p. p. L. Thuasne, Paris, 1904, t. I., p. 316, n° 43), Molinet une épître pleine d'éloges (*Les Faictz et Dictz,* éd. N. Dupire, t. II, p. 483), et Jean Bouchet, ayant obtenu par ses bons offices la faveur de Charles VIII, lui dédia le *Panegyric du Chevalier sans reproche* (voir Petitot, *Collection complète des Mémoires relatifs à l'histoire de France,* série I, t. 14, 1819, et A. Hamon, *Un grand rhétoriqueur poitevin, Jean Bouchet, 1476 ?- 1557,* Paris, 1901, p. 11-13). Enfin le père du poète, Jean Marot, demanda l'aide de Robertet, dans une ballade composée en 1514 (voir H. Guy, *Jean Marot, Revue des Pyrénées,* 1905, p. 361, et L. Theureau, *Etude sur la vie et les œuvres de Jean Marot,* Caen, 1873, p. 199).

Il nous manque une biographie de cet homme si remarquable et si important.

87. Sur les trois fils et le neveu de Florimond Robertet, voir *Œuvres lyriques,* p. 151, n. 1, n. 2, n. 3.

avec le poète[88]. Marot suivit le cortège funèbre portant le corps de Florimond Robertet de Paris à Blois[89], et c'est dans cette ville ou bien immédiatement après son retour à Paris que Marot composa, dans les derniers jours de l'année 1527, la *Déploration de Florimond Robertet*, ou, pour donner au poème son titre complet, *Clement Marot de Cahors en Quercy, varlet de chambre du Roy, sur le trespas de feu messire Florimont Robertet, jadiz chevalier, conseiller du Roy et tresorier de France, secretaire des finances dudict seigneur, et seigneur d'Alluye*[90].

Le poème commence de façon toute conventionnelle par une introduction de trente-quatre vers dans lesquels le poète exprime son deuil et sa tristesse, sans pourtant nommer Florimond Robertet. Rien jusqu'à présent qui ne distingue ce poème des complaintes des Rhétoriqueurs. Puis le poète décrit le cortège funèbre[91], mais sous le voile de l'allégorie :

----

88. Voir *ibid.*, p. 59-60.
89. Voir plus haut, p. 146.
90. *Œuvres lyriques*, VI, Complainte IV.
91. Notons que cette description du cortège est introduite d'une manière obscure :
> De mon cueur donc l'intencion totalle
> Vous comptera une chose fatalle,
> Que je trouvay d'adventure mal saine,
> En m'en venant de Loire droit à Seine,
> Dessus Turfou. Turfou jadis estoit
> Ung petit bois où la mort commettoit
> Meurtres bien grans sur ceulx qui chemin tel
> Vouloient passer.
>                    (*Œuvres lyriques*, VI, v. 35-42.)
D'abord le poète affirme qu'il venait « de Loire droit à Seine », c'est-à-dire de Blois ou d'Orléans à Paris, et que c'est en route qu'il est tombé par hazard sur le cortège. La chose est peu croyable ; plus probablement, Marot, ayant été élargi de la Conciergerie vers le milieu du mois de novembre, était encore dans la capitale lors du décès de Robertet. Dans la longue description du cortège, Marot feint d'ignorer le nom du défunt et cela jusqu'au vers 127. La rencontre fortuite du cortège funèbre était un élément traditionnel dans la poésie funèbre de l'époque (cf. Jean Lemaire de Belges, *La Plainte du Désiré*, éd. Yabsley, p. 67 : « Ung triste jour passé... je fuz excité par le miserable tumulte d'une tourbe plourante, et par la vehemence de leurs trenchantz regretz... Illec veiz visiblement une piteuse advenue :

En cestuy lieu mortel
Je viz la mort hydeuse et redoubtée
Dessus ung char en triumphe montée,
Dessoubz ses piedz ayant ung corps humain
Mort à l'envers, et ung dard en la main
De bois mortel, de plumes empenné
D'un vieil corbeau de qui le chant damné
Predit tout mal ; et fut trempé le fer
En eau de Stix, fleuve triste d'enfer.
　La mort, en lieu de sceptre venerable,
Tenoit en main ce dard espouventable
Qui en maint lieu estoit tainct et taché
Du sang de cil qu'elle avoit submarché.
　Ainsi debout sur le char se tenoit
Qu'un cheval palle en hanyssant trainoit [92] ;

Bien que portant des ressemblances superficielles avec la *Plainte du Désiré* de Jean Lemaire [93], cette description du triomphe de la mort est inspirée clairement par les *Triomphes de Pétrarque* [94]. On peut y discerner peut-être encore plus précisément l'influence indirecte, à travers l'art visuel, de Pétrarque. Dans les tapisseries et illustrations de l'époque, le Triomphe de la Mort est le plus souvent représenté par la Mort triomphante dans son char, brandissant sa

---

car auprès d'ung noble corps gisant mort tout de fraiz, estendu sur ung lit de camp, estoit Dame Nature... »).
　La deuxième obscurité est le village de Turfou. Il doit s'agir de Torfou (notons que dans l'*Adolescence Clementine* et les *Œuvres* de 1538 la graphie est Tourfou), commune du département de Seine-et-Oise, arrondissement d'Etampes, canton de La Ferté-Alais. Cet endroit se trouve plus ou moins sur la route qu'a dû suivre le cortège funèbre. Reste à expliquer le petit bois où la mort guette les passants. Peut-être Marot pense-t-il à un autre village du nom de Torfou, situé dans le département de Maine-et-Loire, au canton de Montfaucon, synonyme de l'endroit à Paris où se trouvait le gibet.
　92. *Œuvres lyriques*, VI, v. 42-56.
　93. Voir plus haut, p. 48.
　94. Ces poèmes, à la différence du Canzoniere, étaient célèbres dès le xvᵉ siècle. Ils avaient été adaptés en vers français par Jean Robertet, père de Florimond, et par son fils François, frère de Florimond. Voir C.M. Douglas, *A critical edition of the works of Jean and François Robertet,* thèse déposée à la bibliothèque de l'Université de Londres.

lance et piétinant sa victime [95]. Si l'on peut voir dans ce détail la preuve que Marot a essayé dans les rares occasions où il emploie encore l'allégorie de la rendre moins lourde et plus artistique, l'usage principal qu'il en fait, tout comme l'année précédente, dans l'*Enfer,* est satirique. En effet, devant le char :

> ... cheminoit une fée,
> Fresche, en bon point, et noblement coiffée,
> Sur teste raise ayant triple coronne
> Que mainte perle et rubis environne.
> Sa robe estoit d'un blanc et fin samys
> Où elle avoit en pourtraicture mis,
> Par traict de temps, ung milion de choses,
> Comme chasteaulx, palais et villes closes,
> Villaiges, tours et temples et couvents,
> Terres et mers et voilles à tous vents,
> Artillerie, armes, hommes armez,
> Chiens et oiseaulx, plaines et bois ramez ;
> Le tout brodé de fine soye exquise,
> Par main d'aultruy torse, taincte et acquise.
> Et pour devise au bort de la besongne
> Estoit escript : Le feu à qui en grongne.
> Ce neantmoins sa robe elle mussoit
> Soubz ung manteau qui humble paroissoit,
> Où plusieurs draps divers furent compris
> De noir, de blanc, d'enfumé et de gris,
> Signiffiant de sectes ung grant nombre
> Qui sans travail vivent dessoubz son umbre.
> Ceste grant dame est l'eglise Romaine
> Qui ce corps mort jusques au tombeau meine,
> La croix davant, en grant ceremonie,
> Chantant mottetz de pyteuse armonye [96].

La violence de la satire saute aux yeux. A peu près toutes les accusations portées contre l'église catholique par les protestants du temps de la Réforme se trouvent dans ce portrait : richesses acquises par le labeur d'autrui, mondanité, pouvoir temporel, voire même militaire, méchanceté

---

95. Voir V. Masséna et E. Muntz, *Pétrarque, ses études d'art, son influence sur les artistes,* Paris, *Gazette des Beaux-Arts,* 1902.
96. *Œuvres lyriques,* VI, v. 57-82.

et hypocrisie, aucun trait n'y manque. Ajoutons que dès l'*Adolescence Clementine* Marot a adouci le vers 79 en mettant :

Ceste grant dame est nommée Rommaine

au lieu de la version originale :

Ceste grant dame est l'eglise Romaine.

Après la satire de l'église catholique, Marot revient à la description du cortège où figurent deux autres personnages allégoriques, « République françoise » et le « bonhommeau labeur ». La description de ces deux allégories est rudimentaire. Par contre le poète insiste sur la somptuosité du cortège pour faire l'éloge de Robertet. Ensuite, revenant entièrement à l'usage de ses devanciers, Marot fait parler deux des personnages allégoriques, « Republique françoise » et la Mort. « Republique françoise », dans un discours de plus de cent vers, répète d'abord l'éloge du défunt et de sa famille, pour se plaindre de la perte de tous ses meilleurs serviteurs, Lescun, Bayard, La Trémoille et La Palice, et accuser la Mort, l'appelant inutile, sur quoi la Mort répond dans le passage connu sous le titre : « La Mort à tous humains [97] ». Ce discours de la Mort s'étend sur cent soixante-huit vers du poème dont il est certainement la partie la plus importante. En vérité, il forme le thème central de la *Déploration*. De plus, il possède une très réelle valeur poétique. Avec la prière de Villon pour sa mère [98], la *Déploration* est un des rares exemples de véritable poésie religieuse. On peut ajouter qu'elle restera unique dans la littérature française jusqu'à l'*Hymne de la Mort* de Ronsard.

Il est certain que la *Déploration* est ce que Marot a écrit de plus protestant. Remarquons qu'il est très significatif que son seul poème vraiment religieux soit un poème franchement protestant !

---

97. Le titre complet de cette section du poème est : *Comment la mort sur le propoz de Republique parle à tous humains.*
98. *Œuvres*, éd. Foulet, C.F.M.A.

Le discours de la Mort est d'abord un réquisitoire contre la folie du deuil :

> Parquoy bien folle est la coustume humaine
> Quant aucun meurt porter & faire dueil.
> Si tu croys bien que Dieu vers luy le maine,
> A quelle fin en gettes larmes d'œil ?
> Le veulx tu vif tirer hors du cercueil,
> Pour à son bien mettre empesche & deffence ?
> Qui pour ce pleure est marry dont le vueil
> De Dieu est fait ; juge si c'est offence [99].

et

> Ainsi, pour vray, de ma pompe ordinaire
> Admende plus le vivant que le mort,
> Car grant tumbeau, grant dueil, grant luminaire
> Ne peult laver l'ame que peché mord [100].

Non seulement le deuil est stupide, mais fort souvent il est empreint d'une grande hypocrisie :

> Et quant au port du drap plus noir que meure,
> Ypocrisie en a taillé l'abit,
> Dessoubz lequel tel pour sa mere pleure
> Qui bien vouldroit de son pere l'obit [101].

et

> Mais quant ce vient qu'aux obseques on chante
> Le prestre adonc, qui d'argent en a somme,
> Ne me dit pas mauldicte ne meschante [102].

Marot insiste sur la vanité des pompes funèbres, messes pour le salut de l'âme, etc., et en vient à énoncer très claire-

---

99. *Œuvres lyriques*, VI, v. 405-412.
100. *Ibid.*, v. 293-296.
101. *Ibid.*, v. 417-420.
102. *Ibid.*, v. 290-292.
La satire du deuil remonte à Lucien, qui, dans son *De luctu*, avait montré l'hypocrisie, l'ostentation et la vulgarité des cérémonies funèbres. Erasme avait repris ce thème dans son colloque *Funus*, de même que dans l'*Eloge de la Folie*.

ment le dogme de la justification par la foi. C'est là, il me semble, la partie la plus importante de la *Déploration*. Et ce n'est pas implicitement, ni en passant, mais très expressément, très clairement et en détail que le poète expose cette croyance si nettement protestante. Sept fois, il revient sur ce thème. Dès le commencement, après avoir stigmatisé la vanité et l'hypocrisie du deuil et des rites funéraires, il s'écrie :

> Car grant tumbeau, grant dueil, grant luminaire
> Ne peult laver l'ame que peché mord.
> Le sang de Christ, si la foy te remord,
> Lave seul l'ame, ains que le corps devye [103].

Puis il préconise, comme seule règle, la « vive foy », qui ne saurait cependant, le poète y insiste, être donnée à l'homme que par la grâce de Dieu :

> Prie à Dieu seul que par grace te donne
> La vive foy dont sainct Pol tant escript.
> Ta vye apres du tout luy abandonne,
> Qui en peché journellement aigrit [104].

Dans tout cela, il est évident que Marot entend exclure les œuvres. Le péché est inévitable, et l'homme ne saurait mériter le pardon de Dieu. Il ne peut que prier Dieu de lui donner la foi qui seule le sauve.

Ayant établi la primauté de la foi, Marot en vient à parler des liens qui rattachent l'âme au corps et dont elle ne peut se délivrer que par la foi :

> L'ame est le feu, le corps est le tyson ;
> L'ame est d'en hault, et le corps inutille
> N'est autre cas qu'une basse prison
> En qui languist l'ame noble et gentille.
> De tel prison j'ay la clef tressubtille [105] ;
> C'est le mien dard à l'ame gracieux,

---

103. *Ibid.*, v. 295-298.
104. *Ibid.*, v. 325-328.
105. Rappelons que c'est la Mort qui parle.

> Car il la tire hors de sa prison vile
> Pour avec foy la renvoyer es cieulx [106].

C'est la foi et l'amour pour le Christ qui seuls rachètent le pécheur :

> Et pour autant que l'homme ne peult faire
> Qu'il puisse vivre icy bas sans peché,
> Jamais ne peult envers Dieu satisfaire ;
> Et plus luy doibt le plus tard depesché.
> Donc, comme Christ, en la croix attaché,
> Mourut pour toy, mourir pour luy desire.
> Qui pour luy meurt est du tout relaché
> D'ennuy, de peine, et peché qui est pire [107].

Encore une fois, Marot insiste sur l'incapacité de l'homme d'éviter le péché, autrement dit sur la vanité des œuvres.

Mais il y a mieux dans les deux passages que nous venons de citer : l'auteur élimine ici le purgatoire. Il n'est question que de l'âme emprisonnée dans le corps et pour laquelle la seule délivrance est la mort, qui la « renvoie aux cieux ». En énonçant le dogme de la justification par la foi dans toute son intégrité :

> Qui pour luy meurt est *du tout* relaché

Marot rend impossible la croyance selon laquelle l'âme doit être purifiée après la mort par des tourments. Dans une discussion sur la mort et la vie éternelle, un penseur orthodoxe aurait dû parler du purgatoire. Marot non seulement ne le nomme pas une seule fois, mais il condamne implicitement et très clairement cette croyance. Aussi fait-il, par la bouche de la Mort, des promesses de joie éternelle à tous ceux qui ont la foi :

> J'entens pour Dieu souffrir dueil, maladye,
> Perte et meschef, tant viennent mal à point,
> Et mettre jus par foy, car c'est le point,
> Desirs mondains et lyesses charnelles.

---

106. *Œuvres lyriques*, VI, v. 333-340.
107. *Ibid.*, v. 349-356.

> Ainsi mourant soubz ma darde qui point
> Tu en auras qui seront eternelles [108].

On voit avec quelle précision le poète insiste sur la justification par la foi, « car c'est le point ».

La Mort continue son discours en annonçant que les fidèles ne doivent pas craindre de mourir :

> Doncques par moy contristé ne seras,
> Ains par fiance et d'un joyeux couraige,
> Pour à Dieu seul obeyr, laisseras
> Tresors, amys, maisons et labourage ;
> Clair temps de loing est signe que l'orage
> Fera de l'air tost separacion ;
> Ainsi tel foy au mourant personnage
> Est signe grant de sa salvacion [109].

Et encore une fois elle affirme que la foi ouvre la porte de la vie éternelle :

> Jadis celluy que Moyse l'on nomme
> Ung grant serpent tout d'arain eslevoit,
> Qui (pour le veoir) povoit guerir ung homme
> Quant ung serpent naturel mors l'avoit.
> Ainsi celluy qui par vive foy voit
> La mort de Christ guerist de ma blesseure
> Et vit ailleurs plus que icy ne vyvoit,
> Que dis je plus ? mais sans fin, je t'asseure [110].

Il n'est pas possible de faire trop de cas de ces passages, car ils montrent qu'au moment où il écrit *La Déploration de Florimond Robertet,* Marot adhère entièrement aux idées nouvelles, qu'il proclame hautement le dogme de la justification par la foi, qu'il est convaincu de la vanité des œuvres et croit que la foi est donnée par un acte de grâce. En outre il ne croit pas au purgatoire, mais affirme que l'homme est incapable d'éviter le péché, étant sauvé entièrement par la foi et l'amour.

---

108. *Ibid.,* v. 375-380.
109. *Ibid.,* v. 381-388.
110. *Ibid.,* v. 397-404.

Ces idées hardies sont exprimées avec beaucoup de clarté. Il n'y a rien ici de ce qu'on a parfois appelé : « vague évangélisme ». Dès le commencement du discours de la Mort, Marot montre que c'est bien une doctrine nouvelle qu'il proclame, une doctrine opposée à la religion orthodoxe :

> Peuple seduict, endormy en tenebres
> Tant de longs jours par la doctrine d'homme [111].

On sait que les réformateurs appelaient doctrine humaine la religion catholique, opposée à la parole divine, c'est-à-dire la Bible.

De même, dans les vers :

> Prie à Dieu seul que par grace te donne
> La vive foy dont sainct Pol tant escript [112].

l'expression « Dieu seul » ne saurait signifier qu'une chose : l'exclusion de la vierge et des saints.

Dès l'*Adolescence Clementine* Marot, comme nous l'avons vu [113], apporta à ce texte d'importants adoucissements. Par exemple, les vers si éloquents dans la version originale :

> Le sang de Christ, si la foy te remord,
> Lave seul l'ame, ains que le corps devye [114].

deviennent dans l'*Adolescence Clementine* :

> Le sang de Christ, quant la loy te remord
> Par foy te lave...

C'est encore le danger inhérent à toute proclamation de la primauté de la foi qui pousse le poète à remanier le vers 340 :

> Pour avec foy la renvoyer es cieulx

de façon du reste bien plate :

---

111. *Ibid.*, v. 285-286.
112. *Ibid.*, v. 325-326.
113. Voir plus haut, p. 155.
114. *Œuvres lyriques*, VI, v. 297-298.

Pour (d'icy bas) la renvoyer aux cieulx.

Même remarque pour le vers 377 :

Et mettre jus par foy, car c'est le point,

où le poète a remplacé le mot *foy* par *gré*, et singulièrement affaibli le sens de toute la strophe.

Le problème posé par la *Déploration*, c'est celui d'un
poème religieux, unique dans l'œuvre de Marot. A l'exception du *Second Chant de l'Amour fugitif*, il n'a rien écrit
d'aussi protestant.

Ailleurs, dans le *Second Chant de l'Amour fugitif*, et
dans les *coq-à-l'âne* [115], il attaque avec violence l'église
romaine, ses institutions, ses dogmes, le clergé et le monas-
tère, dans l'épître *A deux sœurs savoisiennes* [116], comme
dans l'épître *Au Roy, du temps de son exil à Ferrare* [117] et
*le troisième coq-à-l'âne* il s'élève hautement contre la persécution religieuse, mais nulle part il n'a énoncé le dogme
de la justification par la foi, ni parlé du rachat des
péchés par le seul sacrifice de Jésus, ni évoqué si clairement le rôle souverain de la grâce divine. Pour expliquer
ce mystère, il ne suffit pas d'étudier les sources. Nous
savons que la *Déploration* est en partie inspirée de Lucien
et d'Erasme. On peut y voir aussi l'influence de Marguerite
d'Angoulême, surtout dans les passages traitant de l'emprisonnement de l'âme dans le corps. Pourtant, comme on
ne connaît pas la date de composition du *Miroir de l'Ame*

---

115. *Œuvres satiriques*, VII, VIII, IX, X.
116. *Les Epîtres*, XXXV. Pour cette épître, bien que son
authenticité soit sûre, nous ne possédons qu'un mauvais texte
que nous livre le manuscrit du scribe genevois Grenet. Pour
cette raison, je n'ai pas fait état de cette pièce dans *La Religion
de Marot* (ouvr. cit.) puisque j'y déclare : « Ici, nous ne ferons
cas que de pièces absolument authentiques. Il convient de
rejeter non seulement les poèmes pour lesquels la paternité de
Marot n'est pas certaine, mais encore des pièces qui nous viennent de manuscrits dont le texte est mutilé ou tronqué, de toute
manière peu sûr... Il est évident que si l'on fonde l'étude de la
religion de Marot sur l'analyse de pièces ou de leçons douteuses,
les conclusions seront faussées. » (p. 8). Cf. plus bas, p. 287-288.
117. *Les Epîtres*, XXXVI.

*pécheresse,* publié en 1531, il est impossible d'attribuer un poème de Marot, écrit en 1527, à cette seule influence. En ce qui concerne Luther, bien qu'il soit possible que Marot l'ait lu [118], aucun emprunt précis à l'œuvre du réformateur allemand, comme on peut en voir dans le *Second Chant de l'Amour fugitif* [119], ne se laisse voir dans la *Déploration de Florimond Robertet.* Et puis, encore une fois, si le protestantisme de la *Déploration* provient entièrement de sources livresques ou du contact de Marot avec Marguerite, qui n'a cessé de le protéger, il resterait à expliquer pourquoi ces sources, ces influences n'ont joué qu'une seule fois dans la carrière du poète.

Nous avons déjà indiqué [120] qu'au moment d'écrire la *Déploration,* Marot assistait aux sermons évangéliques de Thomas Malingre sur les épîtres de saint Paul. Or tout ce que Marot dit au sujet de la justification par la foi dans la *Déploration* est tiré de l'épître aux Romains :

> Prie à Dieu seul que par grace te donne
> La vive foy dont sainct Pol tant escript [121].

Au chapitre III de cette épître, l'apôtre proclame la justification par la foi, et ce sont ces versets que Marot paraphrase :

> la justice, dis-je, de Dieu, qui est par la foi en Jésus-Christ, en tous ceux et sur tous ceux qui croient ; car il n'y a point de distinction, puisque tous ont péché, et sont privés de la gloire de Dieu.

> et qu'ils sont justifiés gratuitement par sa grâce, par la rédemption qui est en Jésus-Christ.

et encore :

> Où est donc le sujet de se glorifier ? Il est exclu. Par quelle loi ? Est-ce par la loi des œuvres ? Non, mais par la loi de la foi.

---

118. Voir plus bas, p. 190, n. 78.
119. Voir *Œuvres satiriques,* p. 89, n. 2.
120. Voir plus haut, p. 147.
121. *Œuvres lyriques,* VI, v. 325-326.

Nous concluons donc que l'homme est justifié par la foi sans les œuvres de la loi [122].

Il est donc certain que la *Déploration de Florimond Robertet* fut composée par Marot alors qu'il était sous l'influence des sermons de Malingre sur les épîtres de saint Paul. Et c'est là la solution de l'énigme posée par ce poème magnifique, mais unique. La vivacité, la conviction, la fougue de Malingre ont sans doute fait une forte impression sur le poète, impression qui se trouve reflétée dans l'ouvrage.

Quelle conclusion peut-on tirer de la *Déploration de Florimond Robertet* du point de vue du genre de la complainte ? Déjà la complainte sur la mort de Semblançay [123] trahit de la part du poète la préoccupation de renouveler ce genre désuet. Il en est de même de la *Déploration de Florimond Robertet* où, malgré le cadre traditionnel, l'inspiration évangélique, toute nouvelle dans la poésie française, représente une tentative sérieuse d'innovation. On peut observer que Marot n'intitula pas ce poème *Complainte* et ne l'a jamais rangé avec les pièces portant ce titre [124]. On peut se demander pourquoi il en fut ainsi. Par le sujet, comme par de nombreux éléments dans sa construction — description du cortège, description du blason de Robertet, éloge du défunt, deuil universel, personnages allégoriques — la *Déploration de Florimond Robertet* est une complainte tout à fait typique. C'est donc que d'une part Marot a senti que l'évangélisme, le lyrisme du discours de la Mort rendait son poème fort différent des lamentations des Rhétoriqueurs. D'autre part le poète, en 1527, a sans doute décidé d'abandonner ce genre. Il n'écrira plus de complaintes. En 1531, lors de la mort de Louise de Savoie, ce sera dans une *Eglogue* qu'il pleurera la régente [125]. De plus, l'autre complainte composée en 1527, sur la mort

---

122. III, 22, 23, 26 et 27.
123. Voir plus haut, p. 150.
124. Dans l'*Adolescence Clementine* de 1532 comme dans *Les Œuvres* de 1538, la *Déploration de Florimond Robertet* figure comme pièce non classée.
125. Voir plus bas, p. 198-212.

de Semblançay [126], passera en 1538 des Complaintes où elle fut publiée en 1533 [127] dans la section des Elégies. Il est vrai qu'en 1543, à l'occasion de la mort du général Preudhomme, Marot écrira une dernière complainte, mais il s'agit là de toute évidence d'une pièce d'un archaïsme voulu, composée par égards pour les goûts du défunt, dans un ton de vieillerie quant à forme comme quant au fond [128].

L'épître, à la différence de la complainte, est restée un des genres préférés de Marot. Dès l'année 1526, il avait atteint le sommet de l'art dans l'épître familière et narrative. En 1527, pour la première fois, il montre ce qui a toujours passé — à partir du XVIIᵉ siècle du moins — comme sa plus grande qualité, celle en tout cas qu'on n'est jamais arrivé à égaler, le badinage. L'épître *Au Roy, pour le deslivrer de prison* écrite au mois d'octobre de cette année en est un des meilleurs exemples. Vu le sujet du poème et les conditions dans lesquelles il fut composé, on pourrait croire qu'il s'agit d'une espèce de supplique traditionnelle. Au fond il n'en est rien. Marot demande bien au roi de le faire relâcher, mais avec quelle désinvolture ! C'est ce ton, non pas familier mais désinvolte, qui attire d'abord l'attention. S'adressant au roi, le poète entre en matière sur le champ — un vers lui suffit pour se présenter pour ainsi dire et pour faire l'éloge du roi :

> Roy des Françoys, plein de toutes bontez,
> Quinze jours a (je les ay bien comptez),
> Et des demain seront justement seize,
> Que je fuz faict Confrere au Diocese
> De sainct Marry, en l'Eglise sainct Pris ;
> Si vous diray comment je fuz surpris,
> Et me desplaist qu'il fault que je le dye [129].

Le badinage dans ces vers, ce n'est pas la plaisanterie d'appeler un prisonnier « Confrere au Diocese de sainct Marry,

---

126. *Œuvres lyriques*, V.
127. Dans *La Suite de l'Adolescence Clementine* (*Bibliographie*, II, n° 15).
128. Voir plus bas, p. 507-510.
129. *Les Epîtres*, XI, v. 1-7.

en l'Eglise sainct Pris [130] », c'est la feinte naïveté consistant ici dans une affirmation dont l'évidence se passerait de toute démonstration.

Suit le récit burlesque de l'arrestation du poète :

> Trois grands Pendars vindrent à l'estourdie,
> En ce Palais, me dire en desarroy :
> Nous vous faisons Prisonnier par le Roy.
> Incontinent, qui fut bien estonné ?
> Ce fut Marot, plus que s'il eust tonné.
> Puis m'ont monstré ung Parchemin escrit,
> Où n'y avoit seul mot de Jesuchrist ;
> Il ne parloit tout que de playderie,
> De Conseilliers & d'emprisonnerie [131].

Ici le badinage prend plusieurs formes. Dans son expression la plus simple c'est le fait de prendre au pied de la lettre sa propre comparaison plaisante et de prétendre par conséquent d'être obligé de la rectifier. Mieux encore, et c'est un véritable tour de force, on note la feinte innocence, l'étonnement du poète, représentés de telle façon qu'aucun lecteur, et surtout pas François Ier, ne pourraient s'y méprendre. Dans la même veine, les négations spécieuses représentant de francs aveux font le sel du passage suivant :

> Vous souvient il (ce me dirent ilz lors)
> Que vous estiez l'aultre jour là dehors,
> Qu'on recourut ung certain Prisonnier
> Entre noz mains ? Et moy de le nyer,
> Car soyez seur. si j'eusse dict ouy,
> Que le plus sourd d'entre eulx m'eust bien ouy.
> Et d'aultre part, j'eusse publicquement
> Esté menteur. Car pourquoy & comment
> Eussé je peu ung aultre recourir,
> Quand je n'ay sceu moymesmes secourir [132] ?

Peut-être le meilleur échantillon du badinage marotique nous est fourni par la fin de cette épître :

---

130. Saint-Méry et Saint-Priest étaient des paroisses de Paris.
131. *Les Epîtres*, XI, v. 8-16.
132. *Ibid.*, v. 17-26.

Treshumblement requerant vostre grace
De pardonner à ma trop grand audace
D'avoir empris ce sot Escript vous faire ;
Et m'excusez si pour le mien affaire
Je ne suis point vers vous allé parler :
Je n'ay pas eu le loysir d'y aller [133].

Notons que malgré le badinage et la désinvolture, Marot sait être sérieux dans cette épître en se permettant une attaque violente contre la corruption de la justice :

Et toutesfois j'ay plus grand appetit
De pardonner à leur folle fureur
Qu'à celle là de mon beau Procureur.
Que male Mort les deux Jambes luy casse !
Il a bien prins de moy une Becasse,
Une Perdrix, et ung Levrault aussi.
Et toutesfoys je suis encor icy.
Encor je croy, si j'en envoioys plus,
Qu'il le prendroit, car ilz ont tant de glus
Dedans leurs mains, ces faiseurs de pipée,
Que toute chose où touchent est grippée [134].

Dans l'épître familière, dans le badinage, Marot a atteint son apogée.

---

133. *Ibid.*, v. 63-68.
134. *Ibid.*, v. 32-42.

## V

## LA GLOIRE (1528-1534)

A partir de 1527 environ Marot jouit d'une réputation très haute auprès du public lettré ; dès cette période il semble être considéré comme le plus grand poète français.

*Amis littéraires.*

Dans l'*Adolescence Clementine* de 1532 et la *Suite de l'Adolescence Clementine* de 1533 se trouvent plusieurs poèmes liminaires en latin et français. Les auteurs en sont : Nicole Bérault, Pierre Brisset, Geoffroy Tory, Salmon Macrin, Antoine Macault et Nicolas Bourbon. Ces hommes semblent de ce fait avoir été des amis du poète.

Nicole Bérault était un des humanistes les plus célèbres à l'époque. Nommé professeur au Collège des lecteurs royaux en 1530, il eut donc le privilège d'occuper la première chaire de grec dans l'enseignement supérieur en France [1].

Nous ne savons rien sur Pierre Brisset. Geoffroy Tory de Bourges était imprimeur du roi, humaniste et l'auteur d'un ouvrage important pour l'histoire de la Renaissance en

---

1. Voir L. Delaruelle, *Notes biographiques sur Nicole Bérault suivies d'une bibliographie de ses œuvres et de ses publications*, Rev. des Bibliothèques, 1902, p. 420-445.

France, le *Champfleury* [2]. C'est lui qui imprima, pour le compte de Pierre Roffet, les quatre premières éditions de l'*Adolescence Clementine* [3].

Salmon Macrin, valet de chambre du roi, était le plus célèbre poète néo-latin de l'époque [4] et Nicolas Bourbon de Vandœuvre, auteur des *Nugae* [5] jouit, lui aussi, d'une grande réputation dans les milieux humanistes. Antoine Macault, d'autre part, écrivit des poèmes français. Nous ne savons pas beaucoup de lui ni de ses ouvrages. Lui aussi au service du roi [6], il semble avoir fait parti du cercle humaniste et littéraire.

A cette période donc Marot est lié avec plusieurs humanistes parmi les plus célèbres de l'époque, étant l'ami du premier professeur de grec en France et du plus grand poète néo-latin de l'époque.

### Le valet de chambre du roi.

Comme nous l'avons déjà observé, il faut se garder de croire, comme l'a fait Ph.A. Becker, que Marot, dans sa qualité de valet de chambre du roi, ait suivi la cour de façon permanente [7]. Dans l'époque qui nous occupe, les années 1528 à 1534, on ne note la présence du poète auprès du roi qu'à deux occasions.

Lors de la première fête de cour à être chantée par le poète en sa qualité de valet de chambre du roi, on doit constater, phénomène au fond fort surprenant, que Marot n'y semble pas avoir assisté en personne. C'est le mariage entre Ercole d'Este et Renée de France, fille de Louis XII et par conséquent cousine de François Ier. Pour célébrer

---

2. *Champ fleury, auquel est contenu l'art et science de la deue proportion des lettres attiques*, Paris, G. Tory et G. Gourmont, 1529.

3. Voir plus bas, p. 231.

4. Sur Salmon Macrin, voir I.D. MacFarlane, *Jean Salmon Macrin (1490-1557)*, B.H.R., t. XXI, 1959, p. 55-84, 311-349, et t. XXII, 1960, p. 73-89.

5. Paris, Vascosan, 1533.

6. Il fut notaire et secrétaire du roi à partir de janvier 1527 (*Cat. des Actes*, I, 540, 2843).

7. Voir plus haut, p. 41.

cet événement Marot écrivit son premier épithalame[8]. La cérémonie eut lieu probablement le 21 juin 1528[9], et fut splendide. Le 15 juin, l'assemblée de la ville de Paris décida de « faire Morisques et Mommeryes aux despens de la ville pour le mariage de Madame Renée avec le duc de Ferrare[10] ». Aux yeux de tout le monde l'union consacrait l'alliance de la France avec le duché de Ferrare et renforçait sa position dans la péninsule[11].

Marot ayant composé ce poème, de toute évidence, à l'occasion de la cérémonie du mariage, ne semble cependant pas y avoir assisté. De toute manière il ne fut pas présenté à Renée, témoin ce vers de l'épître qu'il adressera à la même Renée en 1535, lorsque le poète arrive à Ferrare :

Tu sçais mon nom sans savoir ma personne[12].

Il est impossible de faire des affirmations précises, de savoir si Marot assista à la célébration, sans être présenté à

_____

8. *Œuvres lyriques*, LXXXV, Epithalame I. Voir plus bas, p. 196-198.

9. Cf. *Registres des délibérations de la ville de Paris*, t. II, p. 26-27 : « Du lundy, quinziesme jour dudict moys de Juing audict an mil cinq cens vingt huit. En assemblée au jour d'huy faicte en l'Hostel de ceste Ville, de messrs. les Prevost des Marchands a esté remonstré, par ledict Prevost des Marchands, que dimanche prochain se fera le mariage de noble et puissant prince de Ferrare avec Madame Renée... » Or le dimanche qui suivait le lundi 15 juin était le 21 juin. Cependant la *Cronique du Roy Françoys Premier,* ouvr. cit., p. 68-73, donne le dimanche 28 juin, comme date du mariage : « Le dimanche ensuivant, XXVIIIe dudict mois de juing, tres hault et tres puissant, saige et jeune prince le duc de Ferrare espousa tres haulte, tres prudente et magnifique dame, madame Renée, fille du Roy Loys XIIe et de Anne de Bretagne et seur de la bonne Roynne Claude en son vivant tres aimée espouse du tres chrestien Roy de France Françoys premier de ce nom, en la saincte Chapelle du Palais a grosse et inestimable triumphe. »

10. *Registres des délibérations de la ville de Paris,* ouvr. cit.

11. Sur ce mariage, sur Renée de France et Ercole d'Este, voir plus bas, p. 196-198.

12. *Les Epîtres,* XXXIV, v. 12.

Renée, ou si pour une raison que nous ignorons il n'y fut pas [13].

Par contre Marot était à la cour l'année suivante, pendant les négociations à Cambrai entre Louise de Savoie et Marguerite de Navarre d'une part et Marguerite d'Autriche de l'autre, négociations qui allaient aboutir à la conclusion du traité de Cambrai, dit « La Paix des Dames ». Lors de la signature du traité Marot semble avoir été près de François Ier à Saint-Quentin, comme il appert d'une lettre du poète, écrite le 6 août au Grand-Maître Anne de Montmorency :

Monseigneur,

Entre les autres œuvres que j'ay presentées au Roy depuis l'absence de Madame je luy ay presenté ung rondeau de la paix lequel hier à son coucher il me commanda envoyer à ma dite dame. Et son commandement m'a donné hardyesse de l'adresser à vous tant pour vous en donner le plaisir que pour le presenter en si bon lieu. Vous suppliant tres humblement, Monseigneur, ainsi le vouloir faire, m'ayant tousjours pour recommandé en vostre bonne souvenance.

Monseigneur, je prye Dieu vous donner et continuer sa saincte grace

De St. Quentin ce VIe jour d'aoust

Vostre tres humble et tres obeyssant serviteur
Clement Marot [14].

Voici le rondeau présenté par le poète au roi :

*De la Paix traictée à Cambray par trois Princesses*

Dessus la Terre on voyt les trois Deesses,
Non pas les trois qui apres grans liesses

---

13. Cf. P. Leblanc, *Les Sources humanistes du Chant nuptial de Renée de France*, B.S.H.P.F., 1954, p. 64-74.
14. Musée Condé, Chantilly, série L, tome XXIII, p. 122. Cette lettre, la seule lettre autographe de Marot, fut publiée pour la première fois par G. Mâcon, B.d.B., 1898, p. 157 suiv.

Misrent au Monde aspre guerre & discord,
Ces trois icy avec paix & accord
Rompent de Mars les cruelles rudesses.

Par ces trois là, entre tourbes & presses
La Pomme d'or causa grandes oppresses ;
Par ces trois cy l'Olive croist & sort
        Dessus la Terre.
S'elle fleurist, sont divines largesses ;
S'elle flestrist, sont humaines sagesses,
Et en viendra (si l'Arbre est bon et fort)
Gloire à Dieu seul, aux Humains reconfort,
Amour de Peuple aux trois grandes Princesses
        Dessus la Terre [15].

L'été suivant, les clauses principales du traité de Cambrai, à savoir la libération des deux fils de François Ier, lesquels avaient été tenus prisonniers à Madrid comme otages depuis 1526, et le mariage entre François Ier, veuf de la reine Claude, et la sœur de Charles-Quint, Eléonore d'Autriche, veuve d'Emmanuel, roi du Portugal, furent exécutées. La Cour gagna Bordeaux dès le début du mois de juin. Or Charles-Quint, mécontent de la perte de tous les avantages qu'il avait gagnés à Pavie, mit beaucoup de mauvaise grâce à remplir les conditions du traité de Cambrai ; jusqu'à la fin il essaya de trouver des délais. Ainsi, lorsque le connétable de Castille mena les deux fils du roi à la frontière pour les remettre au Grand-Maître Anne de Montmorency, il rebroussa chemin avec ses prisonniers à cause de la présence, dans la région, de troupes françaises qui auraient pu « enlever » de vive force les deux enfants. Ce ne fut, semble-t-il, que grâce à l'intervention énergique d'Eléonore, qui attendait à Fontarabie, que les deux enfants furent remis aux envoyés du roi [16]. Enfin, le soir du 1er juillet, les deux princes, le dauphin François et le duc d'Orléans, Henri, furent remis par le duc de Frias, connétable de Castille, à Anne de Montmorency, au milieu de la Bidassoa, en présence d'Eléonore d'Autriche et du cardinal

---

15. *Œuvres diverses*, LVII.
16. Cf. M. François, *Le cardinal de Tournon, homme d'état, diplomate, mécène et humaniste*, Paris, Boccard, 1951, p. 84-87.

de Tournon. Le lendemain, 2 juillet, la reine et les enfants
firent leur entrée à Bayonne. François I$^{er}$, tenu au courant
des événements, partit ce jour de Bordeaux pour se porter
au-devant de sa nouvelle épouse et de ses enfants.

Marot, se trouvant dans l'entourage du roi, composa,
dans la nuit du 1$^{er}$ au 2 juillet, pour la remettre à François I$^{er}$ le matin du 2 juillet, la ballade suivante :

*Chant de joye composé la Nuict qu'on sceut*
*les nouvelles de la venue des Enfans de France*
*retournantz des Hespaignes*

Ils sont venuz, les Enfans desirez !
Loyaulx Françoys, il est temps qu'on s'appaise.
Pourquoy encor pleurez & souspirez ?
Je l'entends bien, c'est de joye et grand ayse ;
Car Prisonniers (comme eulx) estiez aussi.
O Dieu tout bon, quel Miracle est cecy ?
Le Roy voyons et le Peuple de France
En liberté, et tout par une Enfance
Qui Prisonniere estoit en fortes Mains.
Or en est hors, c'est triple delivrance :
Gloire à Dieu seul, Paix en Terre aux Humains !

Nouvelle Royne (o que vous demourez)
Sentiez vous point de loing nostre mesaise ?
Sus, Peuple, sus, voz Quantons decorez
De divers jeux ! Est il temps qu'on se taise ?
De voz Jardins arrachez le Soucy,
Et qu'il n'y ayt gros Canon racourcy
Qui ceste nuict ne bruie par oultrance,
Signifiant que Guerre avec Souffrance
Part et s'en va aux Enfers inhumains.
Et puis chantez en commune accordance :
Gloire à Dieu seul, Paix en Terre aux Humains !

Sotz Devineurs, voz Livres retirez !
Tousjours faisiez la nouvelle maulvaise ;
Mais Dieu a bien voz propos revirez,
Tant que menti avez, ne vous desplaise.
Heureux Baron, noble Montmorancy,
Ce qu'en as faict (il le fault croyre ainsi)
Est du grand Maistre ouvrage sans doubtance.
Consen, Françoys, quoy qu'en ceste alliance
N'eussent mieulx faict les tressages Rommains,

Ne dictes pas que c'est vostre puissance :
Gloire à Dieu seul, Paix en Terre aux Humains !

   Prince Royal, ma terrestre esperance,
Si le plaisir de ceste delivrance
Voulez peser contre les travaulx maintz,
Droicte sera (ce croy je) la Balance :
Gloire à Dieu seul, Paix en Terre aux Humains [17] !

Le mariage de François Ier et d'Eléonore eut lieu au monas-
tère de Beyries, près de Bordeaux, le 7 juillet [18]. Quelques
jours plus tard [19], le couple royal fit une entrée solennelle
à Bordeaux. Pour cette occasion Marot composa une
épître de bienvenue, adressée à Eléonore, dans laquelle il
arrive à allier au style de propagandiste officiel une note
d'allégresse et de sympathie tout à fait sincère [20].

Après cet événement, Marot semble avoir regagné Paris.
Jusqu'à l'été 1534, il n'y a pas un seul document qui atteste
sa présence à la Cour ou même dans une ville autre que
Paris.

Il faut noter à ce propos que Guiffrey et plusieurs autres
critiques ont cru que Marot fut avec la cour à Marseille
et à Avignon dans l'été et l'automne de 1533, et que c'est
de ce séjour dans le midi que dateraient plusieurs épigrammes de Marot, et principalement celle *Du Roy & de
Laure* :

   O Laure, Laure, il t'a esté besoing
D'aymer l'honneur & d'estre vertueuse,
Car Françoys, roy, (sans cela) n'eust prins soing
De t'honnorer de tumbe sumptueuse,
Ne d'employer sa dextre valureuse
A par escript ta louange coucher.
Mais il l'a faict pour autant qu'amoureuse
Tu as esté de ce qu'il tient plus cher [21].

---

17. *Œuvres diverses*, LXXXII, Ballade xvi.
18. Cf. *ibid.*, p. 167, n. 2.
19. Le 9 juillet selon la *Cronique du Roy Françoys Premier
de ce nom* (ouvr. cit.), p. 88 ; le 12 juillet selon le *Journal d'un
bourgeois de Paris sous le règne de François Ier* (ouvr. cit.),
p. 340-345.
20. *Les Epîtres*, XXI.
21. *Les Epigrammes*, LXXXIX.

Lors de son séjour à Marseille dans l'été de 1533, François Iᵉʳ était effectivement allé à Avignon pour rendre hommage au tombeau de la maîtresse de Pétrarque, Laure de Noves, que venait de découvrir Maurice Scève. En fait, on sait aujourd'hui qu'il s'agit d'une supercherie. Toujours est-il que Maurice Scève devint célèbre pour cette découverte. Aucun document ne confirme la présence du poète dans le midi en 1533. On peut ajouter qu'en 1535, c'est-à-dire deux ans après cet événement, Marot, dans l'épître *A ceulx qui apres l'Epigramme du beau Tetin en feirent d'aultres* [22], dit qu'il ne sait rien de Maurice Scève, qui venait de gagner le concours des blasons avec son blason du sourcil :

> Mais du Sourcil la beaulté bien chantée
> A tellement nostre Court contentée,
> Qu'à son Autheur nostre Princesse donne,
> Pour ceste fois, de Laurier la Couronne ;
> Et m'y consens, qui point ne le congnois,
> Fors qu'on m'a dit que c'est ung Lyonnois [23].

Si Marot avait visité le tombeau de Laure en 1533, il n'aurait pu écrire ces vers. Cette épigramme fut donc composée après le retour d'exil du poète.

En fait, tous les poèmes que Marot composa soit pour célébrer sa ville natale, Cahors, soit pour des poètes de Toulouse, datent non pas de 1533, comme l'avait pensé Guiffrey, mais de l'hiver 1537-1538 [24].

*Les Dames de Paris et le valet de Gascogne.*

A l'occasion du départ de la Cour, le 11 mars 1529, pour les châteaux de la Loire, un poème scandaleux intitulé : *Les Gracieux Adieux aux Dames de Paris* [25] circulait en manuscrit. Cet ouvrage n'est en somme que le remaniement

---

22. *Les Epîtres*, XXXIX.
23. *Ibid.*, v. 21-26. Sur le concours des blasons, voir *Les Epîtres*, p. 215, n. 1, et p. 217, n. 1. Cf. plus bas, p. 301-309.
24. Voir plus bas, p. 398-400.
25. *Œuvres satiriques*, Appendice II.

ou plutôt l'actualisation d'un poème populaire du début du siècle[26]. Poème satirique et vulgaire, attaquant nommément, et parfois non sans esprit, certaines dames de Paris appartenant aux milieux bourgeois et dont la chronique scandaleuse de l'époque raconte maintes fois la mauvaise conduite, il paraît avoir été attribué à Marot dès qu'il fut connu.

Marot est-il l'auteur des *Gracieux Adieux* ? Le poème fut publié pour la première fois le 12 juillet 1533 dans l'édition lyonnaise de l'*Adolescence Clementine*[27]. Il y porte toutefois le titre *Les a Dieu nouveaulx* et n'est donc pas attribué formellement à Marot. Cependant la pièce figure dans le ms. 17527 du fonds français de la Bibliothèque Nationale[28], sous ce titre : *Les Gracieux Adieux Faitz aux Dames de Paris par Maistre Clement Marot, Varlet de chambre du Roy nostre souverain Seigneur*. Pourtant, comme nous le verrons, Marot a désavoué le poème, et cela de façon catégorique. Bien que son plaidoyer soit évidemment intéressé, les arguments que nous pouvons y opposer ne sont pas assez solides pour le convaincre de mensonge[29].

Marot se disculpa de l'accusation d'avoir composé ce poème scandaleux dans l'*Epistre des excuses de Marot faulsement accusé d'avoir faict certains Adieux au desadvantage des principales Dames de Paris*[30]. Cette pièce composée très peu de temps après les *Gracieux Adieux* ne semble pas avoir obtenu l'effet voulu. On continua à croire Marot responsable de l'affront aux dames de Paris. De plus, une épître intitulée *Six Dames de Paris à Clément Marot* et qui répond aux *Excuses* de Marot circula bientôt[31]. Elle était probablement de la plume d'un nommé Louis Boilleau, seigneur de Centimaisons[32]. Marot écrivit alors, au mois de juin 1529, un deuxième poème, *Aux Dames de*

---

26. Voir Becker, ouvr. cit., p. 60-63.
27. *Bibliographie*, II, n° 14 *bis*. Voir plus bas, p. 235.
28. F° 129 r°.
29. Cf. *Œuvres satiriques*, p. 28-29.
30. *Œuvres satiriques*, II.
31. *Œuvres satiriques*, Appendice II. On connaît un second poème écrit contre Marot à propos des *Gracieux Adieux*. Voir *Œuvres satiriques*, Appendice II.
32. Sur ce personnage, voir *ibid.*, p. 193, n. 1.

*Paris qui ne vouloient prendre les precedentes excuses en payement*[33].

Ces poèmes ne furent sans doute pas destinés par le poète à être publiés. Ils le furent pour la première fois par François Juste dans son édition — au fond subreptice — de l'*Adolescence Clementine*, édition parue le 12 juillet 1533[34]. Marot les imprima alors, avec un texte remanié, dans *La Suite de l'Adolescence Clementine* vers la fin de la même année[35].

Ces poèmes, par leur nature même, ne sont pas ce que Marot a écrit de meilleur. Il essaie de se disculper, il répond à des attaques acerbes et grossières ; il semble mal à l'aise. Surtout il tombe dans le défaut dont il reprend Villon, les allusions, attaques et plaisanteries privées, ne pouvant être comprises que des seuls initiés. Ainsi, après avoir lancé une imprécation contre les auteurs des *Gracieux Adieux* et ceux qui l'ont accusé d'en être l'auteur :

> Satyriques trop envieux,
> Escrivans de plume lezarde,
> Vous avec faict de beaulx Adieux,
> Le feu sainct Anthoine les arde !
> Puis vostre langue se hazarde
> De dire que je les ay faictz ;
> Ainsi le Coulpable se garde,
> Et l'Innocent porte le faiz[36].

il établit son innocence d'une façon fort surprenante :

> Et en cela plus sotz que fins
> Vous vous monstrez apertement ;
> Car, pour bien venir à voz fins,
> Besongner failloit aultrement.
> Si parlé eussiez seulement
> De six qui hayne m'ont voué,
> On vous eust creu facilement,
> Et j'eusse le tout advoué[37].

---

33. *Œuvres satiriques*, III.
34. *Bibliographie*, II, n. 14 *bis*.
35. *Bibliographie*, II, n. 15.
36. *Œuvres satiriques*, II, v. 1-8.
37. *Ibid.*, II, v. 17-24.

On n'a jamais pu savoir quelles étaient les « six » ennemies de Marot [38], et il est, certes, difficile de voir la raison
pour laquelle Marot attaque six femmes anonymes, dans
un poème qu'il écrit spécialement pour se disculper du
reproche d'avoir médit des dames de Paris. Ajoutons que
dans l'édition princeps [39] il n'est question que de deux et
non de six femmes.

Le poème se termine par une espèce d'oraison [40] que
seules les mœurs de l'époque peuvent sauver du reproche
de poésie ordurière :

> De Tigne espesse de six doigts,
> D'ung Œil hors du Chef arraché,
> De Membres aussi secs que boys,
> D'ung Nez de fins Clous attaché,
> De tout cela soit entaché
> Qui d'aultres Adieux a faict naistre :
> Quand il sera ainsi marché,
> Il sera aisé à congnoistre [41].

Dans la deuxième pièce Marot s'en prend surtout à ses
six ennemies, qu'il traite, non sans esprit, de

> ... six Canonisées,
> Ou (pour le moins) les six Chanoynisées [42].

et de « vieulx Registres [43] ».

Le seul passage où la satire dépasse la personnalité et
la grossièreté est celui où le poète déclare ses velléités de
s'en prendre aux abus :

---

38. R. Fromage, dans *Clément Marot, son emprisonnement*,
B.S.H.P.F., LIX, 1910, p. 52-71 et 122-9, a tâché de les identifier,
mais ses conclusions ne s'imposent guère.
39. Voir plus haut, p. 176.
40. Notons que dans l'édition princeps qui représente certainement la version originale de ce poème, cette dernière strophe
est précédée du titre : « Oraison ».
41. *Œuvres satiriques*, II, v. 49-56.
42. *Œuvres satiriques*, III, v. 145-146. Le jeu de mots se rapporte aux mauvaises mœurs des prêtres et des moines.
43. *Ibid.*, v. 147. La métaphore s'explique sans doute du fait
qu'un registre est un livre portant les marques d'un fréquent
usage.

Brief, pour escrire y a bien d'aultres choses
Dedans Paris trop longuement encloses.
Tant de Broillis qu'en Justice on tolere,
Je l'escriroys, mais je crains la colere ;
L'Oysiveté des Prebstres et Cagotz,
Je la diroys, mais garde les Fagotz !
Et des abus dont l'Eglise est fourrée,
J'en parleroys, mais garde la Bourrée [44] !

L'affaire des Dames de Paris n'est pas d'un grand intérêt.
Elle contient pourtant une indication sur la vie de Marot.
L'épître des *Six Dames de Paris* contient les vers suivants :

Mieulx te vauldroit ta femme entretenir
Que le bordeau si souvent maintenir,
Comme tu fais, adultere damné,
Qui par tes faictz es de Dieu condamné.
Tu luy fais bien endurer soif et fain,
Car à manger n'a point son saoul de pain,
Ne pour vestir habit qui denier vaille ;
Parquoy se vist avecques truandaille.
Non as tu toy, mais d'en avoir t'efforce
En te mectant avec les gens par force,
Leur demandant, comme ung vray caymant,
Thirant plus fort que gest ny diamant [45].

A en croire l'auteur de ces vers Marot était marié. Mais
peut-on l'en croire ? On note que le passage, comme du
reste le poème tout entier, n'est qu'un amas d'injures
ordurières montrant toutes les caractéristiques de la vitu-
pération populaire. Le reproche de dépenser tout son
argent au bordel et de réduire sa femme à mendier semble
traditionnel et ne doit évidemment pas être pris au sérieux.

Cependant, en 1536, Marot parlera à deux reprises de
ses enfants [46]. Il est donc probable qu'il était marié vers
1529. Toutefois, on n'a aucun document sur son mariage
et on ne sait rien sur son épouse. Lui-même n'a jamais
parlé d'elle.

---

44. *Ibid.*, v. 79-86.
45. *Œuvres satiriques*, Appendice II, *Six Dames de Paris à
Clement Marot*, v. 73-84.
46. Sur les enfants de Marot, voir plus bas, p. 349-350 et 365-
366.

On a critiqué Marot pour avoir gardé un silence total sur sa femme [47]. Outre que nous ne savons rien sur son mariage, il faut se demander si les mœurs de l'époque n'interdiraient pas au poète de chanter l'amour conjugal et même de nommer sa femme. Marot était roturier ; il devait sa place à la Cour à son talent poétique ; sa femme devait appartenir à la même classe que lui et ne pouvait de ce fait être reçue dans les milieux aristocratiques. Ajoutons que Jean Marot n'a jamais parlé de celle qui était la mère de Clément.

Le 1er janvier 1532, Marot présenta au roi une épître qui allait devenir la plus célèbre, la plus populaire de ses compositions. C'est l'épître Au Roy [48], mieux connue sous le titre traditionnel Au Roy, pour avoir esté desrobé. Le poète y narre deux mésaventures dont il vient d'avoir été victime. Toutes ses possessions lui ont été volées par son valet :

> J'avois ung jour ung valet de Gascongne,
> Gourmant, Yvroigne, & asseuré Menteur,
> Pipeur, Larron, Jureur, Blasphemateur,
> Sentant la Hart de cent pas à la ronde,
> Au demeurant, le meilleur filz du Monde [49].

---

47. Voir J. Pannier, Les Portraits de Clément Marot ; notes iconographiques et biographiques, art. cit. :
   Il finit par se marier ; mais lui qui adresse des vers à tant d'autres femmes, n'en consacre pas un seul à son épouse légitime.
Sur cette accusation, cf. La Religion de Marot, ouvr. cit., p. 9.
48. La variante de la deuxième édition de l'Adolescence dit que l'épître fut présentée au roi le premier jour de l'an. L'expression « le premier jour de l'an » ne saurait désigner ici Pâques, malgré la coutume de commencer l'année à cette date. En effet, au vers 73, Marot parle de sa guérison que les médecins ont remise au printemps. Il écrit donc en hiver et non pas vers Pâques. De plus, nous savons que le 13 février 1532 (a.s. 1531) le poète reçut du roi une somme de « cent écus d'or soleil » (Cat. des Actes, t. VI, p. 283, n° 20341), somme qui constitue clairement la restitution du vol (cf. variante du vers 16). Une quittance de Marot, datée du 23 mars 1532 (a.s. 1531) qui se trouvait à la Bibliothèque du Louvre, F. 145, 2.3.4. n° 856, a été brûlée pendant la Commune. C'est donc le 1er janvier 1532 que cette épître fut présentée au roi.
49. Les Epîtres, XXV, v. 8-12.

Cette description, et surtout la magnifique antiphrase du
v. 12 :

Au demeurant, le meilleur filz du Monde

semble être devenue proverbiale presque immédiatement [50]
et l'est restée. Suit le récit du vol :

> Ce venerable Hillot fut adverty
> De quelcque argent que m'aviez departy,
> Et que ma Bourse avoit grosse apostume ;
> Si se leva plustost que de coustume,
> Et me va prendre en tapinoys icelle,
> Puis la vous mist tresbien soubz son Esselle
> Argent & tout (cela se doit entendre).
> Et ne croy point que ce fust pour la rendre,
> Car oncques puis n'en ay ouy parler [51].

Outre la sobriété du récit, on note le ton sarcastique et
pince-sans-rire dont Marot nous laisse voir que le valet
était paresseux, ayant coutume de se lever tard. Le passage
contient aussi du badinage concernant l'intention du valet [52].

Ayant empoché la bourse, le valet, non content de si peu,
prend les meilleurs vêtements du poète, son meilleur cheval :

---

50. Cf. Rabelais, *Pantagruel,* chapitre XII, *Des Meurs et Conditions de Panurge.*

51. *Les Epîtres,* XXV, v. 15-23.

52. On a suggéré que la meilleure plaisanterie de toute l'épitre
est la feinte de la part du poète de savoir ce qui s'est passé
pendant son sommeil, et que Marot ici tire avantage de ce qui
avait été une maladresse dans l'*Epistre de Maguelonne.* (Voir
J. Vianey, *Les Epîtres de Marot, Les grands événements littéraires,* Malfère, Paris, 1935, p. 35.
J'avoue ne pas être particulièrement frappé par cette plaisanterie, d'autant plus qu'à la différence de Maguelonne qui relate
par le menu tout ce qui s'est passé pendant son sommeil, Marot
ne dit ici en somme que ce qu'il a dû deviner après son réveil.
Trouvant son valet parti, son cheval, ses vêtements et sa bourse
disparus en même temps, la reconstruction plus ou moins exacte
de l'événement ne devait pas présenter de trop grandes difficultés.

> Brief, le Villain ne s'en voulut aller
> Pour si petit ; mais encor il me happe
> Saye & Bonnet, Chausses, Pourpoinct & Cappe ;
> De mes Habitz (en effect) il pilla
> Tous les plus beaux, & puis s'en habilla
> Si justement, qu'à le veoir ainsi estre,
> Vous l'eussiez prins (en plein jour) pour son Maistre.
>   Finablement, de ma Chambre il s'en va
> Droit à l'Estable, où deux Chevaulx trouva ;
> Laisse le pire, & sur le meilleur monte,
> Picque & s'en va. Pour abreger le compte,
> Soiez certain qu'au partir dudict lieu
> N'oublya rien, fors à me dire Adieu.
>   Ainsi s'en va, chastoilleux de la gorge,
> Ledict Valet, monté comme ung sainct George,
> Et vous laissa Monsieur dormir son saoul,
> Qui au resveil n'eust sceu finer d'un soul.
> Ce Monsieur là (Sire) c'estoit moymesme,
> Qui, sans mentir, fuz au Matin bien blesme [53].

On retrouve ici le parfait style narratif : le récit burlesque,
rapide, amusant, désinvolte.

Ajoutons que nous ne savons bien entendu rien sur cette
affaire sauf ce que nous raconte le poète. Cependant le
don de « cent écus d'or soleil » qu'il reçut du roi le
13 février 1532 [54] montre qu'il toucha exactement le montant de la somme qui lui avait été volée.

L'autre mésaventure, c'est la maladie :

> Bien tost apres ceste fortune là,
> Une aultre pire encores se mesla
> De m'assaillir, & chascun jour me assault,
> Me menassant de me donner le sault,
> Et de ce sault m'envoyer à l'envers
> Rymer soubz terre & y faire des Vers.
>   C'est une lourde & longue maladie
> De troys bons moys, qui m'a toute eslourdie
> La pauvre teste, & ne veult terminer,
> Ains me contrainct d'apprendre à cheminer,
> Tant affoibly m'a d'estrange maniere ;

---

53. *Les Epîtres,* XXV, v. 24-42.
54. Voir plus haut, p. 179, n. 48.

> Et si m'a faict la cuisse heronniere,
> L'estomac sec, le Ventre plat & vague ;
> Quand tout est dit, aussi maulvaise bague
> (Ou peu s'en fault) que femme de Paris,
> Saulve l'honneur d'elles & leurs Maris.
>      Que diray plus ? Au miserable corps
> (Dont je vous parle) il n'est demouré fors
> Le pauvre esprit, qui lamente & souspire,
> Et en pleurant tasche à vous faire rire [55].

Marot excelle dans le récit de ses propres mésaventures ;
à la différence de Villon dont les apitoyements se termi-
nent le plus souvent par une grimace, Marot d'habitude
sait garder la mesure et l'élégance, bien que le calembour
macabre sur les vers, calembour dans le goût de l'époque,
peut nous sembler douteux.

Le poète en vient maintenant au but de son épître :

> Voilà comment, depuis neuf moys en ça,
> Je suis traicté. Or, ce que me laissa
> Mon Larronneau (long temps a) l'ay vendu,
> Et en Sirops & Julez despendu ;
> Ce neantmoins, ce que je vous en mande,
> N'est pour vous faire ou requeste ou demande :
> Je ne veulx point tant de gens ressembler
> Qui n'ont soucy aultre que d'assembler ;
> Tant qu'ilz vivront, ils demanderont, eulx ;
> Mais je commence à devenir honteux,
> Et ne veulx plus à voz dons m'arrester.
>      Je ne dy pas, si voulez rien prester,
> Que ne le preigne. Il n'est point de Presteur
> (S'il veult prester) qui ne fasse ung Debteur.
> Et sçavez vous (Sire) comment je paye ?
> Nul ne le sçait, si premier ne l'essaye.
> Vous me debvrez (si je puis) de retour,
> Et vous feray encores ung bon tour ;
> A celle fin qu'il n'y ayt faulte nulle,
> Je vous feray une belle Cedulle,
> A vous payer (sans usure il s'entend)
> Quand on verra tout le Monde content :

---

55. *Les Epîtres*, XXV, v. 49-68.

> Ou (si voulez) à payer ce sera,
> Quand vostre Loz & Renom cessera [56].

Peut-être le meilleur exemple de badinage : les hésitations, la modestie, les réticences suivies d'une demande éhontée ! Enfin notons la jolie variation sur la plaisanterie des calendes grecques, plaisanterie qui gagne à contenir une flatterie délicate du roi.

Puis c'est un élément nouveau que nous rencontrons : la fantaisie :

> Advisez donc si vous avez desir
> De rien prester : vous me ferez plaisir,
> Car puis ung peu j'ay basti à Clement,
> Là où j'ay faict ung grand desboursement,
> Et à Marot, qui est ung peu plus loing :
> Tout tumbera, qui n'en aura le soing [57].

Le poète transforme son prénom et son nom de famille en noms de lieux et déclare qu'il est en train de construire des châteaux dans les localités en question, qui sont sans doute ses fiefs. Le lecteur moderne s'étonnera d'apprendre que de savants commentateurs des siècles passés se sont évertués à retrouver « Clement » et « Marot » dans les provinces françaises. C'est pourtant bien le cas [58].

Or, à étudier de plus près ce passage, on voit que la fantaisie, pour évidente et folle qu'elle soit, n'en est pas

---

56. *Ibid.*, v. 79-102.
57. *Ibid.*, v. 113-118.
58. Voir *Œuvres de Clément Marot, annotées, revues... et précédées de la vie de Clément Marot* par Ch. d'Héricault, Paris, Garnier, 1867, p. 77, n. 3 et p. XLIX. D'Héricault, sur la foi d'un annaliste (anonyme) du Quercy, assure que Marot possédait deux terres, l'une à Clément, l'autre à Marot, situées dans la paroisse de Cessac, à deux lieues de Cahors, et que le poète tenait à ses domaines du Quercy, les entretenait à grands frais et les visitait souvent. De plus, toujours selon d'Héricault, le comte de Mosbourg, propriétaire de Marot, près Saint-Clément, canton de Castelnau, à la fin de la Restauration, « possédait, outre un tableau qui venait de notre poète, le fauteuil qu'il avait affectionné, et entretenait soigneusement cet arbre où, selon la tradition, Clément aimait à s'asseoir » (*loc. cit.*).

pour autant gratuite. Je veux dire par là qu'elle n'a rien
de vague, mais vise au contraire un but très précis en
dehors de celui d'obtenir de l'argent, et ce but, c'est de
satiriser la manie des courtisans et des princes de la
Renaissance de se bâtir des châteaux magnifiques et coû-
teux. Autrement dit, la folie est ordonnée par l'intention
satirique [59].

La fin de l'épître mérite considération, bien que d'un
tout autre point de vue :

> ... O Roy amoureux des neufz Muses,
> Roy en qui sont leurs sciences infuses,
> Roy plus que Mars d'honneur environné,
> Roy le plus Roy qui fut oncq couronné,
> Dieu tout puissant te doint (pour d'estrener)
> Les quatre Coings du Monde gouverner,
> Tant pour le bien de la ronde Machine,
> Que pour aultant que sur tous en es digne [60].

Malgré le ton grave, on sent percer une note d'ironie. Les
vers qui précèdent ce passage ne laissent d'ailleurs subsis-
ter aucun doute sur ce point :

> Voilà le poinct principal de ma Lettre ;
> Vous sçavez tout, il n'y fault plus rien mettre.
> Rien mettre ? Las ! Certes, & si feray,
> Et ce faisant, mon stile j'enfleray,
> Disant : O Roy amoureux des neufz Muses [61].

D'un air dégagé et nonchalant, le poète laisse entendre qu'il
n'est nullement sérieux dans cet éloge du roi, mais qu'il
est capable aussi bien qu'un autre, et même mieux qu'un
autre, de rimer des flatteries grandiloquentes à n'importe
quelle heure. Tout ce passage prend, de ce fait, un carac-

---

59. Il faut noter que, dans cette épître, Marot attaque les courtisans qui ne cessent de demander de l'argent au roi. Dans la
première version (voir *Les Epîtres*, ouvr. cit., p. 174-175), Marot
avait même nommé deux personnes coupables d'avoir trop bénéficié de la libéralité de François Ier (Ph.M. Visconte et F. Bohier
de Valfernière). Le trait satirique contre la manie des construc-
tions n'est donc pas hors de propos.
60. *Les Epîtres*, XXV, v. 123-130.
61. *Ibid.*, v. 119-123.

tère nettement moqueur et sa grandiloquence ne sert qu'à renforcer l'ironie. Or, la haine de l'emphase, de la flagornerie, de l'hypocrisie ne nous rend-elle pas le poète éminemment sympathique ?

Du point de vue purement technique, ces vers présagent les odes de Ronsard à plus d'un point de vue. A part le style élevé et grave, on y remarque un rythme très marqué et très digne.

Ce poème eut un succès immédiat et éclatant. Une section en fut mise en musique. Un rimailleur inconnu prit la plume pour défendre les Gascons. Cet écrit n'a malheureusement jamais été retrouvé. Notre renseignement vient uniquement d'une épître de Marot en guise de réplique [62].

Le succès de l'épître *Au Roy* fut non seulement immédiat, mais encore permanent et universel. Surtout elle assura à notre poète la réputation d'auteur élégant, spirituel mais léger. Il existe un curieux recueil allemand d'anecdotes publié en 1660 sous le titre :

> *Das Kurtzweilige Leben von Clement Marott*
> *Oder : Allerhand lustige Materi fur die*
> *Kurtzweil-liebende Jugend. Aus dem Franzosisch*
> *ins Niederlandische und aus demselben anitzo*
> *ins Hoch-deutsche gebracht* [63].

Qu'on ne se méprenne pas sur le titre de l'ouvrage. Il ne s'agit nullement d'une biographie romancée du poète. Au contraire, le recueil consiste en une collection d'anecdotes presque sans exception controuvées ou plutôt franchement inventées. Il est vrai que Clément Marot est le héros de chacune de ces histoires, mais la personne du poète est devenue une espèce de Tyll Ulespiègle, un joyeux drille passant sa vie à jouer des tours. Encore plus curieuse est l'absence presque totale de citations de poèmes de Marot. La seule exception est l'épître *Au Roy* qui forme le sujet

---

62. *Les Epîtres,* XXVII.
63. s.l., Munich, Staatsbibliothek, P.O. gall. 1390. Contrairement à ce qui est dit au titre, il n'existe pas d'original français de ce curieux recueil, bien qu'on en connaisse une version néerlandaise, malheureusement non datée, *T'Leeven en Bedryf van Clement Marot,* Amsterdam, Wed de Groot.

d'un conte dans lequel l'auteur suit d'assez près le texte, malgré quelques détails saugrenus [64].

Pour revenir au Marot historique, nous savons que la maladie qui frappa le poète était probablement la peste qui sévissait effectivement en France et qui eut pour victime la régente Louise de Savoie, morte le 22 septembre 1531 [65]. Puisque dans cette épître, présentée au roi le 1er janvier 1532 [66], le poète dit qu'il est malade depuis neuf mois [67], il est propable qu'il fut atteint du mal au mois d'avril 1531. Ce fait n'est pourtant pas absolument sûr. Le vers 79 dans la version définitive se lit :

> Voila comment, depuis neuf moys en ça,

mais

> ... depuis trois mois...

---

64. Clements Brieff an den König.

Marot wurde von seinem Knecht bestolen, bekümmerte sich derhalben zum hefftigsten, wart auch Sinnes dem König seine Noth zu klagen, welches er auch in folgendem Briefe vollenbrachte :

Mein Herr König, Eure Maytt, wissen woll, das selten ein Unglück allein ist, und dieses muss ich mit Schmerzen anitzo erfahren. Denn ich habe neulich einen gebornen Gasscunjer zu meinem Knecht angenommen, weil er voller höfischer Sachen war, denn mein Herr König, er kunte liegen, triegen, huren, buben, fressen, sauffen, spielen, dantzen und solcher Hoffstückchen mehr, und weil ich mit dissem Gast beladen, nehme ich meinen Beutel voller Geldt, lege es zu Nachtes unter mein Haüpt und schlafe geruhlich zu. Bald kompt dieses Unthier und stihlt ihn fein leise weg, laufft auch hiemit davon, nun ist mir dieses zwar Unglücks genug aber das ander ist noch erger, denn ich bin gantz verwirret in meinen Sinnen und habe eure gantze Apoteck Herr König auffgefressen und mir doch nichtes geholfen. Der König merckte bald wo Marott hinauss wolte, sagte deshalben : Ich seh woll Geldt soll dir besser helffen als meine Apoteck, sih da hastu so viel Geldt wieder als dir gestolen, aber setze mir Bürgen, auff welche Zeit dass du mich wieder bezahlest. Ja sagte Marot, ich will selber Bürge sein, und wil euch auff den Tag bezahlen, wann ihr ein Herr über Europa seyd. (Ouvr cit., p. 4-5.)

Voir C.A. Mayer, *Notes sur la réputation de Marot aux dix-septième et dix-huitième siècles*, B.H.R., t. XXV, 1963, p. 404-407.

65. Voir plus bas, p. 198.

66. Voir plus haut, p. 182.

67. V. 79.

dans la version originale. Selon plusieurs épîtres composées très probablement vers cette époque [68], Marot semble avoir été obligé de garder la chambre sinon le lit pendant le printemps et même une partie de l'été de 1532.

## Les nouveaux genres.

Jusqu'au début de 1527, comme nous l'avons vu, Marot resta fidèle aux genres des Rhétoriqueurs, bien qu'il leur fît subir d'importants changements quant au sujet et au style.

Entre 1527 et 1533 Marot composa trois ballades [69]. Ces poèmes montrent qu'à cette époque Marot tâcha de transformer ce genre afin d'en faire un véhicule pour le lyrisme. Alors que les ballades qui datent d'avant 1527 sont des pièces de circonstance pures et simples, à l'exception de la ballade *De Frere Lubin* d'inspiration satirique [70], les trois ballades composées après 1527 sont toutes différentes. Ainsi, dans la ballade xv, *Chant Pastoral en forme de Ballade à Monsieur le Cardinal de Lorraine qui ne pouvoit ouyr nouvelles de Michel Huet, Parisien, son Joueur de Flustes le plus souverain de son Temps* [71] Marot essaye d'assimiler la ballade à l'églogue ou à la pastorale, alors que la ballade xvi, *Chant de joye composé la Nuict qu'on sceut les nouvelles de la venue des Enfans de France retournantz des Hespaignes* [72] représente une tentative de lyrisme grave présageant les cantiques, et la ballade xvii, *Ballade d'une dame et de sa beaulté par le nouveau serviteur* [73] figure

---

68. *Les Epîtres*, XXVIII, XXIX, XXX et XXXI.

69. *Œuvres diverses*, LXXXI, Ballade xv, LXXXII, Ballade xvi, LXXXIII, Ballade xvii.

De même le Chant-Royal III, *Chant Royal dont le Roy bailla le Refrain* (*Œuvres diverses*, LXXXVIII), qui doit dater de cette époque, contient un élément nouveau pour ce genre, puisque le refrain est la traduction d'un vers de Pétrarque, et que le premier vers « Prenant repos dessoubz ung vert Laurier » est une allusion claire au chantre de Laure. Voir C.A. Mayer et D. Bentley-Cranch, *Clément Marot, poète pétrarquiste*, art. cit.

70. Voir plus haut, p. 53-54.

71. *Œuvres diverses*, LXXXI.

72. *Ibid.*, LXXXII. Voir plus haut, p. 172-173.

73. *Ibid.*, LXXXIII.

dans *La Suite* parmi les élégies sous le titre *La Dixiesme Elegie en forme de Ballade,* preuve qu'à un moment du moins Marot a pensé à faire de la ballade un poème d'amour[74].

Un des rares rondeaux composés après 1527, *De la Paix traictée à Cambray par trois Princesses,* relève du lyrisme grave et officiel[75].

Un autre exemple de poésie politique est fourni par l'épître *A la Royne Elienor nouvellement arrivée d'Espaigne avec les deux Enfans du Roy, delivrez des mains de l'Empereur*[76].

Très différent et d'un genre unique est le *Second Chant d'Amour fugitif*[77] qui fut composé à une date indéterminée entre 1527 et 1533. Comme l'indique le titre, il s'agit de la continuation d'un « Premier » Chant, en l'occurrence la traduction d'un poème de Moschos, Ἔρως δραπέτης que Marot crut — assez curieusement — avoir été composé par Lucien. Dans ce *Premier Chant,* Vénus se plaint de son fils volage et promet un baiser à celui qui lui indiquera où il se cache, et ses faveurs à celui qui le lui ramènera. Ce thème sert de prétexte au *Second Chant,* une satire hardie et puissante de monachisme. Marot commence par mettre en scène la foule des Parisiens qui entourent la déesse pour écouter sa complainte. Non que le poète prenne intérêt à la voir :

> Mais quant à moy, n'en eu aulcun desir,
> Car qu'ay je affaire aller chercher plaisir
> Qui soit compris en Venus, la Déesse,
> Veu que en Pallas gist toute ma liesse ?

Mais, dans la cohue, il observe une « tourbe » :

> D'hommes pieux, ayant la Teste courbe,
> L'œil vers la Terre en grand Cerimonye,
> Pleins (à les veoir) de dueil & agonie,
> Disant à eulx mondanités adverses,

---

74. Voir plus bas, p. 245-246.
75. Voir plus haut, p. 170-171.
76. *Les Epîtres,* XXI. Voir plus haut, p. 173.
77. *Œuvres satiriques,* IV.

> Et en Habitz monstrans Sectese diverses.
>   L'ung en Corbeau se vest pour triste signe ;
> L'autre s'habille à la façon d'une Cigne ;
> L'autre s'accoustre ainsi qu'un Ramoneur ;
> L'autre tout gris ; l'autre, grand Sermonneur,
> Porte sur soy les couleurs d'une Pie.
> (O bonnes gens) pour bien servir d'Espie.

Les différents ordres monastiques sont ainsi clairement désignés. De la description physique, Marot passe au portrait moral, ou plutôt à une attaque de la plus grande violence :

> Que diray plus ? Bien loger sans danger,
> Dormir sans peur, sans coust boyre & manger,
> Ne faire rien, aulcun mestier n'apprendre,
> Riens ne donner, et le bien d'aultruy prendre,
> Gras et puissant, bien nourry, bien vestu,
> C'est (selon eulx) pauvreté et vertu.

A l'argument économique, Marot ajoute une condamnation plus fondamentale du monachisme : il s'élève contre le vœu de chasteté qu'il représente comme contre nature :

> Incontinent que ceste Legion
> (Selon le cry de Venus) sent & voyt
> Que Cupido, le Dieu d'Amours, avoit
> Prins sa vollée, ainsi que ung vagabond,
> Chascun pensa de luy donner le bond.
>   Si vont querir Libelles Sophistiques,
> Corps enchassez & Bulles Papistiques ;
> Et là dessus vouerent tous à Dieu
> Et au Patron de leur Couvent & Lieu
> De Cupido lyer, prendre & estraindre,
> Et son pouvoir par leurs Œuvres contraindre ;
> Plus pour loyer Celeste en recevoir,
> Que pour amour qu'en Dieu puissent avoir.
>   Voilà comment, par voyes mal directes,
> Les presumans, oultrecuydées Sectes
> Seures se font d'avoir de Dieu la grace
> Et de garder chose que humaine race
> Ne peult de soy. Or se sont ilz espars
> De Chrestienté aux quatre Coings & Pars ;
> Tous en propos de Cupido happer.

L'allusion est claire : à l'aide de « libelles sophistiques »,
de « bulles papistiques » et de « corps enchassez » (entendez reliques), les « outrecuydées Sectes », c'est-à-dire les
ordres monastiques, se proposent d'emprisonner Cupidon,
autrement dit de bannir l'amour. Or, pour Marot, c'est la
« chose que humaine race ne peult de soy ». Pour que
l'allégorie soit comprise d'un chacun, il a ajouté, à la fin
du poème, les vers suivants :

> Et sur ce poinct prendra repos ma Muse,
> Ne voulant plus qu'à ce propos me amuse ;
> Ains que je pense à dresser aultre compte,
> En concluant que cestuy cy racompte,
> A qui aura bien compris mon Traicté,
> Dont proceda le Veu de Chasteté [78].

Dans l'ensemble on voit qu'à partir de 1527 Marot introduit des formes nouvelles. Ainsi c'est vers cette époque probablement qu'il commença la traduction du psautier par le
sixième psaume [79]. En dehors de l'épître, qui continuera à
être son genre de prédilection, il abandonne les vieilles
formes, les remplaçant par les genres de la poésie latine, à
savoir l'élégie, l'épithalame et l'églogue.

Il est difficile de dater les Elégies de Marot avec précision. Elles furent publiées dans la *Suite de l'Adolescence
Clementine* [80] vers la fin de 1553. Le décalage entre l'*Adolescence* et la *Suite* pourrait nous faire croire que ces poèmes
furent rimés dans l'intervalle entre les deux éditions. Il
est peu probable qu'il en soit ainsi. La première élégie [81]

---

78. *Ibid.*, v. 35-38, v. 42-52, v. 53-58, v. 64-83, v. 89-94.
  Notons que Marot reprend ici les propos de Luther,
    Ex iis omnibus colligitur & stultitia uoti praesertim castitatis, ut si caetera non cassarent, ipsa stultitia tamen non
    sinat ualere. Quid enim uouet caelebs uouendo castitatem,
    nisi rem quae prorsus nec est nec potest esse in manibus
    suis, cum sit solius Dei donum, quod accipere non offere
    potest homo.
    *De votis monasticis*, Wittemberg, s.d., f° Oo, IV R°.
79. En une plaquette sans lieu ni date, *Bibliographie*, II, n° 8.
80. En dehors de 3 Elégies, publiées pour la première fois
dans les *Œuvres* de 1538.
81. *Œuvres lyriques*, LII.

traite de la bataille de Pavie et fut donc composée selon
toutes les apparences en 1525 ou 1526. De plus on connaît
pour dix élégies un état original qui nous est assuré par
divers manuscrits [82]. Le texte imprimé, de 1533, représente
de toute évidence une seconde version de ces poèmes. Il
est donc à peu près certain qu'une bonne part des élégies
fut composée avant 1532, probablement à partir de 1526-27.

Quelle est la nature de l'élégie marotique ? Le sujet en
est l'amour [83] ; les thèmes, assez paradoxalement, s'agis-
sant d'un genre nouveau dans la poésie française, appartiennent nettement à ce qu'on peut appeler la poésie
d'amour pré-pétrarquiste. Ainsi, la deuxième élégie où
l'auteur se dit « serf et esclave d'amour » fait de l'at-
tente une preuve d'amour. De même le thème de la
loyauté de l'amant éconduit, qu'avait développé Alain
Chartier dans *La Belle Dame sans merci*, revient trois
fois dans les élégies de Marot [84]. D'autres thèmes traités
par Marot, comme les plaintes de la mal mariée [85], les
dangers de la mauvaise renommée [86], appartiennent tous
au fonds commun de la poésie médiévale. Deux *concetti*
pétrarquistes seulement ont pu être identifiés dans ces poèmes [87], et si dans deux élégies on trouve un écho des *Triomphes* du poète italien [83], il ne faut pas oublier que ces
poèmes, à la différence du *Canzoniere,* étaient célèbres dès
le xve siècle et que des adaptations en vers français en
avaient été faites par Jean Robertet et son fils François
Robertet [89]. A ce point de vue donc, assez paradoxalement,
les élégies, un des genres que Marot a introduits dans la

---

82. Voir *Œuvres lyriques*, p. 70.
83. Toutes les élégies publiées dans *La Suite de l'Adolescence
Clementine* sont des poèmes d'amour. Ce n'est qu'en 1538 que
Marot a rangé dans ce groupe trois poèmes déploratifs. Sur cette
question, voir *Œuvres lyriques*, p. 16-18.
84. Elégies VIII, XVII et XVIII.
85. Elégie XX.
86. Elégie XVIII.
87. Elégies III et XVI. Voir M.A. James, thèse cit., p. 201.
88. Elégie XIII et XIV.
89. Il s'agit de deux adaptations différentes. Voir la thèse de
C.M. Douglas, *A critical edition of the works of Jean and Fran-*

poésie française, sont presque la partie la plus médiévale de son œuvre.

Un problème particulier aux élégies de Marot, c'est celui de savoir si ces poèmes reflètent l'expérience de l'auteur. Depuis Lenglet-Dufresnoy [90], des générations d'érudits ont tâché avec une ingéniosité parfois prodigieuse, de retrouver les amours de Marot dans ces textes. Même la légende longtemps accréditée selon laquelle le poète aurait été blessé et fait prisonnier à Pavie repose sur le texte d'une des élégies [91]. Le fait est pourtant que le groupe des élégies publiées dans la *Suite de l'Adolescence Clementine*, sans doute à cause des thèmes traditionnels et des lieux-communs médiévaux auxquels Marot a recours dans ces pièces, est ce qu'il a fait de moins personnel. Aussi convient-il de noter que beaucoup de ces poèmes ne sont pas écrits au nom du poète lui-même, mais au nom de personnages imaginaires, impossibles à identifier, tant leurs traits sont indécis [92]. Ainsi c'est une femme qui parle dans l'élégie XVIII et dans l'élégie XX ; dans l'élégie IX l'homme qui a la parole déclare que

> Sept ans y a que ma main se repose
> Sans voulenté d'escrire à nulle femme [93]

ce que Marot n'aurait jamais pu dire de lui-même à cette époque ; dans l'élégie XVII c'est évidemment un grand seigneur qui tient la plume :

> S'ainsi estoit, pour l'aller veoir seulette
> Souvent feroys de ma Lance Houlette,
> Et conduiroys, en lieu de grands Armées,
> Brebis aux Champs costoyez de ramées [94].

---

*cois Robertet*, déposée à la bibliothèque de l'Université de Londres. Les *Triomphes* avaient également eu une grande influence sur l'art de l'époque. Voir V. Masséna et E. Muntz, *Pétrarque, ses études d'art, son influence sur les artistes*, art. cit.

90. *Œuvres de Clément Marot*, La Haye, 1731.
91. Sur cette légende, voir plus haut, p. 42-47.
92. Elégies I, V, VI, IX, XVII, XVIII.
93. V. 12-13.
94. V. 57-60.

Après cela c'est une pure gageure que de vouloir reconnaître dans ces poèmes des allusions précises. La première
élégie, qui contient le passage sur la bataille de Pavie, est
écrite de toute évidence pour un « chevalier », comme l'indique le titre de ce poème dans la version manuscrite[95] :
ce n'est pas le poète qui y parle.

Il n'est pas nécessaire de répéter ici les thèses concernant
les amours supposés de Marot construites à l'aide d'allusions tirées des élégies, ni de discuter la division de ces
poèmes en cycles correspondant aux différentes maîtresses
du poète auxquelles ils auraient été adressés. On peut dire
qu'aujourd'hui ces thèses attrayantes mais sans fonde-
ment sont discréditées[96] ; on accepte maintenant qu'il est
oiseux de chercher la présence des maîtresses du poète dans
ces textes et que les élégies ne représentent en somme
qu'une tentative de poésie d'amour, poésie dans laquelle le
poète, loin de nous livrer ses sentiments intimes, s'essaye
au contraire à l'expression, sous une forme nouvelle, de
tous les thèmes de la poésie amoureuse de l'époque[97].

Dans sa forme l'élégie marotique ne se distingue nullement de l'épître. Le chapitre que Sebillet[98] consacre à l'élégie montre assez clairement cette identité :

> L'élégie n'est pas sugette à téle variété de suget[99] :
> et n'admet pas les différences dés matiéres et légere-
> tés communément traittées aus épistres : ains ha jé
> ne say quoy de plus certain. Car de sa nature l'Elégie

---

95. On connaît quatre manuscrits où figure cette élégie (voir
*Œuvres lyriques*, p. 211). Le titre de la pièce dans tous ces
recueils est à peu près le même : *L'epistre du chevallier pris et
blecé devant Pavye faicte par Clement Marot.* Ce titre montre
clairement que Marot tient la plume pour un autre.

96. Voir plus haut, p. 44, et p. 80.

97. La seule pièce qui fait exception et dans laquelle Marot
nous livre probablement ses vrais sentiments est l'élégie XXIV.
En vue de notre discussion il est tout à fait significatif que ce
poème personnel n'ait jamais été publié au XVIe siècle, mais
découvert de nos jours dans un recueil manuscrit sous le titre
*Epistre faicte par Marot.* Cf. *Œuvres lyriques*, p. 43.

98. Ouvr. cit., chapitre VII, *De l'Epistre et de l'Elégie, et de
leurs différences.*

99. Que l'épître.

est triste et flebile : et traitte singuliérement lés passions amoureuses, lesqueles tu n'as guères veues ni
oyes vuides de pleurs et de tristesse. Et si tu me dys
que lés épistres d'Ovide sont vrayes épistres tristes et
amoureuses, et toutefois n'admettent le nom d'élégie :
enten que je n'exclu pas l'Amour et sés passions de
l'Epistre, comme tu peus avoir entendu au commencement de ce chapitre en ce que je t'en ay dit : Mais
je dy que l'Elégie traitte l'Amour, et déclare sés
desirs, ou plaisirs, et tristesses a celle qui en est la
cause et l'obgét, mais simplement et nuément : ou
l'epistre garde sa forme de superscriptions et soubz-
scriptions, et de stile plus populaire. Or si tu requiers
exemples d'Elégies, propose toy pour formulaire celles d'Ovide escrittes en sés trois livres d'Amours : ou
mieus ly lés élégies de Marot : desquéles la bonne part
représente tant vivement l'image d'Ovide, qu'il ne s'en
faut que la parole du naturel. Pren donc l'élégie pour
epistre Amoureuse : et la fay de vers de dis syllabes
toujours : lesquelz tu ne requerras tant superstitieu-
sement en l'epistre que tu ne la faces par fois de vers
de huit, ou moindres : mais en l'une et en l'autre
retien la ryme platte pour plus douce et gracieuse [100].

Cependant les élégies de Marot ne doivent, autant qu'on
puisse voir, rien aux *Amores* d'Ovide. Sebillet n'a pourtant
pas eu tort entièrement d'affirmer que Marot s'est inspiré
dans ce genre du chantre de Corinne. Car c'est bien de
l'œuvre d'Ovide, mais des *Héroïdes* et non pas des *Amores*,
que dérive l'élégie française. En effet les *Héroïdes*, dont
nous venons de constater le grand succès au début de la
Renaissance [101], sont censés être écrites par des femmes à
leurs maris ou amants. Etant des missives, elles pouvaient
donc passer pour des épîtres. Or, quant à la forme, les
élégies de Marot sont des épîtres, des missives en vers,
ne se distinguant en rien, à une exception près [102], des
épîtres du poète. Il est important de noter à ce propos

---

100. Ouvr. cit., chap. VII.
101. Voir plus haut, p. 26.
102. L'élégie XVIII est en forme strophique. Cf. *Œuvres lyriques*, p. 18.

que la version originale de toutes les élégies dont il en
existe une [103], porte le titre non pas d'Elégie, mais bien
d'Epître.

La différence entre les épîtres et les élégies de Marot
n'étant pas dans la forme mais dans le sujet — l'amour —
on voit que les *Héroïdes*, missives en vers adressées par
de malheureuses délaissées aux auteurs de leurs maux à
qui elles restent néanmoins fidèles, ces *Héroïdes* qui joui-
rent à l'époque d'une si grande vogue, ont donné à Marot
l'idée d'écrire des épîtres d'amour et puis de les distinguer
de ses autres épîtres en les appelant élégies.

Plusieurs des élégies sont adressées à des amies loin-
taines, deux sont écrites par des femmes ; tout cela rapproche singulièrement les *Elégies* aux *Héroïdes*.

En conclusion, nous pouvons dire que, s'inspirant des
*Héroïdes* d'Ovide, Marot a composé à partir de 1526-1527
des épîtres d'amour, sans pourtant pousser l'imitation de
son modèle jusqu'aux maladresses qui avaient défiguré
l'*Epistre de Maguelonne* [104]. Au début Marot paraît bien
avoir appelé ces poèmes épîtres. Or à un moment entre
1527 et 1532, date de la publication de l'*Adolescence Clementine*, Marot a décidé de toute évidence de distinguer
l'épître amoureuse de l'épître tout court, de maintenir
l'appellation d'épître pour cette dernière — rappelons que
dans aucune de ses épîtres le poète ne parle d'amour — et
d'appeler élégie l'épître amoureuse [105].

En dehors d'Ovide, et généralement des thèmes de la
poésie d'amour médiévale, les sources précises des élégies
sont rares. On a suggéré que Marot s'est inspiré d'Horace,
de Tibulle et de Properce [106] ; mais ici encore il ne s'agit
que de légers emprunts. Il semble que pour ce genre nouveau Marot n'ait pas eu de source précise, mais que, prenant ses thèmes dans le fonds de la poésie d'amour médié-

---

103. Voir plus haut, p. 191.
104. Voir plus haut, p. 32-34.
105. Sur cette question, voir C. Scollen, *The Birth of the Elegy
in France, 1500-1550*, Droz, 1967.
106. *Œuvres lyriques*, p. 18, n. 6.

vale, il ait tâché, sous l'influence d'Ovide, de les exprimer sous une forme poétique au nom antique [107].

Les Elégies sont probablement la partie la moins bonne de l'œuvre de Marot. La raison en est avant tout dans leur caractère impersonnel. Une poésie élégiaque impersonnelle implique contradiction ; mais c'est bien là ce que Marot a essayé de faire dans ces poèmes. Il n'est guère surprenant qu'il ait échoué dans sa tentative. Si les Elégies les moins graves, c'est-à-dire les moins élégiaques, sont les meilleures, c'est parce que la contradiction s'y fait moins sentir.

Tout comme l'Elégie, l'Epithalame est nouveau dans la poésie française en 1528 quand Marot, pour célébrer le mariage de Renée de France avec Ercole d'Este, emprunta ce genre à Catulle [108].

Le poème, intitulé *Chant nuptial du Mariage de Madame Renée, Fille de France, & du Duc de Ferrare* [109], est imité d'assez près du chant nuptial de Catulle [110], dont la construction antithétique — un chœur de jeunes gens louant la nuit de noces et un chœur de jeunes filles la déplorant — est reproduite de façon libre, c'est-à-dire sans mettre en scène des chœurs. Tout au long de ce poème se révèle l'adresse dont Marot fait preuve dans l'imitation. Catulle par exemple compare les ravages de la nuit de noces aux excès commis par les soldats dans une ville prise :

Quid faciunt hostes capta crudelius urbe [111] ?

Marot reprend cette comparaison, mais lui donne du sel en transformant la ville prise par l'ennemi en Rome dont le

---

107. Bien qu'on n'ait pu relever de véritables emprunts aux élégies de Luigi Alamanni, publiées en 1532 dans *Opere Toscane*, il n'est pas impossible que Marot ait eu connaissance de ces pièces que le poète italien composa en France entre 1522 et 1525. Cf. H. Hauvette, *Un exilé florentin à la Cour de France au seizième siècle, Luigi Alamanni (1495-1556), sa vie et son œuvre*, Paris, Hachette, 1903, p. 198-207.

108. Voir plus haut, p. 168-169.

109. *Œuvres lyriques*, LXXXV. Sur ce mariage, cf. plus bas, p. 314.

110. *Poésies*, éd. G. Lafaye, Paris, Les Belles Lettres, 1949, 62.

111. Ed. cit., 62, 24.

sac par l'armée impériale, l'année précédente, avait frappé
l'Europe de terreur :

> Que feirent pis les Ennemis à Romme,
> N'a pas long temps, par pillage empirée [112] ?

Au milieu du poème, entre deux strophes imitées de
Catulle, se trouve une strophe dans laquelle Marot traduit
un passage du colloque *Proci et Puellae* d'Erasme [113] :

> Fille de Roy, Adieu ton Pucellage ;
> Et toutesfoys tu n'en doibs faire pleurs.
> Car le Pommier qui porte bon fructage
> Vault mieulx que cil qui ne porte que Fleurs.
> Roses aussi de diverses couleurs,
> S'on ne les cueult, sans proffiter perissent ;
> Et, s'on les cueult, les cueillans les cherissent,
> Prisans l'odeur qui d'elles est tirée.
> Si de toy veulx que fruictz odorans yssent,
> Fuir ne fault la Nuict tant desirée [114].

Voici le texte du passage d'Erasme :

> ... dic mihi, si tibi esset elegam pomarium, optares
> illic nihil unquam gigni praeter flores : an malles,
> delapsis floribus, videre arbores maturis pomis gra-
> vidas ?...
> ... Ego rosam existimo feliciorem, quae marcescit in
> hominis manu, delectans interim et oculos et nares,
> quam quae senescit in frutice : nam et illic futurum
> erat, ut marcesseret [115].

A propos de cette strophe deux remarques s'imposent. Le
colloque d'Erasme est un ouvrage de propagande humaniste, démontrant la supériorité de l'état de mariage à celui
de virginité, contrairement à l'enseignement de l'Eglise à
l'époque. Marot se montre donc parfaitement au courant

---

112. *Œuvres lyriques*, LXXXV, v. 17-18.
113. *Colloquiorum Desiderii Erasmi familiarum opus aureum*,
Londres, 1760, p. 124.
114. *Œuvres lyriques*, LXXXV, v. 31-40.
115. Ed. cit. Sur cet emprunt, voir P. Leblanc, *Les sources
humanistes du Chant nuptial de Renée de France*, art. cit.

du mouvement humaniste ; mieux encore, il s'y joint en prenant à son compte les arguments les plus hardis d'Erasme. Du point de vue purement littéraire il faut admirer une fois de plus l'aisance qu'il déploie dans l'imitation. Ici du moins il dépasse nettement certaines imitations moins heureuses de Ronsard, comme par exemple l'*Ode à la Fontaine Bellerie*, où l'imitation servile d'Horace jointe au désir de ne pas choquer les croyances du public poussent le poète à changer le sacrifice du chevreau en un ornement dépourvu de sens :

> Voy ton poete qui t'orne
> D'un petit chevreau de lait [116]

Chez Marot, Catulle s'unit parfaitement à Erasme pour aboutir à un poème bien français ne portant pas la moindre trace d'une imitation servile.

Même les détails un peu crus :

> Vous qui souppés, laissez ces tables grasses !
> Le manger peu vault mieulx pour bien dancer :
> Sus, Aulmosniers, dictes vistement Graces !
> Le Mary dict qu'il se fault avancer ;
> Le jour luy fasche, on le peult bien penser.
> Dames, dancez, et que l'on se deporte
> (Si m'en croyez) d'escouter à la Porte
> S'il donnera l'Assault sur la Minuict.
> Chault appetit en telz lieux se transporte.
> Dangereuse est la bienheureuse Nuict [117].

détails qui ont fort choqué certains critiques, ne sont que la description des coutumes de l'époque et montrent que Marot est fort soucieux d'imiter librement, de transposer plutôt que de calquer.

Le 22 septembre 1531, Louise de Savoie, mère de François Ier, mourut de la peste à Grez [118]. Marot, dans sa fonc-

---

116. *Œuvres complètes de Ronsard*, Bibliothèque de la Pléiade, t. I, p. 444, Ode IX, v. 11-12.
117. *Œuvres lyriques*, LXXXV, v. 61-70.
118. La date du 22 septembre est assurée par une lettre de François Ier à l'évêque d'Auxerre, adressée de Chantilly, le

tion de poète de Cour, était tenu d'écrire un poème à la
louange de la défunte. Pourtant le poème que rima Marot
à cette occasion marque une époque dans la poésie française, puisqu'au lieu de composer une complainte, il composa une églogue, en l'occurrence la première églogue
dans la littérature française [119]. Il est oiseux de discuter ici
le degré d'originalité qui revient à Marot dans la création
de ce genre. Sans doute le moyen âge eut ses *Pastourelles* ;
sans doute Molinet et Jean Lemaire ont-ils souvent représenté des personnages sous forme de berger et le roi comme
Pan. Dès qu'on soulève le problème de l'originalité dans
n'importe quelle sphère on se heurte aux mêmes difficultés.
En littérature il est aisé de démontrer que tout est dit et
a été dit depuis le début du monde. Acceptons que dans
des catégories aussi artificielles que le sont les divisions
de la littérature en genres nos notions d'originalité doivent
nécessairement avoir quelque chose d'artificiel. Marot est
le premier poète français à donner le titre d'églogue à un de
ses poèmes ; c'est donc à lui que revient l'honneur d'avoir
écrit la première églogue française [120].

Le poème porte le titre : *Eglogue sur le Trespas de ma
Dame Loyse de Savoye, Mere du Roy Françoys, premier
de ce nom. En laquelle Eglogue sont introduictz deux
Pasteurs Colin d'Anjou & Thenot de Poictou* [121]. Il y a donc
un premier problème, à savoir l'identité des deux « bergers ». Sans doute ces noms désignent-ils des poètes réels.
Qu'il en soit ainsi, la variante du titre dans l'édition princeps, l'*Adolescence Clementine* du 9 août 1532, nous
l'assure : *Eglogue sur le trespas de treshaulte & tresillustre Pincesse* (sic), *Madame Loyse de Savoye, jadis mere du
Roy Françoys, premier de ce nom. En laquelle Eglogue
sont introduictz deux Pasteurs. Cest assavoir Colin Daniou*

---

25 septembre (B.N., ms fr. 2947, f° 16) et par Sanuto, *Diarii*, LV,
col. 47, 65-66. Il existe une autre lettre du roi, à Charles-Quint
(B.N., ms Du Puy, 547), annonçant cet événement. Excepté le
*Journal d'un Bourgeois de Paris*, tous les documents placent
l'événement à Grez.
119. Voir A. Hulubei, *L'Eglogue en France au seizième siècle*,
Paris, Droz, 1938, 2 vol.
120. Voir A. Hulubei, ouvr. cit., p. 209-217.
121. *Œuvres lyriques*, LXXXVII.

& *Thenot de Poictou. Poetes contemporains de Lautheur.*
Il est malheureusement difficile de les identifier avec précision. « Colin » est probablement Germain Colin qui allait
être condamné pour hérésie, mais dont on ne sait que peu
de choses [122]. Thenot d'autre part a été identifié par plusieurs critiques avec Etienne du Temple dont on ne connaît
pas un seul poème [123], et par d'autres [124] avec Antoine
Macault, valet de chambre du roi et ami de Marot [125].

On a longtemps cru que ce poème était une imitation
plus ou moins servile de la cinquième églogue de Virgile.
Il n'en est rien [126]. Marot a mis à contribution premièrement
le créateur du genre, Théocrite, dont il imite la première
Idylle, et aussi un poème attribué à Moschos, le *Chant
funèbre en l'honneur de Bion* [127]. Et c'est directement et
non pas à travers la cinquième églogue de Virgile que
Marot s'est inspiré de ces poèmes grecs. L'ouvrage de Virgile étant imité de près des deux pièces grecques en question, il est évidemment malaisé de prouver que Marot a
puisé tel ou tel détail à sa source même plutôt que de le
prendre dans l'adaptation latine ; pourtant la comparaison
des textes montre que dans la plupart des cas les vers de
l'églogue française ressemblent plus à ceux de Théocrite
et de Moschos qu'à ceux de Virgile. Ainsi l'espèce de
refrain :

    Sus donc, mes Vers, chantez chants doloreux [128]

qui, avec ses variantes :

    Chantez, mes Vers ! Chantez douleur amere [129] !
    Chantez, mes Vers, chantez dueil ordonné [130] !

-----

122. Voir *La Religion de Marot*, ouvr. cit., p. 66, n° 107.
123. Voir P. Villey, *Marot et Rabelais*, ouvr. cit., p. 76, n° 5.
124. Becker, ouvr. cit., p. 262.
125. Voir *Les Epîtres*, p. 67-68.
126. Sur ce point voir A. Hulubei, *loc. cit.*
127. *Bucoliques grecs*, éd. Ph.E. Legrand, Collection des Universités de France, Paris, Les Belles Lettres, 1925, t. II.
128. *Œuvres lyriques*, LXXXVII, v. 50.
129. *Ibid.*, v. 64.
130. *Ibid.*, v. 96.

Chantez, mes Vers, chantez : Adieu liesse [131] !
Chantez, mes Vers, chantez douleur encore [132] !
Chantez, mes Vers, fresche douleur conceue [133] !
Cessez, mes Vers, cessez de vous douloir [134] !
Cessez, mes Vers, cessez icy voz plaindz [135] !

est plus proche des refrains de Théocrite :

Commencez, Muses bien aimées, commencez le
chant bucolique [136]

et

Arrêtez, Muses, il est temps, arrêtez le chant bucolique [137]

ou encore du refrain très semblable dans le *Chant funèbre
en l'honneur de Bion* :

Commencez, Muses de Sicile, commencez à mener
le dueil [138]

que de l'adaptation faite par Virgile de ces modèles grecs :

Incipe Maenalios mecum, mea tibia, uersus [139].

De même la comparaison entre le berger et Pan comme
musiciens :

Quant à chansons, tu y besongneroys
De si grand art, s'on venoit à contendre,

---

131. *Ibid.*, v. 132.
132. *Ibid.*, v. 156.
133. *Ibid.*, v. 189.
134. *Ibid.*, v. 216.
135. *Ibid.*, v. 260.
136. *Bucoliques grecs*, éd. Ph.-E. Legrand, éd. cit., t. I, *Théocrite, Idylle I*, v. 64, 70, 73, 76, 79 et 84.
137. *Ibid.*, v. 131, 137 et 142.
138. Ed. cit., v. 8, 13, 19 et *passim*.
139. Virgile, *Bucoliques*, éd. E. de Saint-Denis, Collection des
Universités de France, Paris, Les Belles Lettres, 1942, V (p. 59),
v. 21.

> Que quand sur Pan rien tu ne gaigneroys,
> Pan dessus toy rien ne pourroit pretendre [140].

et l'idée du concours de chansons entre les bergers et d'un enjeu à gagner :

> S'il gaigne en pris ung beau Frommage tendre,
> Tu gaigneras ung pot de Laict caillé ;
> Ou si le Laict il ayme plus cher prendre,
> A toy sera le Frommage baillé [141].

sont imitées de Théocrite :

> ... μετὰ Πᾶνα τὸ δεύτερον ἆθλον ἀποισῇ

Après Pan, tu remporteras le second prix [142].

> ... Αἰ δέ κ' ἀείσῃς
> ὡς ὅκα τὸν Λιβύαθε ποτὶ Χρόμιν ᾆσας ἐρίσδων,
> αἶγά τέ τοι δωσῶ διδυματόκον ἐς τρὶς ἀμέλξαι,
> ἃ δὺ' ἔχοισ' ἐρίφως ποταμέλγεται ἐς δύο πέλλας,
> καὶ βαθὺ κισσύβιον κεκλυσμένον ἀδέι κηρῷ,
> ἀμφῶες, νεοτευχές, ἔτι γλυφάνοιο ποτόσδον.

Et, si tu chantes comme le jour où tu as disputé le prix du chant au Libyen Chromis, je te donnerai pour la traire trois fois une chèvre doublement mère, qui, bien qu'elle nourrisse deux chevreaux, rend à la traite encore deux pots de lait. Je te donnerai aussi un vase en bois, profond, enduit de cire odorante, un vase à deux oreilles, nouvellement façonné et qui sent encore le ciseau.

> Τῶ μὲν ἐγὼ πορθμῆϊ Καλυδνίῳ αἶγα τ' ἔδωκα
> ὦνον καὶ τυρόεντα μέγαν λευκοῖο γάλακτος.

En paiement de ce vase, j'ai donné à un batelier des Calydnes une chèvre et un gros fromage de lait blanc [143].

---

140. *Œuvres lyriques*, LXXXVII, v. 9-12.
141. *Ibid.*, v. 13-16.
142. Ed. cit., v. 3.
143. *Ibid.*, v. 23-28, et 57-58.

Enfin l'invocation à Pan de chanter la défunte :

> Vien, le dieu Pan, vien plustost que l'Aronde !
> Pars de tes Parcs, d'Archadie desplace !
> Cesse à chanter de Syringue la blonde !
> Approche toy, & te metz en ma place
> Pour exalter avec meilleure grace
> Celle de qui je me suis entremys [144] ;

vient également de Théocrite :

> ῏Ω Πὰν Πάν, εἴτ' ἐσσὶ κατ' ὤρεα μακρὰ Λυκαίω,
> εἴτε τύγ' ἀμφιπολεῖς μέγα Μαίναλον, ἔνθ' ἐπὶ νᾶσον
> τὰν Σικελάν, Ἑλίκας δὲ λίπε ῥίον αἰπύ τε σᾶμα
> τῆνο Λυκαονίδαο, τὸ καὶ μακάρεσσιν ἀγητόν.
>
> Λήγετε βουκολικᾶς, Μοῖσαι, ἴτε, λήγετ' ἀοιδᾶς.
> ἔνθ', ὦναξ, καὶ τάνδε φέρευ πακτοῖο μελίπνουν
> ἐκ κηρῶ σύριγγα καλὰν περὶ χεῖλος ἑλικτάν.

> O Pan, Pan, que tu sois sur le haut mont Lycée,
> que tu battes le grand Ménale, viens en Sicile,
> loin du sommet d'Hélice et du tertre escarpé
> du fils de Lycaon, que les dieux même admirent.
> Arrêtez, Muses, il est temps, arrêtez le chant bucolique.
> Viens, roi, prends ma syrinx que lie l'épaisse cire,
> à l'haleine de miel, épousant bien la lèvre ;

Mais alors que chez Théocrite la syringue est un instrument de musique, Marot, se souvenant d'Ovide en fait la nymphe aimée par Pan, et qui, pour s'échapper de lui, se changea en un roseau dont Pan fit sa flûte [145].

Certains des passages cités peuvent être inspirés du *Chant funèbre en l'honneur de Bion* aussi bien que de Théocrite [146]. D'autres semblent bien être imités exclusivement de ce poème. Ainsi dans la description du deuil universel amené par la mort de Louise [147] la chute des feuilles et des fruits :

---

144. *Œuvres lyriques*, LXXXVII, v. 245-250.
145. Ed. cit., v. 123-129. Cf. Ovide, Métamorphoses, I, v. 691.
146. Voir plus haut, p. 200.
147. *Œuvres lyriques*, LXXXVII, v. 97-189.

> Mais les fors Ventz encores en souspirent ;
> Fueilles & Fruictz des arbres abbatirent [148] ;

est inspiré des vers grecs :

> ... Σῷ δ' ἐπ' ὀλέθρῳ
> δένδρεα καρπὸν ἔριψε, τὰ δ' ἄνθεα πάντ' ἐμαράνθη.

A cause de ta mort, les arbres ont laissé choir leurs fruits, les fleurs se sont toutes flétries [149].

et le chant des cygnes :

> Et sur son eau chantent de jour & de nuyct
> Les Cignes blancs dont toute elle est couverte,
> Pronostiquans en leur chant, qui leur nuyt,
> Que Mort par mort leur tient sa porte ouverte [150].

reproduit les vers :

> Στρυμόνιοι μύρεσθε παρ' ὕδασιν αἴλινα κύκνοι,
> καὶ γοεροῖς στομάτεσσι μελίσδετε πένθιμον ᾠδάν
> οἵαν δὴ ἑτέροις ποτὶ κήδεσι γῆρυς ἄειδεν.

Cygnes du Strymon, faites le long du fleuve retentir de tristes accents ; de vos bouches plaintives faites entendre un chant lugubre, tel que déjà dans un autre deuil en chantait votre voix [151].

Cependant, à cette contamination grecque et latine Marot a mêlé des emprunts à des contemporains italiens, Sannazaro et Alamanni, et surtout l'imitation de son prédécesseur Jean Lemaire de Belges. Le résultat de ce mélange est parfois curieux. Plus d'une centaine de vers de l'églogue sont consacrés à décrire le deuil dans lequel la mort de Louise a jeté l'univers tout entier. Au fond ce thème est parfaitement traditionnel, surtout sous sa forme d'invocation aux éléments de pleurer le défunt [152]. On le trouve dans

---

148. *Ibid.*, v. 100-101.
149. *Chant funèbre en l'honneur de Bion*, ouvr. cit., v. 31-32.
150. *Œuvres lyriques*, LXXXVII, v. 165-168.
151. *Chant funèbre en l'honneur de Bion*, ouvr. cit., v. 14-16.
152. Voir plus haut, p. 48.

la plupart des Complaintes composées par les Rhétoriqueurs du quinzième siècle. Aussi est-ce au *Temple d'Honneur et de Vertu* de Jean Lemaire que le passage en question semble emprunté à première vue [153]. Mais Marot a pu trouver la même idée beaucoup mieux exprimée dans la première *Idylle* de Théocrite et dans le *Chant funèbre en l'honneur de Bion*, et si parfois il semble suivre Jean Lemaire, on trouve assez souvent l'écho des bucoliques grecs :

> Biches & Cerfz estonnez s'arresterent ;
> Bestes de proye & Bestes de pasture,
> Tous Animaulx Loyse regretterent,
> Exceptez Loups de Maulvaise nature.
>     Tant (en effect) griefve fut la poincture,
> Et de malheur l'adventure si pleine
> Que le blanc Lys en print noire taincture
> Et les Trouppeaux en portent noire Laine ;
>     Sur Arbre sec s'en complaint Philomene ;
> L'aronde en faict cryz piteux & tranchans,
> La Tourterelle en gemit & en meine
> Semblable dueil ; & j'accorde à leurs chants [154].

La source de ces vers se trouve sûrement, plutôt que chez Jean Lemaire, dans ces passages de Théocrite et de Moschos :

> Τῆνον μὰν θῶες, τῆνον λύκοι ὠρύσαντο,
> τῆνον χὠκ δρυμοῖο λέων ἔκλαυσε θανόντα.
>     Les chacals le pleurèrent, le pleurèrent les loups ;
> du fond du bois le lion gémit de son trépas [155].

> Αἴλινά μοι στοναχεῖτε, νάπαι καὶ Δώριον ὕδωρ,
> καὶ, ποταμοί, κλαίοιτε τὸν ἱμερόεντα Βίωνα.
> Νῦν, φυτά, μοι μύρεσθε, καὶ, ἄλσεα, νῦν γοάοισθε·
> ἄνθεα, νῦν στυγνοῖσιν ἀποπνείοιτε κορύμβοις·
> νῦν, ῥόδα, φοινίσσεσθε τὰ πένθιμα, νῦν, ἀνεμῶναι·

---

153. Voir *Œuvres lyriques*, p. 328, n. 2.
154. *Œuvres lyriques*, LXXXVII, v. 117-128.
155. Théocrite, *Idylle I*, v. 71-72.

νῦν, ὑάκινθε, λάλει τὰ σὰ γράμματα καὶ πλέον αἰαῖ
λάμβανε τοῖς πετάλοισι· καλὸς τέθνακε μελικτάς.

"Αρχετε, Σικελικαί, τῷ πένθεος ἄρχετε, Μοῖσαι.

'Αδόνες αἱ πυκινοῖσιν ὀδυρόμεναι ποτὶ φύλλοις,
νάμασι τοῖς Σικελοῖς ἀγγείλατε τᾶς 'Αρεθοίσας
ὅττι Βίων τέθνακεν ὁ βουκόλος, ὅττι σὺν αὐτῷ
καὶ τὸ μέλος τέθνακε καὶ ὤλεοτο Δωρὶς ἀοιδά

Gémissez tristement, vallons, onde dorienne ; et
vous, fleuves, pleurez l'aimable Bion. Maintenant,
plantes, affligez-vous ; maintenant, lamentez-vous,
bocages ; fleurs, que votre parfum s'exhale maintenant de grappes attristées ; maintenant, que votre
pourpre exprime le deuil, roses et anémones ; maintenant, hyacinthe, profère ce que tu portes écrit, et
reçois plus d' « hélas » sur tes pétales ; il est mort,
l'excellent musicien.

Commencez, Muses de Sicile, commencez à mener le
deuil.

Rossignols, qui sanglotez dans le feuillage épais,
annoncez aux flots siciliens d'Aréthuse que Bion le
bouvier est mort, et qu'avec lui la poésie est morte,
perdu le chant dorien.

'Αδονίδες πᾶσαί τε χελιδόνες, ἅς ποκ' ἔτερπεν,
ἃς λαλέειν ἐδίδασκε, καθεζόμεναι ποτὶ πρέμνοις
ἀντίον ἀλλάλαισιν ἐκώκυον, αἵ δ' ὑπεφώνευν.

"Ορνιθες, λυπεῖσθ', αἱ πενθάδες. 'Αλλα καὶ ὑμεῖς.

Tous les rossignols, toutes les hirondelles, que
naguère il charmait, à qui il apprenait à gazouiller,
posés sur les rameaux, se lamentaient les uns en face
des autres et se donnaient la réplique : « Gémissez,
oiseaux endeuillés. » « Et vous aussi, gémissez [156].

Plusieurs fois la tentative d'unir ces éléments dispa-
rates mène Marot à un lamentable échec. S'inspirant des
vers dans le *Chant funèbre en l'honneur de Bion* où les

---

156. *Chant funèbre en l'honneur de Bion,* ouvr. cit., v. 1-12,
et 46-49.

villes du monde grec pleurent la mort du poète [157], il suit,
par malheur, Jean Lemaire qui, dans ses *Chansons de
Namur,* avait énuméré, avec force allitérations, villes et
provinces :

> Par ainsi doncq Brabant plus ne braira
> Puisque François Namur guieres n'admire,
> Haynau les het, Ardenne les ardra,
> Bourgoigne boult, mais Artois attendra
> Qu'ils ayent eu, par l'empire du pire.
> Ytalle taille, et Constance conspire ;
> Mais que sans plus lors des Flamengs flamboie,
> France est en frische et Gheldres qui guerroie [158].

ce qui nous vaut les vers si souvent cités contre Marot :

---

**157.** Πᾶσα, Βίων, θρηνεῖ σε κλυτὴ πόλις, ἄστεα πάντα.
'Άσκρα μὲν γοάει σε πολὺ πλέον 'Ησιόδοιο·
Πίνδαρον οὐ ποθέουντι τόσον Βοιωτίδες ὗλαι·
οὐ τόσον 'Αλκαίῳ περιμύρατο Λέσβος ἐραννά·
οὐδὲ τόσον τὸν ἀοιδὸν ὀδύρατο Τήιον ἄστυ·
σε πλέον 'Αρχιλόχοιο ποθεῖ Πάρος· ἀντὶ δὲ Σαπφοῦς
εἰσέτι σεῦ τὸ μέλισμα κινύρεται ἁ Μυτιλάνα·
εἰ δὲ Συρακοσίοισι Θεόκριτος. Αὐτὰρ ἐγώ τοι
Αὐσονικᾶς ὀδύνας μέλπω μέλος, οὐ ξένος ᾠδᾶς
βουκολικᾶς, ἀλλ' ἅντε διδάξαο σεῖο μαθητάς
κλαρονόμος μοίσας τᾶς Δωρίδος, ἅ με γεραίρων
ἄλλοις μὲν τεὸν ὄλβον, ἐμοὶ δ' ἀπέλειπες ἀοιδάν.

*Chant funèbre en l'honneur de Bion,* ouvr. cit., v. 86-98.
Toute cité fameuse, Bion, toutes les villes te pleurent.
Ascra s'afflige pour toi bien plus que pour Hésiode ; les
forêts béotiennes regrettent moins Pindare ; la gracieuse
Lesbos n'a pas tant gémi pour Alcée, ni la ville de Téos
ne s'est tant lamentée sur son poète ; Paros te regrette
plus qu'Archiloque ; et, au lieu de Sappho, c'est ton chant
disparu que déplore encore Mytilène ; tu es pour les Syra-
cusains Théocrite. Et moi, en ton honneur, j'exprime par
mon chant la douleur d'Ausonie, — moi qui ne suis pas
étranger au poème bucolique, héritier de la Muse
dorienne, que tu as enseignée à tes disciples, moi à qui
tu laissas en présent l'art du chant, tandis que tu laissais
à d'autres ta fortune.

**158.** Jean Lemaire de Belges, *Les chansons de Namur, Œuvres,*
éd. Stécher, t. IV, p. 305.

Rien n'est ça bas qui ceste mort ignore ;
Coignac s'en coigne en sa poictrine blesme,
Rommorantin la perte rememore,
Anjou faict jou, Angolesme est de mesme,
    Amboyse en boyt une amertume extreme,
Le Meine en maine ung lamentable bruyt,
La pauvre Touvre arrousant Angolesme
A son pavé de Truites tout destruict [159].

La réprobation a commencé dès le XVIII<sup>e</sup> siècle, quand, en 1769, l'historien Gaillard écrit :

> Marot sans doute n'a pas le ton de son sujet, lorsqu'à propos de la mort de la Duchesse d'Angoulême il fait *cogner Cognac & rememorer à Remorantin* (sic) cette perte [160].

Depuis, cette condamnation a été reproduite sans la moindre atténuation, sans la moindre nuance. Il n'est certes pas question de déclarer ces vers autres qu'exécrables ; toutefois on peut comprendre que dans ce qui est sans le moindre doute une vaste tentative de synthèse entre la littérature gréco-latine et celle des Rhétoriqueurs, il est clairement arrivé à Marot de se pencher trop du côté de ces derniers.

Le poème présente d'autres exemples de cette synthèse où l'effet est moins déplaisant. Vers la fin du poème Marot nous montre Louise aux Champs-Elysées :

Non taisez vous, c'est assez deploré ;
Elle est aux champs Elisiens receue,
Hors des travaulx de ce Monde esploré.
    Là où elle est n'y a rien defloré ;
Jamais le jour & les plaisirs n'y meurent ;
Jamais n'y meurt le Vert bien coloré,
Ne ceulx avec qui là dedans demeurent,
    Car toute odeur Ambrosienne y fleurent,
Et n'ont jamais ne deux ne troys saisons,

---

159. *Œuvres lyriques*, LXXXVII, v. 157-164.
160. G.H. Gaillard, *Histoire de François Premier, roi de France, dit le grand roi et le père de lettres*, Paris, 8 vol., 1769 ; t. VIII, p. 25.

Mais ung Printemps, & jamais ilz ne pleurent
Perte d'Amyz ainsi que nous faisons.
   En ces beaulx Champs & nayves maisons
Loyse vit sans peur, peine ou mesaise.
Et nous, ça bas, pleins d'humaines raisons,
Sommes marriz (ce semble) de son aise.
   Là ne voyt rien qui en rien luy desplaise,
Là mange fruict d'inestimable pris,
Là boyt liqueur qui toute soif appaise,
Là congnoistra mille nobles espritz,
   Tous Animaulx plaisans y sont compris,
Et mille Oyseaulx y font joye immortelle,
Entre lesquelz volle par le pourpris
Son Pagegay qui partit avant elle.
   Là elle voit une lumiere telle
Que pour la veoir mourir devrions vouloir.
Puis qu'elle a doncq tant de joye eternelle.
Cessez, mes Vers, cessez de vous douloir [161] !

L'idée de la déification du héros mort vient de la cinquième églogue de Virgile, mais Marot, tout en suivant le
poète latin, se souvient, pour le détail, de Jean Lemaire,
mais cette fois des *Epîtres de l'Amant vert,* et cela avec
bonheur.

De même dans l'invocation aux nymphes de décorer de
fleurs la tombe de la défunte :

   Portez au bras chascune plein Coffin
D'herbes & fleurs du lieu de sa naissance,
Pour les semer dessus son Marbre fin,
Le mieulx pourveu dont ayons congnoissance !
   Portez Rameaulx parvenus à croissance,
Laurier, Lierre & Lys blancs honnorez,
Rommarin vert, Roses en abondance,
Jaulne Soulcie & Bassinetz dorez,
   Passeveloux de Pourpre colorez,
Lavande franche, Œilletz de couleur vive,
Aubepins blancs, Aubefains azurez,
Et toutes fleurs de grand beaulté nayve !
   Chascune soit d'en porter ententive !
Puis sur la Tombe en jectez bien espays !

---

161. *Œuvres lyriques,* LXXXVII, v. 190-216.

Et n'oubliez force branches d'Olive,
Car elle estoit la Bergere de Paix [162],

Marot imite à la fois la deuxième églogue de Virgile :

Huc ades, o formose puer : tibi lilia plenis
ecce ferunt Nymphae calathis ; tibi candida Nais,
pallentis uiolas et summa papauera carpens,
narcissum et florem iungit bene olentis anethi ;
tum, casia atque aliis intexens suauibus herbis,
mollia luteola pingit uaccinia calta.
Ipse ego cana legam tenera lanugine mala,
castaneasque nuces, mea quas Amaryllis amabat ;
addam cerea pruna ; honos erit huic quoque pomo ;
et uos, o lauri, carpam, et te, proxima myrte,
sic positae quoniam suauis miscetis odores [163].

et l'*Arcadia* de Sannazaro :

ad invidia deiquali le convicine nymphe da te per
adrieto tanto amare & verite vengono ora tutte con
canestri bianchissimi pieni di fiori & de pomi odoriferi
arenderti ireceuti honori [164].

Ce poème, qui depuis deux siècles passe pour un des
plus médiocres de la plume de Marot, et qui à vrai dire
sert toujours d'arme aux détracteurs de notre poète, est au
fond une composition savante d'un intérêt passionnant
pour l'étude de la Renaissance et du renouveau de la poésie
française. Il convient d'insister sur le fait que la première
églogue française contient des passages très beaux, que ce
soient les guirlandes de fleurs médiévales ou les concours
de chant des bergers grecs. Terminons l'étude de cette
pièce en soulignant son aspect de synthèse et de contamination qui est, à vrai dire, ce qu'elle offre de plus intéressant. Marot a essayé d'y traiter un certain nombre de
thèmes poétiques les plus vieux et les plus beaux, d'en

---

162. *Œuvres lyriques*, LXXXVII, v. 225-240.
163. Ouvr. cit., p. 30, v. 45-55.
164. *Libro Pastorale Nominale Arcadio* (*sic*), Venise, 1502,
f° CIII v°.

trouver les sources les meilleures et de les exprimer sous
une forme respectant autant que possible la tradition, tout
en la brisant à bien des points de vue. L'image de la briè-
veté de la vie humaine, image à laquelle Catulle a donné
sa meilleure expression :

> Soles occidere et redire possunt ;
> Nobis cum semel occidit breuis lux,
> nox est perpetua una dormienda [165]

et qui, à travers Horace, passera à Ronsard :

> La lune est coustumiere
> De naistre tous les mois,
> Mais quand nostre lumiere
> Est esteinte une fois,
> Longuement sans veiller
> Il nous faut sommeiller [166].

cette image se trouve dans la première églogue de Marot :

> D'où vient cela qu'on veoit l'herbe sechante
> Retourner vive alors que l'Esté vient ?
> Et la personne au Tombeau trebuchante,
> Tant grande soit, jamais plus ne revient [167] ?

Seulement Marot s'inspire ici de ce qui est probablement
la source de Catulle, à savoir le *Chant funèbre en l'honneur
de Bion* :

> Αἰαῖ, ταὶ μαλάχαι μέν, ἐπὰν κατὰ κᾶπον ὄλωνται
> ἠδὲ τὰ χλωρὰ σέλινα τό τ' εὐθαλὲς οὖλον ἄνηθον
> ὕστερον αὖ ζώοντι καὶ εἰς ἔτος ἄλλο φύοντι·
> ἄμμες δ' οἱ μεγάλοι καὶ καρτεροί, οἱ σοφοὶ ἄνδρες,
> ὁππότε πρᾶτα θάνωμες, ἀνάκοοι ἐν χθονὶ κοίλᾳ
> εὕδομες εὖ μάλα μακρὸν ἀτέρμονα νήγρετον ὕπνον.

---

165. Catulle, *Poésies*, éd. cit., 5, v. 4-6.
166. Ode v, *A sa maistresse*.
167. *Œuvres lyriques*, LXXXVII, v. 177-180.

Hélas ! les mauves, quand elles se sont flétries dans
le jardin, l'ache verdoyante, l'aneth florissant et frisé,
revient de nouveau et poussent une autre année. Mais
nous, les grands, les forts, nous les hommes si sages,
dès la première atteinte de la mort, sourds, au creux
du sol nous dormons un long somme, sans fin et sans
réveil [168].

Le troisième genre nouveau créé par Marot dans cette
période est le *coq-à-l'âne*. C'est au printemps de l'année
1531 que le poète composa le premier *coq-à-l'âne* sous le
titre de *L'epistre du Coq en l'Asne à Lyon Jamet de Sansay
en Poictou* [169]. A propos de ce genre trois problèmes se

---

168. *Chant funèbre en l'honneur de Bion*, ouvr. cit., v. 99-104.
169. *Œuvres satiriques*, VII. La date exacte de ce poème a
longtemps été débattue. Villey l'a daté du commencement de
l'année 1530 (*Recherches sur la chronologie des œuvres de
Marot*, B.d.B., 1920-21, p. 10-13), mais si le gel printanier auquel
le v. 24 fait allusion eut lieu au mois d'avril 1530, la descente de
la châsse de saint Marceau mentionnée au v. 119 se place le
10 janvier 1531 n.s. Les raisons de Villey sont du reste des plus
faibles, étant basées presque entièrement sur un coq-à-l'âne par
Lyon Jamet, qui semble être la réponse au poème de Marot et
qui, selon Villey, a dû suivre de près le poème de Marot, ce
qui de toute manière n'est nullement certain. Guiffrey, qui a
publié cette pièce (III, 244) l'avait datée de 1533 puisqu'elle contient une allusion à l'emprisonnement de Laurent Meigret (en
fait ce dernier fut arrêté au mois de mars 1532 n.s. ; voir *Cat.
des Actes*, VII, 697, n° 28417). Pourtant Villey prétend que le
poème de Jamet est du printemps de 1530, attendu qu'on y
trouve une allusion au bombardement de Florence par le pape,
qui eut lieu le 15 mars 1530. Selon Villey cette mention perdrait
toute signification si la pièce n'avait pas suivi de près l'événement. Mais notons que le coq-à-l'âne de Marot contient une allusion à l'emprisonnement du poète en 1526. Ph.A. Becker en avait
conclu que la pièce datait de cette année, au sujet de quoi Villey
a observé avec raison : « ... on ne voit pas pourquoi dans une
pièce satirique Marot ne se serait pas, à quatre ans de distance,
souvenu d'un événement où il avait couru de grands périls. »
Ajoutons que, dans le deuxième coq-à-l'âne, Marot évoque la
bataille de Pavie, vieille alors de onze ans ! Dans ces conditions,
l'argument de Villey concernant la réponse de Jamet perd toute
sa valeur. Pour ce qui est de l'emprisonnement de Laurent Meigret, Villey énonce l'hypothèse gratuite : « Il n'est aucunement
invraisemblable que vers 1530 l'aventurier Laurent Meigret ait

posent, à savoir la définition du genre, son invention et son origine.

Pour ce qui est de sa définition, notons que de ses quatre *coq-à-l'âne*, seul le premier fut publié par le poète lui-même, et rangé parmi les épîtres. Ce poème est adressé nommément à un personnage, l'ami du poète, Lyon Jamet. Il en est de même des trois autres *coq-à-l'âne* de Marot qui ont le même destinataire. Le *coq-à-l'âne* se rattache ainsi au genre épistolaire. La mention précise, soit dans le titre, soit dans le corps du poème, du lieu et de la date de composition, confirme bien qu'il s'agit d'une espèce de lettre. Ajoutons que dans chaque *coq-à-l'âne* le poète donne de ses nouvelles et en demande à son ami. Cependant ces rapports sont purement fictifs. D'abord il est impossible d'admettre que le fait d'adresser le poème à une personne précise soit autre chose qu'un simple jeu. En effet si Marot, à la fin du premier *coq-à-l'âne*, invite Lyon Jamet à lui répondre, quatre ans plus tard, lorsqu'il écrit pour son ami le second, il prétend attendre toujours cette réponse ! D'ailleurs, au moment d'écrire cette deuxième pièce, et probablement aussi pendant la composition de la première, Marot et son ami se trouvaient ensemble à Paris, puis à Ferrare. Correspondre, se donner des nouvelles

---

eu à subir un premier emprisonnement, ou simplement que le bruit de son emprisonnement ait couru à cette date. » Remarquons que Laurent Meigret n'était pas un aventurier, mais un banquier fort opulent, valet de chambre de François Ier et fort bien en cour, jusqu'à ce que sa richesse le désignât comme victime à la rapacité d'Anne de Montmorency (voir A. François, *Le magnifique Meigret, valet de chambre de François Ier, ami de Marot*, ouvr. cit.). De toute manière, si on croit avec Villey que la réponse de Jamet est peu postérieure au 15 mars 1530, il faudrait conclure que le poème de Marot fut écrit avant cette date, et dans ce cas l'allusion au gel printanier ne s'expliquerait pas, puisqu'il eut lieu au mois d'avril 1530 !

Résumons. La réponse de Jamet se place certainement après l'arrestation de Meigret (mars 1532). Rien n'empêche donc d'admettre que le poème de Marot fut écrit après la procession de la châsse de saint Marceau du 10 janvier 1531 n.s. La composition du premier coq-à-l'âne se place donc entre le 10 janvier 1531 et le mois d'avril 1531 quand Marot tomba malade de la peste (voir *Les Epîtres*, p. 171, n. 1).

n'étaient donc qu'une fiction. Même remarque pour la précision de la date et du lieu. Ainsi le troisième *coq-à-l'âne*
porte le titre suivant : *Du coq à l'asne faict à Venise par
ledict Marot le dernier jour de juillet MVCXXXVI.* Ce
poème date effectivement de l'été 1536, mais la date
exacte du 31 juillet semble n'être qu'une fantaisie [170]. Ajoutons que les imitateurs de Marot l'ont tous suivi dans cette
précision comique de la date qui devient une des règles
du genre. Aussi les nouvelles, les allusions aux faits du
jour, sont-elles loin de représenter une espèce de chronique — ce qui serait le cas dans une lettre — mais se
composent de remarques satiriques et de récits burlesques.
Par conséquent le *coq-à-l'âne* peut être considéré comme
une parodie de l'épître, comme une pseudo-épître, mais il
est impossible de faire du *coq-à-l'âne* une épître tout court.

Il n'est donc pas surprenant que les auteurs d'arts poétiques du milieu du siècle — qu'ils s'y montrent favorables
ou hostiles — s'accordent à voir dans le *coq-à-l'âne* un
genre à part. Thomas Sebillet consacre tout un chapitre de
son *Art poétique françoys* au *coq à l'âne* et l'assimile, de
la façon la plus formelle, à la satire littéraire :

> Car a la vérité lés Satyres de Juvénal, Perse, et
> Horace, sont Coqs a l'asne Latins : ou a mieus dire,
> lés Coqs a l'asne de Marot sont pures Satyres Fran-
> çoises [171].

Du Bellay, il est vrai, paraît hostile au *coq-à-l'âne,* mais ce
qu'il condamne comme inepte dans la *Deffence et Illustration de la langue françoise* n'en est que la dénomination et
non le genre lui-même :

> Autant te dy je des satires, que les François, je ne
> sçay comment, ont appelées coqs à l'asne, esquels je
> ne te conseille aussi peu t'exercer que je te veux aliéné

---

170. Il est même improbable que le poème fût composé ce
jour-là. Il contient une allusion à l'invasion de la Provence par
les Impériaux (v. 182-183). Cet événement eut lieu le 25 juillet
1536. Peut-on imaginer que Marot, à Venise, en fût informé en
un délai si bref ?
171. T. Sebillet, *Art poétique françoys,* ouvr. cit., p. 167-168.

de mal dire : si tu ne voulais, à l'exemple des anciens,
en vers heroiques (c'est à dire de dix à onze, et non
seulement de huit à neuf) sous le nom de satyre, et
non de cette inepte appellation de coc à l'asne, taxer
modestement les vices de ton temps, et pardonner au
nom des personnes vicieuses [172].

Autrement dit, Du Bellay, comme Sebillet, considère le *coq-à-l'âne* comme la forme française de la satire.

Dans le *Quintil Horatian*, pédantesque réponse à la *Deffence et Illustration*, Barthélemy Aneau entreprend de défendre l'appellation de *coq-à-l'âne*. Son style obscur a compliqué le problème, puisqu'on a pensé longtemps qu'Aneau entendait condamner l'expression « coq-à-l'âne » en faveur de celle d' « épître du coq à l'âne » :

> Coqz à l'Asne sont bien nommez per leur bon par-
> rain Marot, qui nomma le premier, non Coq à l'asne,
> mais Epistre du Coq à l'Asne, le nom prins sur le
> commun proverbe Françoys : saulte du Coq à l'Asne,
> et le proverbe sur les Apoloques. Lesquelles vulga-
> ritez à nous propres tu ignores, pour les avoir despri-
> sées, cherchant autre part l'ombre dont tu avois la
> chair. Et puis temerairement tu reprens ce que tu ne
> scais. Parquoy pour leurs propos ne s'entresuyvans,
> sont bien nommés du Coq à l'Asne telz Enigmes saty-
> ricques, et non Satyres. Car Satyre est autre chose.
> Mais ilz sont satyrez non pour la forme de leur fac-
> ture, mais pour la sentence redarguante à la manière
> des satyres Latines. Combien que telz propos du Coq
> à l'asne peuvent bien estre adressez à autres argumens
> que satyricques, comme les *Absurda* de Erasme, la
> farce du sourd et de l'aveugle, de l'Ambassade des
> Cornardz de Rouan [173].

On sait aujourd'hui que le but principal de ce passage est de distinguer le *coq-à-l'âne* de la *satyre*, qui était, selon

---

172. *La Deffence et Illustration de la langue françoise*, éd. Chamard, S.T.F.M., Paris, 1948, p. 118-119.
173. *La Deffence et Illustration de la langue françoise*, ouvr. cit., p. 281, n. 1.

Donatus et d'autres théoriciens, un genre dramatique grec qu'Aneau entendait faire revivre [174]. Il avait composé, en 1542, une pièce intitulée *Lyon marchant, Satyre françoise* [175]. Seule cette préoccupation peut expliquer la remarque : « Car Satyre est autre chose », dans le texte du *Quintil*. En ce qui concerne la différence entre les expressions : « Coq à l'Asne » et « Epistre du Coq à l'Asne », tout ce qu'on peut dire, c'est que le texte d'Aneau est ambigu — ne commence-t-il pas lui-même par employer l'expression « Coq à l'Asne » pour proclamer dans la même phrase qu'il faut dire « Epistre du Coq à l'Asne » et non pas « Coq à l'Asne » tout court ? Son argumentation porte uniquement sur l'expression proverbiale d'où le genre a tiré son nom, et point sur la question de savoir si le *coq-à-l'âne* est une épître ou une satire. Aneau s'efforce d'expliquer que le nom du genre est justifié par son incohérence. Il semble condamner ici l'opinion, courante à son époque, selon laquelle il s'agirait d'une épître, adressée par le coq à l'âne, ce qui revient à dire que l'appellation de « coq-à-l'âne » est plus correcte que celle d' « épître du coq à l'âne » ! C'est ce qu'affirme un quatrième théoricien, Jacques Peletier, dans son *Art poétique* où il s'élève contre les

> Rimeurs qui ont fèt courir leurs moqueriees a l'imitacion, ce leur sembloèt, de Clemant Marot : pansans qu'il út fèt un coq ecrivant a un Ane. Mes c'etoét que son Epitre sautoèt du Coq an l'Ane [176].

Remarquons enfin que Marot lui-même se sert de l'expression « coq-à-l'âne » tout court :

> De mon coq à l'asne dernier [177]

---

174. Sur cette question, voir J.W. Jolliffe, *Satyre : Satura :* Σάτυρος , B.H.R., t. XVIII, 1956, p. 84-95. Cf. aussi C.A. Mayer, « *Satyre* » *as a dramatic genre*, B.H.R., t. XIII, 1951, p. 327-333.
175. *Lyon marchant, Satyre françoise*, Lyon, Pierre de Tours, 1542.
176. *L'Art Poétique*, éd. Boulanger, *Publications de la Faculté des Lettres à l'Université de Strasbourg*, fasc. 53, Paris, 1930, p. 184-185.
177. *Le troisième coq-à-l'âne, Œuvres Satiriques*, IX, v. 1.

Tous les théoriciens sont ainsi d'accord sur un point essentiel : le *coq-à-l'âne* est une satire. Peletier et Claude de Boissière sont aussi précis à ce sujet que Sebillet :

> Einsi que de notre tans a fèt Clemant Marot par son Coq a l'Ane, vree espece de Satire [178].

> Coq à l'asne ou bien satyre est composition de propos non liez, convertement reprenant les vices d'un chacun [179].

Nous pouvons donc faire une première conclusion : le *coq-à-l'âne* est une satire française revêtant la forme d'une pseudo-épître. On peut aller plus loin pour essayer de voir la nature du genre. Etant dans une large mesure une parodie du style épistolaire, le *coq-à-l'âne* renferme également des parodies de choses diverses comme proverbes et chansons. Ainsi les vers

> Lyon, Lyon, c'est le secret :
> Aprens tandis que tu es vieulx [180]

viennent d'un verset de l'*Ecclésiastique* passé à l'état de proverbe :

> Mon filz, receois doctrine des ta jeunesse, & tu trouveras sapience jusques en ta vieillesse [181].

Le poète se moque ici du pharisaïsme et de la « sagesse » populaire, montrant cette haine du poncif, du cliché, qui rapproche Marot de l'auteur du *Dictionnaire des idées reçues*. On le voit surtout à ceci que Marot, non content de citer à tort et à travers des proverbes et des sentences bien frappées, en donne certaines de sa propre composition qui sont d'un parfait ridicule, n'étant que de pompeuses affirmations d'une vérité évidente, comme par exemple :

---

178. Ouvr. cit., p. 184.
179. *Art poétique*, 1554, cit. par Chamard, dans Du Bellay, *La Deffence et Illustration de la langue françoise*, éd. cit., p. 118, n. 2.
180. *Œuvres satiriques*, VII, v. 44-45.
181. *L'Ecclésiastique*, 6, 18.

> Il n'est pas possible qu'on sorte
> De ces Cloistres aulcunement,
> Sans y entrer premierement [182].

Ou bien :

> Ung homme ne peult bien escrire
> S'il n'est quelcque peu bon lisart [183].

La caractéristique du *coq-à-l'âne* qu'ont relevée tous les contemporains à l'exclusion de toute autre, c'est, comme nous l'avons vu, l'incohérence. Pourtant, elle est souvent plus apparente que réelle, introduisant, atténuant, voire même cachant des traits satiriques :

> Des nouvelles de pardeça :
> Le Roy va souvent à la chasse,
> Tant qu'il fault descendre la Chasse
> Sainct Marceau pour faire pleuvoir [184].

Saint Marcel avait été évêque de Paris au $v^e$ siècle. Sa châsse se trouvait à Notre-Dame et on lui attribuait le pouvoir, en compagnie avec sainte Geneviève, de ramener la pluie ou le beau temps. Or, la fin de l'année 1530 fut marquée par de fortes pluies donnant lieu à des inondations. Selon le *Journal d'un bourgeois de Paris* :

> Audict an (1530), fut aussi la ville de Rouen en grand danger pour la creue des eaues, mesmement de la riviere, qui fut fort grande, à cause du floc de la mer qui cheut dedans icelle riviere et l'enfla si fort que la riviere vint jusques dedans la ville, qui causa la cheutte de plusieurs maisons.
> En ce mesme temps, la riviere de Loire se desborda aussi si largement qu'elle vint jusque devans l'Hostel de la ville, beaucoup oultre la croix de pierre qui est en Greve, tellement que la grande isle qui est devant les Celestins fut couverte d'eaue, et ne pouvoit on aller aussi par terre à Boullongne ne à Nigeon [185].

---

182. *Œuvres satiriques*, VII, 64-66.
183. *Ibid.*, v. 102-103.
184. *Ibid.*, VII, v. 116-119.
185. *Journal d'un bourgeois de Paris*, ouvr. cit., p. 349.

Ce fut afin d'arrêter ce fléau que, le 10 janvier 1531 n.s., eut lieu une grande procession à Paris [186].

Parfois les allusions sont trop obscures pour nous permettre de les comprendre, comme dans les vers suivants :

> Sabmedy prochain toutesfoys
> On doibt lire la Loy civile,
> Et tant de Veaulx qui vont par Ville
> Seront bruslez sans faulte nulle,
> Car ilz ont Chevauché la Mulle,
> Et la chevauchent tous les jours [187].

La variante des vers 54 et 55 :

> Et le medecin de la ville
> Sera brule sans faulte nulle [188]

semble suggérer qu'il s'agit d'un cas précis, mais aucune découverte ne nous a permis jusqu'à présent de trouver le sens précis de ces vers.

D'autres attaques ou remarques sarcastiques sont pourtant très claires :

> A Romme sont les grands Pardons ;
> Il fault bien que nous nous gardons
> De dire qu'on les appetisse ;
> Excepté que gens de Justice
> Ont le temps apres les Chanoynes.
> Je ne vey jamais tant de Moynes
> Qui vivent & si ne font rien [189].

---

186. Une description détaillée en est donnée dans les *Registres des délibérations du bureau de la ville de Paris*, t. II, éd. A. Tuetey, Paris, 1876, p. 98-99.

187. *Œuvres satiriques*, VII, v. 52-57.

188. Voir *Œuvres satiriques*, p. 114-115.

189. *Ibid.*, VII, v. 11-17. Dans *Le Contrepoison des cinquante deux Chansons de Clement Marot, faulsement intitulées par luy Psalmes de David*, Paris, P. Gaultier, 1562, Artus Desiré cite ces vers et ajoute : « Par ceste mocquerie se declaire vray Lutheriste. Car c'est des premiers erreurs que ledict Luther prescha, pour donner occasion au Peule de ne croire aux ordonnances & puissances de nostre sainct pere le Pape. »

Nous pouvons donc ajouter à la définition du *coq-à-l'âne* en disant que ce genre, chez Marot tout au moins, repose dans une large mesure sur la parodie et l'incohérence. L'étude des deuxième et troisième *coq-à-l'âne* nous permettra d'étendre et d'étoffer cette définition.

Est-ce à Marot que revient l'honneur d'avoir créé ce genre ? On l'a toujours assuré jusqu'à la découverte, par E. Picot, d'une *Epistre de l'asne au coq* d'Eustorg de Beaulieu, publiée en 1537 [190], mais datée dans le texte du mois de mai 1530 :

> Escript d'une plume d'oyson
> A Beaulieu, dedans ta maison,
> L'an qu'on compte mil cinq cens trente
> En may, que le rossignol chante [191].

Récemment H. Meylan, reprenant l'argument de Picot, a réclamé pour Beaulieu l'honneur d'avoir écrit le premier *coq-à-l'âne* [192]. Pourtant, vu le caractère pseudo-épistolaire du *coq-à-l'âne* que nous venons de relever, il est téméraire d'attacher de l'importance aux dates citées dans les *coq-à-l'âne*, puisqu'une des règles du genre semble avoir été de mettre une date exacte soit dans le titre, soit dans le corps du poème. Dans le *deuxième coq-à-l'âne*, Marot avait lancé cette mode :

> Tout beau ! je vous pry, ne bougeons ;
> Vous dictes que ce fut Jeudy.
> Non fais, non. Voyci que je dy [193] :

Ajoutons que le *troisième coq-à-l'âne* de Marot porte le titre suivant : *Du coq à l'asne faict à Venise par ledict Marot le dernier jour de juillet MVCXXXVI*. Bien que ce poème date effectivement de l'été de 1536, nous avons vu [194] qu'il est impossible de voir dans la date exacte du 31 juillet 1536

---

190. *Les divers rapportz*, Lyon, 1537.
191. *Les divers rapportz*, ouvr. cit., f° 92, v. 201-204.
192. *Epîtres du coq-à-l'âne, Travaux d'Humanisme et Renaissance*, Genève, Droz, 1955, p. xix.
193. *Œuvres satiriques*, VIII, v. 152-154.
194. Voir plus haut, p. 214.

autre chose qu'un jeu. Cette constatation doit nous mettre
en garde contre les dates citées dans les *coq-à-l'âne*. La
nature du genre veut qu'elles soient fantaisistes.

Il y a plus. L'épître à Jacques Thibault porte ce titre :
*La Unziesme Epistre, de l'asne au coq.* Elle est précédée,
dans *Les divers rapportz,* par une *Dixième epistre du coq
à l'asne envoyée de par l'aucteur à noble Charlotte de Mau-
mont.* Or pour cette dernière épître nous avons un *termi-
nus a quo* dans les vers 93-4 :

> Car le boyre matin porte heur
> Au dire des Pantagruelistes

puisque l'expression « boire matin porte bonheur » se
trouve dans le *Gargantua* publié vers la fin de 1534, et que
le mot de *Pantagrueliste* montre que c'est bien dans l'ouvrage de Rabelais que Beaulieu a trouvé ce dicton. Autrement dit, cette *dixième épître du coq-à-lâne* n'a pu être
composée avant la fin de 1534. Or, dans *Les divers rapportz*
elle précède l'épître à Jacques Thibault, la *onzième épître,
de l'âne au coq,* datée de mai 1530. Il y a là, sans le moindre
doute, quelque chose de curieux ! Pourquoi Beaulieu, sans
raison visible, renverse-t-il l'ordre de composition de ses
épîtres, appelant dixième une épître écrite au moins quatre
ans après la onzième ? Et pourquoi Beaulieu intitule-t-il sa
première épître du coq-à-l'âne épître de l'âne au coq ? Pour
sortir de cette difficulté on serait forcé d'avoir recours à des
hypothèses gratuites, d'imaginer, par exemple, qu'il a existé,
avant 1530, d'autres *coq-à-l'âne* malheureusement perdus
sans la moindre trace ! L'hypothèse est encore plus gratuite si l'on considère que ces *coq-à-l'âne* supposés ne sont
même pas parvenus aux théoriciens et érudits du XVIᵉ siècle, qui n'en disent pas un mot. Tous s'accordent à voir
dans Marot le créateur du genre, aucun ne semble connaître de *coq-à-l'âne* antérieur à celui de Marot, et aucun n'a
fait mention de Beaulieu [195]. Sebillet, pour commencer, ne
semble admettre de coq-à-l'âne que ceux de Marot :

---

195. Ajoutons que Peletier condamne expressément l'épître de
l'âne au coq comme absurde invention d'imitateurs de Marot.
Cf. *Œuvres satiriques,* p. 33.

... les coqs a l'asne de Marot sont pures Satyres Françoises [196].

Si Du Bellay ne fait pas mention de notre poète, c'est que,
par un parti pris de polémique, il ne nomme que rarement
des auteurs français du xvie siècle. Aneau, de son côté,
déclare nettement que c'est Marot qui a écrit le premier
coq-à-l'âne :

> Coqz à l'Asne sont bien nommez par leur bon par-
> rain Marot, qui nomma le premier [197].

Et Peletier, à son tour :

> Einsi que de notre tans à fèt Clemant Marot par
> son Coq a l'Ane, vree espece de Satire : lui donnant
> ce titre la... [198].

Enfin, le poète lui-même, dans son *premier coq-à-l'âne*, indique clairement qu'il lance un genre nouveau en invitant
Lyon Jamet à le suivre dans la voie qu'il ouvre :

> Or, Lyon, puis qu'il t'a pleu veoir
> Mon Epistre jusques icy,
> Je te supply m'excuser si
> Du Coq à l'Asne voys saultant,
> Et que ta plume en fasse aultant [199].

Pour ce qui est de son origine, on a prétendu que le *coq-
à-l'âne* vient d'un genre poétique du moyen âge appelé
« fatrasie [200] ». Pourtant en dehors de l'incohérence, il est
difficile de voir des ressemblances entre les deux genres [201].

---

196. *Ouvr. cit.*, p. 168.
197. *Ouvr. cit.*, p. 118-119, n. 2.
198. *Ouvr. cit.*, p. 184.
199. *Œuvres satiriques*, VII, v. 120-124.
200. Cette assertion a été répétée par de nombreux érudits, y
compris E. Picot, P. Villey, J. Plattard, P. Jourda et H. Meylan.
La seule tentative d'étudier le problème en quelque détail est
celle de C.E. Kinch (*La poésie satirique de Clément Marot,* Paris,
Boivin, 1940, p. 159-190).
201. Kinch n'essaie pas tant de prouver la ressemblance du
*coq-à-l'âne* à la fatrasie, mais voit plutôt dans ce deuxième genre

Par contre, par le décousu comme par la fantaisie, le *coq-à-l'âne* s'apparente à la sottie, genre dramatique populaire des xve et xvie siècles [202]. Notons cependant qu'aucun contemporain n'a relevé ces ressemblances. L'opinion d'Aneau est d'une importance particulière sur ce point, puisque cet humaniste montre un goût prononcé pour la vieillerie en poésie et que son *Quintil Horatian* a pour but de défendre l'ancienne poésie française. A la différence de Sebillet qui fait, somme toute, peu de cas des vieux genres, Aneau jette les hauts cris à propos de la condamnation, par Du Bellay, des « épiceries comme rondeaux et ballades ». Il est donc digne d'intérêt que l'auteur du *Quintil Horatian* ne songe à apparenter le *coq-à-l'âne* à aucun genre médiéval, mais y voit au contraire une invention de Marot [203].

*L'affaire du lard mangé en carême en 1532.*

Comme nous l'avons vu, Marot fut de nouveau inculpé, le 18 mars 1532, d'avoir mangé de la viande en carême, en compagnie de Laurent Meigret et de plusieurs autres complices [204]. L'intervention du secrétaire de Marguerite de Navarre, Etienne Clavier, sauva le poète encore malade d'avoir à souffrir une fois de plus les horreurs de la prison [205].

Quant à Laurent Meigret [206], le seul des complices à être condamné [207], il se réfugia à Genève en 1534, et s'y distingua lors du bris des images et de la procession des évangéliques

---

une des sources de la sottie qu'il considère, non sans raisons, comme une source du *coq-à-l'âne.*

202. Voir Petit de Julleville, *La Comédie et les Mœurs en France au Moyen Age,* Paris, 1897 ; E. Picot, *Recueil général des sotties,* Paris, 1902-1912 ; E. Droz, *Le Recueil Trepperel,* t. I, *Les Sotties,* Paris, 1935.
203. Cf. plus bas, p. 369. Sur le *coq-à-l'âne,* voir aussi C.A. Mayer, *Coq-à-l'âne, Définition — Invention — Attributions,* F.S., t. XV, 1962, p. 1-13.
204. Voir plus haut, p. 103-107.
205. Voir plus haut, p. 104.
206. Voir A. François, ouvr. cit.
207. Voir plus haut, p. 106.

en septembre 1535. En 1547, il fut accusé d'espionnage et emprisonné pour avoir entretenu une correspondance avec Pelisson, président du Parlement de Savoie [208]. En fait, peut-être n'était-ce qu'un prétexte, car, à cette époque, Calvin était « contré » par Ami Perrin, le chef des « libertins », et Meigret passait pour un des principaux amis du réformateur. Cette courte révolte terminée, le financier fut remis en liberté et absous de toutes les accusations portées contre lui, à la grande joie de Calvin [209].

On a longtemps représenté Laurent Meigret comme une espèce d'aventurier. Même son activité de réformateur à Genève a été condamnée comme intéressée [210]. Il faut croire que le surnom de « Magnifique », qui lui fut donné peut-être à cause de son prénom « Laurent » et de ses heureuses spéculations, a été pour beaucoup dans ces jugements sévères. Sur la foi d'une épigramme de Marot, on a cru que Meigret pratiquait l'alchimie :

> Au Roy
> Tandis que j'estoys par chemin,
> L'Estat sans moy print sa closture.
> Mais (Sire) ung peu de Parchemin
> M'en pourra faire l'ouverture.
> Puis le Tresorier dit et jure,
> Si du Parchemin puis avoir,
> Qu'il m'en faira par son sçavoir
> De l'Or : c'est une grand Praticque,
> Et ne l'ay encores sceu veoir
> Dans les Fourneaux du Magnificque [211].

Or, si l'on se rend compte que Meigret était extrêmement riche et célèbre pour la hardiesse et l'envergure de ses opérations de banque, on comprendra que l'expression de

---

208. A. François, ouvr. cit., p. 24 et 112-159.

209. Voir *Guillaume Farel, Bibliographie nouvelle*, Neuchâtel, 1930, p. 570-571.

210. Ainsi G. Guiffrey a écrit : « ... nous ne serions pas éloigné de croire que le spectacle du mouvement religieux en Suisse lui eût suggéré l'idée qu'il y avait une place à prendre et une fortune à faire en se jetant dans les rangs des novateurs. » *Œuvres de Marot*, t. III, p. 258.

211. *Les Epigrammes*, CXLIX.

Marot ne saurait représenter qu'une pure plaisanterie. Dire d'un banquier qu'il tourne en or tout ce qu'il touche, c'est presque proverbial [212] !

Ajoutons qu'avant son bannissement, Meigret était valet de chambre du roi, en quelque sorte le collègue de Marot. Bien que l'épigramme que nous venons de citer soit la seule pièce où le poète nomme Meigret, il paraît que les deux hommes étaient liés d'amitié [213]. Ainsi, dans l'épître qu'il adresse à Marot réfugié à Genève en 1542, Malingre dit :

> ... Dieu ne t'a destitué d'amis
> En ces desertz, qui jà t'avoit transmis
> Tes precurseurs, Noble Laurens Meigret
> Qui ne prend pas son exil à regret,
> Mais est toujours & sera Magnifique [214].

Il est difficile de décider quelles ont pu être les croyances de Meigret avant son bannissement. Sa condamnation pour luthéranisme par le Parlement n'a rien de convaincant, puisque nous savons que l'accusation d'avoir mangé de la viande en temps de carême n'était qu'un prétexte, et que Meigret a nié avoir commis ce crime, dans des conditions qui ne nous permettent pas de mettre en doute son témoignage. D'autre part, qu'à peine arrivé à Genève il soit devenu un des meneurs des évangéliques, cela laisse supposer qu'il était depuis longtemps gagné aux idées nouvelles, à moins qu'on ne croie à une conversion subite due à ses déboires. Il est sans doute plus prudent de conclure que Meigret, comme beaucoup d'autres membres de l'élite intellectuelle et du monde des fonctionnaires, était favorable à la réforme et qu'après la confiscation de ses biens et son bannissement, il en prit ouvertement le parti.

---

212. Même A. François, tout en faisant bonne justice des accusations lancées contre Meigret, n'a pas hésité à faire de lui un alchimiste, uniquement à cause de ce poème de Marot.

213. De bonnes relations ont dû exister entre les deux hommes, pour que le Parlement et Sagon eussent pu les traiter de complices. Voir *La Religion de Marot*, ouvr. cit., p. 15-19.

214. *L'Epistre de M. Malingre, envoyee a Clement Marot...*, Basle, J. Estauge, 20 octobre 1546. (*Bibliographie*, t. II, n° 268.) Voir plus bas, p. 497-502.

Qu'Etienne Clavier ait été un ami du poète, on l'ignore. Toujours est-il que, poète à ses heures perdues, il a adressé à Marot ce rondeau :

> Pour bien louer une chose tant digne
> Comme ton sens il fault sçavoir condigne ;
> Mais moy, pauvret d'esprit & de sçavoir,
> Ne puis attaindre à si hault concepvoir,
> Dont de despit souvent me pais et disne.
>
> Car je congnois que le fons & racine
> De tes escriptz ont prins leur origine
> Si tresprofond que je n'y puis rien veoir
>     Pour bien louer.
> Donc, Orateurs, chascun de vous consigne
> Termes dorez puisez en la Piscine
> Palladiane, et faictes le debvoir
> Du filz Marot en telle estime avoir
> Qu'il n'a second en Poesie insigne
>     Pour bien louer.

rondeau auquel Marot répondit :

> Pour bien louer & pour estre loué
> De tous espritz tu dis estre alloué,
> Fors que du mien, car tu me plus que loues.
> Mais en louant plus haultz termes alloues
> Que la sainct Jehan ou Pasques ou Noué.
>
> Qui noues mieulx, responds, ou C ou E ?
> J'ay jusques icy en eaue basse noué
> Mais dedans l'eaue Cabaline tu noues
>     Pour bien louer.
> C, c'est Clement, contre chagrin cloué,
> E est Estienne, esveillé, enjoué.
> C'est toy qui maintz de loz tresample doues,
> Mais endroit moy tu fais Cignes les Oues,
> Quoi que de loz doives estre doué
>     Pour bien louer [215].

et que, sans doute plus tard — notons que l'échange de

---

215. *Œuvres diverses*, XVII, Rondeau XVII, *Responce dudict Marot au dict Clavier*. Un autre rondeau de Clavier se trouve dans le ms. français 1721 de la B.N.

rondeaux se place avant 1527 — Marot écrira pour Clavier cette épigramme, publiée dans une édition posthume et de ce fait impossible à dater :

> Ysabeau, ceste fine mousche,
> Clavier (tu entens bien Clement ?),
> Je sçay que tu sçayz qu'elle est lousche,
> Mais je te veulx dire comment
> Elle l'est si horriblement,
> Et de ses yeux si mal s'acoustre
> Qu'il vauldroit mieux, par mon serment,
> Qu'elle feust aveugle tout oultre [216].

Nous ne savons rien sur les relations de Marot avec les autres inculpés.

*Publications subreptices.*

La réputation croissante de Marot, la gloire d'être le poète national eurent un résultat auquel il ne s'attendait peut-être pas. A une date incertaine, mais qui doit se placer vers la fin de l'année 1531 ou tout au début de celle de 1532, parut à Lyon, chez l'éditeur Olivier Arnoullet, un petit in-8° gothique portant le titre :

> *Les Opuscules et petitz Traictez de Clement Marot de Quahors Varlet de chambre du Roy. Contenens Chantz royaulz Ballades Rondeaulx Epistres Elegies avec le Temple de Cupido & la plaincte de Robertet ensemble plusieurs aultres choses joyeuses & recreatives redigees en ung & nouvellement Imprimees a Lyon par Olivier Arnoullet* [217].

Ce volume est la première édition d'œuvres de Marot.

Voici les pièces imprimées dans ce recueil :

1. *Chant royal de Marot* : « Qui ayme dieu, son regne et son empire » (*Œuvres diverses*, LXXXVII).
2. *Champ* (sic) *royal faict par Clement Marot sur le*

---

216. *Les Epigrammes*, CCXXIII, *D'Ysabeau.*
217. *Bibliographie*, II, n° 6.

*refrain donné par le Roy sur Desbender larc ne guarist point la playe* : « Prenant repos dessoubz ung vert Laurier » (*Œuvres diverses*, LXXXVIII).

3. *Epistre de Marot envoyee au Roy* : « Roy des Françoys plain de toutes bontez » (*Les Epîtres*, XI).

4. *A Monsieur le Cardinal de Sens Chancelier de france* : « Si Officiers en l'estat seurement » (*Les Epîtres*, XIII).

5. *Audict Seigneur pour se plaindre de Monsieur le Tresorier Preudhomme, faisant difficulté d'obéir à l'Acquit despesché* : « Puissant prelat, je me plains grandement » (*Les Epîtres*, XIV).

6. *Au conte d'estampes* : « Conte prudent, saige et rassis ».

7. *Ballade sur la venue des enfans de france* : « Les ans dorez ont ja reprins leurs cours ».

8. *Balade a la louenge de ma dame Alienor Royne de France* : « Or vient le temps de la joyeuse année ».

9. *A monsieur le cardinal de Lorraine* : « L'homme qui est en plusieurs sortes bas » (*Les Epîtres*, XV).

10. *Le Temple de Cupido* : « Sur le Printemps que la belle Flora » (*Œuvres lyriques*, I).

11. *Deploration sur le trespas de feu messire Florimond Robertet* : « Jadis ma plume on vid son vol estendre » (*Œuvres lyriques*, VI).

12. *Epistre du Coq a Lasne* : « Je t'envoye ung grand Million » (*Œuvres satiriques*, VII).

13. *Chant Royal sur le grant decret / que le pape ordonna pour l'homme / Contre peché comme discret / cest Marie en concept sans somme / De vice que grace consomme* : « Le grant evesque en l'eglise Rommaine ».

14. *Epistre de Maguelonne* : « La plus dolente & malheureuse femme » (*Œuvres lyriques*, II).

15. *Rondeau duquel les lettres capitalles portent le nom de Lacteur* : « Comme Dido qui moult se courrouça » (*Œuvres diverses*, LXVI).

A part les trois pièces faussement attribuées à Marot, c'est-à-dire la *Ballade sur la venue des enfans de france*, la *Balade a la louenge de ma dame Alienor Royne de France* et le *Chant Royal sur le grant decret Que le pape ordonna pour l'homme Contre peché comme discret cest Marie en concept sans somme De vice que grace consomme*,

on voit qu'Arnoullet imprime trois pièces ayant préalablement paru en plaquette, le *Temple de Cupido*, la *Déploration de Florimond Robertet* et l'*Epître de Maguelonne* en y
ajoutant neuf poèmes inédits.

Le succès du petit volume semble avoir été grand. Aussi
peu de temps après, entre février et juin 1532, fut-il suivi
d'un second petit in-8° gothique, sorti cette fois des presses
de la veuve de Jean Saint-Denis à Paris, portant le titre :

> *Petit traicte contenant plusieurs chantz royaulx*
> *Balades / et Epistres faictes et composees par Cle-*
> *ment Marot de Quahors en quercy / varlet de chambre*
> *du Roy / Ensemble le Temple de Cupido / Avec La*
> *Deploration sur le trespas de feu messire Florimond*
> *Robertet / jadis chevalier / Conseillier du Roy /*
> *Tresorier de France / Secretaire des finances dudict*
> *seigneur / seigneur Dalluye / faicte par ledict*
> *Marot* [218].

Le *Petit Traicté* reproduit fidèlement les *Opuscules,* mais
ajoute, à la fin, deux pièces inédites, l'épître *Au Roy pour*
*avoir esté desrobé* et l'épître *A un sien amy sur ce*
*propos* [219].

Ces deux recueils furent clairement publiés sans l'aveu
et même à l'insu du poète ; le fait qu'ils lui attribuent trois
poèmes qui ne sont pas de lui suffirait à le prouver. En
avait-il été de même dans le cas des plaquettes imprimées
avant 1532 et des recueils collectifs contenant des poèmes
de Marot [220] ? Il est difficile de répondre à cette question.
Le *Temple de Cupido* montre des traces de collaboration
de la part de l'auteur, et la *Complainte de Semblançay*
semble avoir été composée dans le but précis d'être débitée
en plaquette à l'occasion de l'exécution du financier, mais il

---

218. *Bibliographie,* II, n° 6 *bis.* Voir C.A. Mayer, *Une édition*
*inconnue de Clément Marot,* B.d.B., 1953, p. 151-166.
219. *Epîtres,* XXV et XXVI. Notons que le *Petit Traicté* donne
ces deux poèmes sous les titres : Epître xxv, *Le double de la*
*lettre de Clement Marot : envoyée au Roy nostre sire en maniere*
*de complaincte sur le larrecin que son serviteur luy a faict :*
*Qui est fort recrative,* et Epître xxvi, *A monsieur de Sainct*
*Ambroys.*
220. Voir *Bibliographie,* II, nᵒˢ 234 à 237.

est beaucoup moins aisé de décider si Marot a donné son approbation pour l'impression de poèmes aussi hardis et dangereux pour lui que la *Déploration de Florimond Robertet* ou la traduction du sixième psaume[221].

Dans l'été de 1532 Marot fut sérieusement offusqué par ces publications subreptices. Bénéfices matériels, notion de droit d'auteur, colère de se voir attribuer des poèmes n'étant pas de lui, dépit et panique à la vue, rendues en quelque sorte immortelles et acquérant un je ne sais quoi de concret par l'art d'imprimerie, de certaines imprudences et hardiesses qu'il s'était permises cinq ou six ans auparavant, lequel de ces motifs le décidait à agir ? Plutôt que de choisir, disons que de toute probabilité ils ont tous contribué à amener le poète à protester et à protéger ses intérêts en donnant une édition fort soignée de ses œuvres chez l'éditeur Pierre Roffet, et c'est là l'origine de l'*Adolescence Clementine*. Dans la préface de cette édition Marot nous dit en effet qu'une des raisons pour la publication de cette édition fut le dépit que lui causèrent les éditions subreptices de ses ouvrages :

> *Clement Marot à ung grant nombre de*
> *freres qu'il a, tous Enfans*
> *d'Apollo, Salut*

> Je ne sçay (mes treschers Freres) qui m'a plus incité à mettre ces miennes petites jeunesses en lumiere : ou voz continuelles prieres, ou le desplaisir que j'ay eu d'en ouyr cryer & publier par les rues une grande partie, toute incorrecte, mal imprimée, & plus au proffit du Libraire qu'à l'honneur de l'Autheur[222].

Ajoutons que la dernière section de l'*Adolescence Clementine*, les *Autres œuvres faites depuis l'eage de son adolescence*, comporte uniquement des pièces composées entre

---

221. Voir plus haut, p. 152-163. *L'églogue sur le trespas de Louise de Savoie* (*Bibliographie*, II, nº 7), plaquette citée par Brunet, mais dont aucun exemplaire n'a pu être retrouvé, a sans doute été publiée avec l'aveu de Marot.

222. L'*Adolescence Clementine*, 12 août 1532, Paris, G. Tory pour P. Roffet (*Bibliographie*, II, nº 9).

1527 et 1532 qui avaient figuré dans une des deux éditions subreptices, ou, comme dans le cas de l'*églogue sur le trespas de Louise de Savoie,* dans une plaquette.

Bien que condamnables à tout point de vue, ces deux éditions subreptices ont servi — n'est-ce pas bien là un de ces paradoxes constants de l'Histoire ? — à deux choses, et à deux choses extrêmement bonnes : elles nous fournissent pour plusieurs poèmes de Marot un état original et fort intéressant du texte ; elles ont décidé Marot à publier la première édition de ses œuvres et ont par là contribué au développement de la Renaissance française. Elles ont servi leur but.

## L'Adolescence Clementine

Née des préoccupations de Marot que nous venons d'analyser, l'*Adolescence Clementine* fut publiée par Pierre Roffet le 12 août 1532 [223], sortant des presses de l'humaniste imprimeur Geoffroy Tory. En voici le titre :

> *Ladolescence Clementine, Autrement, Les Œuvres de Clement Marot de Cahors en Quercy Valet de Chambre du Roy, composees en leage de son Adolescence. Avec la Complaincte sur le Trespas de feu Messire Florimond Robertet. Et plusieurs autres Œuvres faictes par ledict Marot depuis leage de sa dicte Adolescence. Le tout reveu / corrige / & mis en bon ordre.*

A la fin du volume se trouve l'achevé d'imprimer :

> Ce present Livre fut acheve dimprimer le / Lundy. XII. jour Daoust. Lan. M.D./XXXII. pour Pierre Roffet, dict le Faul/cheur. Par Maistre Geofroy Tory, Im/primeur du Roy [224].

Après l'épître en prose servant de préface [225] et plusieurs poèmes liminaires latins [226], viennent quelques compositions de jeunesse :

223. *Bibliographie,* II, n° 9.
224. *Bibliographie,* II, p. 13.
225. Voir plus haut, p. 230.
226. Voir plus haut, p. 167-168.

*La premiere Eglogue des Bucoliques de Virgile.*

*Le Temple de Cupido et la Queste de Ferme Amour.*

*Le Jugement de Minos sur la preference de Alexandre le Grant, Hanibal de Cartage & Scipion le Romain.*

*Les tristes vers de Philippes Beroalde sur le jour du vendredy sainct.*

*Oraison contemplative devant le Crucifix*[227].

Suivent les Epîtres[228], les Complaintes et Epitaphes[229], les Ballades[230], les Rondeaux[231], les Dizains, les Blasons et Envoys[232], et enfin les Chansons[233]. A la fin du volume se trouve la section d'ouvrages composés « depuis l'eage de sa dicte adolescence » :

*Autres Œuvres de Clement Marot Valet de chambre du Roy. Faictes depuis leage de son Adolescence. Par cy devant incorrectement et maintenant correctement imprimées.*

Voici les pièces imprimées dans cette section :

*Deploration sur le Trespas de feu Messire Florymond Robertet, jadis Chevalier Conseiller du Roy, nostre Sire, Tresorier de France, Secretaire des Finances dudict Seigneur, et Seigneur 'Daluye*[234].

*Eglogue sur le Trespas de treshaulte et tresillustre Princesse Madame Loyse de Savoye, jadis mere du Roy Françoys, premier de ce nom. En laquelle Eglogue sont introduictz deux Pasteurs. Cest assavoir*

---

227. Sur tous ces poèmes, voir plus haut, p. 27-28.
228. Voir plus haut, p. 75.
229. Voir plus haut, p. 47 et 74.
230. Voir plus haut, p. 52-54.
231. Voir plus haut, p. 55-56.
232. Voir plus haut, p. 70-73.
233. Voir plus haut, p. 66-70.
234. *Œuvres lyriques,* VI.

*Colin Daniou et Thenot de Poictou, Poetes contemporains de Lautheur* [235].

*Epitaphe de la dicte dame en vers Alexandrins* [236].

*Chant royal Chrestien* [237].

*Chant royal dont le Roy bailla le refrain* [238].

*Lepistre du coq en Lasne, envoyee a Lyon Jamet de Sansay en Poictou* [239].

*Epistre a monseigneur le Chancelier du Prat, nouvellement Cardinal, envoyee par ledict Marot oublye en Lestat du Roy* [240].

*Dizain de Marot audict Seigneur, pour se plaindre de Monsieur le Tresorier Preudhomme, faisant difficulte dobeir a lacquict despeche* [241].

*Marot estant Prisonnier, escript au Roy pour sa delivrance* [242].

*Epistre a Monseigneur le Cardinal de Lorraine, par laquelle Lautheur le supplye de parler pour luy a Monseigneur le grant Maistre* [243].

*Epistre au Roy par Marot estant malade à Paris* [244].

*Huictain a ce propos a Labbe de S. Ambroys* [245].

*Ballade sans refrain, responsive à lespistre de celluy qui blasma Marot, touchant ce qu'il escrivit au Roy quant son valet le desroba* [246].

---

235. *Ibid.*, LXXXVII.
236. *Œuvres diverses*, CIV.
237. *Ibid.*, LXXXVII.
238. *Ibid.*, LXXXVIII.
239. *Œuvres satiriques*, VII.
240. *Les Epîtres*, XIII.
241. *Ibid.*, XIV.
242. *Ibid.*, XI.
243. *Ibid.*, XV.
244. *Ibid.*, XXV.
245. *Ibid.*, XXVI.
246. *Ibid.*, XXVII.

On note premièrement que dans l'*Adolescence* proprement dite Marot a rangé ses compositions par genre. Pour apprécier ce qu'il y a de révolutionnaire dans cette disposition, il faut considérer que le goût de la fin du xv<sup>e</sup> et du début du xvi<sup>e</sup> siècles était dans l'ensemble contraire à la classification par genres, favorisant le mélange. Les nombreux recueils de poésies de l'époque, tels les *Jardin de Plaisance, Fleurs de Poésie françoise, Recueil de tout soulas*, tous calqués, quant à l'ordre des pièces, sur les manuscrits d'apparat, en témoignent [247]. En allant à l'encontre de cette tradition, en groupant résolument ses pièces par genres, Marot, ici comme ailleurs, introduit tout simplement la Renaissance dans la poésie française. Le 12 août 1532, date de la publication de l'*Adolescence Clementine*, est donc une marque dans la littérature française.

La dernière section du volume par contre s'explique entièrement par les deux publications subreptices de l'année précédente. Marot y donne en effet tous ses poèmes composés depuis le début de 1527 et qui avaient figuré dans *Les Opuscules* et le *Petit Traicté* ou qui avaient été imprimées en plaquette [248]. Ce n'est donc pas la volonté de l'auteur, et surtout aucun critère artistique qui expliquent la présence et l'ordre de ces pièces.

Enfin l'*Adolescence* ne contient pas toutes les compositions de Marot jusqu'en 1532, ni même jusqu'en 1527. Que de ses pièces écrites après le début de 1527 le poète n'ait reproduit dans ce volume que celles qui avaient été imprimées préalablement, cela montre qu'il s'agit là d'exceptions. Parmi les poèmes composés avant cette date et qui ne se trouvent pas dans l'*Adolescence Clementine* ne citons que l'*Enfer*, l'épître *Au docteur Bouchard*, l'épître *A son amy Lyon* de même que les autres écrits se rapportant à l'emprisonnement de 1526, de même que la première élégie.

---

247. Même remarque pour les deux éditions subreptices, *Les Opuscules* et le *Petit Traicté,* où les poèmes ne sont pas groupés par genres.

248. C'est pour cette raison que l'existence de la plaquette, *Eglogue sur le trespas de Louise de Savoie* (*Bibliographie*, II, n° 7) citée par Brunet me semble certaine bien qu'aucun exemplaire n'en ait été retrouvé.

L'*Adolescence Clementine* fut probablement le plus grand succès de librairie de l'époque. Une seconde édition en fut publiée par Roffet le 13 novembre 1532 [249], une troisième, toujours par Roffet, le 12 février 1533 [250], une quatrième par François Juste à Lyon le 23 février 1533 [251], une cinquième par Roffet le 7 juin 1533 [252], une sixième par Juste le 12 juillet 1533 [253], et ainsi de suite. Du 12 août 1532 au 31 juillet 1538, date de la publication des *Œuvres* de Marot [254], on connaît vingt-deux éditions de l'*Adolescence*, à ne compter que celles dont nous connaissons des exemplaires. Le succès éclatant de cette édition montre que Marot, phénomène rare en littérature, fut un poète goûté des érudits, des humanistes autant que du peuple. Ici encore la synthèse entre l'inspiration populaire et l'imitation savante de l'antiquité, cette synthèse qui caractérise la première Renaissance, se montre de façon claire et puissante.

L'*Adolescence Clementine* a introduit la Renaisance dans la poésie française. Elle a fait mieux : elle lui a donné une popularité immense et durable.

### L'édition de Villon.

Au mois de septembre 1533 parut à Paris une édition des Œuvres de François Villon sous le titre : *Les Œuvres de Françoys Villon de Paris, reveues & remises en leur entier par Clement Marot, valet de chambre du Roy* [255]. Marot semble ainsi mériter un titre de plus en ce qui concerne l'originalité, cette fois comme le premier éditeur d'un poète français. La préface qu'il écrivit pour cette édition ne laisse aucun doute sur le sérieux avec lequel il prit ce rôle, aucun doute surtout que nous sommes en présence, et cela cinquante ans avant l'essai *Des Livres* de

---

249. *Bibliographie*, II, n° 11.
250. *Bibliographie*, II, n° 12.
251. *Bibliographie*, II, n° 13.
252. *Bibliographie*, II, n° 14.
253. *Bibliographie*, II, n° 14 *bis*.
254. Voir plus bas, p. 422-446.
255. Paris, Galiot du Pré, septembre 1533 ; *Bibliographie*, II, n° 238.

Montaigne, de la première tentative sérieuse de critique littéraire par rapport à la poésie française :

*Clement Marot de Cahors, valet de*
*chambre du Roy, aux lecteurs S.*

Entre tous les bons livres imprimez de la langue Françoise ne s'en veoit ung si incorrect ne si lourdement corrompu, que celluy de Villon : & m'esbahy (veu que c'est le meilleur poete Parisien qui se trouve) comment les imprimeurs de Paris, & les enfans de la ville, n'en ont eu plus grant soing. Je ne suys (certes) en rien son voysin : mais pour l'amour de son gentil entendement, & en recompense de ce que je puys avoir aprins de luy en lisant ses œuvres, j'ay faict a icelles ce que je vouldroys estre faict aux myennes, si elles estoient tombées en semblable inconvenient. Tant y ay trouvé de broillerie en l'ordre des coupletz & des vers, en mesure, en langaige, en la ryme, & en la raison, que je ne sçay duquel je doy plus avoir pitié, ou de l'œuvre ainsi oultrement gastée, ou de l'ignorance de ceulx qui l'imprimerent. Et pour vous en faire preuve, me suys advisé (lecteurs) de vous mettre icy ung des coupletz incorrectz du mal imprimé Villon, qui vous sera exemple & tesmoing d'ung grant nombre d'autres autant broillez & gastez que luy, lequel est tel :

Or est vray qu'apres plainctz & pleurs
Et angoisseux gemissemens
Apres tristesses & douleurs
Labeurs & griefz cheminemens
Travaille mes lubres sentemens
Aguysez ronds, comme une pelote
Monstrent plus que les comments
En sens moral de Aristote.

Qui est celluy qui vouldroit nyer le sens n'en estre grandement corrompu ? Ainsi pour vray l'ay je trouvé aux vieilles impressions, & encorez pis aux nouvelles. Or voyez maintenant comment il a esté r'abillé, & en jugez gratieusement.

Or est vray qu'apres plainctz & pleurs
Et angoisseux gemissemens
Apres tristesses & douleurs

Labeurs & griefs cheminemens
Travaille mes lubres sentemens
Aguysa (ronds comme pelote)
Me monstrant plus que les comments
Sur le sens moral d'aristote.

Voyla comment il me semble que l'auteur l'entendoit,
& vous suffise ce petit amendement, pour vous rendre
adevertiz de ce que puys avoir amendé en mille autres
passaiges, dont les aucuns me ont esté aysez, & les
autres tres difficiles : toutesfoys, partie avecques
l'ayde des bons vieillards qui en savent par cueur,
& partie par deviner avecques jugement naturel, a
esté reduict nostre Villon en meilleure & plus entiere
forme qu'on ne la veu de noz aages, & ce sans avoir
touché à l'antiquité de son parler, à sa façon de rimer,
à ses meslées & longues parentheses, à la quantité de
ses sillabes, ne à ses couppes, tant feminines que mas-
culines : esquelles choses il n'a suffisament observé
les vrayes reigles de françoise poesie, & ne suys d'advis que en cela les jeunes poetes l'ensuyvent, mais bien
qu'ilz cueillent ses sentences comme belles fleurs,
qu'ilz contemplent l'esprit qu'il avoit, que de luy
apreignent a proprement d'escrire, & qu'ilz contrefa-
cent sa veine, mesmement celle dont il use en ses Ballades, qui est vrayement belle & heroique, & ne fay
doubte qu'il n'eust emporté le chapeau de laurier
devant tous les poetes de son temps, s'il eust esté
nourry en la court des Roys, & des Princes, là ou les
jugemens se amendent, & les langaiges se pollissent.
Quant à l'industrie des lays qu'il feit en ses testamens
pour suffisamment la cognoistre & entendre, il fauldroit avoir esté de son temps à Paris, & avoir congneu
les lieux, les choses & les hommes dont il parle : la
memoire desquelz tant plus se passera, tant moins se
congnoistra icelle industrie de sez lays dictz. Pour
ceste cause qui vouldra faire une œuvre de longue
durée, ne preigne son soubgect sur telles choses bas-
ses & particulieres. Le reste des œuvres de nostre Villon (hors cela) est de tel artifice, tant plain de bonne
doctrine, & tellement painct de mille belles couleurs,
que le temps, qui tout efface, jusques icy ne l'a sceu
effacer. Et moins encor l'effacera ores & d'icy en
avant, que les bonnes escriptures françoises sont &
seront myeulx congneues & recueillies que jamais.

Et pour ce (comme j'ay dit) que je n'ay touché à son antique façon de parler, je vous ay exposé sur la marge avecques les annotacions, ce qui m'a semblé le plus dur à entendre, laissant le reste à voz promptes intelligences, comme ly Roys, pour le Roy : homs pour homme, compaing pour compaignon : aussi force pluriers pour singuliers, & plusieurs autres incongruitez, dont estoit plain le langaige mal lymé d'icelluy temps.

Apres quant il s'est trouvé faulte de vers entiers, j'ay prins peine de les refaire au plus pres (selon mon possible) de l'intencion de l'autheur, & les trouverez expressement marquez de ceste marque *. Affin que ceulx qui les auront en la sorte que Villon les fist, effacent les nouveaulx pour faire place aux vieulx.

Oultre plus, les termes & les vers qui estoient interposez, trouverez reduictz en leurs places : les lignes trop courtes, alongées : les trop longues, acoursies : les motz obmys, remys : les adjoutez, ostez : & les tiltres myeulx attiltrez.

Finalement, j'ay changé l'ordre du livre : & m'a semblé plus raisonnable de le faire commencer par le petit testament, d'autant qu'il fut faict cinq ans avant l'autre.

Touchant le jargon, je le laisse à corriger & exposer aux successeurs de Villon en l'art de la pinse & du croq.

Et si quelq'un d'aventure veult dire que tout ne soit racoustré ainsi qu'il appartient, je luy respons desmaintenant, que s'il estoit autant navré en sa personne, comme j'ay trouvé Villon blessé en ses œuvres, il n'y a si expert chirurgien qui le sceust penser sans apparence de cicatrice : & me suffira que le labeur qu'en ce j'ay employé, soit agreable au Roy mon souverain, qui est cause & motif de ceste emprise, & de l'execution d'icelle, pour l'avoir veu voulentiers escouter, & par tresbon jugement estimer plusieurs passages des œuvres qui s'ensuyvent.

Cette édition, tout en reproduisant assez fidèlement le texte d'éditions précédentes de Villon, et ne présentant donc guère d'intérêt du point de vue du texte, semble pourtant très importante du point de vue philologique, puisque Marot, dans des notes marginales, a glosé la langue de Villon. A peu près rien dans son commentaire ne touche à la poétique ni à l'histoire ; Marot tâche presque exclusivement d'expliquer ou de traduire des mots qu'il juge désuets ou difficiles dans la langue de Villon[256].

Citons quelques exemples :

Dans le *Petit Testament* le vers 4 :

> Le frain aux dents, franc au collier

est accompagné de la manchette suivante : « Franc au collier. Travailliant voulentiers comme les chevaulx qui franchement tirent au collier. »

Au vers 19 :

> Consentant a ma deffaçon,

le mot « deffaçon » est glosé de la façon suivante : « A ma deffaçon. A ma défaicte. A ma mort. »

De même au vers 35 :

> Laisse mon branc d'acier trenchant

c'est une expression démodée que Marot traduit : « Branc d'acier. Braquemart ou espee. »

Par contre, dans les vers 76-77 :

> (Mes parens) vendez mon haubert
> Et que l'argent, ou la pluspart

Marot commente en marge sur la prononciation de Villon :

> Haubert rymé contre part monstre que Villon estoit
> de Paris & qu'il prononçoit Haubart & Robart.

Dans le *Grand Testament,* on peut voir par le commentaire de Marot qu'il ne comprenait pas le vieux français davantage que ne le faisait Villon. Ainsi dans l'*Autre Ballade à ce propos en vieil langage Françoys,* le vers :

> Et fusse Ly sainctz Apostolles

---

256. Il est regrettable que cette édition si intéressante du point de vue philologique n'ait jamais été étudiée.

est accompagné de la glose marginale suivante :

> Ly sainctz Apostolles le pape
> Et se trouve tousjours icy le plurier
> pour le singulier à l'antique.

Marot, comme Villon, croit que l'article *li* et le *s* du cas sujet représentent non pas le singulier mais le pluriel.

L'édition par Clément Marot des œuvres de François Villon est presque certainement la première édition au sens moderne du mot ; c'est pourtant la seule édition donnée par les soins de Marot [257].

### La Suite de l'Adolescence Clementine.

Le succès de l'*Adolescence Clementine* poussa Marot à donner une deuxième édition de ses œuvres, *La Suite de l'Adolescence Clementine*. Pierre Roffet étant mort au début de l'année 1533, ce fut sa veuve qui publia ce

---

257. Je ne crois pas que Marot fût pour rien dans l'édition du *Roman de la Rose* imprimée par Galiot du Pré à Paris (s.d.) vers 1526 (*Bibliographie*, II, n° 236). Beaucoup d'encre a coulé afin d'établir que Marot fut ou ne fut pas responsable de cette édition. (Voir F.W. Bourdillon, *The early editions of the Roman de la Rose*, Londres, 1906, Ph.A. Becker, *Clement Marot und der Rosenroman*, *Germanisch Romanische Monatsschrift*, IV, 1912, p. 684-687 et B. Weinberg, *Critical Prefaces of the French Renaissance*, Northwestern University Press, 1950, p. 60 et *Guillaume Michel, dit de Tours, The Editor of the 1526 Roman de la Rose*, B.H.R., XI, 1949, p. 72-85.
Il suffit de noter que le nom de Marot ne paraît pas une seule fois dans cette édition, et de considérer qu'il n'existe aucune raison pour expliquer cette étrange omission, excepté que Marot n'en fut pas l'auteur. Dans le cas de l'édition de Villon, il a signé la préface et le titre de l'ouvrage mentionne son nom. Si l'édition du *Roman de la Rose* ne porte aucune indication du nom de Marot, c'est tout simplement qu'il n'en fut pas responsable.
De même l'attribution à Marot de l'*Epistre familiere de prier Dieu* (s.l., 1533 ; *Bibliographie*, II, n° 241) me semble impossible à soutenir sérieusement. Proposée d'abord par K. Riemens, cette attribution a été reprise par N. Catach (*L'Orthographe française à l'époque de la Renaissance*, Genève, Droz, 1968).

recueil. On n'en connaît pas la date exacte, mais tout nous porte à croire que l'édition fut publiée vers la fin de 1533 [258]. En voici le titre :

*La Suite de l'adolescence Clementine, dont le contenu s'ensuyt,*
*Les Elegies de L'autheur*
*Les Epistres differentes*
*Les Chantz divers*
*Le Cymetiere*
*Et le Menu.*

En tête du recueil se trouve un poème latin de Salmon Macrin suivi de la traduction française de ces vers par Antoine Macault et d'un poème latin de Nicolas Bourbon :

*Salmonii Macrini ivlio dunensis*
*Hendecasyllabi ad Lectorem*
Quos tu tantopere expetis, probasque,
Demiransque stupes, amice lector,
Clementi nisi surpuisset audax
Maroto plagiarius libellos,
Esset copia nulla nunc legendi.
Proin si praemia danda sunt merenti,
Fraudari suo honore fas nec ullum,
Ipsi gratia non habenda vati est,

---

258. Voir *Bibliographie*, II, n° 15. Notons d'ailleurs qu'Antoine Macault était en mission, auprès du Landgraf de Hesse, de la fin du mois de mars jusqu'au milieu de mai 1534 (*Cat. des Actes*, II, 652, 6989), et de nouveau, auprès du duc de Wurtemberg, de juin jusqu'à septembre (*ibid.*, VII, 748, 28800). Nicolas Bourbon, d'autre part, avait été emprisonné, au commencement de l'année, pour ses poèmes néo-latins, les *Nugae*, et ne fut relâché que le 19 mai. Comme ces deux poètes ont écrit des poèmes liminaires pour la *Suite*, il est probable que cette édition fut préparée et imprimée avant l'arrestation de Bourbon, c'est-à-dire avant la fin de 1533, ou bien entre la date de la mise en liberté de Bourbon, le 19 mai, et le départ de Macault pour le Wurtemberg, vers la mi-juin. Cette dernière possibilité me semble peu probable. En effet, dans cette même année, la veuve Roffet publiera deux autres éditions de la *Suite* (*Bibliographie*, II, n°ˢ 17 et 20), et les éditeurs lyonnais Juste et Boulle en imprimeront chacun une (*Bibliographie*, II, n°ˢ 25 et 22). Si la *Suite* n'était sortie des presses qu'après cet événement, il n'aurait guère été possible d'en publier tant d'autres éditions au cours de la même année.

Qui nobis sua durus inuidebat :
Sed furi magis illa publicanti,
Hoc quem conspicis ordine ac paratu
Non sane illepido : nec inuenusto.
Si authori editio haud placet, quid ad me,
Ipsis, dum liceat frui libellis ?

*Les vers precedens translatez par*
*M. Ant. Macault, de Nyort,*
*Secretaire & Valet de Chambre*
*du Roy.*

Ces œuvres de Marot (o gracieux Lecteur),
Que tu desires tant, & plus encores prises,
Ne fussent en tes mains, si (pour vrai) à l'Autheur
Ung Larron ne les eust cautelleusement prises.
Si donc pour meriter sont recompenses quises,
Et s'on ne doit frustrer aulcun de son bien faict
Saches gré au larron, quelque chose que lises,
Et non pas à Marot de son livre bien faict,
Car il en fut ingrat. L'autre de bien a faict :
Qu'en très-bon et bel ordre à ung chascun le livre.
Si Marot s'en courrousse, ou s'en fasche (en effect)
Je n'en donne ung festu, pourveu qu'ayons son livre.

*Nic. Borbonius Vandoperanus ad Lectorem*
Hic liber ignaro Domino volitare per orbem
Inque tuas, lector, gaudet abire manus.
Ex his conjicito quae sint et quanta futura
Caetera quae authoris lima seuera premit [259].

---

259. A partir de la deuxième édition de la *Suite* (*Bibliographie*, II, n° 17) ces vers sont suivis d'une traduction française, de nouveau par Macault :

Lecteur, ce livre s'esjouyt de venir
Entre tes mains sans le sceu de son maistre,
Par qui peux veoir que sera ce du mettre
Lequel repose soubz plus meur souvenir.

Dans toutes les éditions un deuxième poème latin de Salmon Macrin se trouve à la fin des pièces liminaires :

*Salmonius Macrinus in Clementis*
*Maroti laudem*
Si Grecis Maro litteris vacasset,
Magno par potuisset esse Homero.
Esset si Latias secutus artes

Ces textes semblent formels. Il est pourtant permis de douter de leur véracité. L'édition princeps de la *Suite* a dû sortir des presses — rappelons qu'elle est sans date — vers la fin de 1533 [260]. Or, à cette période, Marot est en France, il est célèbre — les pièces liminaires de la *Suite* le prouvent — et d'ailleurs fort bien en cour. Si par conséquent on lui avait joué ce tour, il est difficile de voir pourquoi il n'aurait pas répondu. On sait que d'habitude il n'était pas lent à décocher des épigrammes satiriques à quiconque l'offensait. Or il n'y a pas trace d'une brouille entre Marot et Macrin, Bourbon ou Macault [261]. De même, si la *Suite* avait vraiment été dérobée à Marot, si l'économie du volume avait été faite par les « larrons », comme ils l'affirment, il est difficile de comprendre pourquoi Marot n'a rien fait pour empêcher la réimpression de l'œuvre volée. De fait, la veuve Roffet en publiera deux autres éditions au cours de la même année. Comment se fait-il que Marot n'ait pas procuré une nouvelle édition de son œuvre ? Dix-huit mois plus tôt, il avait riposté à la publication subreptice de ses ouvrages (*Les Opuscules* et le *Petit Traicté*) en donnant une édition très soignée de ces mêmes ouvrages, avec en plus, quelques autres — c'est l'*Adolescence*. Pourquoi n'a-t-il pas fait la même chose à l'occasion de la *Suite* ? Ce n'est qu'au mois d'octobre, à l'issue de l'affaire des Placards, qu'il prendra la fuite. Vers cette date, les éditions, tant de la *Suite* que de l'*Adolescence*, deviennent mauvaises, contenant, presque toutes, des pièces apocryphes, et présentant un texte parfois très maltraité par les typographes. Mais tout porte à croire qu'avant cette date, Marot était très actif, et rien ne saurait expliquer ce silence de

Clemens Francigenûm decus Marotus,
Aequaret dubio procul Maronem.
Sed primas Maro maluit Latino
Quam sermone pares habere Graeco.
Et noster patrio Marotus ore
Princeps maluit esse, quam latinae
In linguae eloquio pares habere :
Huic ut Gallia debeat, quod ipsi
Hellas Meonidae, Ausones Maroni.

260. Voir plus haut, p. 241.
261. Ils sont tous du banquet d'Etienne Dolet, en février 1537.

sa part, ce manque total de réaction. Non, si Marot n'a
rien fait pour protester contre ce vol, c'est sans doute parce
que ce vol n'a pas eu lieu. Molière n'a-t-il pas déclaré
qu'on lui avait dérobé les *Précieuses ridicules* pour les faire
imprimer ?

D'ailleurs, à regarder la *Suite,* on est contraint de
constater qu'elle ne nous donne que des pièces appartenant réellement à Marot, et aucune de ces pièces, faussement attribuées à notre poète, qui s'ajouteront à l'*Adolescence* et à la *Suite* dès la fin de 1534, et qu'elle présente
un texte excellent. De toutes les nombreuses éditions de
Marot, la *Suite* est une des meilleures du point de vue de
l'impression. De plus, en 1538, lorsque Marot réunit ses
œuvres dans l'édition lyonnaise, il garde la division en
*Adolescence, Suite* et *Premier Livre de la Metamorphose*
(ajoutant deux Livres d'Epigrammes), et imprime, en tête
de la *Suite,* les poèmes liminaires de Macrin et de Bourbon qui avaient paru dans l'édition princeps. S'il y avait
vraiment eu vol, on voit mal Marot reproduisant les poèmes
en question. D'ailleurs, pour toutes les pièces parues pour
la première fois dans la *Suite,* le texte de l'édition princeps est à peu près identique à celui de 1538. Tout cela
prouve clairement que l'édition princeps de la *Suite* est
une édition authentique.

La *Suite,* comme il est indiqué sur la feuille de titre,
se compose de cinq sections, dont trois, les Elégies, les
Epîtres et le Cymetière, section qui contient des épitaphes,
correspondent, comme l'avaient fait les sections de l'*Adolescence,* à la division par genres. *Les Chantz divers* et
le *Menu* d'autre part, et comme leur nom l'indique,
contiennent des poésies mêlées. La section des *Chantz
divers* contient les pièces suivantes : *Le Chant de l'Amour
fugitif, Le second Chant d'Amour fugitif, Le Chant des
visions de Petrarque, Chant nuptial du mariage de
madame Renée, Chant Royal de la Conception nostre
Dame, Chant pastoral en forme de Ballade à Monseigneur
le Cardinal de Lorraine, Chant de joye, composé la nuyct
qu'on sceust les nouvelles de la delivrance des Enfans de
France.* Chacun de ces sept poèmes porte le titre de *Chant,*
mais c'est leur unique lien. Cette dénomination ne prouve
pas que Marot ait voulu réserver cette section à des pièces

d'inspiration lyrique, quelle que soit leur forme exacte. *Le second Chant d'Amour fugitif* est en fait satirique. Seul un poème de cette section est à proprement parler lyrique, le *Chant nuptial du mariage de madame Renée.* Des cinq autres, deux sont des traductions et trois des poèmes à forme fixe, dont un chant-royal et deux ballades. Tout laisse à penser que les *Chantz divers* ne forment en somme qu'un groupe de pièces diverses que Marot n'a pas voulu classer. Sebillet[262] exprime son étonnement devant cet assemblage injustifiable de pièces si différentes de tous les points de vue en disant :

> Or liras-tu en Marot entre ses œuvres des titres d'autres chans : Chans Pastouraus : chans nuptiaus : chans de joye : chans de follie : et semblables intitulés ainsy plus a l'aventure a l'arbitre de l'imprimeur que suivant la phantasie de l'autheur.

Pourtant cette section des *Chantz divers* semble avoir confondu Sebillet malgré ce jugement, puisque sans la moindre justification, il proclame que tous les genres lyriques proviennent du chant-royal. Cette erreur ne peut provenir que du fait que la section des *Chantz divers* contient effectivement un chant-royal de même qu'un épithalame et d'autres poèmes.

Le *Menu* contient dix-huit pièces, trois rondeaux, un poème court intitulé *Placet au Roy,* six dizains, un sizain, cinq huitains, un quatrain et enfin un poème de cinq vers. Ici encore, Marot semble avoir réuni, pêle-mêle, un nombre de pièces brèves[263].

Un autre problème concernant la *Suite* vient de la présence des Elégies. Comme nous l'avons vu[264], tout nous porte à croire que certaines des élégies furent composées avant 1527. Pourtant Marot ne les a pas publiées dans l'*Adolescence.* La solution ne peut être que celle-ci : Marot ayant décidé de faire un genre à part, sous le titre d'élégie, de l'épître d'amour, à une date incertaine entre 1527 et

---

262. Ouvr. cit., p. 140.
263. Sur toutes ces pièces, voir plus bas, p. 441-442.
264. Voir plus haut, p. 190-191.

1532, il a, au moment de dresser l'ordre de l'*Adolescence*, préféré ne pas surcharger ce recueil et garder le groupe des élégies pour en faire, avec des additions, la partie centrale d'un second recueil.

Comme l'*Adolescence*, la *Suite* obtint un succès de librairie énorme. Au cours de l'année 1534 quatre nouvelles éditions en furent publiées, deux par la veuve Pierre Roffet [265], une par Guillaume Boulle à Lyon [266], et une dernière, également à Lyon, par François Juste [267]. Entre la fin de 1533 et juillet 1538 on connaît dix-sept éditions de la *Suite*.

Les épîtres qui figurent dans la section des *Epistres differentes* de la *Suite* sont presque toutes familières. A l'exception de l'épître écrite pour la reine Eléonore [268], il est impossible de dater avec précision la plupart de ces poèmes. Quatre en sont adressées à des personnages nommés, de sorte qu'on peut établir leur date approximative. Ainsi l'*Epistre à Monseigneur de Lorraine nouvellement venu à Paris, par laquelle Marot luy presente le premier Livre translaté de la Metamorphose de Ovide* [269] fut composée vers la fin de 1530 ou au début de 1531, puisqu'Antoine, duc de Lorraine, vint à Paris à l'occasion du mariage du roi avec Eléonore d'Autriche. L'intérêt du poème se trouve presque uniquement dans le témoignage contenu au titre, attestant que dès ce moment Marot avait traduit le premier livre des *Métamorphoses* d'Ovide. Voici ce que le poète en dit :

> En cest endroit rompray pour le present,
> Et te supply prendre en gré le present
> Que je te fays de ce translaté Livre,
> Lequel (pour vray) hardiment je te livre,
> Pour ce que point le sens n'en est yssu
> De mon cerveau, ains a esté tissu
> Subtilement par la Muse d'Ovide ;

---

265. *Bibliographie*, II, nᵒˢ 17 et 20.
266. *Bibliographie*, II, nᵒ 22.
267. *Bibliographie*, II, nᵒ 25.
268. Voir plus haut, p. 173.
269. *Les Epîtres*, XXII.

Que pleust à Dieu l'avoir tout mis au vuyde
Pour t'en faire offre[270].

Le manuscrit de cette translation est perdu, à moins que
le manuscrit Parguez[271], qui contient effectivement une
version peut-être originale de cet ouvrage, ne soit le recueil
offert au duc de Lorraine.

L'épître *Pour Pierre Vuyart à Madame de Lorraine*[272] doit
dater de la même époque, Vuyart étant secrétaire du duc
de Guise[273], et ayant accompagné à Paris le duc et la
duchesse. L'épître par son sujet même se range dans la
poésie pseudo-élégiaque sur les animaux domestiques
morts. Si le ton élégiaque n'est pas très en évidence dans
ce poème, on y trouve par contre de l'esprit :

Je ne l'ay plus, liberalle Princesse,
Je ne l'ay plus, par mort il a prins cesse,
Le bon Cheval que j'eu de vostre grace.
N'en sçauroit on recouvrer de la race ?
Certainement, tandis que je l'avoye,
Je ne trouvoys rien nuisant en la voye ;
En le menant par Boys & par Taillys,
Mes yeux n'estoient de branches assaillys ;
En luy faisant gravir Roc ou Montaigne,
Aultant m'estoit que trotter en Campaigne ;
Aultant m'estoit Torrents & grandes Eaux
Passer sur luy comme petis Ruisseaux ;
Car il sembloit que les Pierres se ostassent
De tous les lieux où ses piedz se boutassent[274].

et surtout un entrain endiablé cadrant avec l'allure du
cheval :

---

270. *Ibid.*, XXII, v. 37-45.
271. *Bibliographie*, I, p. 91. Ce manuscrit se trouve actuelle-
ment dans une collection privée. Une mauvaise copie de ce
manuscrit, rédigée au xxᵉ siècle, se trouve à la Bibliothèque
Nationale (n.a.f. 12037).
272. *Les Epitres*, XXIII.
273. Sur Pierre Vuyart, voir *Les Epitres*, p. 167, n. 2. Marot
lui adressa une épigramme (*Les Epigrammes*, XLI).
274. V. 1-14. Ce cheval s'appelait Hedart. Marot en a écrit
l'épitaphe (*Œuvres diverses*, CXXI).

> Que veulx je donc ? ung Courtault furieux,
> Ung Courtault brave, ung Courtault glorieux,
> Qui ait en l'air ruade furieuse,
> Glorieux Trot, la Bride glorieuse.
> Si je l'ay tel, fort furieusement
> Le picqueray, & glorieusement.
>      Conclusion, si vous me voulez croire,
> D'homme & Cheval ce ne sera que gloire [275].

L'épître *A Guilaume du Tertre, Secretaire de Monsieur de Chasteaubriant* [276] appartient probablement à l'été de 1532. Marot, de Paris, l'adresse à Guillaume du Tertre [277] sans doute à l'époque où François Ier se trouvait à Châteaubriant, du mois de mai à la fin de juin en 1532, auprès de sa maîtresse, Françoise de Châteaubriant, épouse de Jean de Laval, seigneur de Châteaubriant, gouverneur et amiral de Bretagne.

Enfin l'*Epistre à Monseigneur le grand Maistre de Montmorency, par laquelle Marot luy envoye ung petit Recueil de ses Œuvres, & luy recommande le Porteur* [278] doit avoir été rimée vers 1531-1532, puisqu'elle contient une allusion à des rencontres entre le poète et le Grand-Maître à Bordeaux et à Cognac [279], rencontres qui ne purent avoir lieu que pendant la présence du roi à Bordeaux dans l'été de 1530 lors de l'arrivée d'Eléonore. L'épître, comme celle adressée au duc de Lorraine est intéressante du fait qu'elle accompagne le don d'un recueil manuscrit d'œuvres de Marot :

> C'est ung amas de choses espandues,
> Qui (quand à moy) estoient si bien perdues
> Que mon esprit n'eut onc à les ouvrer
> Si grand labeur comme à les recouvrer ;
> Mais comme ardent à faire vostre vueil,
> J'ay tant cherché qu'en ay fait ung recueil
> Et ung Jardin garny de fleurs diverses,

---

275. V. 45-52.
276. *Les Epîtres*, XXXI.
277. Sur Guillaume du Tertre, voir *ibid.*, p. 182, n. 1.
278. *Ibid.*, XXXII.
279. *Ibid.*, v. 36.

De couleur jaulne & de rouges & perses.
Vray est qu'il est sans arbre, ne grand fruict ;
Ce neantmoins je ne vous l'ay construict
Des pires fleurs qui de moy sont sorties.
Il est bien vray qu'il y a des Orties :
Mais ce ne sont que celles qui picquerent
Les Musequins qui de moy se mocquerent [280].

Ce manuscrit n'a jamais été retrouvé.

Les autres épîtres se rangent dans trois catégories distinctes. L'*Epistre qu'il perdit à la Condemnade contre les couleurs d'une Damoyselle* [281] est le premier exemple où l'épître marotique se passe de tout sujet pour devenir une espèce de causerie mondaine et spirituelle. De ce fait, ce poème, marque de l'art de Marot, mérite notre attention. L'enjeu de la partie de condemnade ayant été une épître de Marot et les « couleurs » de la damoiselle, Marot vaincu s'acquitte :

Je l'ay perdue : il faut que je m'acquitte ;
En la payant, au fort, me voyla quitte ;
Prenez la donc, l'Epistre que sçavez,
Et si dedans peu d'elocquence avez,
Si elle est sotte, ou aspre, ou à reprendre,
Au Composeur ne vous en vueillez prendre [282].

Après avoir blâmé de son échec les fâcheux qui ont détourné son attention en causant et les tricheurs, il termine de la façon spirituelle que voici :

Si on ne m'eust troublé de tant de bave,
Vous eussiez eu une Epistre fort brave,
Qui eust parlé des Dieux & des Déesses,
Et des neuf Cieulx où sont toutes lyesses.
Sur ces neuf Cieulx je vous eusse eslevée,
Et eusse faict une grande levée
De Rhetorique, & non pas de Bouclier ;
Puis eusse dit comment on oyt crier

---

280. *Les Epîtres*, XXXII, v. 13-26.
281. *Ibid.*, XVI. La Condemnade était un jeu de cartes à trois personnes.
282. V. 1-6.

Au fons d'Enfer, plein de peines & pleurs,
Ceulx qui au jeu furent jadis trompeurs :
Donnez vous garde. Or brief (sans m'eschauffer)
J'eusse descrit tout le logis d'Enfer,
Là où iront (si brief ne se reduisent)
Les vrays Trompeurs qui le Monde seduisent.
Puis qu'on m'a donc l'esprit mis en mal aise,
Excusez moi si l'Epistre est maulvaise,
Vous asseurant, si l'eussiez bien gaignée,
Qu'elle eust esté (pour vray) bien besongnée ;
Mais tout ainsi que vous avez gaigné,
Par mon serment, ainsi j'ay besongné.
Non qu'à regret ainsi faicte je l'aye,
Ne qu'à regret aussi je la vous paye.
Tous mes regretz, toutes mes grands douleurs
Viennent (sans plus) de ce que les couleurs
N'ay sceu gaigner d'une tant belle Dame,
A qui Dieu doint repos de Corps & d'Ame [283].

L'*Epistre qu'il feit pour ung Vieil gentil homme respondant à la Lettre d'un sien Amy* [284] montre, peut-être pour la première fois, l'art de Marot qui prend le ton exact, non seulement de la personne à qui il s'adresse, mais encore de celle pour qui il tient la plume. Marot, dans ce poème, fait effectivement parler un officier en retraite, avec tous les sentiments, toutes les nostalgies, voire même les locutions propres à ce genre d'homme :

Ta Lettre doulce & d'amour toute pleine.
Tant coule doulx, tant nayfve a la veine,
Tant touche bien noz jeunesses muées,
Qu'elle a (pour vray) les cendres remuées
De mon vieil aage ; et, de faict, en icelles
Il s'est encor trouvé des estincelles
Du feu passé, toutesfois non ardentes [285] ;

L'ami ayant de toute évidence parlé, dans sa lettre, d'une amourette avec une dame italienne, le « Vieil Gentil-homme » répond :

---

283. V. 17-42.
284. *Les Epîtres*, XVII.
285. V. 5-11.

Mais, quoy que peu à présent je m'en mesle,
Quand de la Dosne à la poignant mammelle
Je vins à lire, aultant fuz resjouy
Que de propos qu'en mon vivant ouy ;
Si fuz je bien de celle de Grenoble.
 O qu'elle est belle, et qu'elle a le cueur noble [286] !

et

 A dire vray, je deviens vielle Lame,
Et ne puis bien croyre qu'aulcune Dame
(Tant que tu dis) s'enquiere et se soucie
De mon estat ; neantmoins te mercie
Si quelcque foys de moy tiennent ensemble
Aulcun propos ; car par cela me semble
Que Cupido (sans de rien me priser)
En vieil Souldart me veult favoriser [287].

Enfin l'épître *Pour ung gentil homme de la Court escrivant aux Dames de Chasteaudun* [288] est un autre exemple
de l'art du récit. L'auteur y donne d'abord une peinture
sans doute fort réaliste de la vie peu confortable à laquelle
les déplacements continuels de la cour à cette époque obli-
geaient les courtisans :

 ... ; mais la grande servitude
De ceste Court, où est nostre habitude,
M'oste souvent par force le plaisir
Dessus lequel s'assiet tout mon desir.
Et m'esbahy que, veu nostre amytié,
N'avez souvent de nous plus grand pitié,
En nous voiant pour noz Princes & Maistres
Aller, venir parmy ces Boys champaistres,
Puis s'arrester en Villages & Bourgs,
Dont le meilleur ne vault pas voz Faulxbourgs.
Et là Dieu sçait si en maisons Bourgeoises
Sommes logez ; ces grosses Villageoises
Là nous trouvons. Les unes sont Vacheres
En gros estat, & les aultres Porcheres,

---

286. V. 15-20.
287. V. 37-44.
288. *Les Epîtres*, XX.

Qui nous diront (s'il nous ennuye ou fasche)
Quelcque propos de leur pays de vache [289].

Le gentilhomme raconte alors un rêve dans lequel il s'est
vu de retour à Châteaudun :

L'aultre nuictée en dormant fuz ravy,
Et me sembla que toutes je vous vy
Dessus ung Pré faire cent beaulx esbas,
En Cotte simple & les Robes à bas.
Les unes vey qui dansoient soubz les sons
Du Tabourin ; les aultres aux chansons ;
L'aultre, en apres, qui estoit la plus forte,
Prend sa Compaigne & par terre la porte,
Puis de sa main de l'herbe verte fauche,
Pour l'en fesser dessus la cuisse gauche ;
L'aultre, qui veit sa Compainge oultrager,
Laissa la danse & la vint revenger.
De l'aultre part, celles qui se lasserent
En leur seant sur le Pré s'amasserent,
Et dirent là une grand Letanie
De plaisans motz, et jeu sans vilainie.
Que diray plus ? L'aultre ung Banquet de Cresme
Faisoit porter, pour la chaleur extreme,
Au moins pour ceulx qui debvoient banqueter.
Lors me sembla que ne sceu m'arrester
Que devers vous ne courusse en cest estre ;
Mais, sur ce poinct, voicy une Fenestre
De mon Logis qui, tombant, feit tel bruit
Que, m'esveillant, mon plaisir a destruict.
Ha (dy je lors) Fenestre malheureuse,
Trop m'a esté ta cheute rigoreuse.
J'alloys baiser leur bouche doulce & tendre,
L'une apres l'aultre, & tu n'as sceu attendre [290].

Après nous avoir donné ainsi un récit réaliste des mœurs
de l'époque suivi d'une vision idyllique, toutefois brodée
sur une toile de fond réaliste, l'auteur narre maintenant
une scène amusante, la consultation du devin :

---

289. *Ibid.*, v. 9-24.
290. *Ibid.*, v. 59-86.

Si m'esveillay tout fasché, & m'en vins
Faire exposer mon beau songe aux Devins,
Entre lesquelz ung grand Frere Mineur
Je rencontray, excellent Devineur,
Qui m'asseura que de trois choses l'une
Me diroit vray. A minuict, à la Lune,
Va faire en terre ung grand cerne tout rond,
Guigne le Ciel, sa corde couppe & rompt,
Faict neuf grands tours, entre les Dents barbotte,
Tout à part luy, d'Agios une botte,
Puis me va dire : Amy trescher, je tien
Vray, à peu près, l'effect du songe tien [291] :

Récit sobre et clair, détails concrets, révélateurs et amusants, esprit, toutes les qualités du conteur se montrent
dans cette épître [292].

Les épitaphes qui forment la section du *Cymetiere* de la
*Suite* ne sont pas différentes en nature des *Epitaphes* de
l'*Adolescence* [293]. Comme dans le recueil précédent, les pièces
sérieuses se trouvent côte à côte avec des poèmes facétieux
ou satiriques. Ainsi le *Cymetière* contient l'épitaphe de la
reine Claude [294], première femme de François Ier, et l'épitaphe de Hedart, le cheval de Pierre Vuyart [295] !

A part la reine Claude, les personnages que Marot éter-
nise dans les épitaphes sérieuses semblent tous appartenir
au monde des fonctionnaires. Poèmes de circonstance,
composés sans doute pour rémunération, ils sont composés
dans le style traditionnel et n'offrent guère d'intérêt. On
peut en juger par l'*Epitaphe des Allemans de Bourges*,
*recitée par la Deesse Memoire* [296] :

---

291. *Ibid.*, v. 87-98.
292. Les deux autres épîtres de la *Suite*, *A une jeune Dame
laquelle ung Vieillard marié vouloit espouser & decevoir*
(*Les Epîtres*, XVIII), et *A celluy qui l'injuria par escript & ne
se osa nommer* (*Les Epîtres*, XIX), qui y fait suite, ne sont guère
intéressantes, d'autant plus que les personnages ne nous sont pas
connus, et que, de ce fait, toute l'affaire est obscure.
293. Voir plus haut, p. 232.
294. *Œuvres diverses*, CV.
295. *Œuvres diverses*, CXXI. Sur Pierre Vuyart, voir plus
haut, p. 247.
296. *Œuvres diverses*, CX. On ignore de quel membre de
cette famille nombreuse Marot a écrit l'épitaphe. La famille était

> Qui veult sçavoir grands accords differens,
> Les plus nouveaulx qu'on veit entre Parens
> Long temps y a, vienne en cest Oratoire
> Des Allemans lire la courte Histoire.
> Memoire suis, qui avecques leurs Corps
> Ne veulx souffrir enterrer leurs accords,
> Ains d'en escrire il me prend appetit [297].

Suit un long récit des faits et gestes de tous les membres de cette famille nombreuse.

Bien que scabreuse, la célèbre épitaphe *D'Alix* est malgré tout infiniment meilleure :

> Cy gist (qui est une grand perte)
> En Culetis la plus experte
> Qu'on sceut jamais trouver en France ;
> C'est Alix qui des son enfance
> Quand sa Nourrice l'alectoit
> Dedans le Berceau culetoit ;
> Et de trois jusques à neuf ans
> Avec Garsons, petitz enfans,
> Alloit tousjours en quelcque coing
> Culeter au Grenier au Foing.
> Et à dix ans tant fut culée
> Qu'en culant fut depucelée.
> Depuis grosse Garse devint ;
> Et lors culetoit plus que vingt.
> . . . . . . . . . . . . . . . . . . . . . . . . . .
> Encor dit on par grand merveille
> Que, si on veult mettre l'oreille
> Contre sa tumbe & s'arrester,
> On orra ses os culeter [298].

---

effectivement originaire de Bourges, Jean Lallemant le jeune étant nommé maire de cette ville en 1510 (J. Chenu, *Privileges octroyez aux maires et eschevins... de Bourges,* Paris, 1603, p. 85).

297. Deux membres de cette famille nous sont connus, Jean Lallemant l'aîné, trésorier de Normandie en 1481 (B.N., série généalogique, P.O. 1624, n° 11), et Jean Lallemant le jeune, receveur général des finances en Languedoc, Beaujolais, Forez et Lyonnais (*Cat. des Actes,* I, 38, 217).

298. *Œuvres diverses,* CXXII, Epitaphe XXXIII, v. 1-14 et 29-32. Notons que ce poème, imité en partie du *Satiricon* de Pétrone (voir *Œuvres diverses,* p. 227, n. 2), fut publié pour la

*Le Premier Livre de la Metamorphose.*

Dans la première moitié de l'année 1534 probablement,
parut, chez l'éditeur Estienne Roffet, frère de Pierre Roffet,
une troisième édition d'œuvres de Marot sous le titre de
*Premier Livre de la Métamorphose* [299]. Dans la même année
parut, chez le même éditeur, une seconde édition de ce
recueil sous le titre : *Le Premier Livre / de la Metamorphose / d'Ovide, translate de Latin en François / par Clement Marot de Ca/hors en Quercy, Val/let de Chambre / du
Roy. / Item Certaines œuvres qu'il feit en / prison, non
encores imprimez* [300] *./* La Section annoncée au titre des
*Certaines œuvres qu'il feit en prison* contient les poèmes
suivants :

> *Premierement le Rondeau qui fut la cause de sa
> prise* [301]
> *La Ballade qu'il feit en prison* [302]
> *Epistre qu'il envoya à Bouchard, docteur en Theo-
> logie* [303]
> *Rondeau parfaict composé apres sa delivrance &
> envoyé à ses amys* [304]
> *Epistre à son amy Lyon* [305].

Cette section est donc à beaucoup de points de vue ce
que le recueil offre de plus intéressant [306]. Pourquoi Marot,
ayant jusqu'à ce moment refusé de publier ces pièces ayant
trait à son emprisonnement en 1526, a-t-il jugé le temps

première fois dans la *Suite de l'adolescence Clementine*, imprimée en 1535 par F. Juste à Lyon (*Bibliographie*, II, n° 34).

299. *Bibliographie*, II, n° 18.

300. *Bibliographie*, II, n° 21.

301. *Œuvres diverses*, LXIII, Rondeau LXIII, *De l'inconstance
de Ysabeau*.

302. *Œuvres diverses*, LXXX, Ballade XIV, *Contre celle qui fut
s'Amye*.

303. *Les Epîtres*, IX, *Marot à Monsieur Bouchart, Docteur en
Théologie*.

304. *Œuvres diverses*, LXIV, Rondeau LXIV, *Rondeau parfaict
A ses Amys apres sa delivrance*.

305. *Les Epîtres*, X.

306. Sur toutes ces pièces, voir plus haut, p. 85-88.

propice en 1534 pour livrer au public ces poèmes ? La raison c'est qu'en 1534 l'évangélisme semblait devoir remporter la victoire, de sorte que le poète pouvait bien croire qu'il avait triomphé de ses adversaires et n'avait plus rien à craindre. Béda, le syndic de la Sorbonne et l'ennemi le plus acharné des idées nouvelles, était banni de Paris après l'affaire de l'interdiction par la Sorbonne du *Miroir de l'âme pécheresse* de Marguerite de Navarre [307], et Gérard Roussel, le prédicateur évangélique, prêcha au Louvre. N'oublions pas que c'est exactement à ce moment-là que Rabelais lui aussi devient beaucoup plus hardi et publie son *Gargantua.*

Dans l'épître *Au docteur Bouchard,* on relève d'ailleurs une variante fort curieuse et instructive du point de vue de nos spéculations sur les idées de Marot et de la hardiesse avec laquelle il les a exprimées. Dans cette épître, écrite probablement au Châtelet, Marot demande à Bouchard, docteur en théologie et apparemment responsable de son emprisonnement, qu'on le remette en liberté. Comme de bien entendu, Marot proteste de son orthodoxie :

> Donne response à mon présent affaire,
> Docte Docteur. Qui t'a induict à faire
> Emprisonner, depuis six jours en ça,
> Ung tien amy, qui onc ne t'offensa ?
> Et vouloir mettre en luy crainte & terreur
> D'aigre justice, en disant que l'erreur
> Tiens de Luther ? Point ne suis Lutheriste
> Ne Zuinglien, & moins Anabatiste :
> Je suis de Dieu par son filz Jesuchrist [308].

Dans l'édition princeps [309], les sept premiers vers sont identiques à ceux de l'édition de 1538. Le huitième vers cependant est sensiblement différent :

> Ne Zuinglien, encores moins Papiste [310].

---

307. Simon du Bois, Avignon, 1531.
308. *Les Epîtres,* IX, v. 1-9.
309. *Le Premier Livre de la Metamorphose,* (*Bibliographie,* II, n° 21).
310. Voir plus haut, p. 94. Cf. aussi *La Religion de Marot,* p. 14.

Il va sans dire que dans l'original de cette épître, ce vers aurait été impossible. Mais huit ans plus tard, lorsqu'il a pu penser qu'il avait gagné la partie et voyait les forces du progrès triompher contre la Sorbonne, Marot a sans doute tenu à montrer ses vrais sentiments par cette boutade audacieuse.

La principale partie du recueil, la traduction du premier livre des *Métamorphoses* d'Ovide montre que Marot suit la mode de son époque. Déjà Octovien de Saint-Gelais avait fait une large place à la traduction en vers français d'œuvres latines. Dans la première moitié du XVIe siècle la traduction jouait un rôle d'une importance capitale. Sans parler de Claude de Seyssel [311], Hugues Salel traduisit l'*Iliade*, Bonaventure des Périers traduisit des *Odes* d'Horace, Barthélémy Aneau traduisit Ovide de même que Thomas More. La vogue continua après le milieu du siècle, puisque Du Bellay, après avoir condamné la traduction dans *La Deffense et Illustration de la langue françoise*, traduisit plusieurs livres de l'*Enéide*.

On n'a jamais porté de jugement sur la qualité des *Métamorphoses* de Marot. En l'absence d'un travail qui fasse autorité [312] il est difficile de juger. Dans l'ensemble on n'a pas l'impression qu'Ovide perde dans la traduction de Marot.

---

311. Voir plus haut, p. 27.
312. Il nous manque une étude qui fasse autorité sur les traductions de Marot. Le travail de K. Regius, *Untersuchungen zum Uebersetzerstil Clement Marots*, Schwarzenbach, 1951, est tout à fait insuffisant. (Voir B.H.R., t. XIII, 1953, p. 136-139).

## VI

## LE PREMIER EXIL

*Sagon.*

Comme 1527, l'année 1534 fut d'une importance capitale dans la vie de Marot. Nous venons de voir que cette année-là vit le poète au sommet de sa carrière. Il a réalisé à peu près toutes ses ambitions. Valet de chambre du roi, bien vu des grands, poète officiel assistant aux cérémonies importantes et les chantant dans ses poèmes, jouissant d'une haute considération auprès des lettrés, poètes et humanistes, il a de plus obtenu les plus grands succès de librairie connus à l'époque avec ses trois recueils publiés coup sur coup depuis 1532.

De plus, c'est dans l'année 1534 qu'avec le triomphe apparent de l'évangélisme Marot devient plus hardi, publiant des poèmes qu'il avait jusqu'alors jugé prudent de ne pas livrer au grand public. De tous les points de vue c'est la gloire.

Pourtant la némésis de l'existence humaine n'était pas lente à frapper. Car si le poète avant cette époque avait connu des déboires, c'est en 1534 que lui arriva son plus grand malheur.

Dès ses débuts, il avait eu des ennemis. En dehors des autorités religieuses qui semblent l'avoir gardé à vue depuis 1526, on peut noter des inimitiés particulières. Plusieurs poèmes dans l'*Adolescence* et dans la *Suite* sont des répon-

ses à des poèmes injurieux. De plus il y a l'affaire des
Dames de Paris. Cependant ces hostilités ne semblent pas
avoir été graves ; la plupart des ennemis de Marot sont
alors des hommes de rien, du reste plus ou moins anonymes. Seules les autorités, la Sorbonne et le Parlement,
importent ; le reste ne tire pas à conséquence.

Au cours de l'année 1534 par contre, Marot s'attira une
haine toute particulière et qui allait donner naissance à une
querelle célèbre. Ce n'est pas que cet ennemi de Marot fût
un homme distingué ou même remarquable. Tout au
contraire il s'agit d'un obscur Rhétoriqueur, d'un rimailleur de très bas étage nommé François Sagon.

Nous savons très peu de choses de François Sagon. Son
père, venu d'Espagne, et naturalisé Français, s'établit en
Normandie [1]. François Sagon devint homme d'église, et, à
l'époque qui nous intéresse, était secrétaire de l'abbé de
Saint-Evroult [2]. Rhétoriqueur de province, il participa régu-
lièrement aux concours poétiques, et obtint à une date
incertaine la couronne au Puy de Rouen pour un chant-
royal [3].

La querelle entre Marot et Sagon commença par une discussion qu'ils eurent le 16 août 1534 à Alençon. Ce jour-là
eut lieu le mariage d'Ysabeau d'Albret, nièce de Marguerite
de Navarre, avec René, vicomte de Rohan [4]. Marot se trouva
parmi les invités. Il est probable que c'est pour cette occa-

---

1. Voir H. Guy, *Histoire de la poésie française au seizième
siècle*, t. II, 1926, p. 253 suiv., § 364-418 ; P. Villey, *Marot et Rabelais, Les grands écrivains du seizième siècle*, Paris, Champion,
1923, p. 104-108 ; et *La Querelle de Marot et de Sagon*, textes
publiés par E. Picot et P. Lacombe, Société Rouennaise des
Bibliophiles, 1920, Introduction par G. Dubosc. Le père de Sagon
avait reçu des lettres de naturalité en 1501.

2. Félix de Brie, abbé commendataire de Saint-Evroult,
conseiller du roi (*Cat. des Actes*, V, 454, 17008), qui avait été,
en 1517, aumônier de Charles, duc d'Alençon et de Marguerite
d'Angoulême (B.N. ms. f. 7856, p. 872).

3. Cf. *Œuvres Satiriques*, VI, v. 105-114. On ignore le titre de
ce chant-royal de Sagon. Dans *Le rabais du caquet de Frippelippes* (voir plus bas, p. 388) il se vante d'avoir obtenu le prix
plusieurs fois. Cf. Robillard de Beaurepaire, *ouvr. cit.*

4. Voir P. Jourda, *Marguerite d'Angoulême, duchesse d'Alençon, reine de Navarre*, Paris, Champion, 1930, t. I, p. 183-184.

sion qu'il composa l'*Epistre présentée à la Royne de Navarre par Madame Ysabeau et deux autres damoyselles habillées en Amazones en une mommerie* [5]. Cette épître, qui ne fut jamais imprimée au XVIe siècle [6], est un encouragement à Marguerite de persévérer dans sa lutte pour les idées nouvelles malgré l'opposition de la Sorbonne :

> Penthazillée, Royne des Amazones,
>> à Marguerite, Royne de Navarre
> J'ay entendu, tres illustre compaigne,
> Que contre toy se sont mys en campaigne
> Les haulx quantons du lac pharisien.
> Par quoy soudain du camp Elisien
> J'ay faict sortir troys de mes damoyselles,
> Pour te monstrer le plus grand de mes zelles,
> Qui est d'oyr nouvelles briefvement
> De la deffaicte et prompt definement
> De ceste race inutille et contraire
> A ce bon Christ, lequel me vint retraire
> Hors des enfers, lorsqu'il y dessendit,
> Et à repos en ce lieu me rendict [7].

Cette épître fut-elle la raison de la brouille entre Marot et Sagon ? De toute manière le sujet de la querelle, au dire de Sagon, était purement religieux, Marot ayant essayé de convertir Sagon à l'évangélisme :

> Tu sçays (Marot) mieulx que moy de moictié
> Qu'avons esté en loyalle amitié,
> Communiquans nos affaires ensemble,
> Comme font ceulx que vray amour assemble,
> Jusques au jour que Madame Ysabeau,
> En equipage & triumphe assez beau,
> Prist son espoux en ville alençonnoise
> Pleine d'esbatz, & pour ce jour sans noise.
> Mais onc ne fut, & est à commencer,
> Nopce ou festin sans aulcun mal penser.
> Je ne dy pas sans raison le proverbe,
> Car toy & moy devisans dessus l'herbe,

---

5. *Les Epîtres*, XXXIII.
6. Cf. *Ibid.*, p. 55-56.
7. *Les Epîtres*, XXXIII, suscription et v. 1-12.

Le lendemain, au beau parc d'Allençon,
Apres souper eusmes noise & tenson
Pour la leçon de la foy catholicque,
Où tu voullus faindre l'Evangelique,
Quant tu me dictz (o bon prince des cieulx)
Qu'encore estoit au devant de mes yeulx
L'obscure nuict & vele de Moyse,
Pource qu'estoye adherent à l'esglise.
Et lors ta langue asprement me reprist
Que ne vouloye user de mon esprit
(Duquel pourtant gectas une louenge
Dont je feis moindre estime que de fenge).
Me dys tu pas qu'il ne tenoit qu'à moy
Que ne servisse ou à Reine ou à Roy ?
Et je te feis responce à ce passage
Que je pensoye estre encor plus sage
De n'estre à l'ung ny à l'aultre en la court.
Nostre propos n'en fust couppé si court,
Mais j'y mectz fin ainsi qu'à chose entiere.
Te souvient il du propos & matiere
Des temples sainctz, de jeusne & d'oraison,
Où tu me dys tant de sottes raisons ?
    Ce que je dy est il pas veritable ?
Que feiz j'adonc ? Par moien charitable
Je t'en repris. Où ? Entre toy & moy,
En ensuivant l'Evangile & la Loy.
Mais je ne sceu pour ton impatience
Rien proffiter envers ta conscience.
Tu te haulsas tellement pour le moins
Qu'à ta clameur survindrent deux tesmoings.
Je m'acquittay par ceste voye honneste
D'ung chrestien qui ung autre admonneste.
Tu t'obstinas & ta fureur descent
Tant qu'en une heure y en vinst plus de cent.
Vela comment j'acompli en cest œuvre.
L'instruction que nostre evangille œuvre.
    Mais quoy ? On veit pour ung mot que je dy
Marot tirer, comme ung homme estourdy,
A son poignart, voullant commectre offense
De m'assaillir sans baston de deffense.
    Que feit Sagon ? Par contraincte du lieu
Prit le bouclier de la grace de dieu,
Et de parolle amyable & humaine.
Quant au surplus, sa main estoit prochaine ;
Mais c'est le train d'ung juif ou sarrazin

De n'escouter disputer son voesin,
Cherchant raison en loy mahumetique.
   Ainsi en faict ce jourd'hui l'heretique,
Ayant reffuge à l'acier & au fer
Si on le veult par raison eschauffer [8].

Débarrassé de ses fioritures (par exemple la patience et douceur de Sagon en face de Marot prêt à le poignarder), le récit de Sagon peut très bien correspondre à la réalité, et il n'y a aucune raison sérieuse de le mettre en doute. Le fait que les deux hommes s'étaient connus avant de devenir ennemis ressort également de ce que dit Marot dans l'épître de Frippelippes :

Vrayment, il me vient souvenir,
Q'ung jour vers luy te vy venir
Pour ung chant Royal luy monstrer,
Et le prias de l'acoustrer,
Car il ne valloit pas ung œuf,
Puis, quant il l'eust refaict tout neuf,
A Rouen en gaignas (povre homme)
D'argent quelque petite somme,
Qui bien à propos te survint
Pour la VEROLLE qui te vint [9].

La cause de la querelle n'a pas toujours été mise en relief comme il faudrait ; on a donné à entendre que la jalousie était l'unique motif de Sagon [10]. Certes, il est impossible de nier que Sagon fût un triste personnage, mais il est tout aussi impossible de nier que l'orthodoxie, le fanatisme reli-

---

8. *Defense de Sagon contre Clement Marot.* Il faut avoir lu toutes les œuvres de Sagon, il faut comprendre le degré de stupidité, d'étroitesse d'esprit et de fanatisme religieux de ce triste individu, pour ne pas voir une lugubre plaisanterie dans le dernier vers de ce passage.

9. *Œuvres satiriques*, VI, *Le Valet de Marot contre Sagon, Cum Commento, Frippelippes, secretaire de Clement Marot, à Françoys Sagon, secretaire de l'Abbé de sainct Evroul*, v. 105-114.

10. Voir P. Jourda, *Clément Marot, l'homme et l'œuvre*, Paris, Boivin, 1950, p. 38, et J. Plattard, *Marot, sa carrière poétique et son œuvre*, Paris, Boivin, 1938, p. 76 : « ... aucune thèse, aucune idée, ni politique, ni littéraire, ni religieuse n'y était engagée. »

gieux fussent ses traits les plus saillants ; ils expliquent sa
haine pour Marot. Il est tout à fait probable que les choses
se sont passées comme le dit Sagon. Ajoutons que son récit
est fort circonstancié et représente un véritable témoignage.
Marot, de toute évidence, eut une discussion religieuse avec
Sagon et tâcha de le convertir à l'évangélisme. Comme l'été
de 1534 vit le triomphe — éphémère — des idées nouvelles
à la Cour, il n'est pas étonnant que Marot ait dit à Sagon
que son orthodoxie l'empêcherait d'obtenir une place à la
Cour de François Ier ou à celle de Marguerite de Navarre.
Il n'y a rien d'impossible non plus à ce qu'il ait parlé contre
le jeûne et les prières, ni qu'il ait qualifié le catholicisme
« d'obscure nuict et vele de Moyse [11] ».

A partir de ce moment-là Sagon restera l'ennemi implaca-
cable de Marot, et ne perdra pas une occasion de lui
nuire.

*L'affaire des Placards.*

Dans la nuit du 17 au 18 octobre 1534, des placards condamnant en termes violents la messe furent affichés dans
les rues de Paris et des principales villes de France, y compris Amboise où séjournait François Ier. La colère du roi
fut extrême et les membres du parti orthodoxe n'eurent pas
grand peine à lui persuader de prendre des mesures éner-
giques contre les novateurs. La persécution commença
immédiatement et fut atroce [12].

Marot s'enfuit aussitôt. Nous n'avons que peu de documents sur les poursuites dirigées contre lui et, ici encore,
nous sommes forcés de nous en tenir aux déclarations sou-

---

11. Allusion à saint Paul, Corinthiens, 3, 14.
12. Sur l'affaire des Placards, voir V.L. Bourrilly et N. Weiss,
*Jean du Bellay, les Protestants et la Sorbonne,* B.S.H.P.F., t. LIII,
1904.
Voir également L. Febvre, *L'origine des placards de 1534,*
B.H.R., t. VII, 1945, p. 62, et R. Hari, *Les Placards de 1534,*
*Aspects de la Propagande religieuse,* Genève, Droz, 1957, p. 79-
142. Il y a cependant lieu de se méfier de certaines des hypothèses avancées dans ce travail, comme par exemple celle au
sujet de Marot (p. 106), hypothèse qui repose en partie sur une
attribution fantaisiste et que rien ne justifie.

vent contradictoires et parfois sujettes à caution faites par le poète dans plusieurs de ses poèmes écrits pendant l'exil. Il en ressort toutefois que Marot était à Blois la nuit de l'affichage des placards et qu'il prit la fuite sans attendre, sans même se fier à la protection du roi :

> ... pour me justifier,
> En ta bonté je m'osay tant fier
> Que hors de Bloys partys pour à toy, Syre,
> Me presenter. Mais quelcqu'ung me vint dire :
> Si tu y vas, amy, tu n'es pas saige ;
> Car tu pourroys avoir maulvais visaige
> De ton seigneur. Lors, comme le nocher
> Qui pour fuyr le peril d'ung rocher
> En pleine mer se destourne tout court,
> Ainsi, pour vray, m'escartay de la court [13].

A comparer avec le *3ᵉ coq-à-l'âne* :

> Or jamais ne vous laissez prendre,
> S'il est possible de fouyr ;
> Car tousjours on vous peult ouyr
> Tout à loysir et sans collere ;
> Mais en fureur de telle affaire
> Il vault mieulx s'excuser d'absence
> Qu'estre bruslé en sa presence [14].

On retiendra simplement que Marot a pris la fuite immédiatement.

Marot était-il impliqué dans l'affaire des Placards ? Le Parlement et sans doute aussi la Sorbonne le destinèrent à être une des premières victimes de la vague de persécutions déclenchée par les forces de la réaction. Un passage très important de l'épître *Au Roy, du temps de son exil à Ferrare*, auquel on n'a pas fait assez attention jusqu'ici, ne laisse aucun doute :

---

13. *Les Epîtres*, XXXVI, *Epistre au Roy, du temps de son exil à Ferrare*, v. 163-172.
14. *Œuvres satiriques*, IX, *Du coq à l'asne faict à Venise par ledict Marot le dernier jour de juillet MVCXXXVI*, v. 170-176.

> Le Juge doncq' affecté se monstra
> En mon endroict, quand des premiers oultra
> Moy qui estoys absent & loing des villes
> Où certains folz feirent choses trop viles [15].

ce qui veut dire, à n'en point douter, que le Parlement
ordonna des poursuites contre Marot le lendemain de l'affaire des Placards, et tàcha de l'arrêter. Le poète s'étant
enfui, les magistrats procédèrent à une saisie de son logis
parisien, confisquèrent ses livres et les manuscrits. Dans
l'épître *Au Roy, du temps de son exil à Ferrare*, Marot s'en
plaint avec aigreur :

> Rhadamanthus avecques ses suppostz,
> Dedans Paris, combien que fusse à Bloys,
> Encontre moy faict ses premiers exploicts,
> En saisyssant de ses mains violentes
> Toutes mes grandz richesses excellentes
> Et beaulx tresors d'avarice delivres,
> C'est assçavoir, mes papiers & mes livres
> Et mes labeurs [16].

La saisie est confirmée par Sagon, dans un passage souvent cité du *Coup d'essay* [17], et par un témoin infiniment
plus important que ce dernier, à savoir un ennemi anonyme de Marot, qui, sous le pseudonyme de « général
Chambor », publia une réponse à l'épître *Au Roy, du temps
de son exil à Ferrare*, où, répliquant à la protestation du
poète contre la saisie, il s'écrie :

> De tes papiers que tu nommes sacrez
> Du doy de Dieu, que on a tant massacrez,
> Sacrez n'estoient, mais dampnez & mauldictz,
> Veu les erreurs comprins en leurs tradictz
> Soubz la couleur de l'escripture saincte.
> On a bien sceu d'eux & leur letre faincte

---

15. *Les Epîtres*, XXXVI, v. 157-160.
16. *Les Epîtres*, XXXVI, v. 124-131.
17.      On n'y trouva que tes livres tres ords,
     Livres mortels, livres remplys d'offence,
     Livres gardez contre juste deffence,
     Livres traduicts par un tas de paillards,
     Placards souilez, mynutes et brouillards.

Feu allumer & les reduyre en cendre,
Car trop de maulx en eussent peu descendre [18].

Ajoutons que tout au long de son *Coup d'essay* [19], son premier et principal pamphlet contre Marot, Sagon accuse Marot d'être le principal luthérien en France, celui dont la voix séductrice a fait « tomber l'ignorant peuple en faute [20] », et prétend même que le poète a trempé dans l'affaire des Placards :

Et au contraire ung chascun tres bien pense
Que, veu le mal sorty de ton offense,
De ton conseil & machination
Et ta constance en obstination,
On faict peché de nourrir ton ordure,
Dont en Paris puanteur dure
Plus que des corps qui par toy sont tous mors
Mais ton esprit maling saulva ton corps.

Dans un autre endroit de ce pamphlet, Sagon lance des accusations plus précises, prétendant qu'elles reposaient sur des faits connus seulement depuis la fuite du poète :

Et que sur toy se font nouvelles plaintes
Dont la plus doulce a bien prouvé au roy
Que tu estoys cause du desarroy,
Porte guydon, guyde, pourtraict, exemple
De tout le mal qu'on faisoit vers le temple
En maintz endroictz tant de nuyt que de jour,
Lors que fesois dedans Paris sejour.

Ou encore :

Qui est Marot, dont j'aose tant parler ?
C'est ce Marot, dont l'arrogant parler
Ayant credit soubz parolle trop haulte
A faict tumber l'ignorant peuple en faulte
Par trop avoir foy mise en son esprit.

---

18. *Epistre du general Chambor responsive à l'epystre de Clement Marot qu'il envoya au Roy treschrestien françoys*, v. 217-224. Voir plus bas, p. 281.
19. Voir plus bas, p. 280.
20. Voir plus bas.

S'agit-il dans tout cela simplement d'un grossissement des faits, résultant de la haine du fielleux Normand ? Peut-être. Toutefois, les preuves que nous avons réunies montrent que le cas de Marot dut être fort grave, et, s'accordant en somme aux accusations de Sagon, leur confèrent une réelle valeur de témoignage, non pas peut-être pour les véritables croyances et actions de Marot, mais du moins pour les charges qui pesaient sur lui et pour l'opinion qu'on avait de lui à ce moment.

Que Marot ait trempé dans ce complot, cela peut paraître fort douteux. Du reste aucun document ne justifie un pareil soupçon. D'autre part, il convient de noter que le poète, à Ferrare, éprouva le besoin de se laver devant le roi d'une telle accusation, en affirmant qu'il se trouvait loin des villes affectées par l'affaire des Placards [21]. De fait, selon son propre aveu, le poète se trouvait à Blois, guère éloigné d'Amboise où les placards furent affichés jusqu'à la porte du roi. Quoi qu'il en soit, que Marot se soit cru obligé de se défendre du soupçon de complicité dans l'affaire des Placards, cela me semble d'une assez grande importance.

*Fuite et refuge en Navarre.*

Leur proie s'étant échappée, les autorités ne s'en tinrent pas là, mais lancèrent un mandat d'amener contre Marot et le firent rechercher dans tout le royaume. C'est ce qui explique qu'en novembre 1534 Marot fut arrêté à Bordeaux, où il se trouvait sans doute en route pour le royaume de Navarre. Nous possédons le procès-verbal de cette arrestation :

> Le 27 novembre 1534, M⁰ Clement Marot, soupçonné de suivre la secte lutherienne, a esté envoyé quérir par N... huissier en la cour, et, interrogé, a dit estre de l'aage de 28 (*lire* 38) ans environ, natif de Cahors-en-Quercy, et qu'il estoit valet de chambre du roy et secrétaire de la reine de Navarre et qu'il n'avoit point

---

21. *Les Epîtres*, XXXVI, v. 157-160. Voir aussi plus haut, p. 265.

lettres du roy à cause de son office, mais estoit à son estat [22].

Nous n'avons pas d'autres documents sur les démêlées du poète avec les autorités bordelaises. Il est clair cependant qu'il arriva à s'échapper ; dans le *3ᵉ coq-à-l'âne*, Marot fait une allusion burlesque à cette affaire :

> Lyon, il t'en peult souvenir ;
> Il n'estoit temps de revenir ;
> Il failloit chercher seureté
> Du paouvre Clement arresté,
> Qui surprins estoit à Bordeaulx
> Par vingt ou quarante bedeaulx
> Des sergens dudict parlement.
> Je diz que je n'estoys Clement
> Ne Marot, mais ung bon Guillaume
> Qui, pour le prouffict du Royaume,
> Portoys en grande dilligence
> Paquet et lettres de creance.
> Je n'avoys encores souppé,
> Mais si tost que fuz eschappé,
> Je m'en allay ung peu plus loing ;
> Par dieu, il en estoit besoing ;
> Car pour ung tel paouvre souldart
> Que Clement, qui n'est point pendart,
> N'y fut faict plus grande poursuicte.
> J'avoys chacun jour à ma suicte
> Gens de pied et gens de cheval ;
> Et lors je prins le vent d'aval,
> Et sur petitz chevaulx legiers
> Je me mis hors de tous dangiers [23].

Il est difficile de savoir pourquoi le poète s'amuse à prétendre qu'on ne l'a pas reconnu, alors que le procès-verbal ne laisse aucun doute sur le fait qu'il a dûment décliné ses noms et titres. Toutefois, en ce qui concerne sa fuite, ou plutôt le fait de s'être échappé des mains de la police, Marot

---

22. *Chronique du Parlement de Bordeaux* par Jean de Métivier, p.p. A. de Brezetz et J. Delpit, ouvr. cit., t. I, p. 316.

23. *Œuvres satiriques*, IX, *Du coq à l'asne faict à Venise par ledict Marot le dernier jour de juillet MVCXXXVI*, v. 139-162.

dit très probablement la vérité. En effet, le Parlement de Bordeaux n'a pu l'arrêter que sur un ordre ou un avis émanant de Paris. Les autorités bordelaises n'étaient donc pas libres de relâcher le poète après un simple interrogatoire d'identité, mais tenues de le transférer à Paris. Ainsi donc, si Marot a pu quitter Bordeaux pour gagner la Navarre — et nous savons que ce fut le cas — c'est qu'il réussit à s'enfuir.

Marot et tous les autres luthériens qui avaient échappé au bûcher par la fuite furent condamnés par contumace, et leurs noms criés par les rues de Paris le 25 janvier 1535. La proclamation, suivie d'une liste de 52 noms, figure dans la *Cronique du Roy Françoys I^er* :

> Le lundy 25 janvier furent ajournés à son de trompe, à trois briefz jours, par les carrefours de Paris, jusqu'au nombre de soixante et treize luthériens qui s'en étoient fuis hors Paris, à comparoir en personne, et, à faute de non comparoir, être atteints du cas, bannis du royaume de France, et leurs biens confisquez, et condamnés à être brûlés [24].

Celui de Marot est en septième place. La même proclamation se trouve dans un manuscrit de la Bibliothèque municipale de Soissons [25], mais la liste des noms n'est pas tout à fait identique à celle donnée dans la *Cronique du roy François I^er*. Le nom de Marot se lit cependant sur les deux listes.

De Bordeaux, le poète gagna le royaume de Navarre, où il était sous la protection de la reine Marguerite. Nous connaissons cet épisode par les affirmations du poète. Dans l'épître *Au Roy, du temps de son exil à Ferrare,* il dit :

> Si m'en allay, evitant ce dangier,
> Non en pays, non à Prince estrangier,
> Non point usant de fugitif destour,
> Mais pour servir l'aultre Roy à mon tour,
> Mon second maistre, & ta sœur, son espouse,

---

24. Ouvr. cit., p. 130.
25. Publiée dans B.S.H.P.F., t. XI, 1862, p. 253-258. Cf. aussi R. Hari, art. cit.

> A qui je fuz, des ans a quatre & douze,
> De ta main noble heureusement donné [26].

Malheureusement, on ne sait avec précision dans quelle partie du royaume de Navarre se réfugia Marot. Bien qu'il soit
établi que Marguerite passa l'hiver de 1534-1535 en Navarre,
on ne sait pas où elle fixa sa résidence [27]. Tout ce qu'on peut
affirmer c'est que du mois de décembre 1534 jusqu'au mois
de mars 1535 probablement, Marot se tint auprès de la
reine.

Sur les causes de son départ, le poète n'a fait que d'assez vagues révélations. Dans l'épître *A la Royne de Navarre*,
on lit ces vers :

> Tu sçais comment, par parolles mutines
> Des envieux aux langues serpentines,
> Je fus contrainct (bien t'en peult souvenir)
> Par devers toy en franchise venir,
> Puis tout à coup, helas ! t'abandonner,
> Soubz le conseil qu'il te pleust me donner ;
> Si me traictas (ains que partir) de sorte
> Qu'il n'est besoing que de ma plume sorte
> Ce qui en fut, craignant apprecier
> Mon loz en lieu de te remercier.
> O gentil cueur de Princesse royalle,
> O plaine d'heur la famille loyalle
> Qui vit soubz toy ! Ainsy fut mon depart,
> Ayant aux yeulx les larmes d'une part,
> D'autre costé, une doubte, une craincte
> Qui en chemin dedans moy fut empraincte
> Pour la fureur des envyeulx meschans,
> Qui lors estoient en question sur les champs [28].

Ainsi donc, Marguerite de Navarre conseilla au poète de
partir. Sans doute ne se sentait-elle pas assez forte dans
ses propres états pour garantir sa sécurité. Peut-être François Ier voyait-il d'un mauvais œil sa sœur accorder un

---

26. *Les Epîtres*, XXXVI, v. 179-185.
27. Cf. P. Jourda, *Marguerite d'Angoulême*, Paris, Champion,
1930, t. I, p. 185-186.
28. *Les Epîtres*, XLVI, v. 27-44.

asile à un homme banni de France et condamné par contumace. Le 29 janvier 1535, il avait publié un édit fort violent dans lequel, pour « l'extirpation & extermination de
la secte Lutherienne & autres heresies », il ordonne que
tous les « receptateurs & recelateurs » des luthériens fugi-
tifs soient punis des mêmes peines que les luthériens eux-
mêmes, et promet le quart des biens des victimes à « tous
ceux & celles qui reveleront & denonceront à justice aucune
desdits delinquans, soient des principaux sectateurs, ou de
leurs fraudeurs & recelateurs [29] ».

Quoi qu'il en soit, la reine ne pouvait garder son protégé auprès d'elle, ce qui prouve que le cas de Marot devait
être fort grave.

Ajoutons que pendant longtemps la fuite du poète après
l'affaire des Placards, son refuge en Navarre, et son passage
en Italie étaient obscurcis par la soi-disant épître de
Marot connue sous le nom de *Lettres de Clement Marot &
par luy envoyées de Ferrare à son amy Couillard. Seigneur
du Pavillon les Lorriz* [30]. Cette épître fut publiée pour la première fois dans *Les Contredicts du Seigneur du Pavillon
lez Lorritz, en Gastinois, aux faulses & abusifves propheties de Nostredamus, & autres astrologues. Adjousté quelques œuvres de Michel Marot, fils de feu Clement Marot,
prince des poetes François*, Paris, L'Angelier, 1560 [31]. Voici
comment Michel Marot annonce au seigneur du Pavillon sa
découverte de l'épître de son père :

Au Seigneur du Pavillon, M. Marot, salut.

A mon retour du pais de Ferrare,
Par Chambéry le chemin s'adressant,
J'ay trouvé certes une chose bien rare (*sic*)
Au cabinet de mon pere Clement :
Car, revolvant ses escripts pour les lire,
Trop me nuisoyent & n'appaisoyent mon ire,
Si n'eusse veu epistre de sa veine

---

29. Voir *La Religion de Marot*, ouvr. cit., Appendice I, 19.
30. Becker (ouvr. cit.), par exemple, a basé le récit de la fuite
de Marot entièrement sur l'épître à Couillard.
31. *Bibliographie*, II, n° 285.

> Qui s'addressoit à son amy Antoine,
> Dont mieulx que moy entendras le dessein :
> Telle est la lettre escripte de sa main.

Colletet et, à sa suite. Guiffrey ont mis en doute l'authenticité de cette épître [32]. Il faut avouer qu'il y a peu d'apparence qu'elle soit de Clément Marot et, par contre, beaucoup qu'elle soit de Michel Marot. En effet, selon le titre, le poète aurait composé cette épître à Ferrare. Cependant, à ce qu'il paraît, ce poème, il ne l'a ni publié, ni fait tenir à son destinataire. Autrement, on ne voit pas pourquoi Michel doit se donner la peine de l'envoyer à Couillard. Pour quelle raison Marot n'a-t-il pas expédié cette épître ? Pour quelle raison l'a-t-il emportée avec lui dans son second exil ? Car notons que Michel dit l'avoir trouvée dans le cabinet de son père à Chambéry. Il faut avouer que tout cela est déjà bien improbable. Mais si l'on regarde l'itinéraire du poète selon cette épître, l'authenticité devient impossible. Marot aurait visité Couillard à Lorris, en route pour Blois :

> Car lors que je te vei,
> Repassant à Lorri,
> Venant de Vauluisant,
> M'en retournay à Blois,

C'est là qu'il entendit les nouvelles de l'affaire des Placards (l'épître est vague sur ce point, insinuant même que le poète ne fut poursuivi que

> A la seule parole
> D'une femme trop folle.)

Alors il s'enfuit :

> Je passay donc Tharare
> Pour venir à Ferrare.

De fait, nous savons que Marot se rendit auprès de Marguerite de Navarre, et que ce ne fut que quelques mois plus

---

32. Guiffrey, éd. cit., III, p. 320, n. 1.

tard qu'il prit le chemin de l'Italie. Ce n'est que vers la
fin de cette épître qu'il est question du séjour du poète
auprès de sa protectrice :

> La Royne de Navarre
> Me donna le bon aerre
> Qu'en passant tu me vei,
> Pour me faire monter
> Et soubdain devaller
> Les monts jusques icy.

Autrement dit, après avoir quitté Nérac, ou tout au moins
le territoire de Navarre, puisqu'on n'est pas sûr du lieu où
se cachait exactement le poète auprès de Marguerite, il
aurait visité de nouveau Antoine Couillard avant d'aller en
Italie, ce qui est tout à fait impossible. Pour aller du Sud-
Ouest vers la frontière italienne, personne n'aurait eu
l'étrange idée de remonter jusqu'à Lorris près de Montargis, dans le Loiret[33].

Enfin, dans cette épître, le poète parle longuement de
son fils :

> La benigne princesse,
> Excellente deesse,
> De toutes le mirouer,
> Print mon fils pour son page ;
> C'estoit le meilleur gage,
> Qu'eusse peu luy trouver.
> . . . . . . . . . . . . . . . . . . . . . . . . .
> Ce fils, pour sa jeunesse,
> A sa grande haultesse
> J'ay bien recommandé :
> S'il faict ce qu'il propose
> Et que Dieu le dispose,
> Il en sera aidé.
> Or puis que le cognois,
> Je te pry, si le veois

---

33. Dans l'épître à Marguerite de Navarre (*Les Epitres*, XLVI),
Marot, parlant de sa fuite, dit simplement :
> Ainsy passay Languedoc et Prouvence,

(v. 54)

ce qui est effectivement la route naturelle à prendre pour aller
de la Navarre en Italie.

> Luy donner ce motet
> De poursuivre la veine
> Du pere à toute peine,
> Et qu'il ne soit muet.

Que Michel Marot, après la mort de son père, ait trouvé un poème inédit qui parle de lui en ces termes, qui le recommande non seulement au seigneur du Pavillon, mais encore à Marguerite de Navarre, c'est pour le coup une étrange coïncidence. Elle devient beaucoup plus étrange si on considère que nulle part ailleurs Marot n'a parlé de ce fils [34], et qu'aucun document n'a été retrouvé attestant la présence de Michel Marot comme page à la cour de Marguerite.

Il est donc évident que cette épître représente une espèce de supercherie de la part de Michel Marot, qui espérait sans doute obtenir par là la protection de Jeanne d'Albret, la fille de Marguerite. En effet, en 1560, Marguerite était morte depuis longtemps. D'ailleurs, puisqu'elle devait savoir à quoi s'en tenir sur la prétention de Michel d'avoir été son page, ce dernier ne pouvait espérer d'aide, grâce à cette épître, que de la fille de Marguerite. Cela explique le passage suivant dans l'épître :

> O que sa fille unique
> Donne à la republique
> Un merveilleux espoir,
> Plain de divinité
> En sa virginité,
> Que desire reveoir.

En 1535, quand cette épître est censée avoir été écrite, Jeanne d'Albret avait sept ans !

Si on ne tient pas compte de cette supercherie si évidente, si on s'en tient aux preuves certaines, les choses sont claires. Marot, après l'affaire des Placards, a pris la fuite. Se dirigeant vers Pau, il s'est fait arrêter à Bordeaux. Etant arrivé à s'échapper, il a trouvé refuge auprès de Marguerite

---

34. Il parle des « Maroteaux », mais jamais d'un fils. Cf. *Les Epîtres*, p. 20.

pendant l'hiver 1534-1535 [35]. Au printemps de 1535, suivant le conseil de Marguerite, il a quitté la Navarre pour traverser les Alpes.

## Fuite à Ferrare.

Obligé de quitter le royaume de Navarre, Marot se réfugia à Ferrare. La raison du choix de cette ville saute aux yeux. La duchesse de Ferrare était Renée de France, parente et amie de Marguerite de Navarre et presque entièrement gagnée aux idées nouvelles [36]. Il est à peu près certain que Marguerite de Navarre conseilla au poète de se rendre auprès de Renée, et il est même probable qu'elle demanda à son amie de le prendre à son service. De toute manière, Marot, dans son épître à Marguerite, écrite à Venise en 1536, dit :

> En telles peurs et semblables travaulx
> Passa ton serf torrentz et montz et vaulx ;
> Puis se saulva en la terre italique,
> Dedans le fort d'une dame galique
> Qui le receut, dont la remercias
> Bien tost apres [37].

ce qui montre que la reine de Navarre continua à le protéger, et qu'il y eut certainement des contacts entre les deux princesses au sujet du poète [38].

---

35. Marguerite était à Pau en novembre et à Bayonne en décembre, sans pourtant s'arrêter dans ces villes. (Cf. Jourda, ouvr. cit., p. 185-186.) C'est par erreur que Becker (ouvr. cit., p. 96) prétend que c'est à Alençon que se trouvait Marguerite.

36. Il nous manque une étude sur cette princesse tout à fait remarquable. Aucune des nombreuses monographies qui lui ont été consacrées ne fait vraiment autorité. La meilleure est sans doute celle de Rodocanachi, *Une protectrice de la Réforme en Italie et en France, Renée de France*, Paris, 1896. La grande étude de B. Fontana, *Renata di Francia, duchessa di Ferrara*, souffre d'un certain romantisme et d'un manque d'objectivité fort regrettable.

37. *Les Epîtres*, XLVI, *A la Royne de Navarre*, v. 55-60.

38. Notons toutefois que la lettre de Marguerite à Renée, à laquelle Marot fait allusion, n'a pas été conservée.

L'arrivée de Marot à Ferrare doit se placer au mois d'avril 1535 [39]. Dans une épître célèbre [40], il demande à la duchesse de le prendre à son service. Renée devait connaître Marot de nom, puisque le poète avait composé l'épithalame pour son mariage avec le duc d'Este [41]. De plus la dame d'honneur de Renée, Michelle de Saubonne, avait autrefois protégé Jean Marot auprès de la reine Anne de Bretagne. L'épître de Marot eut un plein succès : il fut inscrit à l'état de Renée, comme secrétaire aux gages de deux cents livres tournois [42]. Vers le même temps sans doute, deux autres réfugiés français, Lyon Jamet, l'ami du poète, et Jehannet de Bouchefort, religieux de Tournay et chantre à la chapelle royale, entrèrent, le premier au service de Renée, le second à celui du duc.

*Séjour à Ferrare.*

Marot trouva un accueil chaleureux dans cette cour essentiellement française, très lettrée et ouverte aux idées nouvelles. Dans ce milieu, si semblable à la cour de Marguerite de Navarre, il se trouva à son aise. Non seulement Renée de France, mais encore Michelle de Saubonne et ses

---

39. Sur cette question, de même que sur tout le séjour de Marot à Ferrare, voir C.A. Mayer, *Le départ de Marot de Ferrare*, B.H.R., t. XVIII, 1956, p. 197-221.

40. *Les Epîtres*, XXXIV, *Marot arrivé à Ferrare escript A Madame La Duchesse (A la Duchesse de Ferrare)*.

41. Voir plus haut, p. 196-198.

42. Le registre n° 61 (année 1535) de la cour de Ferrare contient la note suivante :

> A Maistre Clement Marot vaslet de chambre du Roy et secretaire des Roy et Reine de Navarre la somme de cent cinquante livres tourn. auquel Madame l'a donnée et ordonnée pour s'entretenir en son service durant troys quartiers commençant au premier jour d'avril MVcXXXV et finissant le dernier jour de décembre.

Publié par G. Bertoni, *Documenti sulla dimora di Clément Marot a Ferrara*, dans *Mélanges de Philologie offerts à J.J. Salverda de Grave*, Groninque, 1933.

Pour l'année 1536, Marot est inscrit à l'état comme poète et secrétaire, aux gages de 200 livres ; Bertoni, art. cit., p. 9-10, et Rodocanachi, *Une protectrice de la Réforme en Italie et en France, Renée de France, duchesse de Ferrare*, ouvr. cit., p. 97.

trois filles, Anne (Mme de Pons), Charlotte et Renée, lui inspiraient un profond respect par leur charme et leur intelligence [43]. Il n'est donc pas surprenant que l'exil à Ferrare ait été une des périodes les plus fructueuses de la carrière du poète.

Marot exprima son contentement par cette épigramme :

**De Marot sorty du service de
la Royne de Navarre et entré en celluy
de Madame de Ferrare**

Mes amys, j'ay changé ma dame ;
Une autre a dessus moy puissance,
Née deux foys de nom et d'ame,
Enfant de roy par sa naissance,
Enfant du ciel par congnoissance
De celluy qui la saulvera ;
De sorte quant l'autre saura
Comment je l'ay telle choisye,
Je suis tout seur qu'elle en aura
Plus d'aise que de jalousie [44].

Presque immédiatement après son arrivée à Ferrare il rédigea sa grande épître *Au Roy, du temps de son exil à Ferrare* [45], dans le double but de se disculper et de l'assurer de sa fidélité :

Si m'en allay, evitant ce dangier,
Non en pays, non à Prince estrangier,
Non point usant de fugitif destour,
Mais pour servir l'aultre Roy à mon tour,
Mon second maistre, & ta sœur, son espouse [46],
. . . . . . . . . . . . . . . . . . . . . . . . . . . . . . . . . . . . . .
En fin passay les grands froiddes montaignes,
Et vins entrer aux Lombardes campaignes ;
Puys en l'Italie, où Dieu qui me guydoit

---

43. Sur Michelle de Saubonne et ses filles, voir J. Bonnet, *Clément Marot à la cour de Ferrare*, B.S.H.P.F., t. XXI, 1872, p. 159.
44. *Les Epigrammes*, CLXXXIX.
45. *Les Epîtres*, XXXVI.
46. *Ibid.*, v. 179-183.

Dressa mes pas au lieu où residoit
De ton clair sang une Princesse humaine,
Ta belle sœur & cousine germaine,
Fille du Roy tant crainct & renommé,
Pere du peuple aux Chroniques nommé.
　　En sa Duché de Ferrare venu,
M'a retiré de grace, & retenu,
Pource que bien luy plaist mon escripture,
Et pour aultant que suys ta nourriture.
　　Parquoy, ô Syre, estant avecques elle,
Conclure puys d'ung franc cueur & vray zelle
Qu'à moy, ton serf, ne peult estre donné
Reproche aulcun que t'aye abandonné ;
En protestant, si je perds ton service,
Qu'il vient plustost de malheur que de vice [47].

Pour établir son innocence, le poète, dès le début du poème, passe à l'attaque, et se lance dans une satire violente du Parlement, accusant les juges d'être corrompus et cruels, et surtout de lui en vouloir à cause de l'*Enfer* [48]. Puis il attaque la Sorbonne sur son opposition aux idées nouvelles, attaque qui permet au poète de faire en même temps l'éloge de la Renaissance :

Aultant comme eulx, sans cause qui soyt bonne,
Me veult de mal l'ignorante Sorbonne :
Bien ignorante elle est d'estre ennemye
De la trilingue & noble Academie
Qu'as erigée. Il est tout manifeste
Que là dedans, contre ton vueil celeste,
Est defendu qu'on ne voise allegant
Hebrieu ny Grec, ne Latin elegant,
Disant que c'est langaige d'heretiques.
O pauvre gens, de sçavoir touts ethicques !
Bien faictes vray ce proverbe courant :
Science n'a hayneux que l'ignorant.
　　Certes, ô Roy, si le profound des cueurs
On veult sonder de ces Sorboniqueurs,
Trouvé sera que de toy ilz se deulent.
Comment, douloir ? Mais que grand mal te veulent

---

47. *Ibid.*, v. 197-214.
48. *Ibid.*, v. 5-28.

Dont tu as faict les lettres & les artz
Plus reluysants que du temps des Cesars ;
Car leurs abus voit on en façon telle.
C'est toy qui as allumé la chandelle
Par qui mainct œil voit maincte verité
Qui soubs espesse & noire obscurité
A faict tant d'ans icy bas demeurance ;
Et qu'est il rien plus obscur qu'ignorance [49] ?

Marot est moins heureux dans sa tentative de nier qu'il est luthérien :

De Lutheriste ilz m'ont donné le nom :
Qu'à droict ce soit, je leur repondz que non.
Luther pour moy des cieulx n'est descendu,
Luther en croix n'a poinct esté pendu
Pour mes pechés, &, tout bien advisé,
Au nom de luy ne suys point baptizé :
Baptizé suys au nom qui tant bien sonne
Qu'au son de luy le Pere eternel donne
Ce que l'on quiert : le seul nom soubz les cieulx
En & par qui ce monde vicieux
Peult estre sauf ; le nom tant fort puissant
Qu'il a rendu tout genoil fleschissant,
Soit infernal, soit celeste ou humain ;
Le nom par qui du seigneur Dieu la main
M'a preservé de ces grandz loups rabis
Qui m'espioient dessoubz peaulx de brebis [50].

Quoi qu'on ait dit [51], je ne vois rien de convaincant dans ces vers, que le plus ardent luthérien eût pu signer. Du reste, personne à l'époque n'en a été convaincu [52] !

Par contre sa protestation contre la saisie de ses livres et de ses papiers est aussi sincère qu'intéressante :

Pour revenir doncques à mon propos,
Rhadamanthus avecques ses suppostz,
Dedans Paris, combien que fusse à Bloys,

---

49. *Ibid.*, v. 39-62.
50. *Ibid.*, v. 87-102.
51. Voir B.S.H.P.F., 1960, p. 240-242.
52. Voir *La Religion de Marot*, ouvr. cit., p. 102-103.

Encontre moy faict ses premiers exploicts,
En saisyssant de ses mains violentes
Toutes mes grandz richesses excellentes
Et beaulx tresors d'avarice delivres,
C'est assçavoir, mes papiers & mes livres
Et mes labeurs. O juge sacrilege,
Qui t'a donné ne loy ne privileige
D'aller toucher & faire tes massacres
Au cabinet des sainctes Muses sacres ?
Bien est il vray que livres de deffence
On y trouva ; mais cela n'est offence
A ung poete, à qui on doibt lascher
La bride longue, & rien ne luy cacher,
Soit d'art magicq, nygromance ou caballe ;
Et n'est doctrine escripte ne verballe
Qu'ung vray Poete au chef ne deust avoir
Pour faire bien d'escripre son debvoir.
  Sçavoir le mal est souvent proffitable,
Mais en user est tousjours evitable.
Et d'aultre part, que me nuyst de tout lire ?
Le grand donneur m'a donné sens d'eslire
En ces livretz tout cela qui accorde
Aux sainctz escriptz de grace & de concorde,
Et de jecter tout cela qui differe
Du sacré sens, quand pres on le confere.
Car l'escripture est la touche où l'on treuve
Le plus hault or. Et qui veult faire espreuve
D'or quel qu'il soit, il le convient toucher
A ceste pierre, & bien pres l'approcher
De l'or exquis, qui tant se faict paroistre
Que, bas ou hault, tout aultre faict congnoistre [53].

L'épître au roi, bien que publiée pour la première fois
en 1536 seulement [54], fut connue en France bientôt après
avoir été composée, et semble avoir été lue d'un public
considérable. Cela seul explique qu'il existe trois réponses
différentes toutes composées probablement en 1535 et
publiées en 1536. Ce sont *Le Coup d'essay* de Sagon [55],

53. *Les Epîtres*, XXXVI, v. 123-156.
54. Dans *L'Adolescence Clementine*, Anvers, J. Steels (*Biblio-graphie*, II, n° 45).
55. *Le coup d'essay de Françoys de Sagon, Secretaire de l'abbé de sainct Ebvroul. Contenant la responce à deux epistres*

l'*Epistre du general Chambor responsive à l'epystre de Clement Marot qu'il envoya au Roy treschrestien françoys* [56], et l'*Epistre à Clement Marot responsive de celle parquoy il se pensoyt purger d'heresie lutheriane* [57]. Nous avons déjà rencontré Sagon [58] ; le général Chambor, qui s'appelle également général de Caen, semble avoir été un obscur poète normand ; Jean Leblond, seigneur de Branville, était avocat au Parlement de Rouen [59].

Ces trois hommes, dont le premier seulement était un ennemi personnel de Marot, furent extrêmement offusqués par l'épître au roi, et essayèrent, bien qu'avec des arguments différents et souvent contradictoires, de réfuter les condamnations et les excuses du poète exilé. Ainsi le général Chambor prend la défense du Parlement de Paris malmené par Marot :

> Premierement ta langue parle & ment
> Du sainct Senat & royal Parlement
> Parisiacque, orné d'espritz notables,

---

*de Clement Marot retiré à Ferrare. L'une adressante au Roy treschrestien. L'autre à deux damoyselles seurs. Vela de quoy... Les semblables sont à vendre à Paris à l'enseigne du pot cassé. Imprimé de rechief le XXIII Jour de Septembre mil cinq cens trente sept. Avec privilege.* (De la première édition, parue en 1536, on ne connaît aucun exemplaire.)

56. Voir C.A. Mayer, *Clément Marot et le général de Caen*, B.H.R., t. XX, 1958, p. 277-295. Ce poème fut publié dans *Le Printemps de l'humble esperant*, de Jean Leblond (voir plus bas, p. 281, n. 57). On ignore le vrai nom du « général Chambor » ou « général de Caen ». Notons qu'un chant-royal : « Pensant en toy, mere miseratrice », signé « Le général de Caen », se trouve dans le ms. 2202 du fonds français de la Bibliothèque Nationale (f° 46 r°).

57. Publiée dans

*Le printemps de lhumble esperant aultrement dict Jehan Leblond Seigneur de Branville où sont comprins plusieurs petitz œuvres semez de fleurs, fruict & verdure qu'il a composez en son jeune aage fort recreatifz comme on pourra veoir à la table.* On les vent à la grant salle du Palles au premier pillier en la boutique de Arnoul Langelier. M.D. XXXVI.

58. Voir plus haut, p. 259.

59. Voir *La Religion de Marot*, ouvr. cit., p. 77-81.

Nombrez à cent aux cantiques notables,
En qui reluist la celeste auriflamme,
L'ame du Roy & le cœur du royaulme,
Qui ne craint heurt des ennemyz cornuz,
Le guerroyant en armes ou corps nudz,
Que vaciler dys comme fueille en l'arbre.
C'est le pilier & le solide marbre,
Le pol articque & celeste solstice,
Chayre de droictz & throne de justice,
La haulte tour d'immorte fortitude,
Pourtant de dieu telle similitude
Que belliqueux pacifie & unit,
Les justes saulve & delinquentz punit,
Sy que jadis, pour sa grant renommée
De rendre droict en balance ou plommée,
Venoyent payens par accord de partyes
Y litiguer, pour leur estre imparties
Raison, justice & divine equité,
Et tu y mentz regner iniquité,
Corruption charnelle ou de pecune,
Inimitié, vengeance, ire & rancunne
Par argumentz colorez de alloy faulx ;
Pour ce que estoys prins en mortelz deffaux
Vouloyt de toy faire correction,
Comme il debvoyt, non par affection
Desordonnée ou radicale envye.
Que pouvoyt il en ta mort ou ta vie
Perdre ou gaigner ? Certes moins que ung bouton,
Ou que ung tournoys de corne de mouton.
Mais c'est tousjours la mode aux malfecteurs
De detracter des justes correcteurs,
Qu'ilz infamient en clameur vehemente [60].

Le reproche d'ignorance que Marot lança à la Sorbonne [61]
suscita le courroux très vif des trois champions de l'orthodoxie. Sagon, prolixe comme toujours, proteste :

En y lisant j'ay recuilly ce fruict
Pour te monstrer que tu n'es pas instruict

---

60. *Epistre du general Chambor responsive à l'epystre de
Clement Marot qu'il envoya au Roy treschrestien françoys. Le
Printemps de l'humble esperant*, ouvr. cit.
61. Voir plus haut, p. 278.

Suffisament à reprendre Sorbonne
S'elle avoit dit chose qui ne fust bonne,
Puis qu'autrement tu n'entendz verité
Et qu'en plain jour tu mectz obscurité,
Cuydant brouiller le texte aevangelicque
Que le sçavoir des docteurs nous explique,
Et où sans eulx l'homme ne comprent rien,
Ou s'il comprent, ne le comprent si bien ;
Et tu mesditz de tous (dont je m'estonne)
En ce mot seul d'ignorante Sorbonne
Que mieulx valdroit n'avoir esté conceu
En ton esprit qui t'a par trop deceu,
Et en ce mot & en mainte autre chose ;
Qui m'esbahyt encor plus comme tu aose (sic)
Ainsi fuitif te faire nommer (sic)
Et que tu veulx chrestien te nommer.
Car de novice en la foy chrestienne
Tu t'es rendu d'ordre lutherienne,
Et as esleu comme obligé profez
Le nom de l'une & de l'aultre les faictz,
Parquoy raison permect qu'on te renomme
D'effect contraire à ce nom qui te nomme [62].

Jean Leblond, avec plus de simplicité, répond :

Quant à ce point où ta plume s'advance
De reciter en dol & decepvance
Que la Sorbonne ayt le grec deffendu,
L'hebrieu aussy, tu as mal entendu ;
Car en leçons, en sermons ou harengues
On voyt fleurir les docteurs aux troys langues [63].

Enfin, le général Chambor, le plus violent des défenseurs
de la Sorbonne, de s'écrier :

As tu pas dict que Sorbonne deffend,
Comme ignorante, aller plus allegant
Grec ny hebrieu ne latin elegant ?

---

62. *Le coup d'essay*, ouvr. cit.
63. *Epistre à Clement Marot responsive de celle parquoy il se pensoyt purger d'heresie lutheriane, Le Printemps de l'humble esperant*, ouvr. cit.

Ouy, sans toucher où, ne quant, ne comment,
Que pretend elle à ce propos, Clement,
Fors que poyson souvent on enveloppe
Aux plus friantz morseaux de son eschoppe,
Que noyre chose elegance blanchist,
Et chose blanche en pareil cas noyrcist ;
Faisant sembler l'injuste cause juste,
Comme refere en son livre Saluste
Que à Cicero l'opposyt Catiline
Luy reprochant sa langue patheline ?
Parquoy Sorbonne a le grec deffendu,
L'ebrieu aussy, qui est mal entendu
Des lutherins & mal interpreté ;
Ont à la foy trop contraires esté.
Et cela faict non point comme ignorante,
Mais pour myeux estre au vray sens secourante.
Autant en dys du latin elegant
Que oultrecuydez vont sans sens allegant,
Comme tu faiz en tes termes affables,
Convertissant saincte escripture à fables [64].

Comme on voit, les trois champions de la Sorbonne et de l'orthodoxie avancent des arguments diamétralement opposés. Sagon, en vérité, et selon son habitude, ne dit au fond rien, outre quelques injures à l'égard de Marot. Leblond, cependant, nie purement et simplement que la Sorbonne ait interdit le grec et l'hébreu, et affirme, contre toute évidence, que les théologiens connaissent ces langues à la perfection, tandis que le général Chambor, infiniment mieux au courant des controverses théologiques, avoue le bien-fondé de l'accusation de Marot, et tâche de la réfuter, par des arguments spécieux si l'on veut, mais qui étaient bien ceux qu'utilisait la Sorbonne dans sa campagne contre l'enseignement du grec et de l'hébreu.

A propos de la saisie des livres et papiers du poète Sagon remarque :

On n'y trouva que tes livres tres ords,
Livres mortelz, livres remplys d'offense,

---

64. *Epistre du general Chambor responsive à l'epystre de Clement Marot*, ouvr. cit.

Livres gardez contre juste deffense,
Placards souillez, mynutes & brouillards...
Et tu veulx estre estimé vertueux,
Faisant tresor d'escriptz volupteux,
Dont les aucuns te servent pour induyre
A fol amour, les autres pour seduyre
Ou esgarer du chemin de la foy
L'homme, s'il n'a meilleur esprit que toy [65].

Le général Chambor semble mieux informé :

De tes papiers que tu nomme sacrez
Du doy de dieu, que on a tant massacrez,
Sacrez n'estoyent, mais dampnez & mauldictz,
Veu les erreurs comprins en leurs tradictz
Soubz la couleur de l'escripture saincte.
On a bien sceu d'eux & leur letre faincte
Feu allumer & les reduyre en cendre,
Car trop de maulx en eussent peu descendre [66].

Ce dernier comprend du reste tout ce qu'il y a de révolutionnaire dans l'argument dont se sert Marot pour protester contre la censure [67] :

Apres, sy j'ay bonne reminiscence,
Tu dys que par poeticque licence
As droict & loy d'estre magicien,
Augurateur ou nicromancien,
Qui est science aux chrestiens defendue,
Dont aux usantz mortelle peine est deue.
Mais à poète il apartient avoir,
Ce dys tu, la liberté de sçavoir,
Pour fiction, science bonne & male,
Pour composer escriture anormale
A ton plaisir, sans regard à la foy
Ny à son bien, qui est mal dict à toy,
Car par ce poinct te confesse coulpable
D'estre hereticque & de la mort culpable
Que souffert ont, en miserable arroy,

---

65. *Le coup d'essay,* ouvr. cit.
66. *Epistre du general Chambor ; Le Printemps de l'humble
esperant,* ouvr. cit.
67. *Les Epîtres,* XXXVI, v. 123-156. Voir plus haut, p. 280.

> Soubz les commyz du sainct Pere & du Roy,
> Tes consodaulx en l'obstination
> De leur perverse ymagination [68].

Les pamphlets des trois ennemis de Marot nous permettent d'apprécier à sa juste valeur la grandeur de l'épître au roi. Très visiblement, devant la liberté, la hardiesse du poète, ces champions de l'orthodoxie éprouvent un véritable suffoquement. Qu'un repris de justice, banni du royaume, condamné à mort par contumace et dont plusieurs associés venaient d'être brûlés, osât écrire au roi pour se défendre, en prenant un ton digne et même fier, qu'il osât réclamer hautement le droit de libre examen de tout texte et une complète liberté de lecture, qu'il osât exprimer de la compassion, de la sympathie pour les victimes de la persécution religieuse, au lieu d'applaudir à la punition des hérétiques, qu'il osât enfin se justifier en attaquant la corruption de la justice et l'étroitesse d'esprit de la Sorbonne, voilà des excès que ne pouvaient supporter les défenseurs de l'église établie. Certes, la liberté, la franchise, l'humanité que déploie Marot dans ce poème étaient singulièrement hardies pour son époque. Poème étonnant à tous les points de vue, le plus important qu'ait écrit Marot pour ce qui est des idées, de l'histoire de l'esprit humain au temps de la Renaissance, tant par la revendication du droit de libre examen et de la liberté de conscience, que par la condamnation émouvante de la persécution religieuse :

> Puys tost apres, Royal chef couronné,
> Sachant plusieurs de vie trop meilleure
> Que je ne suys estre bruslés à l'heure
> Si durement que maincte nation
> En est tombée en admiration [69].

Ce que Marot proclame hautement dans ces vers, c'est la dignité de l'esprit humain, le respect fondamental pour la

---

68. *Epistre du general Chambor, Le Printemps de l'humble esperant,* ouvr. cit.
69. *Les Epîtres,* XXXVI, v. 186-190.

personne humaine. C'est cette conscience des valeurs humaines et de la dignité de l'esprit qui fait l'originalité et la très réelle grandeur de ce poème.

Vers le même temps probablement, c'est-à-dire tout à fait au début de son séjour à Ferrare, Marot écrivit l'épître connue sous le titre *A deux sœurs savoisiennes* [70]. Bien qu'elle restât inédite jusqu'aux temps modernes et que pour cette raison son authenticité ait parfois été mise en question, il est certain que cette épître est l'ouvrage de Marot [71]. Il s'y adresse à deux dames appartenant de toute évidence à la cour de Savoie, et qui lui avaient, semble-t-il, adressé un écrit exprimant leur sympathie. Marot, dans cette épître, prend un ton de prêcheur protestant pour exhorter « ses sœurs » à accepter de plein gré les persécutions dont sont victimes les évangéliques :

> Trescheres seurs, joinctes par charité,
> Le non des vrays amans de verité
> Sonne tant mal aux oreilles de ceulx
> Qui de l'oyr sont plus que paresseux
> Qu'en plusieurs lieulx de ce fol monde icy
> On ne les veult oyr ne voir ausi.
> Les ungs souvant par poyne on persecute,
> D'autres, helas ! par mort on essecute,
> Les ungtz souvant chassés de leur pays,
> Les autres sont ahorrés et hays
> De leurs parens. Pour tout cella, mes dames,
> Flechir ne fault : plustout doit en vos ames
> Croistre la foy, voire à chescun qui l'a,
> Considerant que Jesus pour cella
> Nous aconplit ses parolles escriptes [72] ;
>
> . . . . . . . . . . . . . . . . . . . . . . . . . . . . . . . . . . . . . . . . . . .
>
> Certes, mes seurs, ce torment viollent
> Est de Jesus ce triumphe exellant ;

---

70. *Les Epîtres*, XXXV, *Aultre espitre* (sic) *de Marot qui mandoit aux Damoisselles*.

71. Voir *Ibid.*, p. 56-57, p. 191, n. 1, et *Œuvres lyriques*, p. 66-67.

72. *Ibid.*, XXXV, v. 1-15. Il faut noter que cette épître nous a été livrée par le scribe genevois Grenet, qui copiait de façon souvent phonétique, écrivant d'ailleurs en patois genevois.

Vous pouvés bien escripre, dire ou chanter,
Vous pouvés bien hardyment vous vanter
Qu'avant mourir vous avés veu sur terre
Crist triumpher, puys qu'on luy fait la guerre ;
(Guerre) je dis, car, à chescune fois
Que luy (tout) seul veult eslever sa voix,
Les homes lors de nature menteurs,
Jaloux des loix dont il(s) sont inventeurs,
Luy courent sus, cuydant par fasson telle
Faire mourir une chose immortelle [73].

Le poème montre à quel point Marot est capable de changer de style. Du point de vue des croyances de Marot, il est difficile de tirer des conclusions sûres. Très clairement Marot se voit comme martyr pour ses croyances [74] ; sans le moindre doute ce poème respire le protestantisme.

Toujours dans l'été de 1535, Marot composa un poème pour célébrer la grossesse de Renée de France. La duchesse, ayant donné naissance à deux enfants, Anna en 1531 et Alfonso en 1533, était de nouveau enceinte. S'inspirant de la quatrième églogue de Virgile qui chante l'enfant non encore né du consul Asinius Pollio, Marot adresse des vœux et des promesses d'un monde meilleur à l'enfant de Renée. L'églogue de Virgile étant connue sous le titre de *Genethliacum*, Marot appelle son poème : *Avant-naissance du troiziesme enffant de madame Renée, duchesse de Ferrare, composé par Clement Marot, secretaire de ladicte dame, en juillet V<sup>c</sup>xxxvj, estant audict Ferrare* [75]. Marot cependant donne au tableau de l'âge d'or tracé par Virgile une interprétation toute historique :

Tu trouveras ung siecle pour aprendre
En peu de temps ce que enffant peult comprendre !

---

73. *Les Epîtres*, XXXV, v. 37-48.
74. L'épître semble avoir été connue en France en même temps que celle au roi. Le général Chambor, dans son épître (ouvr. cit.) y fait une allusion, et le *Coup d'essay* de Sagon (ouvr. cit.) contient une réponse intitulée *Epistre de François Sagon aux deux sœurs de Clement Marot pour confuter celle qu'il leur avoit envoyée, parlant fainctement de charité & de foy.*
75. *Œuvres lyriques*, LXXXVIII, Eglogue II.

> Vien hardiment, car ayant plus grant aage
> Tu trouveras encores davantage :
> Tu trouveras la guerre commencée
> Contre ignorance et sa tourbe incensée,
> Et au rebours vertu mise en avant,
> Qui te rendra personnage sçavant
> En tous beaulx artz, tant soient ilz difficiles,
> Tant par moyens que par livres faciles [76] !

Ce passage est un véritable cantique à la Renaissance, comparable à ceux de l'*Enfer* [77] et de l'épître *Au Roy, du temps de son exil à Ferrare* [78] ; le vers :

> Contre ignorance et sa tourbe incensée

appelle la comparaison avec l' « épaisse nuit gothique » du *Pantagruel* et le « vilain monstre ignorance » de l'Ode *A Madame Marguerite*.

Le cantique à la Renaissance est suivi d'un éloge de la Réformation :

> Mais tu auras, que dieu ce bien te face,
> Le vray moyen qui tout ennuy efface
> Et fait que au monde angoisse on ne craint point,
> Ne la mort mesme, alors qu'elle nous point ;
> Le vray moien plain de joie feconde
> C'est ferme espoir de la vie seconde,
> Par Jhesus Crist, vaincqueur et tryumphant
> De ceste mort ! Viens donc, petit enffant !
> Viens escouter verité revellée,
> Qui tant de jours nous a esté cellée !
> Viens escouter, pour ames resjoir,
> Ce que caphards veullent garder d'oyr [79] !
> Viens veoir, viens veoir la beste sans raison,
> Grand ennemy de ta noble maison !
> Viens tost la veoir à tout sa triple creste.

---

76. *Œuvres lyriques*, LXXXVIII, v. 19-28.
77. *Œuvres satiriques*, I, v. 367-376.
78. *Les Epîtres*, XXXVI, v. 51-62.
79. Le mot *caphard* doit ici désigner les prêtres catholiques.

> Non cheute encor, mais de tomber bien preste[80] !
> Viens veoir de Crist le regne commencé,
> Et son honneur par tourmens avancé !
> O siecle d'or le plus fin que l'on treuve,
> Dont la bonté dedans le feu s'espreuve[81] !

C'est là du moins la version originale ; en 1538, quand Marot présenta au connétable de Montmorency un manuscrit contenant surtout ses poésies d'exil[82], il a remplacé les vers les plus protestants de ce passage par ces vers anodins :

> Viens voir de terre et de mer le grant tour,
> Avec le ciel qui se courbe à l'entour,
> Viens voir, viens voir maincte belle ornature
> Que chascun d'eulx a receu de nature.
> Viens veoir ce monde et les peuples et princes
> Regnans sur luy en diverses provinces
> Entre lesquelz est le plus apparent
> Le roy Françoys qui te sera parent ;
> Soubz et par qui ont esté esclarciz
> Tous les beaulx artz paravant obscurciz,
> O siecle d'or le plus fin que l'on treuve,
> Dont la bonté soubz ung tel roy s'espreuve. [83].

C'est pendant cette période également que Marot composa le deuxième *coq-à-l'âne*[84]. Dans ce poème Marot continue à donner expression — avec plus de liberté, vu le caractère du genre — aux thèmes développés dans les deux pièces que nous venons d'étudier, à savoir la satire de l'église catholique, et la défense passionnée de l'humanisme et de

---

80. Sans doute la papauté. Bien que le duc de Ferrare fût en train d'entamer des négociations avec le saint siège, le pape, voulant forcer le duc à reconnaître la suzeraineté pontificale sur ses terres, ce que Ercole refusa, pouvait passer pour l'ennemi des d'Este. Cf. C.A. Mayer, *Le départ de Marot de Ferrare,* art. cit., p. 199-201. La « triple creste » au v. 57 est une allusion évidente à la tiare.

81. *Œuvres lyriques,* LXXXVIII, v. 43-62.

82. Voir plus bas, p. 402 suiv.

83. V. 51-62.

84. *Œuvres satiriques,* VIII, *La seconde Epistre du Coq en l'Asne envoyée audict Jamet.*

la Renaissance. Comme dans l'épître au roi, il parle avec ferveur du renouveau des langues classiques :

> Ce Grec, cest Hebreu, ce Latin
> Ont descouvert le pot aux roses :
> Mon Dieu, que nous voirrons de choses,
> Si nous vivons l'aage d'ung veau [85].

Il s'en prend à la bête noire des humanistes, la glose scolastique :

> Laisse mourir ces Sorbonistes.
> Raison : la glose des Legistes
> Lourdement gaste ce beau texte [86].

à l'enseignement scolastique :

> En effect, c'estoient de grands bestes
> Que les Regents du temps jadis ;
> Jamais je n'entre en Paradis
> S'ilz ne m'ont perdu ma jeunesse [87].

et à la littérature du moyen âge :

> A propos de Perceforest,
> Lict on plus Arthus & Gauvain [88] ?

Il se moque des moines et des religieuses :

> Et puis dictes que les moustiers
> Ne servent point aux Amoureux !
> Bonne macquerelle pour eulx
> Est umbre de devotion [89].

et :

> Attachez moy une sonnette
> Sur le front d'ung moyne crotté,

---

85. *Ibid.*, v. 6-9.
86. *Ibid.*, v. 175-177. Cf. Rabelais, *Pantagruel,* x.
87. *Ibid.*, v. 118-121.
88. *Ibid.*, v. 146-147.
89. *Ibid.*, v. 52-55.

> Une oreille à chasque costé
> Du capuchon de sa caboche
> Voyla ung sot de la Bazoche
> Aussi bien painct qu'il est possible [90],

et :

> On dict que les Nonains rendues
> Donnent gentilment la verolle [91].

Il satirise également les prêtres responsables des persécutions religieuses :

> Ilz escument comme ung Verrat,
> En pleine chaiere, ces Cagots,
> Et ne preschent que des fagots
> Contre ces paouvres Hereticques [92].

Il attaque le pape :

> Puis, vous sçavez, Pater sancte,
> Que vostre grand pouvoir s'efface.
> Mais que voulez vous que je y face ?
> Mes financiers sont touts perys [93].

et :

> Mais comment se porte l'Aasnesse
> Que tu sçais, de Jérusalem ?
> S'elle veult mordre, garde l'en ;
> Elle parle comme de cyre [94].

---

90. *Ibid.*, v. 80-85.
91. *Ibid.*, v. 170-171.
92. *Ibid.*, v. 20-23.
93. *Ibid.*, v. 32-35.
94. *Ibid.*, v. 122-125.
Parler comme de cire signifie ici dire ce qu'on veut sans se préoccuper de questions de droit, de la raison, etc. Cf. Rabelais, *Gargantua*, XIX (*La harangue de maistre Janotus de Bragmardo faicte à Gargantua pour recouvrer les cloches*) : « Mais, nac petitin petetac, ticque, torche, lorne, il feut declairé hereticque ; nous les faisons comme de cire. »

et :

> Pour ceste cause je proteste
> Que l'Entechrist succombera ;
> Au moins que de brief tombera
> Sur Babylonne quelcque orage [95].

Surtout il s'en prend à la Sorbonne :

> Or ça, le livre de flammette [96],
> Formosum pastor [97], Scelestine [98],
> Tout cela est bonne doctrine ;
> Il n'y a rien de deffendu [99].

Marot veut dire sans doute que des ouvrages obscènes et immoraux peuvent être imprimés en toute liberté, alors que des *Colloques* d'Erasme, de même que les traductions de la Bible sont interdits. Ainsi, en 1530, la Sorbonne, appelée à s'exprimer sur la *Celestine*, rendit ce jugement : « De libro qui intitulatur : la *Celestine*, nihil diximus », tandis qu'elle condamna la traduction française des *Colloques d'Erasme* [100].
De même les vers :

---

95. *Ibid.*, v. 178-181.
96. Titre d'un roman de Boccace (*Fiammetta*) qui jouissait d'une grande vogue à l'époque. Il y en eut plusieurs traductions françaises, dont une de 1532 (*Flamette, complaincte des tristes amours de Flammette à son amy Pamphile, translatée d'italien en vulgaire françoys*, Lyon, Claude Nourry dict le Prince). L'héroïne de ce roman quitte son mari pour un amant qui la quitte à son tour, après quoi elle se suicide.
97. Ces mots sont le commencement de la deuxième églogue de Virgile. Le sujet de ce poème est l'amour entre deux bergers.
98. Titre d'une tragicomédie espagnole (*Celestina* ou *Calisto y Malibea* par Fernando de Rojas). Elle fut publiée à la fin du xv^e siècle. Une traduction française parut en 1527 sous le titre : *Célestine, en laquelle est traicté des déceptions des serviteurs envers leurs maistres et des macquerelles envers les amoureux, translaté d'ytalien* (sic) *en françois*, Paris, N. Cousteau pour Galiot du Pré.
99. *Œuvres satiriques*, VIII, v. 100-103.
100. Du Plessis d'Argentré, *Collect. judic. de nov. error.*, ouvr. cit., II, 85.

Non, Monsieur, non, ce n'est pas vice
Que simple fornication[101]

sont une allusion à un débat qui eut lieu en Sorbonne le
1er avril 1526 quand fut discuté la proposition : « An forni-
catio simplex sacerdotis sit casus reservatus episcopo[102]. »
Sans doute ce poisson d'avril involontaire devint célèbre.

Enfin Marot critique les théologiens pour leur refus de
disputer contre le réformateur allemand Melanchthon dans
l'été de 1535 :

Je ne dy pas que Melancthon
Ne declaire au Roy son advis ;
Mais de disputer vis à vis,
Noz maistres n'y veulent entendre[103].

---

101. Œuvres satiriques, VIII, v. 110-111.
102. Du Plessis d'Argentré, ouvr. cit., II, 47.
103. Œuvres satiriques, VIII, v. 134-137. En été 1535 lorsque
s'était apaisé quelque peu la colère de François Ier contre les
protestants, le parti pacifique des Du Bellay reprit le projet
formé l'année précédente, avant l'affaire des Placards, d'inviter
le réformateur allemand Melanchthon à venir en France pour
une discussion susceptible d'amener un compromis entre catholiques et protestants. Dans une lettre écrite à Jean Sturm le
9 mai 1535 (Breitschneider, Corpus reformatorum, II, 874-877)
le lieutenant de Luther s'était déclaré prêt à entreprendre le
voyage. Le 23 juin, François lui écrivit personnellement, le
remerciant de son intention de venir en France pour y travailler
au rétablissement de la paix dans l'Eglise, et l'assurant qu'il serait
bienvenu (A.L. Herminjard, Correspondance des réformateurs de
langue française, ouvr. cit., t. III, n° 512, p. 300-301). Mais la
Sorbonne n'était aucunement désireuse de disputer contre le
docteur humaniste de Wittenberg. Elle adressa une lettre au roi
où elle se déclara prête à disputer contre « aulcuns Allemans...
pretendans estre ouis sur certains articles concernans la foy &
bonnes meurs », mais ajoutant : « qu'il sera expedient & neces-
saire que les dessusdictz Allemans ayent à vous envoyer par
escript & soubz leur seing tous & chascuns les doubtes & articles
desquelz ilz veulent estre instruicts, pour en ceste mesme façon
leur en faire response & donner resolution selon qu'il plaira à
Dieu nous faire la grace : que est la plus certaine & seure voye
de proceder en telles conferences, lesquelles ne doivent estre
conduictes par contention ou disputation verbale, pour ce que
seroit chose du tout inutile & dangereuse & à laquelle jamais

Non seulement l'Eglise catholique et ses membres, ses dogmes aussi sont en butte aux traits de Marot :

> Toutesfoys, Lyon, si les ames
> Ne s'en vont plus en Purgatoire,
> On ne me sçauroit faire à croyre
> Que le Pape y gaigne beaulcoup [104].

Comme dans le premier coq-à-l'âne [105], Marot cite à tort et à travers des proverbes :

> Ne donnez jamais l'esperon
> A cheval qui vouluntiers trotte [106].

et :

> Puis que respondre ne me veulx,
> Je ne te prendray aux cheveulx,
> Lyon [107].

où, au commencement même de son poème, l'auteur joue sur le proverbe : prendre le lion par les cheveux. De même, dans les vers :

> Quand part le Roy ? aurons nous guerre ?
> O la belle piece de terre !

il fait allusion au proverbe : « Qui a terre, si a guerre [108]. »

---

n'y auroit fin... » (Arch. Nat. MM. 248, f° 14 v°.) Le roi donna son approbation à cet étrange procédé (*ibid.*) comme si Melanchthon avait désiré venir à Paris pour être « instruict » par les théologiens de la Sorbonne. La Sorbonne décida de rendre grâces à Dieu « cui placuit dimittere in cor Regis hanc sanctam voluntatem quod nullo pacto vellet disputationem verbalem fieri » (*ibid*). Il y eut donc un échange de notes écrites qui n'aboutirent à rien. Melanchthon resta en Allemagne. Du reste, l'électeur de Saxe semble avoir refusé de son côté de permettre l'entrevue. Dans une lettre du 17 août 1535, Luther le supplie d'autoriser Melanchthon à aller à Paris, et, peu de temps après, Luther informe Just Jonas que Melanchthon n'a pu obtenir l'autorisation de l'électeur. Voir B.S.H.P.F., t. II, 1854, p. 244-246.

104. *Œuvres satiriques,* VIII, v. 44-47.
105. Voir plus haut, p. 212 suiv.
106. *Œuvres satiriques,* VIII, v. 16-17.
107. *Ibid.,* v. 1-3.
108. *Ibid.,* v. 11-12. Cf. J. Morawski, *Proverbes français antérieurs au quinzième siècle,* C.F.M.A., Paris, 1925, n° 1821.

Comme dans le premier *coq-à-l'âne* [109], l'incohérence, étant une des règles du genre, est très en évidence. Mais dans les coq-à-l'âne de Marot du moins le décousu relève de la fantaisie, cette fantaisie dirigée par l'intention satirique que nous avons déjà notée dans l'épître *Au Roy, pour avoir esté desrobé* [110]. Ce n'est pas le cas chez les imitateurs de Marot, comme Eustorg de Beaulieu et Pernette du Guillet, dont les coq-à-l'âne, l'incohérence pure et simple n'étant d'aucune difficulté pour le poète à la différence du lecteur, sont bêtement décousus. Voici par exemple le début d'un coq-à-l'âne d'Eustorg de Beaulieu :

### De l'Asne au Coq

Thibauld, ce porteur m'a promys
(Pour ce qu'il est de mes amys)
Qu'il m'envoyera mon Mullet
On donra charge à son Varlet
Le me amener comme une beste
Pour t'aller veoir à ceste feste,
Ainsi que fut par nous conclus.
Et la porras veoir le surplus
De ton voyage de Sainct Jacques,
Où j'ay besoigné despuis Pasques,
Tant qu'ay peu tenir Plume en main.
Et te feusse allé veoir demain,
N'eust esté qu'il ne m'en chault guere.
D'aultre part, ces Braves font faire
Leurs habitz si tres decouppez
Que souvent se trouvent trompez
En cuydant humer leur potage.
Tellement que despuis q'ung page
N'ayme Saulcisses & Boudins,
On n'escoute que les Badins,
Car c'est le meilleur d'une farce [111].

Puisque Beaulieu est dépourvu de toute fantaisie, son incohérence se réduit à l'illogisme le plus pur, et n'a rien de

109. Voir plus haut, p. 212 suiv.
110. *Les Epîtres*, XXV. Voir plus haut, p. 183-184.
111. *Les Divers Rapportz*, éd. M.A. Pegg, *Textes Littéraires Français*, Genève, Droz, 1964, *Epîtres*, XI.

cette qualité délicieusement « surréaliste » qu'elle a chez
Marot et qui vaut au lecteur tant de surprises agréables et
de rencontres imprévues. C'est que chez ce dernier l'incohérence n'est pas gratuite ; elle est inspirée et dirigée
par l'intention satirique, tout comme la fantaisie se laisse
brider par cette même intention satirique. Pas moins de
six traits acérés partent des vers que voici :

> Touche là ; je suys en esmoy
> Des froids amys que j'ay en France ;
> Mais je trouve que c'est oultrance
> Que l'ung a trop & l'aultre rien.
>   Est il vray que ce vieil marrien
> Marche encores dessus espines,
> Et que les jeunes tant pouppines
> Vendent leur chair cher comme cresme ?
>   S'il est vray, adieu le caresme
> Au Concile qui se faira,
> Mais Romme tandis bouffera
> Des chevreaulx à la chardonnette [112].

D'abord une allusion personnelle : le poète, exilé en Italie
à cause de ses opinions religieuses, se plaint de la froideur
de ses amis. Ensuite une réflexion d'ordre général, l'iné-
galité choquante de la distribution des biens. Puis Marot
lance un trait contre un ennemi personnel. On s'accorde
en effet à voir dans le « vieil marrien » le lieutenant criminel Morin qui avait autrefois poursuivi le poète. « Marcher dessus espines » d'autre part signifie avoir la goutte.
Or on croit savoir que Morin était effectivement goutteux.
Le quatrième trait est dirigé contre la prostitution, le cinquième contre l'institution du carême, le dernier enfin est
une plaisanterie dont le sens n'a été découvert que récemment. Pendant le carême qui coïncide avec la période où,
à Rome, les chevreaux sont tués en grand nombre, les prêtres et moines, nullement désireux de se passer de ce mets
délicieux, se faisaient servir de la viande de chevreau
cachée sous une couche de cardons.
    Notons qu'en dehors des deux derniers traits, enchaînés

---

112. *Œuvres satiriques*, VIII, v. 68-79.

par une idée commune, le carême, il n'existe aucun rapport entre les différentes allusions contenues dans ce passage. L'unique lien qui les relie, c'est l'intention satirique toujours présente. Par ailleurs c'est le décousu par excellence. Ce que le poète y gagne c'est la rapidité du tir ; c'est un véritable feu roulant. Dans le passage que nous venons de citer, chacune des six attaques est contenue dans deux vers seulement, et elles se suivent sans la moindre cheville. C'est un chef-d'œuvre de concision. Cette rapidité est d'ailleurs absolument nécessaire pour le genre de satire que Marot nous donne ici. Aucun des traits ne serait piquant s'il était plus développé ou appuyé de raisonnements. Voltaire lui-même n'a pas surpassé Marot pour la concision, la rapidité, le tour elliptique de ses mots plaisants. Même les allusions les plus précises et les plus circonstanciées, il arrive à les faire d'une façon extrêmement brève, et pourtant très claire, comme par exemple dans ce passage du même poème où il riposte aux arguments politiques employés par les catholiques contre les protestants :

> Syre, ce disent ces Capharts,
> Si vous ne bruslez ces mastins,
> Vous serez, ung de ces matins,
> Sans tribut, taille, ne truage [113].

Ces arguments, on le voit, sont éternellement les mêmes, employés de tous temps par les défenseurs de l'ordre établi contre les novateurs : faire croire aux puissants, aux riches que le progrès de la nouvelle secte signifierait le relâchement de tous les liens, la fin de la civilisation, etc. Jamais cet argument n'a été exposé si clairement qu'il l'est ici, si ce n'est dans *L'Education sentimentale* où Flaubert suit les traces de Marot en mettant dans la bouche d'un personnage ridicule la même réflexion à propos des républicains.

Un autre procédé très en évidence dans les *coq-à-l'âne*, c'est la parodie du discours suivi. Ainsi dans les douze vers déjà cités du *deuxième coq-à-l'âne*, le vers :

---

113. *Œuvres satiriques*, VIII, v. 60-63.

> Mais je trouve que c'est oultrance [114]

donne à première vue l'impression d'être une espèce de raisonnement, puisqu'il commence par le mot « mais ». Ce n'est qu'en lisant le vers suivant que le lecteur se rend compte que cette réflexion n'a rien à voir avec le reproche que Marot vient d'adresser à ses amis. Mais cette apparence verbale de raisonnement, de suite logique, évite au lecteur un heurt trop fort. Du reste elle est franchement comique.

Ajoutons qu'il arrive que la logique bouffone cache une association d'idées irrévérencieuse et satirique. Ainsi dans le passage déjà cité, le trait dirigé contre la prostitution :

> Et que les jeunes tant pouppines
> Vendent leur chair cher comme cresme [115] ?

et celui contre le carême :

> S'il est vray, adieu le caresme
> Au Concile qui se faira [116]

sont unis par la proposition conditionnelle : « S'il est vray », qui représente une plaisanterie irrévérencieuse, puisque la continuation du carême semble ainsi dépendre de celle de la prostitution. Marot arrive ainsi à faire de l'incohérence une arme fine et tranchante. Un autre exemple d'association d'idées montre à quel point ce procédé évite au poète la prolixité et rend sa satire aussi rapide qu'un coup de dague :

> Et puis, que dict on de nouveau ?
> Quand part le Roy ? aurons nous guerre ?
> O la belle piece de terre !
> Il la fault joyndre avec la myenne [117] !

Ici la simple question : aurons-nous guerre ? amène le

---

114. *Œuvres satiriques*, VIII, v. 70.
115. *Ibid.*, v. 74-75.
116. *Ibid.*, v. 76-77.
117. *Ibid.*, v. 10-13.

monologue du prince ou conquérant cherchant à agrandir son domaine.

Enfin Marot reprend, dans le second *coq-à-l'âne*, en l'aiguisant, le trait contre les proverbes et les chansons populaires à la mode, trait que nous avons déjà relevé dans le premier *coq-à-l'âne* [118].

Ainsi c'est une chanson anonyme dont la popularité nous est attestée par le fait qu'elle fut mise en musique par Claudin de Sermisy [119] et par Jean Leleu, dit Lupi [120], que Marot cite dans ces vers :

> C'est une dure departie
> D'une teste & d'ung eschaufault [121]

La chanson anonyme traite de façon fort plate le vieux thème de la séparation des amants ; Marot s'en moque par une grimace macabre à la façon de Villon, et puis, par une espèce de surenchère, ajoute ces vers bien de sa façon :

> Et grand' pitié quand beaulté fault
> A cul de bonne voulunté [122].

C'est encore dans l'été de 1535 que Marot rima pour la fille de Mme de Soubise, Mme de Pons, une charmante épître [123] qui par son sujet se rapproche de l'épître perdue à la Condemnade [124], puisqu'elle porte le titre : *Epistre perdue au jeu contre Madame de Ponts.* Ici encore l'épître n'est qu'une agréable causerie mondaine. Notons cependant qu'elle contient déjà un crayon du célèbre sonnet de Ronsard à Hélène :

> Mille autres cas, mille autres bons propos,
> Quant seras vieille, et chez toy en repos,
> Dire pourras de moy à l'advenir,

---

118. Voir plus haut, p. 217-218.
119. *38 chansons,* Paris, Attaingnant, 1529.
120. Bibliothèque de Cambrai, ms. 123-128.
121. *Œuvres satiriques,* VIII, v. 28-29.
122. *Ibid.,* v. 30-31.
123. *Les Epîtres,* XXXVIII.
124. *Les Epîtres,* XVI. Voir plus haut, p. 249-250.

S'il t'en souvient ; et pour t'en souvenir,
De bon cueur laisse à la tienne excellence
Ceste escripture, où je impose silence [125].

Ce temps vit naître également un certain nombre de pièces courtes, dont la célèbre épigramme :

### De son Feu et de celluy qui se print au Bosquet de Ferrare

Puis qu'au millieu de l'Eau d'un puissant fleuve
Le vert Bosquet par Feu est consumé,
Pourquoy mon Cueur en Cendre ne se treuve
Au Feu sans eau que tu m'as alumé ?
Le Cueur est sec, le Feu bien enflammé,
Mais la rigueur (Anne) dont tu es pleine
Le veoir souffrir a tousjours mieulx aymé
Que par la Mort mettre fin à sa peine [126].

Ce poème relate un incident qui eut lieu au cours d'une fête de la cour de Renée sur une île sise dans le Pô.

Le plus célèbre de ces poèmes c'est le *Blason du beau tetin* :

Tetin refect, plus blanc qu'un œuf,
Tetin de satin blanc tout neuf,
Tetin qui fais honte à la Rose,
Tetin plus beau que nulle chose,
Tetin dur, non pas Tetin, voyre,
Mais petite boule d'Ivoyre
Au milieu duquel est assise
Une Fraize ou une Cerise
Que nul ne voit ne touche aussi,
Mais je gage qu'il est ainsi,
Tetin doncq au petit bout rouge,
Tetin qui jamais ne se bouge,
Soit pour venir, soit pour aller,
Soit pour courir, soit pour baller,
Tetin gaulche, Tetin mignon,
Tousjours loing de son compaignon ;

---

125. *Les Epîtres*, XXXVIII, v. 75-80.
126. *Les Epigrammes*, CXLVIII.

Tetin qui portes tesmoignage
Du demourant du personnage
Quant on te voit, il vient à mainctz
Une envie dedans les mains
De te taster, de te tenir,
Mais il se fault bien contenir
D'en approcher, bon gré, ma vie,
Car il viendroit une aultre envie,
O Tetin, ne grand, ne petit,
Tetin meur, Tetin d'appetit,
Tetin qui nuict & jour criez,
Mariez moy tost, mariez !
Tetin qui t'enfles & repoulses
Ton Gorgerin de deux bons poulses
A bon droict heureux on dira
Celluy qui de laict t'emplira
Faisant d'ung Tetin de pucelle
Tetin de femme entiere & belle [127].

Le mot de blason avait désigné au xvᵉ siècle un poème descriptif. On s'est souvent fourvoyé sur la nature précise du genre [128] ; rien n'unit ces poèmes sauf leur caractère descriptif. Il en est de très longs, il en est de courts ; il en est d'élogieux, il en est de satiriques. Les mots mêmes de « blason » et de « blasonner » tirant leur origine du genre en question signifient tantôt louange, tantôt blâme [129]. Marot avait intitulé un certain nombre de poèmes dans l'*Adolescence* « Blasons ». Ce sont :

> *Le Blason des Statues de Barbe et de Jaquette* « Advint à Orléans qu'en tant de Mille Dames [130] »
> *Blason de la Rose envoyee pour Estreines* « La belle Rose, à Venus consacrée [131] »
> *Le blason du Pin, transmis à celle qui en porte le nom*

---

127. *Les Epigrammes*, LXXVII.
128. Cf. V.L. Saulnier, *Maurice Scève*, Paris, Klincksieck, p. 72 suiv.
129. Par exemple : « De tes vertus bien blasonner & paindre » (*Les Epîtres*, XXXVIII, v. 41); et « Ha le vil Blasonneur ! » (*Œuvres satiriques*, III, v. 153).
130. *Les Epigrammes*, X.
131. *Ibid.*, XI.

« L'Arbre du Pin tous les autres surpasse [132] »
*Le blazon de la Chapelle envoye à celle qui en porte le*
*nom* « La Chapelle qui est bastie et consacree [133] »
*Blazon à la louange du Roy* « Celluy qui dit ta grace,
eloquence et savoir [134] »

Il s'agit donc chez Marot entièrement de pièces courtes de
nature descriptive. Plus tard il les rangera toutes parmi
les *Epigrammes*.

Le *Blason du beau tetin* fut connu en France presque
immédiatement et obtint un énorme succès, succès qui eut
de très curieuses répercussions. Ou bien Marot fit accom-
pagner le manuscrit de ce poème d'une invitation à d'autres
poètes de participer à une espèce de concours poétique de
blasons de membres du corps féminin, ou bien le succès du
*Blason du beau tetin* poussa-t-il le poète à lancer une telle
invitation. Quoi qu'il en soit, ce concours eut lieu ; la plupart des poètes français de l'époque y participèrent, et
Renée de France fit fonction de juge [135].

---

132. *Ibid.*, XII.
133. *Ibid.* XIII.
134. *Ibid.*, XIV.
135. C'est du moins ce qu'on a toujours accepté sur la foi de
l'épître de Marot *A ceulx qui apres l'Epigramme du beau Tetin*
*en feirent d'aultres* (*Les Epîtres*, XXXIX). Cependant V.L. Saulnier (ouvr. cit., p. 72-87) nie de façon catégorique qu'il y ait eu
un concours de blasons. Citant les vers 17 à 26 de l'épître de
Marot :

> C'est tout cela qu'en ay peu recouvrer :
> Et si bien tous y avez sceu ouvrer,
> Qu'il n'y a cil qui pour vray ne desserve
> Ung Pris à part de la main de Minerve ;
> Mais du Sourcil la beaulté bien chantée
> A tellement nostre Court contentée,
> Qu'à son Autheur nostre Princesse donne,
> Pour ceste fois, de Laurier la Couronne ;
> Et m'y consens, qui point ne le congnois,
> Fors qu'on m'a dit que c'est ung Lyonnois.

il prétend que Marot, loin d'avoir obtenu les blasons qu'il énumère des poètes eux-mêmes, a eu du mal à collectionner ces
pièces, ce qui le porte à conclure : « Il y eut mode, et non
concours » (ouvr. cit., p. 78). Quant au jugement de Renée,
M. Saulnier croit qu'il fut « spontané ».
J'estime cependant que l'hypothèse du concours est extrêmement vraisemblable. Ainsi, aux vers 19 et 20, Marot dit que

Voici les blasons qui semblent être parvenus à Marot :

*Le blason des Cheveux* par Jean de Vauzelles
*Le blason du cœur* par Albert le Grand
*Le blason de la cuisse* par Pierre Le Lieur
*Le blason de la main* par Claude Chappuis
*Le blason de l'œil* par Antoine Héroet
*Le blason de l'esprit* par Lancelot de Carles
*Le blason de la bouche* par Victor Brodeau
*Le blason de la larme* par Maurice Scève
*Le blason de l'oreille,* également par Albert le Grand
*Le blason du sourcil,* également par Maurice Scève

Ce ne sont qu'une fraction infime des blasons composés à l'imitation du *Beau Tetin.* Si grande en fut la vogue que bientôt fut publié un recueil collectif de ces poèmes [136]. Assez curieusement l'engouement du public pour ce genre de poésie dura, de sorte qu'une seconde édition sans doute augmentée de ce recueil fut publiée en 1543 [137], édition qui fut réimprimée au moins trois fois, en 1550 [138], en 1554 [139] et plus tard à une date incertaine [140].

Renée accorda le prix à Maurice Scève pour son *Blason du sourcil* [141]. Marot célèbre l'événement dans une épître composée probablement en février 1536, et dans laquelle il s'adresse à tous les poètes ayant participé au concours :

---

chaque poète a mérité un prix. Cette politesse serait inutile, s'il n'y avait pas eu concours. De même le reproche que Marot adresse à Mellin de Saint-Gelais (*Les Epîtres,* XXXIX, v. 27-36) s'expliquerait très mal s'il n'y avait pas eu une espèce d'invitation à participer à un concours poétique.

136. *Blasons anatomiques des parties du corps féminin, invention de plusieurs poètes françois contemporains,* Lyon, F. Juste, 1536 (ou 1537). (*Bibliographie,* II, n° 247.)

137. *Sensuivent les blasons anatomiques du corps fémenin, ensemble les contreblasons de nouveau composez, et additionez, avec les figures, le tout mis par ordre : composez par plusieurs poetes contemporains. Avec la table desdictz Blasons et contreblasons. Imprimez en ceste année. Pour Charles Langelier 1543.* (*Bibliographie,* II, n° 262.)

138. *Bibliographie,* II, n° 262.

139. *Bibliographie,* II, n° 262.

140. *Bibliographie,* II, n° 262.

141. *Œuvres poétiques,* éd. B. Guégand, Paris, Garnier, 1927, p. 281.

Nobles Espritz de France Poetiques,
Nouveaux Phebus surpassans les Antiques,
Graces vous rendz, dont avez imité
Non ung Tetin beau par extremité,
Mais ung Blason, que je feis de bon zelle
Sur le Tetin d'une humble Damoiselle [142].

Sur Maurice Scéve, encore relativement inconnu à l'époque,
il s'exprime comme suit :

Et si bien tous y avez sceu ouvrer,
Qu'il n'y a cil qui pour vray ne desserve
Ung Pris à part de la main de Minerve ;
Mais du Sourcil la beaulté bien chantée
A tellement nostre Court contentée,
Qu'à son Autheur nostre Princesse donne,
Pour ceste fois, de Laurier la Couronne ;
Et m'y consens, qui point ne le congnois,
Fors qu'on m'a dit que c'est ung Lyonnois [143].

Ensuite Marot s'adresse à Mellin de Saint-Gelais :

O sainct Gelais, creature gentile,
Dont le sçavoir, dont l'Esprit, dont le stile,
Et dont le tout rend la France honnorée,
A quoy tient il, que ta Plume dorée
N'a faict le sien ; ce maulvais vent qui court
T'auroit il bien poulsé hors de la Court ?
O Roy Françoys, tant qu'il te plaira perds le ;
Mais si le perds, tu perdras une Perle
(Sans les susdictz Blasonneurs blasonner)
Que l'Orient ne te sçauroit donner [144].

Bien qu'il soit impossible de dire à quoi Marot fait allusion,
puisque Saint-Gelais ne fut victime d'aucune persécution
et qu'il se maintint en cour pendant les règnes de François Ier et de Henri II, il semble qu'en écrivant ces vers le
poète ait cru que Saint-Gelais était banni, sans doute pour

---

142. *Les Epîtres*, XXXIX, *A ceulx qui apres l'Epigramme du
beau Tetin en feirent d'aultres*, v. 1-6. Voir plus haut, p. 303.
143. *Ibid.*, v. 18-26.
144. *Ibid.*, v. 27-36.

cause de religion. En effet, il est difficile de donner une
autre explication que celle de la persécution religieuse à
l'expression : « ce maulvais vent qui court ». Marot a donc
imaginé que Mellin de Saint-Gelais sympathisait assez avec
les idées nouvelles pour être banni de la cour [145].

Fier du succès de son poème et du concours poétique
qu'il suscita, et qui montrait que malgré l'exil il est considéré comme le premier poète français, Marot lance alors
un second concours, celui des « contre-blasons » :

> Or, chers Amys, par maniere de rire
> Il m'est venu voulenté de descrire
> A contre poil ung Tetin, que j'envoye
> Vers vous, affin que suiviez ceste voye.
> Je l'eusse painct plus laid cinquante fois,
> Si j'eusse peu ; tel qu'il est toutesfois
> Protester veulx, affin d'eviter noise,
> Que ce n'est point ung Tetin de Françoyse,
> Et que voulu n'ay la bride lascher
> A mes propos, pour les Dames fascher ;
> Mais voulentiers, qui l'Esprit exercite,
> Ores le Blanc, ores le Noir recite,
> Et est le Painctre indigne de louange,
> Qui ne sçait paindre aussi bien Diable qu'Ange.
> Apres la course il faut tirer la Barre,
> Apres Bemol fault chanter en Becarre.
>   Là donc, Amys, celles qu'avez louées,
> Mieulx qu'on n'a dict, sont de beaulté douées ;
> Parquoy n'entends que vous vous desdiez
> Des beaulx Blasons à elles desdiez,
> Ains que chascun le Rebours chanter vueille
> Pour leur donner encores plus grand fueille ;

---

145. M. Françon a suggéré (*Modern Languages Quarterly*, 23,
2, 1962, p. 187-190) que les difficultés dans la situation de Mellin
de Saint-Gelais auxquelles Marot fait allusion ici seraient dues
à la longue maladie et à la mort du Dauphin. Il s'agit d'une pure
erreur. L'épître de Marot fut composée sans contestation possible
à Ferrare. Or Marot quitta Ferrare probablement le 10 juin 1536,
dans l'été de 1536 de toute manière ; le dauphin François
d'autre part mourut, après une maladie de deux ou trois jours,
le 10 août 1536. Cette épître fut donc composée bien avant la
maladie et la mort du dauphin.

Car vous sçavez qu'à Gorge blanche & grasse
Le Cordon noir n'a point maulvaise grace.
   Là doncq, là doncq, poulsez, faictes merveilles,
A beaulx Cheveux & à belles Oreilles,
Faictes les moy les plus laidz que l'on puisse :
Pochez cest Œil, fessez moy ceste Cuisse !
Descrivez moy en stile espoventable
Ung Sourcil gris, une Main detestable :
Sus à ce Cueur ; qu'il me soit pelaudé,
Mieulx que ne fut le premier collaudé ;
A ceste Larme, et pour bien estre escripte,
Deschriffez moy celle d'ung Hipocrite ;
Quant à l'Esprit, paignez moy une Souche,
Et d'ung Toreau le Mufle, pour la Bouche.
Brief, faictes les si horribles à veoir,
Que le grand Diable en puisse horreur avoir [146].

Il illustre ce genre en écrivant le *Blason du laid Tetin :*

> Tetin qui n'as rien que la peau,
> Tetin flac, Tetin de drappeau
> Grand'Tetine, longue Tetasse,
> Tetin, doy je dire : bezasse ?
> Tetin au grand vilain bout noir
> Comme celuy d'ung Entonnoir,
> Tetin qui brimballe à tous coups,
> Sans estre esbranlé ne secoux.
> Bien se peult vanter qui te taste
> D'avoir mis la main à la paste.
> Tetin grillé, Tetin pendant,
> Tetin flestry, Tetin rendant
> Villaine bourbe en lieu de laict,
> Le Diable te feit bien si laid.
> Tetin pour trippe reputé,
> Tetin, ce cuide je, emprunté
> Ou desrobé en quelque sorte
> De quelque vieille Chevre morte.
> Tetin propre pour en Enfer
> Nourrir l'enfant de Lucifer,
> Tetin boyau long d'une Gaule,
> Tetasse à jecter sur l'espaule
> Pour faire (tout bien compassé)

---

146. *Les Epîtres*, XXXIX, v. 37-74.

Ung chapperon du temps passé,
Quand on te voit, il vient à maintz
Une envie dedans les mains
De te prendre avec des gans doubles
Pour en donner cinq ou six couples
De souffletz sur le nez de celle
Qui te cache soubz son esselle.
Va, grand vilain Tetin puant,
Tu fourniroys bien en suant
De civettes & de parfuns
Pour faire cent mille defunctz.
 Tetin de laydeur despiteuse,
Tetin dont Nature est honteuse,
Tetin des villains le plus brave,
Tetin dont le bout tousjours bave,
Tetin faict de poix & de glus,
Bren, ma plume n'en parlez plus !
Laissez le là, ventre sainct George,
Vous me feriez rendre ma gorge [147].

Ce concours n'eut jamais lieu, sans doute parce que Marot, peu de temps après avoir écrit cette épître, dut s'enfuir de Ferrare. Toujours est-il que de nombreux contre-blasons furent composés. La vogue des blasons anatomiques et des contre-blasons dura pendant assez longtemps. Marot en exhortant ses collègues à s'exercer dans ce genre avait ajouté cet avertissement :

Mais je vous prie, que chascun Blasonneur
Vueille garder en ses Escriptz honneur.
Arriere motz qui sonnent sallement !
Parlons aussi des membres seulement
Que l'on peult veoir, sans honte, descouvers,
Et des honteux ne soillons point noz vers ;
Car quel besoing est il mettre en lumiere
Ce qu'est Nature à cacher coustumiere.
 Ainsi fairez pour à tous agréer [148],

On ne saurait dire cependant que les poètes français aient pris à cœur cet appel. Ainsi Eustorg de Beaulieu composa

___

147. *Les Epigrammes*, LXXVIII.
148. *Les Epîtres*, XXXIX, v. 75-83.

le *Blason du Cul* et plusieurs autres blasons scatologiques [149], Claude Chappuys écrivit un *Blason du Con* et un *Blason du Con de la Pucelle* [150]. Comme nous l'avons vu, la vogue des blasons continua jusqu'en 1560 environ.

A propos du *Blason du beau Tetin*, de même que plusieurs autres pièces courtes composées à Ferrare, une question se pose. Marot en les créant a-t-il été influencé par la poésie pétrarquiste italienne ? On l'a longtemps admis. Vianey notamment [151] a cru que c'est à Ferrare, la patrie de Tebaldeo, que Marot a d'abord connu la poésie italienne et a été initié aux thèmes du chantre de Laure.

C'est ici un exemple intéressant où l'histoire littéraire semble avoir été basée uniquement sur les considérations historiques les plus rudimentaires sans tenir compte de l'étude des textes. On ignorait que la poésie pétrarquiste eût pénétré en France dès la fin du xvᵉ siècle. On s'aperçut bien que certains poèmes de Marot sont dans le style des poètes italiens de la fin du xvᵉ siècle, mais on ne connaissait pas pendant longtemps les dates précises de ses compositions. Dans ces conditions il était infiniment tentant de penser que c'est lors de son séjour en Italie que Marot s'est mis à l'école des poètes italiens, ayant avant son exil ignoré totalement leurs thèmes. On a même été plus loin prétendant que le pétrarquisme a pénétré en Angleterre plus tôt qu'en France pour la simple raison que le poète anglais Thomas Wyatt a été en Italie avant Marot [152] !

En fait nous savons que c'est à partir de 1520 environ que Marot a pétrarquisé [153]. Si l'épigramme du feu au bosquet de Ferrare reproduit l'antithèse pétrarquiste du feu et de l'eau et ressemble de près à la poésie de Tebaldeo et de Serafino, il ne faut pas oublier que le rondeau « Au feu [154] », contenant le même thème, date d'avant 1527.

Il en est de même du *Blason du beau Tetin.* Il est vrai

---

149. *Ed. cit., Blasons anatomiques,* VI et VII.
150. *Claude Chappuys, Poésies Intimes,* éd. A.M. Best, Textes Littéraires français, Genève, Droz, 1967, XIII et XIV.
151. *Le Pétrarquisme en France au seizième siècle,* ouvr. cit.
152. R. Weiss, ouvr. cit., p. 105.
153. Voir plus haut, p. 57 suiv.
154. *Œuvres diverses,* V, Rondeau v, *De l'Amoureux ardant* ; voir plus haut, p. 58.

que les poètes italiens, suivant Pétrarque qui célèbre dans ses sonnets les beautés du front, de la bouche, de la chevelure et de la poitrine de Laure, avaient consacré des poèmes à chanter les beautés du corps de leur dame. Ainsi selon Vianey :

> Dans sa *Gloria d'amore,* Olympo a mis en *strambotti* le portrait d'une autre dame : rien n'y manque : après le blason des cheveux d'or et du front spacieux, on a celui du doux regard et celui des dents d'ivoire, puis, après beaucoup d'autres, celui *del pomagero petto* et celui *delle Tremolante poma...* Dans *Pegasea* Olympo a un long *Capitolo del bianco petto di Madonna Pegasea* et un autre *delle poppe tette de Pegasea* [155].

Pourtant, comme nous l'avons déjà noté, le blason comme poème descriptif avait existé dans la poésie française du xv⁰ siècle, et Marot, dans l'*Adolescence Clementine,* avait intitulé « blason » plusieurs de ses pièces courtes et descriptives. D'autre part l'idée de décrire les beautés du corps féminin et principalement de la poitrine féminine, n'est pas si étrange qu'il faille absolument chercher des sources pour ce thème. Du reste ce genre de description était loin d'être étranger à la poésie française du moyen âge et du xv⁰ siècle. Cela est encore plus vrai si l'on considère que Marot a opposé au « Beau Tetin » le « Laid Tetin » et a invité les poètes français à écrire des « Contre-blasons ». En effet déjà Adam de la Halle, dans le *Jeu de la Feuillée* [156] avait contrasté les beautés de sa femme du temps qu'elle était jeune, avec sa laideur de vieille. Villon a donné sans doute la meilleure expression de ce thème dans ses *Regrets de la belle Heaulmière* [157]. Marot ne fait donc en sorte que suivre une tradition française bien établie.

Contrairement à la conception basée de façon rudimentaire sur l'histoire pure et simple, on peut voir que c'est

---

155. J. Vianey, ouvr. cit., p. 42.
156. Ed. E. Langlois, C.F.M.A., Paris, 1928.
157. *Œuvres,* C.F.M.A., *Le Testament,* v. 453-532.

précisément le séjour à Ferrare qui a détourné Marot du
pétrarquisme. Dans sa jeunesse, et généralement avant
1534, il avait imité avec discrétion les poètes précieux
italiens de la fin du xvᵉ siècle, Tebaldeo, Serafino, Olimpo
et Chariteo. Or ces poètes n'étaient plus à la mode auprès
du public lettré italien. Bembo, avec son retour au pétrarquisme primitif, était en faveur au moment où Marot était
à Ferrare ; c'était sa manière qui avait remplacé la préciosité des poètes précédents. En France, ce changement de
mode ne semble s'être fait qu'en 1549, lorsque Du Bellay,
dans l'*Olive,* imite des poèmes publiés dans les *Rime di
Diversi* [158] recueil collectif de disciples de Bembo. Avant
cette date, Mellin de Saint-Gelais et Maurice Scève
étaient restés fidèles à l'inspiration pétrarquiste du xvᵉ siècle [159]. C'est en Italie, et en Italie seulement, qu'à cette
époque Marot put se rendre compte que cette vogue qu'il
avait suivie naguère était méprisée par le public lettré. Dès
la fin de son séjour à Ferrare, et surtout après son retour
d'exil cette source est tarie. Marot ne pétrarquisera plus.

Au mois de novembre 1535 Marot composa une seconde
épître pour François 1ᵉʳ qui était tombé gravement malade
au mois d'octobre ; la nouvelle de sa guérison parvint à
Ferrare dans une lettre du 12 novembre dans laquelle
Madeleine de France en mande la nouvelle à Renée [160].
L'épître, intitulée *Au Roy nouvellement sorty de maladie* [161],
ne fut jamais publiée au xviᵉ siècle, et ne nous est connue
que par le manuscrit de Chantilly. Marot informe le roi
qu'il fait des études d'italien et de latin sous l'humaniste
Celio Calcagnini ; il représente son exil comme une espèce
de voyage d'études, et demande qu'on lui verse ses gages !

Du point de vue littéraire ce poème n'a que peu de
valeur. Ce n'est que du point de vue biographique qu'elle
est importante. On y voit en effet les premiers signes que
Marot pense à demander la permission de rentrer en
France :

---

158. *Rime diverse di molti eccellentissime auttori,* Venise,
Giolito, t. I, 1545 ; t. II, 1547.
159. Voir Vianey, ouvr. cit., p. 50-80.
160. Voir *Les Epîtres,* p. 208, n. 1.
161. *Ibid.,* XXXVII.

Mes ennemys (Roy d'honneur couronné)
Disent par tout que m'as habandonné.
Ilz vont disant que nul jour de ma vye
Ne te prendra de bien me faire envie,
Et, desirans que povreté m'accable,
Parlent de toy comme d'un implacable.
Le Roy l'a bien (ce disent ilz) aymé,
Mais c'en est fait, pour luy tout est rymé.
  O Sire, donq renverse leurs langaiges ;
Vueilles permettre (en despit d'eulx) mes gaiges
Passer les montz et jusque icy venir,
Pour à l'estude ung temps m'entretenir
Soubz Celius, de qui tant on aprent.
Et si desir apres cela te prent
De m'appeller en la terre gallique,
Tu trouveras ceste langue italique
Passablement dessus la mienne entée,
Et la latine en moy plus augmentée,
Si que l'exil, qu'ilz pensent si nuysant,
M'aura rendu plus apte & plus duysant
A te servir myeulx à ta fantasie,
Non seullement en l'art de poesie,
Ains en affaire, en temps de paix ou guerre,
Soit pres de toy, soit en estrange terre.
  Je ne suis pas si laid comme ilz me font ;
Myré me suis au cler ruysseau profont
De verité, et à ce qu'il me semble,
A Turc ne Juif en rien je ne ressemble.
Je suis chrestien, pour tel me veulx offrir,
Voire plus prest à peine & mort souffrir
Pour mon vray Dieu et pour mon Roy, j'en jure,
Qu'eulx une simple et bien petite injure ;
Ce que croiras, Sire, je t'en supplye,
T'advertissant, ains que ma lettre plye,
Combien qu'encor je te tien pour mon maistre,
Qu'il est en toy de jamais rien ne me estre,
Mais il n'est pas, certes, en ma puissance
De n'estre tien en toute obeissance [162].

On note que le poète prend un ton humble et soumis,
alors que dans la précédente épître au roi il avait parlé
avec fierté. Il est difficile de savoir les raisons pour ce

---

162. *Les Epîtres,* XXXVII, v. 29-66.

changement[163]. Marot commença-t-il à sentir la nostalgie ?
commença-t-il à sentir l'hostilité du duc de Ferrare ? Ou
bien fut-il à ce moment au courant de l'état d'esprit de
François 1er, qui dès l'affaire des Placards ne favorisait
plus les humanistes et n'écoutait plus comme naguère les
diatribes contre la Sorbonne.

Au début de l'année 1536 les choses commencèrent à
aller mal pour le cercle français à Ferrare. Rappelons que
l'ami du poète, Lyon Jamet, dut arriver en même temps
que lui, c'est-à-dire au printemps de 1535 et qu'un troisième réfugié français, Jehannet de Bouchefort, religieux
de Tournay, et chantre à la chapelle royale[164], chercha également refuge à Ferrare[165].

Or, le 30 août 1535, l'orateur ferrarais à Venise, Giacomo Tebaldi, écrit au duc pour relater un entretien qu'il
a eu avec le légat Girolamo Aleandro, autrefois recteur de
l'Université de Paris, l'adversaire de Luther à la diète de
Worms, l'ennemi d'Erasme et l'initiateur de la persécution religieuse aux Pays-Bas, lequel l'a mis en garde contre
Clément Marot :

---

163. Cf. *La Religion de Marot*, ouvr. cit., p. 103.

164. L'arrivée de Bouchefort semble se placer au mois de
mai. C'est pour mai 1535 qu'il est inscrit sous le nom de
« Zanetto » aux *Giornali di bolletta* pour un traitement de vingt
livres, huit sous par mois. Fontana, *Renata di Francia, duchessa
di Ferrara*, ouvr. cit., t. I, p. 318, n. 2.

165. Ces trois hommes sont nommés dans la liste des bannis
après l'affaire des Placards. (Texte dans la *Cronique du Roy
Françoys Ier*, ouvr. cit., p. 130 suiv.). Ils sont nommés à plusieurs
reprises dans les documents de la cour de Ferrare. Cependant
Bouchefort figure dans la plupart des documents simplement
comme Jeannet, Jehannet, Gianetto ou Zanetto. Ce nom, sous
quelque forme que ce soit, est toujours accompagné du qualifi-
catif : chantre. Jusqu'à Becker, aucun historien n'a reconnu
l'identité de Jehannet et de Jean de Bouchefort, identité qui est
cependant évidente, puisque c'est Gianetto qui est nommé dans
plusieurs documents comme ayant été arrêté le lundi de Pâques
(voir C.A. Mayer, *Le départ de Marot de Ferrare*, art. cit., p. 202-
203) et que le bref du pape ordonnant le transfert du prisonnier à Bologne (voir *Le départ de Marot de Ferrare*, art. cit.,
p. 207) est au nom de Jo. de Bouchefort. De plus, le *Cat. des
Actes* (ouvr. cit.) atteste l'absence de Bouchefort pendant les
années 1535 et 1536 : « A Jeannet de Bouchefort, chantre et

Ch'un francese nominato Clemente è venuto novel-
lamente a stare con l'excellentissima signora Duchessa
nostra, et que questo tale è stato bannito da tutta la
Franza, per essere Leutherano, et homo de sorte che
facilmento con destreza potria introdure colà quella
peste, che Dio n.s. non lo voglia [166].

Six mois plus tard, le 8 mars 1536, l'ambassadeur ferrarais à Rome, Filippo Rodi, écrit au duc pour l'informer
que plusieurs cardinaux ont attiré son attention sur le
danger que constituait pour le duc la présence de luthériens à la cour de Ferrare. L'avertissement était sérieux ;
la menace d'excommunication était brandie [167].

Pour comprendre les événements qui vont suivre, il est
nécessaire d'exposer brièvement la position d'Ercole, duc
d'Este. Son père lui avait fait épouser, en 1528, Renée de
France, fille de Louis XII. Mariage politique s'il en fut ;
l'union devait sceller l'alliance entre la France et Ferrare.
Cependant, Renée sut si bien se mettre dans son rôle de
représentante de la France et de gage de l'alliance fran-

---

valet de chambre du roi, don de 480 livres, parce qu'il a été
omis sur les états de l'hôtel et n'a pas été payé de ses gages et
livrées des années 1535 et 1536 » (VIII, 136, n° 30518). Un autre
acte, malheureusement non daté, mais qui doit se rapporter à la
même période, le mentionne en compagnie de Marot : « A Jean
Carré, 960 livres pour payer les gages de Jeannet Bouchefort,
chantre et valet de chambre du roi, des deux années dernières,
et ceux de Clément Marot, autre valet de chambre... » (VIII, 175,
n° 30876).
Sans doute à cause du diminutif, la plupart des historiens ont
cru que « Gianetto » devait être un tout jeune homme. Doumergue (*J. Calvin*, Lausanne, 1902, t. II, p. 52) dit que c'était
« un tout jeune homme de 20 ans » ; Rodocanachi (*Une protectrice de la Réforme en Italie et en France, Renée de France,
duchesse de Ferrare*, ouvr. cit., p. 111) l'appelle « petit chantre » pour ajouter « C'était presque un enfant, il avait vingt
ans. Son nom était Jean, on l'appelait à la cour Zanetto. » En
fait, Bouchefort était valet de la garde-robe de François Ier dès
1531 (*Cat. des Actes*, VII, 663, n° 28110 et VII, 702, n° 28481).
166. Bonnet, *Clément Marot à Venise*, B.S.H.P.F., t. XXXIV,
1885, p. 290 ; Fontana, ouvr. cit., t. I, p. 243.
167. Fontana, ouvr. cit., t. I, p. 307-308 : « ... Da alcuni di
questi Revmi Cardinali che sono amici di V[a] Ex[la] mi è stato
detto che hanno inteso che nella corte della Ill ma S.V. et di

çaise, qu'elle ne tarda pas à offusquer son mari. Elle n'était
entourée que de Français et de Françaises, parmi lesquelles sa dame d'honneur Michelle de Saubonne, baronne de
Soubise, était la plus importante ; elle ne parlait que le
français, restant d'ailleurs en communication constante
avec la Cour de France. Mais la situation de la France sem-
blant compromise dans la péninsule, Ercole, après la mort
de son père, tâcha de se ménager une entente avec l'empereur. Au mois de septembre 1535, il alla à Rome pour
entamer des négociations avec le pape. De là, il s'en fut à
Naples où il rencontra Charles-Quint.

Sur les négociations du duc à Rome et à Naples, de
même que sur le renvoi de Mme de Soubise, deux épîtres
de Rabelais à Geoffroy d'Estissac sont du plus haut intérêt. Au moment de les écrire, Rabelais était à Rome dans
l'entourage du cardinal Jean du Bellay [168] :

> *Epître III* (datée du 26 décembre 1535)
> Monseigneur,
> Aujourd'huy matin est retourné icy le Duc de
> Ferrare qui estoit allé pardevers l'Empereur à Naples.
> Je n'ay encores sceu comment il a appointé touchant
> l'investiture & recognoissance de ses Terres. Mais j'en-
> tends qu'il n'est pas retourné fort content dudit
> Empereur. Je me doubte qu'il sera contraint mettre
> au vent les escus que son feu pere luy laissa, & le Pape
> & l'Empereur le plumeront à leur vouloir, mesme-
> ment qu'il a refusé le party du Roy, apres avoir
> dilayé d'entrer en la Ligue de l'Empereur plus de
> six mois, quelques remonstrances ou menaces qu'on
> luy ait fait de la part dudit Empereur. De fait Mon-
> sieur de Limoges [169], qui estoit à Ferrare Ambassa-

---

madama si trovano lutherani banditi di Franza... mi hanno detto
che V. Exa per amor di Dio voglia mirare a questo caso et non
voglia tolerare simil peste nella sua città, la quale cosa facil-
mente potrebbe dare ansa al papa essendo del animo che e
verso V. Ex. de venire a quelle excommunicationi... del che
pregano V. Ex. che voglia usare quella riserba che sarà neces-
saria ».

Cf. Becker, ouvr. cit., p. 114.

168. *Les Epistres de F. Rabelais,* Paris, 1651.

169. Jean de Langeac.

deur pour le Roy, voyant que ledit Duc, sans l'advertir de son entreprise, s'estoit retiré vers l'Empereur, est retourné en France [170]. Il y a danger que Madame Renée en souffre fascherie : Ledit Duc luy a osté Madame de Soubise, sa Gouvernante & la fait servir par Italiennes, Qui n'est pas bon signe.

*Epître XIV* (non datée) :

Monseigneur,

Au regard du Duc de Ferrare, je vous ay escrit comment il estoit retourné de Naples & retiré à Ferrare. Madame Renée est accouchée d'une fille [171] ; elle avoit jà une autre belle fille âgée de six à sept ans [172] & un petit fils âgé de trois ans [173]. Il n'a pu accorder avec le Pape, parce qu'il y demandoit excessive somme d'argent pour l'investiture de ses terres. Nonobstant qu'il avoit rabatu cinquante mil escus pour l'amour de ladite Dame, & ce par la poursuite de Messieurs les Cardinaux du Bellay & de Nascon, pour tousjours accroistre l'affection conjugal dudit Duc de Ferrare envers elle. Et ce estoit la cause pourquoy Lyon Jamet estoit venu en ceste ville. Et ne restoit plus que quinze mil escus. Mais ils ne purent accorder par ce que le Pape vouloit qu'il recognust entierement tenir & posseder toutes ses Terres en Feode du Siege Apostolique. Ce que l'autre ne voulut. Et n'en vouloit recognoistre, sinon celles que son feu pere avoit recognu & ce que l'Empereur en avoit adjugé à Bologne par arrest du temps du feu Pape Clement.

Ainsi departit re infecta. Et s'en alla vers l'Empereur, lequel luy promist qu'à sa venue il feroit bien consentir le Pape & venir au point contenu en son dit Arrest, & qu'il se retirast en sa maison, luy laissant Ambassade pour solliciter l'affaire quand il seroit de par deça, & qu'il ne payast la somme ja convenue sans qu'il fust de luy entierement averty. La finesse

---

170. De fait, Jean de Langeac fut rappelé sur la demande du duc ; voir Fontana, ouvr. cit., t. I, p. 215-220.
171. Lucrezia d'Este, 10 décembre 1535.
172. Anna d'Este.
173. Alfonso II d'Este.

est en ce que l'Empereur a faute d'argent & en cherche de tous costez, & taille tout le monde qu'il peut
& en emprunte de tous endroicts. Luy estant icy
arrivé en demandera au Pape ; c'est chose bien évidente. Car il luy remonstrera qu'il a fait toutes ces
guerres contre le Turc & Barberousse pour mettre en
seureté l'Italie & le Pape, & que force est qu'il y con-
tribue. Ledit Pape respondra qu'il n'a point d'argent.
Et luy fera preuve manifeste de sa pauvreté. Lors
l'Empereur sans qu'il débourse rien luy demandera
celuy du Duc de Ferrare, lequel ne tient qu'à un Fiat.
Et voylà comment les choses se jouent par mystères.
Toutesfois ce n'est chose asseurée.

Cependant, Renée, conseillée par Mme de Soubise, et
encouragée par Marguerite de Navarre [174], projetait un
voyage à Lyon, pour y rencontrer François 1er et sa sœur.
Ercole, furieux, rentra à Ferrare en janvier 1536, avant
que Renée ait pu exécuter son projet, et exigea que
Mme de Soubise, dont il avait déjà voulu se débarrasser
auparavant, fût renvoyée [175]. Michelle de Saubonne quitta
effectivement Ferrare le 20 mars 1536 [176] à la grande douleur de sa maîtresse. Le 3 avril, un témoin écrit : « Depuis
que Mme de Soubise est partie, Madame la duchesse n'a
plus paru en public, ni mis les pieds dehors, si ce n'est
dans un petit cabinet où elle est servie par ses dames françaises, et où personne ne peut la voir [177]. »

---

174. Voir P. Jourda, *Répertoire analytique et chronologique
de la correspondance de Marguerite d'Angoulême*, Paris, Champion, 1930, n° 609.

175. Fontana, ouvr. cit., t. I, p. 209 et p. 234. Ce fut le cardinal Du Bellay qui, en route pour Rome dans l'été de 1535, avait
réussi à persuader à Ercole de permettre à Mme de Soubise de
rester auprès de Renée jusqu'après ses couches.

176. G. Bertoni (*Clément Marot à Ferrare, Documents nouveaux, Rev. des Etudes italiennes*, I, 1936, p. 188-193) prétend
sans preuve que le départ de Mme de Soubise eut lieu au mois
de février, puisqu'elle était à Milan le 1er mars. Selon Fontana
(ouvr. cit., t. I, p. 234) Mme de Soubise partit le 20 mars et passa
par Milan le 23.

177. Lettre de Marco Pio, seigneur de Carpi, au cardinal Gonzague de Mantoue, cit. par Bonnet, *Les premières persécutions
à la cour de Ferrare*, art. cit., p. 172.

Marot adressa une épître d'adieu [178] à celle qui avait été la protectrice, non seulement de lui et de son père, mais encore de Jean Lemaire de Belges :

> Or adieu doncq, noble dame qui uses
> D'honnesteté tousjours envers les Muses !
> Adieu par qui les Muses desolées
> Souventesfoys ont esté consolées !
> Adieu qui veoyr ne les peult en souffrance !
> Adieu la main qui de Flandres en France
> Tyra jadis Jan le Maire Belgeoys,
> Qui l'ame avoit d'Homere le Gregeoys [179] !

C'est la première épître élégiaque de la plume de Marot. Aussi le ton du poème est-il grave ; Marot, sans doute sous l'influence des poètes latins, s'essaye aux mouvements lyriques :

> Le clair soleil sur les champs puisse luyre
> Dame prudente, et te vueille conduire
> Jusques au pied de ta noble maison [180].

Ajoutons que pour des raisons évidentes Marot tait la véritable raison du départ de Mme de Soubise.

Sa fille cadette, Renée de Parthenay, l'accompagna, et Marot adressa, à elle aussi, une épître d'adieu [181]. Pour écrire à cette jeune fille le poète prend un ton plus léger, s'essayant même à des plaisanteries, tout en gardant le ton de sincère regret propre au sujet du poème :

> Adieu esprit d'intelligence vive,
> Adieu le cueur plain de bonté naifve,
> Qui au ruisseau des sciences se baigne ;
> Adieu le cueur qui tous les autres gaigne !
> Fille partez, femme vous trouverons
> Quant d'avanture en France arriverons.

---

178. *Les Epîtres*, XL, *Epistre à Madame de Soubize partant de Ferrare pour s'en venir en France.*
179. *Ibid.*, v. 33-40.
180. *Ibid.*, v. 1-3.
181. *Les Epîtres*, XLI, *A Mademoiselle Renée de Parthenay partant de Ferrare pour aller en France.*

Mais du mary l'amour pourtant ne face
Que celle là que nous portez s'efface [182].

Ainsi, comme nous l'avons vu, pour des motifs entièrement politiques, le duc d'Este résolut de se défaire de
l'entourage français de sa femme, mais à ces motifs politiques vinrent s'en ajouter de religieux. L'avertissement
donné par plusieurs cardinaux à son ambassadeur à Rome,
la conviction que la présence de luthériens bannis de
France pourraient susciter les plus graves ennuis, le pous-
sèrent à agir.

Une occasion se présenta le Vendredi saint, 14 avril.
Pendant le service, avant la cérémonie de l'adoration de la
croix, Jehannet de Bouchefort sortit de l'église. Il fut
presque immédiatement appréhendé, et, dès le lundi de
Pâques, l'Inquisition de Ferrare instruisit le procès et
recherca les autres « conjurés ». Le lendemain, 18 avril,
le duc écrivit à l'ambassadeur français à Venise, Georges
de Selve, évêque de Lavaur, pour l'informer de l'arrestation
de « Gianetto [183] ». Dans une autre lettre, adressée cette
fois à son ambassadeur près le roi de France, Hieronimo
Feruffini, et datée du 5 mai, le duc donne des précisions :

> Messer Hieronimo. Sono circa XI.o.XII mesi, che
> capito qua un Gianetto francese cantore, el qual a,
> complacentia de la Sra Duchessa nostra consorte fus-
> simo contento pigliare a nostro servitio, con questo
> però quel attendesse a vivere bene et christiana-
> mente, et questo perchè intendevemo, che da questo
> Regno di Francia era fuggito per imputatione di essere
> lutherano, et che un suo compagno era stato arrestato
> per ordine del Re. Hora essendose accostato qua, con
> un Clemente Marotto, et con alcuni altri, pur venuti
> di la, et essendosi mormorato molto qua de la non
> christiana vita che tenevano, et fattone ancho querela
> presso noi, oltra che da nostri avvisi havuti di Roma
> stati avvertiti a provvedere che simili heretici non

---

182. *Ibid.*, v. 61-68.
183. Fontana, ouvr. cit., t. I, p. 314. Le 2 mai, le duc écrit de
nouveau à M. de Lavaur sur le même sujet. Bonnet, *Les premières persécutions à la cour de Ferrare*, art. cit., p. 174, n. 1.

stessero nel nostro stato pur perche non vedevamo
cose molto enorme, et ci piaceva la sua virtu, oltra al
affetto che portavemo per respetto de la natione. Desi-
deravemo che la cosa non procedesse piu oltra et lui
si trovasse senza colpa, ma essendo occorso chel ve-
nerdi santo, havendo noi fatto cantar qui in una
chiesa il pascio et essendo ogniuno secondo il cos-
tume andato ad adorare la croce el predetto Gianetto,
non solo no vi ando, ma per quanto da molti ne fu
referto, si parti con desmostrare di dispregiare et di
tener (poco) conto de la fede di Christo, et essendo
pervenuto cio a notitia (del Rev$^{mo}$) Inquisitore, Reli-
gioso a, cio deputato subito venne a fare querela con
noi et ad instar (di maniera che) attento che per molte
altre cause la avea sospetto per simile (delitto) fus-
simo astretto, par l'honore di Dio, et per la Justitia
darlo (ne le mani) de la ragione ove de presente se
tiene.

Et essendo successo un questo maneggio che el predetto Inquisitore, ha havuto mala informatione, per
via di alcuni religiosi francesi et altri servitori della
predecta S$^{ra}$ Duchessa che un Clemente Marotto ; la
plancia $^{184}$ : Cornilao $^{185}$ et non so che altri, parte servitori di essa S$^{ra}$ Duchessa parte che si reducevano
alla sua sorte sono maculati de heresia et fanno et
dicono molte cose contre le ordini et leggi di Christo :
Noi per el respetto che portamo alla predicta S$^{ra}$
Duchessa come e, conveniente il havevamo detto che

184. On ne sait rien de ce personnage. Bonnet a cru qu'il
s'agissait d'un premier nom de Cornillan. Fontana (ouvr. cit.,
t. I, p. 403) cite cependant un document datant de 1540, selon
lequel une personne de ce nom se trouvait à Ferrare à cette
époque.

185. C'est-à-dire Jean Cornillan, pendant longtemps au service
de Claude Alligre, trésorier de Renée, mais son secrétaire
depuis le début de l'année. Claude Alligre avait été secrétaire de
Louise de Savoie et valet de chambre de François I$^{er}$ (Cat. des
Actes, I, 540, n° 2847 ; III, 715, n° 10781) puis, à partir de 1528,
trésorier des menus plaisirs du roi (Cat. des Actes, I, 618, n° 3240
et passim). Renée de France le nomme comme son trésorier
dans une lettre au cardinal de Tournon, citée par Bonnet, Les
premières persécutions..., art. cit., p. 177, et son nom se trouve
dans le livre de comptes de Renée. Cf. Fontana, ouvr. cit., t. I,
p. 316, n. 1.

mandasse li incolpati a justificarsi presso el detto
Inquisitore, accio che si ammorzasse questo foco,
nanti se facesse maggiore, et la cosa passasse senza
rumore, ma essi più presto hanno voluto partirsi for-
zandosi pero prima de fare che la predetta S. Duchessa
facesse opera col Inquisitor chel se acquetasse con
dir che bisognando anderanno a Roma, ma che a lui
non intendono esser sotto posti il che redonda a nostre carico come se noi non fossimo padroni di questa
terra et perche potria essere che qualcuno come altre
volte e accaduto in altre cose cercara dare calumnia
presso al Re von dipingeli la cosa de altra manera ci
a parso darvene avviso et volemo (chel) tutto facciate
intendere a S. Maestà certificandola chel tutto sta
(veramen)te del modo che havemo narrato... [186].

Notons d'abord que, d'après ce récit du duc, qui n'est certainement pas un témoin impartial, tout le « complot »
consiste dans le fait que « Gianetto » est sorti de l'église
avant l'adoration de la croix. Il n'est question ni de profa-
nation, ni d'insultes, ni même de simple scandale [187]. Nous
savons que Bouchefort fut mis à la torture par l'Inquisiteur dès le lundi de Pâques [188], on ignore avec quel résultat.
Sa déposition, s'il y en eut une, ne révéla rien sur les complices du complot, ce qui n'est pas pour nous surprendre [189].

L'Inquisiteur entendit alors des témoins. Ainsi, le
28 avril, un franciscain français, dont on ignore le nom,
dépose devant l'Inquisiteur. A la question s'il connaît Marot
et quelle est sa réputation il répond : « quod apud omnes
habet famam lutherani ». Et il continue, disant qu'il sait :

quia omnes ferunt ipsum Clementem fugisse ex Francia quia Lutheranus est, et est bannitus ex tota Fran-

---

186. Fontana, ouvr. cit., t. I, p. 318-320.
187. Voir C.A. Mayer, *Le départ de Marot de Ferrare*, art. cit.,
p. 203, n. 2.
188. Fontana, ouvr. cit., t. I, p. 315 : « Il complotto non era
ignoto, perchè c'erano state anche le spie ; ma bisognando che
Gianetto parlasse, il lunedi, seconda festa di Pasqua, fu sotto-
messo a tortura... »
189. Voir C.A. Mayer, *Le départ de Marot de Ferrare*, art. cit.,
p. 203, n. 4.

cia propter hanc causam, et quod sit bannitus habet pro certo a fratribus suis et secularibus venientibus ex Francia [190].

On lui demande ensuite s'il connaît, dans la ville ou à la cour, d'autres hommes de mauvaise réputation. Il parle d'abord d'un moine prêcheur à la cour de Madame (c'est-à-dire de Renée de France) dont il paraît ignorer le nom, mais qui lui semble un homme extrêmement dangereux, puis il nomme « Cornelion », c'est-à-dire Cornillan, le secrétaire de Renée, avec lequel il déclare avoir eu une dispute dans une chambre du palais pendant le carême, au cours de laquelle Cornillan a nié le libre arbitre, le pouvoir de l'Eglise, la confession, etc. [191].

Le 30 avril, un deuxième franciscain, un Italien cette fois, est entendu. Sa déposition n'est guère intéressante ; tout au plus corrobore-t-elle celle du premier franciscain en ce qui concerne Cornillan. En effet, l'Italien raconte qu'il a assisté à la dispute entre le premier franciscain et Cornillan, dont il ignore d'ailleurs le nom et qu'il appelle « certum Gallum parvae staturae... sed ferebatur habere locum secretarii madame ». Son récit de la dispute est identique à celui de son collègue. Interrogé sur le nom et la qualité de ce Français, il répond avoir ouï dire par un maître d'école français qu'il s'est enfui de France à cause de ses opinions luthériennes [192].

Quant à Marot, il est clair que l'Inquisition fit déposer des témoins contre lui dès le début de l'instruction, mais les documents ne nous disent pas s'il fut arrêté. Nous savons toutefois par la lettre du duc du 5 mai [193] qu'on demanda aux Français de l'entourage de Renée de comparaître devant l'Inquisiteur, ce qu'ils refusèrent, alléguant qu'ils ne relevaient pas de l'Inquisition de Ferrare, et qu'ils iraient plutôt se justifier à Rome [194]. Là-dessus, l'Inquisi-

---

190. Fontana, ouvr. cit., t. II, p. ix-xi.
191. *Ibid.*
192. Voir C.A. Mayer, *Le départ de Marot de Ferrare*, art. cit., p. 204, n. 3.
193. Voir plus haut, p. 319-321.
194. Voir *ibid.*

teur se rendit en personne auprès de Renée pour la sommer de lui livrer ses serviteurs. On ignore la date exacte de cette démarche, puisque nous en sommes informés par une lettre de Renée à Marguerite de Navarre, dont l'original est perdu, mais dont il existe une copie non datée aux Archives d'Este [195]. (Il est évident qu'à partir de cette lettre au moins, toutes les missives de Renée furent interceptées par les agents du duc. Elles furent, sans doute, selon le procédé habituel de toutes les polices secrètes, envoyées aux destinataires après avoir été copiées.) Il est probable que la visite de l'Inquisiteur à Renée se place vers la fin du mois d'avril, et, ayant affaire à des hérétiques, il n'hésita pas à user de menaces et d'injures. Renée s'en plaint vivement à Marguerite de Navarre, et la prie d'intervenir auprès du général des Jacobins, pour que « l'audace et insolence » de l'Inquisiteur ferrarais soient réprimées :

> Ma seur. Je ne fayz point de doupte que de ceste heure madame de Soubisse ne vous ayt bien au long faict entendre les termes où je me trouve. Et mesme les assaultz qui m'ont esté donnez depuis son partement. Qui ont été telz que onques mal ne me cousta plus à supporter, et, sans l'ayde de nostre seigneur, je ne sçay comme j'eusse peu echapper jusques icy, veu que de jour en jour l'on me renouvelle la vexation. Et ne fault point, ma seur, que je vous dye la cause dont elle procede, ne la fin où elle tend ; pour vous la sçavez assez. Et me facheroyt de vous en facher longuement. Bien vous en ay je voulu escripre ce petit mot. Pour vous supplier de me donner le secours que j'ay receu de vous en mes aultres affaires, selon que par madame de Soubise vous sera recordé ; et que l'evesque de La Vaur, ambassadeur du Roy à Venise vous fera entendre, à qui j'ay tousjours faict entendre par le menu comme toutes choses sont passées de deça. Et speciallement voulloir employer votre authorité envers de Fenarys, General de l'ordre de Jaccopins, à ce que soit content par la voye la plus convenable qu'il luy semblera repousser l'audace et

---

195. Fontana, ouvr. cit., t. I, p. 321-322. Bonnet, *Les premières persécutions...*, art. cit., p. 176-177.

insolence de celluy qui est inquisiteur en cette ville.
Lequel non seulement ne m'a porté aucun respect,
mais m'a tenu si rudes et si estranges termes que
vous seriez bien esbahye si vous les sçaviez ; diffa-
mant moy et ma maison. Et oultre cela n'a gardé
aucune forme de justice en sa façon de procéder,
n'ayant regard ne à dieu ne au debvoir, mais à l'appetit seullement de ceulz à qui il a voulu complaire.
De sorte que, tant que telle auctorité demourera entre
les mains d'ung si dangereulx homme, beaucoup de
gens de bien sur qui il a la dent ne pourront vivre en
paix. Et pourtant ma Seur, derechef je vous supplie
de moyenner envers luy quelque bonne provision à
ceste affaire, et vous me ferez ung plaisir dont je me
reputeray de plus en plus obligée à vous [196].

La plainte de Renée fut transmise à François Ier, qui intervint immédiatement auprès de Georges de Selve, évêque
de Lavaur, ambassadeur français à Venise. Le 17 mai,
l'orateur ferrarais à Venise, Tebaldi, écrit au duc pour
l'informer que M. de Lavaur s'est plaint de ce que l'Inquisiteur ferrarais avait demandé à Renée de lui livrer plusieurs de ses serviteurs, et avait été insolent envers elle [197].
Le 20 mai, le duc répondit à Tebaldi, niant l'insolence
de l'Inquisiteur, et déclarant que l'orateur français n'avait
pas à se mêler de ses affaires domestiques [198].

Renée, voyant sans doute qu'elle ne peut espérer le salut
de ce côté, et s'apercevant peut-être aussi que ses lettres
sont interceptées, change maintenant de tactique. Probablement par les bons offices d'un officier français, Guigues
Guiffrey, seigneur de Boutières [199], elle écrit à l'ambassadeur

---

196. Fontana, ouvr. cit., t. I, p. 321-322. Jourda, *Répertoire
analytique...*, ouvr. cit., n. 610.
197. Bonnet, *Les premières persécutions...*, art. cit., p. 175.
198. Bonnet, *ibid.*
199. Capitaine français, commandant probablement des troupes françaises au Piémont à ce moment-là. Renée connaissait
cet officier, puisque, selon un acte de François Ier, daté du
9 décembre 1533 (*Cat. des Actes*, II, 579, n° 6583), il fut envoyé
par le roi à Ferrare pour « tenir sur les fonts, au nom du roi, le
nouveau-né de la duchesse de Ferrare ». Voir C.A. Mayer, *Le
départ de Marot de Ferrare*, art. cit., p. 206, n. 3.

du roi près le Saint-Siège, Charles Hémard de Denonville, évêque de Mâcon, lui demandant de prier le pape d'intervenir en sa faveur. Malheureusement, nous n'avons pas cette lettre — preuve qu'elle ne fut pas interceptée — mais une allusion très claire à cette missive est contenue dans une seconde lettre de Renée à M. de Mâcon, datée du 26 mai :

> Mons. de Mascon. J'ay receu voz lectres par Boutieres. J'ay par icelles comme par luy entendu la peine que vous avez prinse pour me delivrer de celle où j'estoys qui n'estoit de rien moindre de ce que vous manday. Et aussi, veu l'expedicion que notre sainct pere a accordée en ma faveur, totallement selon mon desir et intencion, est telle que le besoing la requeroit, dont de tresbon cueur je vous mercye,... Et rendz graces à sa saincteté si treshumbles que faire puys. Et avecque grand joye en toute reverence reçois l'offre qu'il luy a pleu me faire de sa protection es chose qui seront de raison et de justice... Au demeurant, Mons. de Mascon, je vous advise que, voyant que on n'a rien trouvé sur celluy qui est prisonnier ne par tesmoings ne par tourmens, et que Monsieur a accordé sa delivrance, et estimant que l'on se soit ravisé et que l'on se gardera d'actenter chose aucune contre mes gens, veu qu'il n'y a que alleguer contre eulx, et le desir que j'ay tousjours eu de ne faire ne dire chose à laquelle Mons. le duc puisse prendre desplaisir, j'ay advisé de surceoir l'execution de l'expedition de sa saincteté jusques à quant j'en verray le besoing, et que j'ay fait dissimulant pour ce coup l'injure que l'on m'a fete. Mais si l'on ne se veult tenir à ce qui est passé, mais proceder plus oultre, je ne fauldray user du moyen qu'il a pleu à sa saincteté me donner et à faire venir en lumiere l'innocence de mes gens à la honte et confusion de qui les veult calumnier...

La lettre est contresignée : Cornillan [200].

Comme on le voit, la supplique de Renée eut un plein succès. Aussi le 10 mai, le pape signera-t-il un bref ordonnant à l'Inquisiteur de Ferrare de remettre Jehannet de

---

200. Fontana, ouvr. cit., t. I, p. 337-338.

Bouchefort, religieux de Tournay, au gouverneur de Bologne, l'évêque de Rieti [201]. Cependant, en dehors des remerciements au pape pour son intervention, la lettre de Renée du 26 mai est obscure. Quel est le moyen donné à Renée par le pape et qu'elle n'employera pas pour le moment ? De toute manière on voit qu'au moment d'écrire cette lettre, Renée croit que la persécution est finie et que Bouchefort sera relâché. Il n'en fut rien cependant. La lettre fut interceptée — la copie se trouve aux Archives d'Este — et le duc, loin de relâcher Bouchefort, fit arrêter Cornillan, qui avait contresigné la lettre de Renée à l'évêque de Mâcon. Le malheureux secrétaire fut incarcéré dans un cachot du château [202].

Le duc d'Este n'entendait d'ailleurs nullement transférer Jehannet de Bouchefort à Bologne. A deux reprises, le 10 juin et le 10 juillet, l'évêque de Rieti écrivit en vain à Ferrare pour réclamer le prisonnier [203]. Au contraire, le duc écrit à son ambassadeur à Paris, le 4 juin, pour obtenir le dossier judiciaire de Cornillan [204], et de nouveau le 20 juin, pour demander des informations sur Cornillan, Marot et « Gianetto [205] ». Ajoutons que Feruffini ne put trouver à rapporter au duc que ce que tout le monde savait déjà, c'est-à-dire que Marot, Bouchefort et Lyon Jamet — ce dernier étant en mission à Rome pendant tout ce temps [206] ne fut pas impliqué dans l'affaire — avaient été condamnés et bannis comme luthériens, mais qu'on disait que le roi leur avait pardonné [207].

Renée, de son côté, outrée par l'arrestation de son secrétaire, écrit tour à tour à Montmorency et au cardinal de

---

201. Fontana, ouvr. cit., t. I, p. 501. L'évêque de Rieti était Marco di Alighieri Colonna.

202. Fontana, ouvr. cit., t. I, p. 340.

203. Bonnet, *Les premières persécutions...*, art. cit., p. 292.

204. Fontana, ouvr. cit., t. I, p. 341-342.

205. *Ibid.*, p. 351-352.

206. Voir C.A. Mayer, *Le départ de Marot de Ferrare*, art. cit., p. 200.

207. Fontana, ouvr. cit., t. I, p. 356-367. Le pardon du roi est sans doute une allusion à l'édit de Coucy, signé le 15 juillet 1535, permettant aux réfugiés luthériens de rentrer en France à condition d'abjurer leurs erreurs.

Tournon pour se plaindre de ce nouvel affront et pour demander leur intervention afin d'obtenir la mise en liberté des prisonniers [208].

François Ier, conseillé par Montmorency et Marguerite de Navarre, décide d'intervenir, et l'ambassadeur ferrarais en France, Hieronimo Feruffini, doit subir un certain nombre d'audiences difficiles. Le 3 juillet, il écrit au duc pour l'informer de l'hostilité de la cour française et lui conseiller la modération [209]. Il écrit encore le 8 juillet, rapportant que Montmorency a demandé la mise en liberté de Cornillan [210], le 18 juillet [211] et le 19 juillet [212] pour relater de nouvelles audiences avec le Grand-Maître.

Ercole se montre d'abord récalcitrant et essaie de jouer les unes contre les autres les différentes puissances qui lui demandent les prisonniers. Ainsi, il répond à Ferruffini, le 11 juillet, qu'il ne saurait mettre les prisonniers en liberté, ayant les mains liées par le bref du pape [213]. Quelques jours plus tard cependant il se ravise ; le 18 juillet, il écrit à Filippo Rodi, son ambassadeur à Rome, pour l'informer que l'ambassadeur français à Venise a été à Ferrare pour demander la mise en liberté des luthériens emprisonnés, et pour l'instruire d'obtenir une audience auprès du pape :

> ... Volemo che presentandovj al cospetto di nostro S^re dopo che per parte nostra haverete bassato lj suoi S^ti piedi lj farete il tutto Intendere : Et appreso la supplivarete che ritrovandosi gia tanto tempo come si trovano in pregione. Et non havendo le prove in pronto di farlj morire le quali ancho forsi sarian difficili di haverle per ritrovarsi li testimonj in Franza, et per esserne fugito uno che si trovava in questa terra dal quale si sperava potere sapere la veri-

---

208. Les copies de ces deux lettres aux archives d'Este sont datées du 15 juin (Fontana, ouvr. cit., t. I, p. 347-497). Les lettres ont dû être écrites immédiatement après l'arrestation de Cornillan, c'est-à-dire probablement vers la fin mai.

209. Fontana, ouvr. cit., t. I, p. 366.

210. *Ibid.*, p. 356-357.

211. *Ibid.*, p. 366-367.

212. *Ibid.*, p. 363-364.

213. *Ibid.*. p. 359.

tade Volerci fare gratia che per rispetto del re chr^{mo} lj possiamo fare relassare... [214].

Notons d'abord que les prisonniers dont parle le duc sont au nombre de deux, Jehannet de Bouchefort et Cornillan. En effet, ce sont ces deux et ces deux seulement qui sont nommés dans les différents documents ; nulle part il n'est question d'un troisième prisonnier. Et ce seront ces deux, Bouchefort et Cornillan, qui seront finalement remis à l'ambassadeur français à Venise, Georges d'Armagnac, évêque de Rodez [215], le 8 août, après que le pape aura donné à Rodi l'autorisation demandée par le duc [216]. Mais la partie la plus importante de la lettre du duc est sans doute l'allusion à l'inculpé dont on espérait tirer des informations, mais qui a réussi à s'enfuir. C'est ici le point le plus obscur de toute l'affaire. Aussi n'est-il pas surprenant que les historiens se soient évertués à identifier ce mystérieux personnage [217].

------

214. *Ibid.*, p. 384-385.
215. Voir C.A. Mayer, *Le départ de Marot de Ferrare,* art. cit., p. 209, n. 1.
216. Voir *ibid.*, p. 209, n. 2.
217. Pour Fontana notamment il n'y a aucun doute, c'est Calvin. Théodore de Bèze n'a-t-il pas dit que Calvin a été à Ferrare auprès de Renée en 1536 ? (*Vita Calvini, Corpus reformatorum,* t. XLIX, f° 125.) — Ajoutons que, bien que la chose soit toujours incertaine, il est effectivement probable que Calvin ait été à Ferrare pour quelques jours au printemps de 1536. (Cf. Cornelius, *Der Besuch Calvins bei der Herzogin Renata von Ferrara im Jahr 1536,* dans *Historische Arbeiten, vornehmlich zur Reformationszeit,* 1899, p. 105-123.) Cependant, il y était sous un pseudonyme et ne semble pas avoir été reconnu. Ainsi l'humaniste et médecin allemand Jean Sinapius, établi à Ferrare pendant cette période, et qui deviendra par la suite protestant et correspondant de Calvin, lui écrit en 1540 (Herminjard, VI, p. 3) disant que quand il l'a connu à Ferrare il ignorait absolument qui il était et quelles étaient ses opinions. — L'historien italien Muratori n'a-t-il pas écrit que quelqu'un qui avait vu les actes de l'Inquisition de Ferrare lui a dit que selon ces actes Calvin fut arrêté par l'Inquisition de Ferrare, mais qu'en route pour Bologne il fut libéré par des hommes armés (*Annali d'Italia,* cité par Fontana, ouvr. cit., t. I, p. 376-377.) Le même Muratori n'a-t-il pas ajouté (*ibid.,*), que, dans la Bibliothèque de l'Université de Ferrare, il existait autrefois une description de la cathé-

Puisque aucun document ne nous livre le nom du fugitif, il est impossible de rien affirmer avec certitude, et nos
conclusions doivent rester hypothétiques. Il me semble
néanmoins que l'inculpé qui s'est soustrait à l'Inquisition
par la fuite ne saurait être que Marot. Voici nos raisons :

Notons d'abord que le personnage en question n'est pas
un comparse insignifiant : le duc affirme qu'on avait espéré
pouvoir obtenir des informations de lui, et que, en son
absence, il est impossible de procéder contre les autres.
Or Marot fut sans doute le plus important des Français
réfugiés à Ferrare. C'est le seul contre lequel le duc ait été
mis en garde par Aleandro. Il est nommé en tête des luthériens au service de Renée dans la lettre du duc à Ferruffini

---

drale, et que dans cette description il était dit que les archives
de l'Inquisition de Ferrare font mention d'un bref pontifical sur
l'arrestation de Calvin par l'Inquisition. Il n'en faut pas davantage à Fontana pour assurer — plus de cent pages de son livre
sont consacrées à cela — que le mystérieux évadé ne saurait
être que le réformateur de Genève. Comme nous l'avons déjà
expliqué (voir plus haut, p. 313) Fontana n'a jamais compris
que Gianetto ou Zanetto et Jehannet de Bouchefort n'étaient
qu'un seul et même personnage, d'où ses tentatives d'imaginer
des documents « perdus », comme un second bref du pape
ordonnant le transfert de « Gianetto » à Bologne, le seul bref
du pape étant au nom de Jo. de Bouchefort sur lequel Fontana
dit qu'on ignore tout, alors que le prisonnier à Ferrare s'appelle
« Gianetto » (Fontana, ouvr. cit., t. I, p. 346). De plus, comme
nous l'avons également expliqué, Fontana, n'ayant pour longtemps connu que la déposition du franciscain italien du 30 avril,
et non celle du franciscain français du 28 avril, a cru que le
« français de petite taille » ne pouvait être que Calvin, d'autant
plus que ce Français avait, au dire du témoin, nié le libre
arbitre, le pouvoir de l'église, l'efficacité de la confession, etc.,
ce qui, pour Fontana, montrait qu'il devait s'agir de Calvin, nul
autre n'ayant pu avancer pareilles hérésies (Ibid., p. 326).
Bonnet, il est vrai, a fait remarquer que le nom de Calvin ne
figure dans aucun document, et qu'il y a par conséquent gageure,
sinon présomption, à voir le grand réformateur dans le fugitif
anonyme (Calvin à Ferrare, art. cit.). Pour Fontana cependant,
la chose est claire. Comme Jehannet de Bouchefort n'est nommé
qu'une fois — dans le bref du pape (partout ailleurs il est appelé
Gianetto ou Zanetto) — Fontana conclut premièrement que c'est
lui qui s'est enfui, et deuxièmement que ce nom est un pseudonyme sous lequel se cache Calvin (Fontana, ouvr. cit., t. I,
p. 387.) A parcourir cette centaine de pages où Fontana tâche

du 5 mai, et c'est sur lui, ainsi que sur Bouchefort et Cornillan, qu'Ercole demande des renseignements de France
le 20 juin. De plus, nous savons que dès le 28 avril l'Inquisiteur entendit des témoins contre lui. D'ailleurs, Marot et
Cornillan sont les seuls noms qui figurent dans les documents de l'Inquisition. Il est de toute manière indéniable
que Marot était à ce moment un luthérien notoire, infiniment plus notoire que n'importe quel autre Français à
Ferrare, y compris Calvin. Car enfin ce dernier, dans la
première moitié de 1536, avant la publication de l'*Institutio,* était relativement inconnu, tandis que Marot avait
été emprisonné pour cause de religion en 1526, de nouveau poursuivi par le Parlement pour cause de religion

---

par tous les moyens d'établir la responsabilité de Calvin pour
tous les événements en question, on est contraint de voir que la
thèse repose sur un nombre d'idées préconçues. D'abord, le protestantisme est une tare. Qu'une personne de haut rang, et qui
dans sa vie privée ne manque pas de bonnes qualités, Renée de
France, puisse de sa propre volonté s'insurger contre l'église
catholique et devenir hérétique, voilà qui est inadmissible. Si
Renée est tombée dans l'hérésie, il faut nécessairement que quelqu'un l'y ait poussée. Or cette mauvaise influence ne peut venir
que de Calvin lui-même. Deuxièmement, avec une étrange ignorance de l'état d'esprit des hommes de la Renaissance, il croit
que seul Calvin était capable de nier le libre arbitre et l'autorité
de l'église. Ainsi, après avoir cité la déposition du franciscain
italien (voir plus haut, p. 322) sur le Français avec lequel
il s'était disputé sur ces questions, Fontana s'écrie : « E questa
è eresia della più bell'acqua ! » (t. I, p. 326), preuve à ses yeux
que ce Français n'a pu être que Calvin.

Lorsque, dans la préface de son deuxième tome, il est contraint de publier la déposition du franciscain français (voir plus
haut, p. 321) déposition qui établit clairement que le « Français de petite taille » qui avait tenu des propos hérétiques est
Cornillan, Fontana, loin d'admettre cette constatation qui s'impose à quiconque a lu les deux dépositions, s'écrie : « Il silen-
zio il più assoluto regna ancora sul personaggio da noi più
ricercato, Giovanni Calvino... Che l'uno fuggito non sia Giovanni
Calvino noi non possiamo concedere ; ma diciamo che se manca
una testimonianza diretta, è anche più significativa la mancanza
d'ogni prova contraria » (t. II, p. xi). Impossible de qualifier
pareille méthode historique !

Ajoutons que Rodocanachi (*Renée de France en Italie,* ouvr.
cit., p. 72-73) a proposé l'identification du fugitif avec Du Tillet,
dont la présence à Ferrare n'a jamais été prouvée.

en 1532 [218], mis sur la liste des luthériens en 1534 et arrêté
comme luthérien par le Parlement de Bordeaux au mois
de novembre de cette même année [219], arrestation dont il
semble s'être tiré par la fuite. Inutile de dire que ni Bouchefort, ni Cornillan, ni Jamet, ni aucun autre parmi les
serviteurs de Renée n'eut pareil dossier. Rien de plus
naturel, par conséquent, que Marot ait semblé le plus dangereux au duc et à l'Inquisiteur, et qu'on ait espéré pouvoir
tirer de lui des aveux importants.

Or parmi tous ceux nommés par le duc et par l'Inquisition, le seul dont nous ne savons pas ce qu'il advint est
Marot [220]. Bouchefort et Cornillan sont hors de cause, puisque, emprisonnés au printemps, ils sont mis en liberté au
mois d'août. Lyon Jamet, en mission à Rome au temps de
la crise, revient à Ferrare au cours de l'été sans être
inquiété, et reste au service de Renée pendant toute la
durée de son séjour en Italie. Quant à Marot, les documents restent silencieux. Tout ce qu'on peut dire c'est
qu'à une date indéterminée, pendant l'été de 1536, il est
à Venise. Encore faut-il ajouter que cette information nous
vient uniquement de plusieurs œuvres du poète, et qu'aucun document n'atteste sa présence dans la ville des doges.
De plus, il est intéressant de noter qu'aucune de ces pièces
écrites à Venise ne fut publiée par Marot [221].

Remarquons d'ailleurs que les autres personnes nom-
mées par le duc et par les actes de l'Inquisition, à savoir
Bouchefort et Cornillan, furent bel et bien arrêtées, tandis
que Marot, autrement important et dangereux, ne le fut
apparemment pas. Tout cela nous porte à croire qu'une fois
de plus le poète arriva à se tirer des mains de la justice,
cette fois probablement en prenant la fuite.

Comment s'imagine-t-on le départ de Marot de Ferrare
dans les conditions qui régnaient à la cour ? Vers la fin
du mois d'avril, l'Inquisiteur somme Renée de lui livrer
plusieurs de ses serviteurs. Nous savons que Marot était

---

218. Voir plus haut, p. 223.
219. Voir plus haut, p. 267.
220. Il est vrai que, dans sa lettre du 5 mai, le duc mentionne
aussi un *la plancia* ; voir plus haut, p. 319-321.
221. Voir plus bas, p. 340.

le plus important de ces serviteurs, et que l'Inquisiteur
avait obtenu des dépositions de plusieurs témoins contre
lui, de sorte que le poète devait figurer en bonne place sur
la liste de ceux que l'on réclamait. Renée, en tenant tête
à l'Inquisiteur, arriva à protéger ses gens pour quelque
temps. Rappelons ici que Jehannet de Bouchefort, étant au
service du duc, ne bénéficiait pas de la protection de la
duchesse, ce qui explique sans doute pourquoi le duc et
l'Inquisiteur commencèrent par lui. Cependant, après la
démarche de l'Inquisiteur, il est difficile d'imaginer les
inculpés jouissant d'une liberté parfaite. Il est probable
au contraire qu'ils furent consignés dans leurs quartiers,
au palais, où ils étaient sous la protection de Renée, n'en
pouvant sortir sous peine de se faire arrêter immédiatement par l'Inquisition. Quoi qu'il en soit, il est inconce-
vable qu'un d'eux ait pu ouvertement sortir de la ville pour
se soustraire aux enquêtes commencées. Ainsi donc, il
semble impossible que Marot ait pu quitter Ferrare pour
Venise en plein jour et au su de tout le monde. Au
contraire, son départ dut avoir le caractère d'une fuite.

De plus, il existe un document qui renforce l'hypothèse
du départ clandestin de Marot. C'est une lettre de Filippo
Rodi au duc, datée du 30 juin, où l'ambassadeur relate un
entretien qu'il eut avec le cardinal de Capoue :

> Visitando il cardinale senza che dicesse niente a
> S.S.R.<sup>ma</sup>, me disse ben il vostro duca, e in gran fasti-
> dio per queste cose luterane io le risposi chera poco
> fastidio et lui replicome dio il voglia che non partu-
> risca qualche cattiva cosa in quella terra la vedo ben
> donde cause la cosa soggiungendomi che sel potra
> parlare cum la S<sup>ta</sup> de N.Sr il le diria diece parole che
> la intenderia e che la farebe meglio accontiar le cose
> de li soi suditti et vassali et favorirli per il dritto et
> lassare andare le cose per il ordinario et procedersi
> contra questi tali heretici secondo il solito e non pro-
> cedere in le cose de dio a questo modo ne dare ore-
> chie a francesi che poi non se le dia nel capo a lej
> come anche fece papa Clemente in la cosa del Re
> d'Ingilterra et me narro chiaramente questa cosa es-
> sere sta scritta da Ferrara a lo oratore del Christia-
> nissimo in Venetia che gia anche fece fugire questo
> incarcerato de li essendo incolpato de tale macula et

che lui ha poi scritto in questa terra et che questo
breve e stato ad instanza de francesi et che questo
incarcerato e ben anche conosciuto in Roma et dal
vesco di Brindisi et da altri et chel fu gia anche da
Parisi questo curdelione [222] et che de tali anche ne
sono in Roma et per tutta Italia, et che il principio
non e in Ferrara come disse il breve, soggiungendomi
anche che ama tanto V.Ex quanto niuno altro principe conosca [223].

Il ressort premièrement de cette lettre que la fuite d'un
des inculpés n'est pas une invention du duc, comme on
aurait pu le croire si sa lettre du 18 juillet avait été l'unique document attestant ce fait. Deuxièmement, nous appre-
nons que c'est l'ambassadeur français à Venise (il doit
s'agir de Georges de Selve, évêque de Lavaur, puisque la
lettre de Rodi est du 30 juin, et que ce ne fut probablement qu'après cette date que Georges d'Armagnac, évêque
de Rodez, lui succéda) [224], qui favorisa la fuite. Mais le point
le plus important de la lettre est certainement la déclara-
tion du cardinal que le personnage qui a réussi à s'évader
est bien connu de l'évêque de Brindisi. Ce dernier n'est en
effet nul autre que Girolamo Aleandro, autrefois recteur de
l'Université de Paris, celui qui, au mois d'août de l'année
précédente, avait mis l'orateur ferrarais à Venise en garde
contre Clément Marot [225]. Comme Aleandro ne nomme,
parmi tous les réfugiés français à Ferrare, que le seul
Marot, il y a toutes les apparences que l'inculpé connu de
l'ancien recteur, et qui a réussi à se soustraire par la fuite
aux griffes de l'Inquisition, est Clément Marot [226].

---

222. Ce mot est obscur. On pourrait y voir une forme italia-
nisée de Cornillan, mais ce dernier ne s'enfuit pas. Faut-il alors
accepter que le cardinal ait confondu Cornillan avec le fugitif ?
En fait, il semble oiseux d'avancer des hypothèses pour expliquer ce mot. Il suffit de se rappeler qu'il s'agit de la transcrip-
tion phonétique par l'ambassadeur d'un nom qu'il a entendu
dire au cardinal de Capoue, lequel ne connaît sans doute pas
très bien non plus le nom du personnage en question.
223. Fontana, ouvr. cit., t. I, p. 375-376.
224. Voir plus haut, p. 328.
225. Voir plus haut, p. 314.
226. Fontana, il est vrai, nie de façon catégorique que Marot
puisse être en cause. Selon cet historien, lorsque Aleandro, en

Enfin dans l'épître qu'il adresse de Venise à Marguerite de Navarre, Marot écrit ces vers :

Je ne concoy en moy que peurs et doubtes,
Tant qu'advis m'est que ceulx là qui ont soing
De mon prouffit me faillent au besoing,
Et, qui pis est, crains que ma destinée
Suive son train, tant est acheminée ;
Car chiens du Pau de relais & renfort
Sont ja venus eslanser de son fort
Ton povre serf, qui en l'estang sallé
Venitien jecter s'en est allé,
Où les mastins ne le laisront longtemps,
Car clabauder d'icy je les entens [227].

---

1535, avertit le duc du danger que constituait la présence de Marot à Ferrare, il se trompa de nom : au lieu de « Clemente » il convient d'entendre « Giovanni Calvino » (ouvr. cit., t. I, p. 382). Comment discuter pareille assertion ? Les autres raisons qu'avance Fontana contre l'identification de l'inconnu avec Marot ne sont pas plus sérieuses. Ainsi le duc dit que la personne en question était, avant de s'enfuir, « in questa terra », ce qui prouve pour Fontana qu'il ne saurait s'agir de Marot, vu que celui-ci était à la cour de la duchesse et non pas dans la ville même (ouvr. cit., t. I, p. 386). De plus, Fontana prétend que le vers 26 de l'épître de Lyon Jamet à Marot, écrite en 1543 (Guiffrey, III, p. 752) :
« Depuis le jour de ton retour »
prouve que Marot ne s'est pas enfui, le mot de « retour » signifiant en français tout le contraire d'une fuite précipitée (ouvr. cit., t. I, p. 376). Enfin, Fontana s'appuie sur le silence de Marot sur cette affaire. Remarquons seulement que cet argument pourrait s'employer contre l'identification du fugitif avec Calvin ou avec n'importe quel autre, attendu que personne n'a jamais parlé de cette affaire, et que les deux lettres que nous avons citées sont les seuls documents que nous possédons. De la part de Calvin ou d'un autre protestant avéré un tel silence aurait été curieux du reste, alors qu'il ne l'est pas du tout de la part de Marot, qui n'avait certes aucune raison de se vanter ouvertement d'avoir échappé à l'Inquisition : n'allait-il pas bientôt après abjurer solennellement ses erreurs à Lyon ? Remarquons que, comme nous venons de le montrer (voir plus haut, p. 331), Marot ne fit imprimer aucune de ses pièces composées à Venise, preuve qu'il tenait à garder aussi secrète que possible sa fuite de Ferrare.

227. *Les Epîtres*, XLVI, *A la Royne de Navarre*, v. 74-84.

Par « chiens du Pau » il faut entendre les sbires du duc
d'Este. Autrement dit, Marot avoue qu'il est recherché à
Venise par la police de Ferrare. S'il n'avait pas été inculpé,
s'il n'avait pas fui devant la justice, mais avait quitté Ferrare en plein jour sans être menacé d'arrestation, qu'aurait-il eu à craindre, à Venise, des autorités de Ferrare ?

Restent deux problèmes. D'abord la date de la fuite.
Selon le cardinal de Capoue [228], c'est l'ambassadeur de
France à Venise qui la favorisa. Or nous savons que George
de Selve fut effectivement à Ferrare vers le 10 juin [229], et
c'est à ce moment que se placerait la fuite du poète.

A Venise, où il resta jusqu'à la fin du mois de novembre,
Marot eut le temps d'écrire deux de ses plus longues épîtres, celle *Au Roy* [230] et celle *A la Royne de Navarre* [231], deux
autres épîtres, *Epistre envoyée de Venize à Madame la
Duchesse de Ferrare par Clement Marot* [232] et *Au tresvertueux prince, Françoys, Daulphin de France* [233] (dont la
première est datée du 15 juillet dans le manuscrit ayant
appartenu à Ch.-Ph. du Mont) [234], deux longs *coq-à-l'âne* :
*Du coq à l'asne à Venise par ledict Marot le dernier jour
de juillet M.VCXXXVI* (Le 3° *coq-à-l'âne* [235]) et *Epistre A
Lyon Jamet M.D.XXXVI Par Cl. Marot* (Le 4° *coq-à-l'âne* [236]),
et le cantique : *Cantique de Clement Marot banny premierement de France, depuis chassé de Ferrare par le Duc
et retiré à Venise* [237]. On ne saurait donc guère reculer son
arrivée à Venise plus loin que le milieu du mois de juin,
de sorte que la date que nous avions assignée à cet événement se trouve ainsi confirmée.

---

228. Voir plus haut, p. 332-333.
229. Fontana, ouvr. cit., t. I, p. 344-345. Voir plus haut,
p. 333.
230. *Les Epîtres*, XLIV.
231. *Ibid.*, XLVI.
232. *Ibid.*, XLIII.
233. *Ibid.*, XLV.
234. V. Herminjard, *Correspondance des Réformateurs*, VI,
448, et *Armoiries et généalogies, Collections historiques de feu
Ch.-Ph. Du Mont... I, Manuscrits imprimés, autographes*, Genève,
L. Coulon, 1910, p. 34, n° 3141.
235. *Œuvres satiriques*, IX.
236. *Ibid.*, X.
237. *Œuvres lyriques*, LXXVI, Cantique I.

Le deuxième problème est de savoir si Marot fut emprisonné à Ferrare avant de s'enfuir. Il convient de noter que le cardinal de Capoue parle du fugitif comme d'un prisonnier évadé. D'ailleurs, le mot « fuite » a induit tous les historiens à croire qu'il doit s'agir d'un prisonnier. Remarquons cependant que dans sa lettre à Rodi, du 18 juillet, le duc dit : « et per esserne fugito uno che si trovava in questa terra », ce qui ne semble pas se rapporter à un prisonnier, mais plutôt à un inculpé qui est arrivé à prendre la fuite avant d'être arrêté. Aucun document ne confirme l'hypothèse d'un emprisonnement du poète ; seulement, Marot, de même sans doute que quelques autres Français de l'entourage de la duchesse, n'avait échappé à l'arrestation par l'Inquisition que grâce à la fermeté de Renée, et dut par la suite être consigné dans ses quartiers, jusqu'à ce que, profitant de la visite de l'ambassadeur de France à Venise, il pût s'enfuir de Ferrare pour gagner la ville des doges.

*Fuite à Venise.*

C'est donc le 10 juin 1536 probablement que Marot s'enfuit de Ferrare sous la protection de Georges de Selve, pour gagner Venise. On s'est demandé pourquoi Marot a choisi Venise comme refuge. Aux raisons alléguées — indifférence religieuse et tolérance des Vénitiens [238] — on pourrait ajouter que, depuis le début du siècle, Venise était un des foyers de l'hérésie en Italie [239]. Ce fut à Venise également que se réfugia en 1540, venant lui aussi de Ferrare, Celio Secundo Curione [240]. Aucun document ne nous renseigne cependant sur les activités de Marot à Venise, et on ne

---

238. Cf. P. Jourda, *Clément Marot, l'homme et l'œuvre,* ouvr. cit., p. 33.
239. Cf. K. Benrath, *Geschichte der Reformation in Venedig,* Schriften des Vereins für Reformations-Geschichte, V, Halle, 1887, p. 2 ; E. Rodocanachi, *La Réforme en Italie,* Paris, Picard, 1920-1921, t. II, p. 483-561 ; M. Kutter, *Celio Secondo Curione, Sein Leben und seine Werke,* Bâle, Helbing & Lichtenhahn, 1955, p. 24-25.
240. Voir M. Kutter, ouvr. cit.

connaît de lui aucun poème adressé à un habitant de la
République, ce qui rend tout à fait improbable l'hypothèse
d'un prosélytisme de la part du poète. Au contraire, à
Venise, Marot ne semble possédé que de la seule idée d'obtenir sa grâce en France ; presque toutes les compositions
datant de son séjour ne visent que ce but. De plus, en quittant Ferrare, Marot n'avait pas le choix de son refuge. Car
enfin cette fuite, comme nous venons de le montrer, a été
rendue possible par l'aide de l'ambassadeur français près
la Sérénissime République, qu'il avait bien fallu suivre à
Venise.

Marot arriva donc à Venise, dans les conditions que nous
venons de montrer, le 10 juin 1536. Une des raisons qui ont
compliqué le problème du départ de Marot de Ferrare c'est
que dans une épître à la duchesse Renée, Marot donne une
explication fort curieuse de ce départ, se représentant
comme une victime de la gallophobie des Italiens [241]. Il
parle même d'une attaque nocturne faite contre lui par des
Ferrarais armés :

> ... Penses tu que l'oultraige
> Que Ferraroys mal nobles de couraige
> M'ont faict de nuyct, armez couardement,
> Ne soit à moy ung admonestement
> Du seigneur Dieu pour desloger d'icy ?
> Certes, encor quant ne seroit ainsy,
> Mon cueur qui ayme estre franc & delivre
> Ne pourroit plus parmy telles gens vivre.
>   Si n'ay je nerf qui à se venger tende,
> Mais je veulx bien que la Ferrare entende
> Que ses manans à leur grant vitupere
> Se sont ruez dessus l'enfant d'un pere
> Qui des meschans fait vengeance condigne
> Jusqu'à la tierce et la quarte origine.
> Doncques à luy j'en laisse le venger,
> Et seullement loing d'eulx me veulx renger.
> Parquoy, Princesse, ouvre moy de ta grace
> De mon congé le chemin et la trace,
> Affin que voyse en ville ou en pays
> Où les Françoys ne sont ainsy hays,

---

241. *Les Epîtres*, XLII, *A Madame de Ferrare.*

Et où meschantz, si aucuns y en a,
Sont chastiez [242].

Dans cette épître le poète ne dit pas un mot de la persécution judiciaire dont il avait été l'objet à cause de ses opinions luthériennes, pas un mot de l'Inquisition ; au lieu de
cela il avance une curieuse histoire d'attaque nocturne,
qu'on a acceptée comme étant l'unique cause du départ de
Marot de Ferrare !

Or je crois avoir démontré que, pour tout ce qui touche
à la religion, le manuscrit de Chantilly, unique source de
l'épître en question, ne constitue pas un texte sûr [243], puisqu'il fut offert par Marot au Grand-Maître Anne de Montmorency en 1538. Or, Montmorency était un catholique
intransigeant, à qui Marot ne pouvait offrir que des poèmes
parfaitement anodins. Dans deux cas au moins, celui de
l'épître envoyée de Venise à la duchesse de Ferrare, et dans
l'*Avant-Naissance* [244], Marot a effectué de très considérables
modifications ayant pour effet de changer ce qui était une
espèce de pamphlet antipapiste en une épître parfaitement
orthodoxe.

Ainsi l'histoire d'attaque nocturne ne me semble pas
pouvoir être acceptée sans caution. Il suffit de considérer
que Marot fut poursuivi à Ferrare avant tout comme luthérien et non comme Français, alors que dans l'épître à
Renée de France il n'y a pas un mot de cela ; il n'essaie
même pas de rejeter l'accusation de luthéranisme comme
il le fait dans l'épître *Au Roy, du temps de son exil à
Ferrare* [245]. D'autre part, si cette épître avait vraiment été
composée pour Renée de France, Marot n'aurait pas man-
qué d'employer son style évangélique. En effet, toutes les
pièces qu'il a rimées pour cette princesse, à savoir l'épître
par laquelle il la salue à son arrivée à Ferrare [246], l'*Avant-
naissance du troizième enffant de madame Renée, duchesse*

242. *Ibid.*, v. 13-34.
243. Bibliographie, t. I, p. 10-18.
244. *Les Epîtres*, XLIII, et *Œuvres lyriques*, LXXXVIII.
245. *Ibid.*, XXXVI, v. 87-102.
246. *Ibid.*, XXXIV, *Marot arrivé à Ferrare escript A Madame
La Duchesse.*

*de Ferrare* [247], de même que l'épître de Venise déjà mentionnée [248], sont parmi les meilleurs échantillons de la poésie
évangélique de Marot.

Ces considérations nous portent à croire que si Marot a
en effet écrit cette épître à Renée de France en quittant
Ferrare, il a dû en modifier considérablement le texte au
moment de l'incorporer dans un recueil destiné à Montmorency. Mais, outre qu'il est difficile de voir comment, la
veille de son départ de Ferrare, dans les conditions que
nous avons exposées, le poète aurait eu le temps de rimer
une épître d'adieu, il n'est, tout compte fait, point nécessaire de recourir à cette hypothèse pour la simple raison
que l'épître dans son ensemble a très bien pu être composée lors de la constitution du recueil de Chantilly. Ce
recueil est fait principalement des pièces écrites pendant
l'exil du poète et se présente comme une sorte de récit de
ses faits et gestes pendant les années 1535 à 1537 : on
comprend qu'une des pièces du dossier devait se rapporter
aux circonstances de son départ de Ferrare.

Or, comme nous l'avons expliqué, la persécution à Ferrare fut double : d'une part, le duc, afin de faciliter son
alliance avec l'empereur, essaya d'éloigner l'entourage
français de Renée : c'est le côté politique ; d'autre part,
pour éviter les difficultés avec Rome, il essaya de se débarrasser des luthériens réfugiés de France : c'est le côté religieux. Les deux aspects de la persécution se confondent,
puisque les victimes sont les mêmes — à notre connaissance, tout l'entourage français de Renée se composait de
luthériens plus ou moins avérés — mais pour la Cour de
France, ces deux côtés restaient nettement distincts. Si
François Ier, Montmorency et Tournon sont intervenus, ce
n'est certes pas pour protéger des luthériens bannis de
France, mais pour sauvegarder la présence française à
Ferrare. Non sans raison, ils voyaient dans les tentatives
de leur allié, le duc, une trahison et ils s'y opposaient avec
énergie. Par conséquent Marot, dans cette épître, ne souffle
mot d'une persécution religieuse, mais se pose en victime

247. *Œuvres lyriques*, LXXXVIII, Eglogue II.
248. *Les Epîtres*, XLIII, *Epistre envoyée de Venize à Madame
la Duchesse de Ferrare par Clement Marot.*

de la persécution antifrançaise. Et cela me semble indiquer très clairement que cette épître fut composée uniquement à l'usage du Grand-Maître Anne de Montmorency, et non pour Renée de France.

On peut donc croire que l'épître *A Madame de Ferrare* [249] fut écrite non pas la veille du départ de Marot de Ferrare, mais quelque temps après, probablement au commencement de l'année 1538, quand le poète fit préparer le manuscrit qu'il allait offrir à Montmorency. Il me paraît du même coup impossible d'ajouter foi aux raisons qu'allègue ici Marot pour son départ de Ferrare. C'est que la véritable raison, c'est-à-dire la menace d'arrestation pour luthéranisme, était éminemment impropre à figurer dans le recueil offert à Montmorency. L'attaque nocturne me semble par conséquent une pure invention. J'en conclus que l'épître *A Madame de Ferrare* [250] n'est point une raison pour ne pas identifier le fugitif, dont parlent le duc et le cardinal de Capoue, avec Clément Marot.

Nous sommes fort mal renseignés sur le séjour du poète à Venise. Aucun document n'existe attestant sa présence dans la ville des doges. Tout ce que nous savons vient de ses écrits. Une première constatation : Marot n'a adressé aucun poème à un dignitaire de la République, à un citoyen important de la ville. Il faut donc conclure qu'à Venise Marot n'eut ni pension, ni position, et qu'il n'a jamais, à aucun moment, songé d'y accéder. Plus étrange encore est l'absence de tout poème adressé à un quelconque poète, humaniste, intellectuel ou mondain de Venise ou de Padoue. Il semble donc que dès son départ de Ferrare Marot n'a pensé qu'à rentrer en France, et que l'idée de s'établir à Venise, de s'y faire une vie et un cercle d'amis ne lui est pas venue.

Autre remarque curieuse : à Venise Marot composa de nombreux et très importants poèmes y compris plusieurs de ses meilleures œuvres. Pourtant il ne publia pas une seule de ces pièces. Elles furent ou bien imprimées à son insu et certainement contre sa volonté, ou bien restèrent

---

249. *Les Epîtres*, XLII.
250. *Ibid.*

manuscrites jusqu'aux temps modernes. Aucun critère
artistique ne peut être invoqué pour cette carence fort
étrange. Non, si Marot a fait de son mieux pour ne pas
publier ce qu'il a composé à Venise, s'il a résolument tiré
un voile sur son séjour dans la république, c'est de toute
évidence que son séjour y était en quelque sorte clandestin. Autrement du reste on s'expliquerait mal pourquoi, à
Venise, ville indépendante de l'Inquisition et célèbre pour
sa tolérance en matière de religion, il craint les sbires de
l'Inquisiteur de Ferrare [251].

Pour expliquer l'attitude de Marot nous sommes réduit
aux conjectures.

Dans l'édit promulgué à Coucy, le 16 juillet 1535, François Ier ordonna la cessation des poursuites contre les
luthériens et permit aux réfugiés de rentrer en France, à
condition toutefois d'abjurer leurs erreurs dans un délai de
six mois à partir de la publication de l'édit [252] :

> Aux absens et fugitifs permettrons de retourner en
> nos dits royaume, pays, terres, seigneuries et y demeu-
> rer et résider en telle seureté et liberté comme ils ont
> fait par cy-devant, nonobstant les banissement et con-
> fiscation de leurs personnes et biens... pourveu qu'ils
> seront tenus de vivre comme bons et vrais chrestiens
> catholiques doivent faire, et se desister de leurs dites
> erreurs qu'ils seront tenus d'abjurer canoniquement
> dans les six mois prochainement venus à compter du
> jour de la publication des présentes, par devant leurs

---

251. *Les Epîtres*, XLVI, v. 79-84. Voir plus haut, p. 334-335.
252. On a dit que la clémence à l'égard des luthériens fut
recommandée au roi par le pape. Cette légende repose sur trois
témoignages, à savoir une lettre écrite par J. Sturm à Melanchthon, le 9 juillet 1535, contenant le passage suivant : « Ponti-
ficem etiam aiunt aequiorem esse et haud paulo meliorem quam
fuerunt coeteri ; omino improbat illorum supplicorum crudeli-
tatem, et de hac re dicitur misisse litteras ad Regem » (Herminjard, ouvr. cit., III, p. 311), une lettre d'Erasme (voir *Opus
epistolarum*, éd. Allen, n° 3049) et enfin une note du Bourgeois
de Paris (*Journal d'un bourgeois de Paris*, ouvr. cit., p. 359-360).
Or ni la lettre du pape dont parle Sturm, ni un autre document
montrant que le souverain pontife intervint dans cette affaire
n'ont jamais été retrouvés.

diocésains ou leurs vicaires et officiaux, et avec eux
l'inquisiteur de la foi et son vicaire [253].

Un certain nombre de réfugiés en profitèrent pour rentrer
dans leur patrie. On sait notamment qu'un des bannis du
25 janvier 1535 [254], Hélouin Dulin, receveur du Parlement de
Normandie, fut de retour dès le 5 juillet 1535 [255]. La majorité paraît cependant avoir ajouté peu de foi aux promesses
de l'édit de Coucy. Il semble qu'on crut que certaines catégories d'hérétiques étaient exclues de ce pardon. *La Cronique du Roy Françoys I<sup>er</sup>* est très explicite à propos de ceux
qui ne bénéficiaient pas de la grâce royale :

> En ce temps mesmement, au moyen que plusieurs
> s'en estoyent fuys et renduz absens du royaulme de
> France, eulx sentens suspectz du meschant estat d'hé-
> résie, furent revocqués et remiz à leur premier estat
> et renommée par le pardon donné et la rémission du
> Pape confermée par le tres crestien Roy de France,
> exceptez seullement ceulx qui avoyent mis les placars
> et affixes aux portes et places de la ville de Paris et
> plusieurs aultres lieulx en France, et aussi les mal-
> heureulx qui avoyent mal parlé du sainct Sacrement
> de l'autel [256].

Du reste les soupçons des exilés étaient fondés, et les
exécutions continuèrent après la publication de l'édit. Le
18 septembre 1535, par exemple, deux artisans furent
brûlés vifs à Paris pour avoir possédé des livres luthériens [257] et, le 26 avril 1536, le Parlement de Grenoble fit
condamner à mort et noyer dans l'Isère un nommé Martin
Gonin, de retour de Genève où son église l'avait envoyé. Il
était porteur de lettres de Farel [258].

---

253. Voir *La Religion de Marot*, ouvr. cit., Appendice I, 20.
254. Voir *ibid.*, p. 26.
255. Voir C.A. Mayer, *The problem of Dolet's evangelical publications*, B.H.R., t. XVII, 1955, p. 410-413.
256. *La Cronique du Roy Françoys I<sup>er</sup>*, ouvr. cit., p. 144.
257. *Journal d'un bourgeois de Paris*, ouvr. cit., p. 385. Voir
*La Religion de Marot*, ouvr. cit., p. 35, n. 128.
258. Voir N. Weiss dans B.S.H.P.F., t. XXXIV, p. 170 ; Herminjard, ouvr. cit., t. IV, p. 128 et Crespin, *Histoire des martyrs*,
1597, f° III.

Ce fut sans doute pour mettre un frein au zèle des Parlements et pour calmer les craintes des réfugiés que François Ier signa, le 31 mai 1536, des lettres d'abolition accordant l'amnistie à ceux qui ne tombaient pas sous les clauses de l'édit de Coucy [259]. Les conditions restent les mêmes : abjuration dans un délai de six mois à partir de la publication des lettres d'abolition. Pourtant une clause importante lève les restrictions de l'édit précédent :

> Comme par ci-devant... eussions... donné abolicion à tous ceulx qui vouldroient abjurer leurs heresies & erreurs et promectroient vivre d'icy en avant comme bons & vrays catholicques doibvent faire, soubz toutesfois aucunes restrinctions contenues en noz lectres patentes sur ce publiées, & que nous ayons entendu que à l'occasion d'icelles restrinctions, aucuns fuitifz & absens de nostre Royaulme, pays, terres & seigneuries, lesquels desirent vivre en uniformité de foy & loy chrestienne, n'osent se reppatrier & retirer en nostre dit Royaulme, terres & seigneuries, doubtans les ungs par le jugement et accusation de leurs propres consciences, les aultres par craincte d'aulcuns malveillans estre prins, detenuz & molestez comme non comprins en nos dictes lettres d'abolicion & reservez soubz icelles restrinctions, aussi que le temps par icelles limyté & ordonné estre expiré et passé [260].

> Nous à ceste cause... avons... dict, declaré & ordonné,... déclairons & ordonnons, voullons & nous plaist que tous ceulx qui sont chargez ou accusez d'aucunes erreurs ou heresies, encores qu'il y eust condempnation contre eulx par contumace ou aultrement... tous ceulx aussi qui en sont suspectz & non accusez ne prevenuz par justice ne soyent d'icy en

---

259. Voir *La Religion de Marot,* ouvr. cit., Appendice I, 21. Cf. Herminjard, ouvr. cit., t. IV, p. 70-73, lettre du conseil de Bâle à François Ier le félicitant des mesures de tolérance prises à l'égard des novateurs. Sous le titre de « Abbolition generalle pour les lutheriens », ces lettres d'abolition semblent avoir été republiées le 30 juin 1536. Voir *La Religion de Marot,* ouvr. cit., Appendice I, p. 156.

260. Le 31 mai 1536, le délai de six mois à partir de la publication de l'édit de Coucy (16 juillet 1535) était passé.

avant poursuyviz ne inquietez pour chose qu'ils aient dicte ou faicte par le passé & devant la publication de ces presentes.

Le texte de ces lettres est explicite, accordant une amnistie pleine et entière à tous ceux qui avaient été bannis pour hérésie.

Pourtant Marot ne se prévalut pas des édits de tolérance pour rentrer en France, mais semble avoir passé son temps à Venise à écrire des suppliques afin d'obtenir une permission toute spéciale.

A cet effet il composa trois épîtres, à François Ier [261], à Marguerite de Navarre [262] et au Dauphin [263]. Il y demande au roi et au dauphin un sauf-conduit de six mois, supplique assez curieuse, mais qui montre que le poète devait considérer son cas comme trop grave pour tomber sous les édits de tolérance.

Si le cas de Marot était aussi simple qu'on l'a cru, pourquoi, au lieu de rentrer tout bonnement en France après les deux édits de tolérance, adressa-t-il ces suppliques ? On a suggéré qu'il espérait rentrer sans avoir à se soumettre à la cérémonie de l'abjuration [264] ; mais on sait que, de retour en France, il dut bel et bien « abjurer ses erreurs » devant le cardinal de Tournon [265], et puis la demande du sauf-conduit sous-entendait que le poète ne se sentait pas en sûreté en France sans une autorisation spéciale, signée de la main du souverain. On a essayé de donner une explication différente. Selon J. Plattard [266], la demande d'un sauf-conduit de six mois serait imitée des passages où Ovide, poète exilé, demandait à Auguste de lui permettre, sinon de rentrer à Rome, de regagner au moins l'Italie. Remarquons cependant qu'après la promulgation des deux édits de tolérance, Marot n'aurait pas été obligé de supplier

---

261. *Les Epîtres*, XLIV, *Au Roy* (*Au Roy, de Venise*).
262. *Ibid.*, XLVI, *A la Royne de Navarre*.
263. *Ibid.*, XLV, *Au tresvertueux prince, Françoys, Daulphin de France* (*A Mgr le Dauphin*).
264. P. Jourda, ouvr. cit., p. 35.
265. Voir *La Religion de Marot*, ouvr. cit., p. 38.
266. Ouvr. cit., p. 214.

le roi de lui permettre de rentrer s'il n'avait eu des raisons
toutes spéciales, à la différence d'Ovide, à qui aucun édit
impérial ne pouvait faire espérer la permission de retourner à Rome. Il convient de noter également que Marot
n'osa pas quitter Venise avant d'avoir effectivement reçu
du roi la permission de regagner sa patrie, preuve que la
demande du sauf-conduit correspondait à de très sérieuses
préoccupations du poète et ne saurait être considérée
comme une imitation littéraire.

Aucune de ces trois épîtres ne fut publiée par le poète.
Celle adressée au dauphin fut imprimée en plaquette, sans
doute très peu de temps après avoir été composée [267] ; les
deux autres restèrent manuscrites jusqu'aux temps modernes [268]. Ces deux derniers poèmes sont les meilleurs exemples du style élégiaque de Marot. Il y imite d'assez près
mais de façon discrète les *Tristes* et les *Pontiques* d'Ovide,
créant cette poésie de la nostalgie dont Du Bellay allait
donner la meilleure expression dans ses *Regrets*.

L'épître au roi est largement inspirée par la grande élégie d'Ovide, adressée à l'empereur Auguste, laquelle forme
le livre II des *Tristes*. Marot y a ajouté un long passage
imité de l'élégie VIII du livre III de la même œuvre.

Dans l'exorde le poète se justifie de l'accusation d'avoir
quitté Ferrare par pure légèreté :

> Je doubte et crains que, moy aiant laissé
> L'air de Ferrare, il ne te soit advis
> Que j'ay les sens d'inconstance ravis,
> Et qu'en ton cueur n'entre une impression
> Que de vaguer je fais profession,
> Sans en ung lieu povoir long temps durer,
> Ne la doulceur de mon aise endurer [269]

On comprend aisément qu'ayant protesté, dans les épîtres
précédentes, qu'en étant au service de Renée il est resté
fidèle à la France, il s'inquiète maintenant du mauvais effet
que pourrait avoir sur l'esprit du roi son départ de Ferrare.

---

267. *Bibliographie*, II, n° 50.
268. *Bibliographie*, I, p. 10-18.
269. *Les Epîtres*, XLIV, *Au Roy*, v. 4-10.

Pour cette raison il fait grand cas de l'hostilité du duc
d'Este envers sa femme, son entourage français et la France
en général ; il se représente en quelque sorte comme victime de la gallophobie d'Ercole :

> ... je n'y ay fait oultrance
> N'aucun forfait, fors que je suis de France.
> Mais quant je y vins, certes je ne pensoys
> Que ce fust cryme illec d'estre Françoys.
> Voila le mal ; voila la forfaicture
> Qui m'a fait prendre ailleurs mon adventure.
> Si plus y a, que je soys rebouté
> De tout l'espoir que j'ay en ta bonté.
> Rien que le vray, Sire, je ne revelle,
> Et le regret à tesmoing j'en appelle
> Qu'eurent de moy, sans que gloire me donne,
> Les serviteurs et la dame tant bonne
> Qui maintesfoys à rompre travailla
> Le departir que Dieu me conseilla [270].

Ensuite le poète passe au principal but de son épître : la
demande non pas d'un pardon, mais d'un sauf-conduit de
six mois :

> Je dy cecy craignant que je n'acqueste
> Plus fort ton yre et perde ma requeste,
> Qui est non pas de servir ta Grandeur
> Comme souloys (ce seroit trop grant heur),
> Ains qu'il te plaise ung congé me donner
> De pour six moys en France retourner,
> A celle fin qu'ordre donner je voise
> A ce qui plus de loing que pres me poise [271].

Vient alors la première partie élégiaque du poème. Elle est
imitée d'assez près de l'élégie VIII du livre III des *Tristes*
d'Ovide :

> Nunc ego Triptolemi superem consistere curru
>    misit in ignotam qui rude semen humum ;
> nunc ego Medeae vellem frenare dracones,

---

270. *Les Epîtres*, XLIV, v. 11-24.
271. *Ibid.*, v. 31-8.

quos habuit fugiens arce, Corinthe, tua ;
nunc ego iactandas optarem sumere pennas,
    sive tuas, Perseu, Daedale, sive tuas ;
ut tenera nostris cedente volatibus aura
    aspicerem patriae dulce repente solum,
desertaeque domus vultus, memoresque sodales,
    caraque praecipue coniugis ora meae.
stulte, quid haec frustra votis puerilibus optas,
    quae non ulla tibi fertque feretque dies ?
si semel optandum est, Augusti numen adora,
    et, quem sensisti, rite precare deum.
ille tibi pennasque potest currusque volucres
    tradere, det reditum, protinus ales eris.
si precer hoc (neque enim possum maiora rogare)
    ne mea sint, timeo, vota modesta parum.
forsitan hoc olim, cum iam satiaverit iram,
    tum quoque sollicita mente rogandus erit.
quod minus interea est, instar mihi muneris ampli
    ex his me iubeat quolibet ire locis [272].

Marot a rendu ces vers de la façon suivante :

    O que je n'ay le cheval Pegasus,
Plus hault volant que le mont Pernasus,
Ou les dragons avec lesquelz Medée
Est de la tour de Corinthe evadée.
De Dedalus ou Perseus les esles
Vouldroys avoir, il ne m'en chault lesquelles !
Bien tost vers France alors voleteroys
Et sur les lieux plaisans m'arresteroys,
Pendant en l'air, planant comme ung gerfault ;
Si te verroys peult estre de là hault
Chassant aux boys ; contemploys la France,
Contemploys Loyre, qui des enfance
Fut mon sejour, et verroys mes amys,
Dont les ungs m'ont en oubliance mys,
Les autres non ; puis à l'autre volée
Regarderoys la maison desolée
De mon petit et povre parentage
Qui sustenté estoyt de l'advantage

---

272. *Tristes*, III, VIII, v. 1-22 ; éd. S.G. Owen, *Scriptorum classicorum Bibliotheca Oxoniensis*, Oxford, 1951.

Que j'euz de toy. Mais pourquoy metz je avant,
Sot que je suis, tous ces souhaictz d'enfant
Qui viennent moins quant plus on les desire.
En toy seul est de me donner, O Sire,
Esles au dos, voire cheval volant.
Parle sans plus, & dy en le voulant
Que je retourne au rang acoustumé :
Soudain seray d'esles tout emplumé.
Non qu'à present si grant requeste face,
Peu de respect auroit devant ta face
Ce mien escript, si encore continue
Le tien courroux, mais s'il se diminue
Je ne dis pas que lors toute ma force
De t'en prier humblement ne s'efforce [273].

Cette première partie élégiaque en est suivie immédiatement d'une seconde, imitée cette fois du livre II des
*Tristes* :

O Roy Françoys, tout ce monde charnel,
Que feroit-il, si tousjours l'Eternel
Estoit esmeu ? Ne voyons nous souvent,
Apres qu'il a par tonnerre et par vent
Espovanté ce miserable monde,
Qu'en fin s'appaise et rend l'air cler et munde ?
    Pour ceste cause icy bas chascun homme
A juste droit roy et pere le nomme.
Toy donq, qui es du pays roy et pere,
Feras ainsy, & ainsy je l'espere.
Certes souvent, ayant vaincu en place
Ton ennemy, tu luy as bien fait grace,
Grace, pour vray, laquelle il ne t'eust faicte
Si dessus toy fust tumbé la deffaicte.
Tel a couché encontre toy la lance,
Que tu as fait plain d'honneur et chevance.
Moy donq, qui n'ay en nulz assaulx n'alarmes
Encontre toy jamais porté les armes,
Et n'ay en rien ton ennemy servy,
Auray je moins que ceulx là desservy ?
Dieu, qui les cueurs jusque aux fons congnoist bien,
Sçait quelle ardeur a eu tousjours le mien

---

273. *Les Epîtres,* XLIV, v. 39-70.

A ta haulteur. Il sçait combien de foys
J'ay vers le ciel pour toy levé ma voix,
Et de quel cueur à mes enfants petiz
J'ay enseigné (qu'à peine parloient ilz)
Comment pour toy prier ilz le devoient,
Entrans au lict et quant ilz se levoient.
  A quel propos allegueray mes vers
Qui de ton nom sont plains en lieux divers,
Comme clerons de ta gloire immortelle
Et vrays tesmoings de mon naturel zelle !
Il est bien vray que, pour ton loz chanter,
On ne le peult (tant est grant) augmenter.
Mais Dieu, de qui la gloire est indicible,
Prent bien à gré que l'homme (à son possible)
Loue ses faictz, et ne tient à despris
Quant pour subject de quelque œuvre il est pris [274].

---

274. *Ibid.*, v. 71-108. Voici le passage d'Ovide :
  si, quotiens peccant homines, sua fulmina mittat
    Iuppiter, exiguo tempore inermis erit ;
  nunc ubi detonuit strepituque exterruit orbem
    purum discussis aera reddit aquis.
  iure igitur genitorque deum rectorque vocatur
    iure capax mundus nil Iove maius habet,
  tu quoque, cum patriae rector dicare paterque.
    utere more dei nomen habentis idem.
  idque facis, nec te quisquam moderatius umquam
    inperii potuit frena tenere sui.
  tu veniam parti superatae saepe dedisti,
    non concessurus quam tibi victor erat.
  divitiis etiam multos et honoribus auctos
    vidi, qui tulerant in caput arma tuum ;
  quaeque dies bellum, belli tibi sustulit iram.
    parsque simul templis utraque dona tulit ;
  utque tuus gaudet miles, quod vicerit hostem,
    sic victum cur se gaudeat, hostis habet.
  causa mea est melior, qui nec contraria dicor
    arma nec hostiles esse secutus opes.
  per mare, per terras, per tertia numina iuro,
    per te praesentem conspicuumque deum,
  hunc animum favisse tibi, vir maxime, meque,
    qua sola potui, mente fuisse tuum.
  optavi, peteres caelestia sidera tarde,
    parsque fui turbae parva precantis idem,
  et pia tura dedi pro te, cumque omnibus unus
    ipse quoque adiuvi publica vota meis.
  quid referam libros, illos quoque, crimina nostra.
    mille locis plenos nominis esse tui ?
  inspice maius opus, quod adhuc sine fine tenetur

On peut noter une fois de plus que Marot arrive à transposer ses sources avec une parfaite aisance. La mention de ses enfants par exemple ne donne aucunement l'impression d'être un calque.

Accessoirement, ces vers représentent une indication biographique, attestant que Marot eut des enfants [275].

Le poème continue par de discrètes flatteries à l'égard de François Ier, des réflexions personnelles du poète, et des allusions plutôt vagues à son malheur et à sa disgrâce, allusions inspirées encore d'Ovide :

> Je me consolle en pensant que ma peine,
> Quelque rigueur de quoy elle soit plaine,
> Ne vient de rapt, de meurtre ou trahyson,
> Ne par infame aucune mesprison,
> Et que le cas plus grief que j'ay commis,
> C'est qu'en courroux, sans y penser, t'ay mis.
> A ce courroux soudain pour moy print cesse
> Maincte faveur de prince et de princesse ;
> Et en ta court chascun (selon l'usaige)
> Sagement sceut en suyvre ton visaige [276].
> Quant la maison caduque et ancienne
> Commence à tendre à la ruine sienne,
> On voit tousjours que tout le fais d'icelle
> Se vient jecter du costé qui chancelle.
> J'ay fait l'essay de la comparaison,
> Et d'ainsy faire ilz ont tous eu raison ;
> Car qui pourroit m'aymer d'amour ouverte,
> Voyant à l'œil contre moy descouverte

---

>     in non credendos corpora versa modos :
>   invenies vestri praeconia nominis illic,
>     invenies animi pignora multa mei.
>   non tua carminibus maior fit gloria, nec quo,
>     ut maior fiat, crescere possit, habet.
>   fama Iovi superest : tamen hunc sua facta referri
>     et se materiam carminis esse iuvat,
>   cumque Gigantei memorantur proelia belli,
>     credibile est laetum laudibus esse suis.
> Ovide, *Tristes*, II, 33-72.

275. Voir plus haut, p. 178 et plus bas, p. 365-366.

276. Cf. Ovide, *Tristes*, II, 81 :
>   esse sed irato quis te mihi posset amicus ?

L'ire du roy [277] ? Certainement depuis
A peine aymé moy mesmes je me suis [278].
Non que par là j'entre en desasseurance,
Mais au rebours, par là j'ay esperance,
Quant ton cueur hault ung peu s'adoulcira,
Que tout le monde adonques me rira.
J'ay cest espoir et ung plus grant encores
Maulgré l'exil où je suis vivant ores.
J'espere veoir ma liberté première :
Apres noyr temps vient souvent la lumiere ;
Tel arbre fut de fouldre endommagé,
Qu'on voit de fruict encores tout chargé [279].
Pourtant, si j'ay de ta puissance, Sire,
Esté touché, cela n'est pas à dire
Que celle main qui m'a voulu ferir
Ne vueille bien quelque jour me guerir.
J'ay tant au cueur ceste esperance empraincte,
Qu'on ne pourroit l'en tirer par contraincte.
J'espereray quant tu le deffendrois.
Il est bien vray qu'ailleurs, en tous endrois,
T'obeyray, mais en cestuy seul poinct
En hazart suis de ne t'obeyr point [280] ;
Et ne m'en fault (soit bien, soit mal) reprendre.
A ta bonté seullement s'en fault prendre,
Qui tousjours vient me donner bon confort
En me disant : espere, espere fort [281].

---

277. L'image de la maison (v. 141) et tout le développement
qui la suit est imitée des *Tristes*, II, 83-88 :
    cum coepit quassata domus subsidere, partes
        in porclinatas omne recumbit onus,
    cunctaque fortuna rimam faciente dehiscunt,
        ipsa suoque eadem pondere tracta ruunt.
    ergo hominum quaesitum odium mihi carmine, quosque
        debuit, est vultus turba secuta tuos.
278. Cf. *Tristes*, II, 82 :
    vix tunc ipse mihi non inimicus eram.
279. Les vers 158-160 sont imités des *Tristes*, II, 142-144 :
    nube solet pulsa candidus ire dies
    vidi ego pampineis oneratam vitibus ulmum,
        quae fuerat saevi fulmine tacta Iovis.
280. Cf. *Tristes*, II, 145-146 :
    ipse licet sperare vetes, sperabimus usque ;
        hoc unum fieri te prohibente potest.
281. *Les Epîtres*, XLIV, v. 131-174.

Marot, comme on voit, a considérablement étendu et rendu personnelles les excuses qu'il a imitées d'Ovide, tout en suivant ce dernier dans la succession d'images.

Vers le même temps probablement Marot écrivit une seconde épître élégiaque imitée d'Ovide, adressée à Marguerite de Navarre, et qui est certainement un de ses meilleurs ouvrages. C'est dans ce poème que Marot exprime ses douleurs, ses angoisses, ses hantises. A la sincérité, au ton personnel, il mêle l'imitation d'Ovide, l'imitation de Virgile et l'imitation des Psaumes. C'est cette dernière source qui est en évidence d'abord :

> O noble fleur, si advouez nous sommes
> Tirer de Dieu comparaison aux hommes,
> Alloit jamais David, roy, à recours,
> Fors à celluy qui luy promist secours ?
> Alloit jamais Israel à refuge,
> Quant contre luy couroit nouveau deluge,
> Fors à celluy qui aux premiers dangers
> L'avoit tiré d'entre les estrangiers ?
> Je ne dy pas que bras et cueur ensemble
> Ne leve à Dieu ; mais en effect il semble
> Que je ne doy avoir confort de luy
> Synon par toy, quant il me vient ennuy [282].

Puis Marot fait le récit de son séjour en Navarre, auprès de Marguerite, dans l'hiver de 1534-35 :

> Tu sçais comment, par parolles mutines
> Des envieux aux langues serpentines,
> Je fus contrainct (bien t'en peult souvenir)
> Par devers toy en franchise venir,
> Puis tout à coup, helas ! t'abandonner,
> Soubz le conseil qu'il te pleust me donner ;
> Si me traictas (ains que partir) de sorte
> Qu'il n'est besoing que de ma plume sorte
> Ce qui en fut, craignant apprecier
> Mon loz en lieu de te remercier.
> O gentil cueur de Princesse royalle,
> O plaine d'heur la famille loyalle
> Qui vit soubz toy ! Ainsy fut mon depart,

---

282. *Les Epîtres*, XLVI, v. 13-24.

Ayant aux yeulx les larmes d'une part,
D'autre costé, une doubte, une craincte
Qui en chemin dedans moy fut empraincte
Pour la fureur des envyeulx meschans,
Qui lors estoient en queste sur les champs [283].

C'est en termes gardés — comment pourrait-il en être autrement — que Marot évoque cet épisode, et pourtant il sait y mettre de la chaleur, du respect et de la gratitude.

Deux détails d'importance biographique nous sont livrés par ce passage. Marguerite a conseillé à Marot de partir de Navarre et de s'exiler en Italie [284] ; elle a sans doute arrangé pour le poète d'être reçu par Renée ; de toute manière elle allait par la suite écrire à Renée la remerciant d'avoir pris Marot à son service [285].

L'épître continue par un récit extrêmement émouvant et riche en images virgiliennes ou ovidiennes de la fuite et des déboires du poète. D'abord il emploie l'image du cerf chassé par les chiens :

Lors comme ung cerf eschappé des dentées
Qu'il a des chiens ja experimentées,
Puis les sentant de bien loing aboyer,
Se mect encor à courre et tournoyer
En si grant peur que desja il pense estre
Saisi aux flans, à dextre et à senestre,
Par quoy ne cesse à transnouer marestz,
Saulter buissons, circuir grans forestz,
Tant qu'en lieu soit où nul chien ne l'offense,
Ainsy passay Languedoc et Prouvence ;
En telles peurs et semblables travaulx
Passa ton serf torrentz et montz et vaulx [286].

Puis, pour relater ses angoisses, ses hantises, il emploie une suite d'images :

---

283. *Les Epîtres*, XLVI, v. 27-44.
284. V. 32.
285. *Les Epîtres*, XLVI, v. 57-60 :
    Puis se saulva en la terre italique,
    Dedans le fort d'une dame galique
    Qui le receut, dont la remercias
    Bien tost apres.
286. *Ibid.*, XLVI, v. 45-56.

L'homme subgect à nauffrages terribles
Crainct toutes eaues, fussent elles paisibles ;
Souvent aux champs la brebis apperçoit
Ung chien de loing, et cuyde que ce soit
Ung loup cruel ; si se prend à courir
Et fuyt celluy qui la peult secourir.
Ainsy actainct de calamitez toutes,
Je ne conçoy en moy que peurs et doubtes,
Tant qu'advis m'est que ceulx là qui ont soing
De mon prouffit me faillent au besoing,
Et, qui pis est, crains que ma destinée
Suive son train, tant est acheminée ;
Car chiens du Pau de relais & renfort
Sont ja venus eslanser de son fort
Ton povre serf, qui en l'estang sallé
Venitien jecter s'en est allé,
Où les mastins ne le laisront longtemps,
Car clabauder d'icy je les entens [287].

Ces vers sont imités des *Pontiques* d'Ovide [288] ; une fois de plus il convient d'admirer l'aisance avec laquelle Marot, pour exprimer ses sentiments intimes, sait emprunter la forme, l'allure, les images de la poésie ancienne.

Toujours à l'imitation d'Ovide, il évoque ses cauchemars et ses songes plus heureux qui, tel est son malheur, ne font que le rendre plus triste à son réveil :

---

287. *Ibid.*, v. 67-84.
288. Voir Ovide, *Pontiques*, II, VII, v. 5-18 (éd. S.G. Owen, ouvr. cit.) :

nec dubito quin sit : sed me timor ipse malorum
    saepe supervacuos cogit habere metus.
da veniam, quaeso, nimioque ignosce timori.
    tranquillas etiam naufragus horret aquas.
qui semel est laesus fallaci piscis ab hamo,
    omnibus unca cibis aera subesse putat.
saepe canem longe visum fugit agna lupumque
    credit, et ipsa suam nescia vitat opem.
membra reformidant mollem quoque saucia tactum,
    vanaque sollicitis incutit umbra metum.
sic ego Fortunae telis confixus iniquis
    pectore concipio nil nisi triste meo.
iam mihi fata liquet coeptos servantia cursus
    per sibi consuetas semper itura vias.

Aucunesfoys je dy : la nuict viendra,
Je dormiray, lors ne m'en souviendra ;
Le dormir est contre le soucy une
Grant medecine, à ung chascun commune.
Mais en dormant viennent m'espovanter
Songes divers et me representer
Aupres du vif de mon malheur l'ymaige,
Et mes espritz veillent à mon dommaige,
Si qu'advis m'est ou que huissiers ou sergens
De me chercher sont promptz et diligens,
Ou qu'enserré suis en murs et barreaux,
Ou qu'on me livre innocent aux bourreaux.
   Quelque foys suis trompé d'un plus beau songe,
Et m'est advis que me voy, sans mensonge,
Autour de toy, Royne tres honorée,
Comme souloye, en ta chambre parée,
Ou que me faiz chanter en divers sons
Pseaulmes divins, car ce sont tes chansons,
Ou qu'avec vous, mes amys singuliers,
Je me consolle en propos familiers.
Ainsy ayant senty à la legere
Ceste lyesse et joye mensongere,
Pis que devant je me trouve empiré
Du souvenir de mon bien desiré ;
Et en ce point, soit que le cler jour luyse,
Soit que la nuict à repos nous induise,
Je vy en peine ; & fus ainsy traicté
Des lors qu'amour eust mon cueur arresté
A la vertu, à la belle sans si,
Et a duré mon mal jusques icy ;
Tousjours les siens en la mortelle vie
Seront subjectz aux ayguillons d'envye [289].

On note qu'à la fin de ce passage le poète s'exprime une
fois de plus avec beaucoup de circonspection. N'oublions

---

289. *Les Epitres*, XLVI, v. 103-134. Tout ce passage est inspiré
par Ovide, *Pontiques*, I, II, v. 41-50 :
    at, puto, cum requies medicinaque publica curae
        somnus adest, solitis nox venit orba malis.
    somnia me terrent veros imitantia casus,
        et vigilant sensus in mea damna mei.
    aut ego Sarmaticas videor vitare sagittas,

pas que cette épître ne fut jamais publiée mais ne nous est connue que par le manuscrit de Chantilly. Il y a donc peu de chances pour que nous connaissions le texte original et exact des allusions aux raisons de l'exil de Marot. Assez platement il représente ses malheurs dus entièrement à la Vertu [290] !

C'est avec infiniment plus de bonheur que le poète rappelle délicatement à Marguerite des promesses qui semblent avoir été fort précises :

> Ha ! noble fleur, ne te souvient il point
> Qu'à mon depart, dont le record me poingt,
> Tu me promis de bouche et d'escripture
> Te souvenir de moy, ta nourriture.
> Or est il temps que de ce je te somme,
> Ains que le fais de mes ennuys m'assomme [291].

Il enchaîne en insistant, à la suite d'Ovide, que son exil n'est pas dû à des crimes de droit commun :

> De France, helas ! suis bany desollé,
> Non pour avoir aucun marchant vollé,
> Non pour avoir par trop soudaine main
> Tainct et rougi l'espée en sang humain,
> Non pour avoir sur mer esté coursaire,
> Non pour avoir adverty l'adversaire

---

aut dare captivas ad fera vincla manus.
aut ibi decipior melioris imagine somni,
   aspicio patriae tecta relicta meae.
et modo vobiscum, quos sum veneratus, amici,
   et modo cum cara coniuge multa loquor.
sic ubi percepta est brevis et non vera voluptas,
   peior ab admonitu fit status iste boni.
sive dies igitur caput hoc miserabile cernit,
   sive pruinosi Noctis aguntur equi,
sic mea perpetuis liquefiunt pectora curis,
   ignibus admotis ut nova cera solet.

290. L'expression « la belle sans si » que Marot emploie comme synonyme de Vertu, vient d'un poème du xvᵉ siècle, *L'Arrest de la louange de la dame sans si* par François Robertet, Guillaume Crétin et Octovien de Saint-Gelais, et veut dire la dame sans défaut.

291. *Les Epîtres*, XLVI, v. 135-140.

Contre mon Roy, ne pour faulx tesmoigner,
Ne faulcement or ou argent congner [292].

et demande donc à la reine d'appuyer sa demande de pardon. On note qu'ici il n'est pas question d'un sauf-conduit,
ni de six mois ; le poète prie simplement d'être « dé-
banni » ; prière à laquelle il ajoute de fort beaux vers
exprimant sa nostalgie. Ces vers sont imités de près des
*Pontiques* ; leur intérêt vient de ce que c'est ici la première fois que le thème de la nostalgie est chanté dans la
poésie française, et puis de ce que Du Bellay, ignorant
sans doute cette épître, a imité le même passage d'Ovide
dans son célèbre sonnet sur Ulysse :

Puisque suis donq bany pour ma deesse,
Je te supply, toy qui es ma Princesse,
Me desbanir ; ung chascun pour tout seur
Trouve tousjours ne sçay quelle doulceur
En son pays, qui ne luy veult permectre
De le povoir en oubliance mectre.
Ulixes sage, au moins estimé tel,
Fit bien jadis refuz d'estre immortel
Pour retourner en sa maison petite,
Et du regret de mort se disoit quitte
Si l'air eust pu de son pays humer
Et veu de loing son vilage fumer [293] !

---

292. *Ibid.*, v. 141-148. Cf. les nombreuses protestations d'innocence d'Ovide :
  non ego concepi, si Pelion Ossa tulisset,
    clara mea tangi sidera posse manu,
  nec nos Enceladi dementia castra secuti
    in rerum dominos movimus arma deos,
  nec, quod Tydidae temeraria dextera fecit,
    numina sunt telis ulla petita meis.
                                    *Pontiques*, II, ii, v. 9-14.
ou :
  non ego caede nocens in Ponti litora veni
    mixtave sunt nostra dira venena manu :
  nec mea subiecta convicta est gemma tabella
    mendacem linis inposuisse notam.
  nec quicquam, quod lege vetor committere, feci :
    est tamen his gravior noxa fatenda mihi.
                                    *Pontiques*, II, ix, v. 67-72.
293. *Les Epîtres*, XLVI, v. 151-162. Cf. Ovide, *Pontiques*, I, iii,
v. 33-42 :
  non dubia est Ithaci prudentia, sed tamen optat

L'image d'Ulysse est suivie par une série d'autres images
toutes imitées d'Ovide, toutes illustrant l'attrait de la
patrie :

> Est il qu'en France ung plus plaisant sejour ?
> Et toutesfoys nous voyons chascun jour
> Que l'Alemant et le Grec s'en retyre
> Pour habitter son pays qui est pire.
> Sauvages ours et lions furieux
> De retourner mesmes sont curieux
> En leur caverne. Estes vous esbahys,
> Faulx mesdisans, si j'aspire au pays,
> Là où j'ay prins nourriture et croissance,
> Où j'ay enfans, compaignons, congnoissance,
> Là où mes vers, ça et là espandus,
> Sont des petis et des grans entendus,
> Où je vivoys sans peine et sans destresse,
> Et où tu es, ma dame et ma maistresse [294] ?

Relevons la note personnelle à la fin du passage. C'est cette
même note personnelle, bien qu'encore une fois calquée
avec bonheur sur Ovide, qui termine le poème :

> En fin d'escript, je le te ramentoy,
> Te suppliant te prendre à ma fortune
> Si de propos tristes je te importune ;
> Aussy ayant cest escript visité,
> Si quelque mot s'y trouve inusité,
> Pardonne moy : c'est mon stile qui change
> Par trop oyr parler langage estrange,

---

> fumum de patriis posse videre focis.
> nescioqua natale solum dulcedine cunctos
>   ducit et inmemores non sinit esse sui.
> quid melius Roma ? Scythico quid frigore peius ?
>   huc tamen ex ista barbarus urbe fugit.
> cum bene sit clausae cavea Pandione natae,
>   nititur in silvas illa redire suas.
> adsuetos tauri saltus, adsueta leones
>   (nec feritas illos inpedit) antra petunt.
> Cf. Du Bellay, *Regrets,* XXXI.

294. *Les Epîtres,* XLVI, v. 163-176. Cf. Ovide, *Pontiques,* I, II,
v. 121-122 :

> sed piger ad poenas princeps, ad praemia velox,
>   quique dolet, quotiens cogitur esse ferox.

Et ne fera que tousjours empirer,
S'il ne te plaist d'icy me retirer [295].

Ce poème magnifique mérite, certes, d'être mieux connu
du public qu'il ne l'est à présent. On voit combien le cliché de l'élégant badinage, de légèreté empêche la compré-
hension véritable d'un grand poète.

Vers le même temps que les deux épîtres élégiaques
Marot composa un cantique adressé à Marguerite de
Navarre, le *Cantique de Clement Marot banny premierement de France, depuis chassé de Ferrare par le Duc et
retiré à Venise* [296]. C'est le premier poème sérieux, élégiaque, en forme strophique de la plume de Marot. De ce seul
fait il mérite notre attention. Le sujet du cantique est une
espèce de demande d'intervention de la part de Marguerite
en faveur de Renée de France maltraitée par son mari.
Tout en tombant parfois dans l'anti-italianisme le plus vulgaire :

Vouldroit il bien à bailleurs de boucons
Bailler luy mesme en garde ses flascons ?
Frans & loyaulx autour d'elle vacquons ;
C'est son decore [297].

Marot s'élève au grand lyrisme, comme par exemple dans
le premier vers du poème :

---

295. *Les Epîtres*, XLVI, v. 188-196. Cf. Ovide, *Tristes*, V, VII,
v. 55-60 :
 ille ego Romanus vates ignoscite, Musae
  Sarmatico cogor plurima more loqui.
 en pudet et fateor, iam desuetudine longa
  vix subeunt ipsi verba Latina mihi.
 nec dubito quin sint et in hoc non pauca libello
  barbara : non hominis culpa, sed ista loci.
et :
 ipse mihi videor iam dedidicisse Latine :
  nam didici Getice Sarmaticeque loqui.
                              *Tristes*, V, XII, v. 57-58.
296. *Œuvres lyriques*, LXXVI, Cantique I.
297. *Œuvres lyriques*, LXXVI, Cantique I, v. 57-60. L'expression « bailleur de boucons » signifiant empoisonneur, le poète
veut dire qu'en donnant à un tel homme « ses flascons », on lui
permet aisément de commettre son crime.

Plaigne les mortz qui plaindre les vouldra

premier crayon du célèbre début du *Dieu Gard à la Court* [298].

C'est également vers ce temps que Marot composa son premier sonnet, qui est peut-être le premier sonnet dans la poésie française, et certainement le premier poème à porter le titre de sonnet [299]. Il porte le titre *Sonnet A Madame de Ferrare* [300] et représente une espèce de consolation et encouragement à Renée de France :

Me souvenant de tes bontez divines
Suis en douleur, princesse, à ton absence ;
Et si languy quant suis en ta presence,
Voyant ce lys au milieu des espines.

O la doulceur des doulceurs femenines,
O cueur sans fiel, o race d'excellence,
O traictement remply de violance,
Qui s'endurcist pres des choses benignes.

Si seras tu de la main soustenue
De l'eternel, comme sa cher tenue ;
Et tes nuysans auront honte et reproche.

Courage, dame, en l'air je voye la nue
Qui ça et là s'escarte et diminue,
Pour faire place au beau temps qui s'approche [301] !

---

298. Voir plus bas, p. 374-375.

299. Voir C.A. Mayer, *Le Premier Sonnet Français : Marot, Mellin de Saint-Gelais et Jean Bouchet, Revue d'histoire littéraire de la France,* juillet-septembre 1967, n° 3, p. 481-493.

Il est possible qu'un groupe de poèmes intitulés Epigrammes, publiés en 1538 par Jean Bouchet sous le titre *Le Jugement poetic de l'honneur femenin & sejour des illustres claires & honnestes Dames par le Traverseur,* et qui sont des espèces de sonnets furent composés avant 1536 et sont donc les premiers sonnets dans la littérature française.

300. *Œuvres diverses,* CLXXVII.

301. Récemment M. Françon a réclamé pour Mellin de Saint-Gelais l'honneur d'avoir écrit le premier sonnet français (*Notes sur l'histoire du sonnet en France, Italica,* XXIX, 1952, p. 121-128 et *La date d'un sonnet de Saint-Gelais,* B.H.R., t. XV, 1953, p. 213-214). Pourtant ses conclusions ne s'imposent guère, étant basées sur des hypothèses gratuites, une attribution fantaisiste et des dates également fantaisistes.

Le dernier poème que Marot écrivit pour Renée de France — il est évident qu'en l'absence de dates précises l'ordre des pièces composées à Venise doit tenir de la conjecture — est une épître composée le 31 juillet 1536, et connue sous le nom d'*Epistre envoyée de Venize à Madame la Duchesse de Ferrare par Clement Marot* [302]. Etrange composition, moitié Baedeker, moitié pamphlet de prédicateur protestant, elle fut découverte au XIX<sup>e</sup> siècle par Guiffrey [303]. Une version adoucie, où le pamphlet protestant est largement supprimé, se trouve dans le manuscrit de Chantilly [304].

Marot, pour commencer, donne à Renée une description des merveilles de Venise ; dont certaines avaient déjà fait l'émerveillement de Dante :

> De leurs palays et maisons autenticques,
> De leurs chevaulx de bronze tresantiques [305],
> De l'arcenal, chose digne de poix [306],
> De leurs canaulx, de leurs mules de boys [307],
> Des murs sallez dont leur cité est close [308],
> De leur grand place et de mainte autre chose [309],

---

302. *Les Epîtres*, XLIII.

303. Voir *Ibid.*, p. 225. Une seconde version en fut imprimée par Herminjard au tome VI (p. 448-455) de sa *Correspondance des Réformateurs*, d'après un manuscrit appartenant à Ch.-Ph. Du Mont. Ce manuscrit, vendu en 1910 (*Armoiries et généalogies. Collections historiques de feu Ch.-Ph. Du Mont..., I, Manuscrits, imprimés, autographes*, Genève, 1910, p. 34, n° 3141) n'a pu être retrouvé. Notons cependant que dans ce manuscrit l'épître est datée : « De Venize, ce XV<sup>e</sup> juillet 1536. »

304. Voir *Bibliographie*, I, p. 12-18, et *Les Epîtres*, XLIII, variante.

305. Probablement le quadrige de bronze doré au portail de l'église Saint-Marc. Ce quadrige avait été apporté à Venise de Constantinople par le doge Dandolo après la prise de cette ville par les croisés, le 12 avril 1204. Voir Daru, *Histoire de la République de Venise*, Paris, 1821, I, 330.

306. L'arsenal, ou les chantiers maritimes de Venise, avait déjà excité l'admiration des poètes et des écrivains au moyen-âge. Cf. Dante, *Divina Comedia, Inferno*, XXI, 7, et Commines, *Mémoires*, éd. Calmette, liv. VII, chap. XVIII.

307. C'est-à-dire les gondoles.

308. La mer.

309. La place de Saint-Marc.

> Mays j'auroys peur de t'ennuyer, et puis
> Tu l'as myeulx veu que escripre ne le puis [310].

Il loue également l'urbanisme et le civisme des Vénitiens :

> Quant au surplus, ce qui en est surmonte
> Ce que loing d'elle au myeulx on en racompte,
> Et n'est possible à citadins myeux faire
> Pour à ce corps et à l'œil satisfaire [311].
> . . . . . . . . . . . . . . . . . . . . . . . . . . . . . . . .
> Au residu, afin que ceste carte
> De son propos commancé ne s'escarte,
> Sçavoir te faictz, Princesse, que deça
> Oncques romain empereur ne dressa
> Ordre public, s'il est bien regardé,
> Plus grand, plus rond, plus beau, ne myeux gardé.
> Ce sont, pour vray, grands et saiges mondains,
> Meurs en conseil, d'executer soubdains [312].

Il exprime son étonnement à la vue des marchands et marins orientaux :

> Et t'escriproys, Princesse, bien encores
> Des Juifz, des Turcs, des Arabes et Mores
> Qu'on veoit icy par trouppes chacun jour [313].

et surtout à la vue des prostituées occupant à Venise une place estimée, étonnement identique à celui qu'exprimera plus tard Montaigne :

> Mesmes parmy tant de plaisirs menus
> Trop plus qu'ailleurs y triumphe Venus.
> Venus y est certes plus reverée
> Qu'au temps des Grecs, en l'isle Citherée ;
> Car mesme renc de reputacion,
> De liberté et d'estimation,
> Y tient la femme esventée et publicque
> Comme la chaste, honnorable et pudicque.
> Et sont enclins (ce disent) à aymer

---

310. *Les Epîtres*, XLIII, v. 105-112.
311. *Ibid.*, v. 7-10.
312. *Ibid.*, v. 67-74.
313. *Ibid.*, v. 101-103.

Venuz, d'autant qu'elle est née de mer,
Et que sus mer ilz ont naissance prise.
Disent aussi qu'ilz ont basty Venize
En mer qui est de Venuz l'heritaige,
Et que pourtant ilz luy doivent hommaige.
Voila commant ce qui est deffendu
Est pardeça permys et espendu [314].

L'ardeur protestante est provoquée d'abord par la vue du matérialisme des Vénitiens :

Et n'est possible à citadins myeux faire
Pour à ce corps et à l'œil satisfaire.
Que plust à Dieu, ma tresillustre Dame,
Qu'autant soigneux ilz fussent de leur ame.
Certes leurs faictz quasi font assavoir
Qu'une ame au corps ilz ne cuident avoir,
Ou, s'ilz en ont, leur fantaisie est telle,
Qu'elle est ainsi comme le corps mortelle.
Dont il s'ensuit qu'ilz n'eslevent leurs yeulx
Plus haut ne loing que ces terrestres lieux,
Et que jamays espoir ne les convye
Au grand festin de l'eternelle vie.
Advient aussi que de l'amour du proche
Jamays leur cueur partial ne s'aproche,
Et si quelcung de l'offenser se garde,
Crainte de peine et force l'en retarde.
Mays où pourra trouver siege ne lieu
L'amour du proche où l'on n'ayme poinct Dieu ?
Et comment peult prendre racine et croistre
L'amour de Dieu, sans premier le congnoistre ?
J'ay, des enfance, entendu affermer
Qu'il est besoing congnoistre avant qu'aymer [315].

et par la pompe de l'église catholique :

Les signes clers, qui dehors apparoissent,
Font tesmoigner que Dieu poinct ne congnoissent.
C'est qu'en esprit n'adorent nullement
Luy qui est seul esprit totalement,
Ains par haulx chantz, par pompes et par mynes,

---

314. *Ibid.*, v. 85-100.
315. *Ibid.*, v. 9-30.

Qui est (mon Dieu) ce que tu abhomines.
Et sont encor les pouvres citoyens
Pleins de l'erreur de leurs peres payens.
Temples marbrins y font et y adorent
Images peinctz qu'à grandz despens ilz dorent ;
Et à leurs piedz, helas, sont gemissans
Les pouvres nudz, palles et languissans.
Ce sont, ce sont telles ymaiges vives
Qui de ces grans despenses excessives
Estre debvoient aournées et parées,
Et de nos yeulx les autres separées.
Car l'Eternel les vives recommande,
Et de fuir les mortes nous commande.
    Ne convient il en reprendre que iceulx ?
Helas, Madame, ilz ne sont pas tous seulz ;
De ceste erreur tant creue et foisonnée
La chrestienté est toute enpoisonnée.
Non toute, non, le Seigneur, regardant
D'œil de pitié ce monde caphardant,
S'est faict congnoistre à une grand partie,
Qui à luy seul est ores convertie.
O Seigneur Dieu, faictz que le demourant
Ne voyse pas les pierres adorant.
C'est ung abbus d'ydollastres sorty,
Entre chrestiens plusieurs foys amorty,
Et remys sus tousjours pour l'avarice
De la paillarde et grande meretrice,
Avec qui ont faict fornicacion
Les roys de terre, et dont la potion
Du vin public de son calice immonde
A si longtemps enyvré tout le monde [316].

Poursuivant son dessein d'obtenir la permission de rentrer en France, Marot s'adressa, non seulement au roi et à Marguerite, mais encore au dauphin François [317]. On ne saurait dire exactement pourquoi ; on ne sait rien qui permette d'affirmer que le dauphin se fût jamais intéressé à la poésie ou à la personne de Marot. L'épître fut composée certainement avant la mi-août, c'est-à-dire avant que la

---

316. *Ibid.*, v. 31-66.
317. *Les Epîtres*, XLV, *Au tresvertueux prince, Françoys, Daulphin de France.*

nouvelle de la mort subite du dauphin, survenue le
10 août [318] ne fût arrivée à Venise. Puisqu'il existe une
plaquette de cette épître [319], plaquette probablement imprimée avant le décès du dauphin, on peut supposer que le
poème fut composé peu de temps après l'arrivée de Marot
à Venise, vers la fin du mois de juin ou au début du mois
de juillet.

Comme au roi, Marot demande au dauphin un sauf-
conduit de six mois ; mais quelle différence de ton entre les
deux épîtres. Dans l'épître au dauphin, tout est gaieté,
enjouement. Pour écrire à ce jeune homme, ami des plaisirs, Marot revient au badinage. Il évoque avec bonheur ses
enfants, les « maroteaux », il fait des calembours (les saluts
qui ne seront point d'or), et il emprunte des métaphores
au jeu de paume (« prendray les bons, laisseray les vol-
lées »). Mais surtout, c'est le rythme leste et primesautier,
rappelant la jeunesse, qui fait contraste avec le ton grave
des épîtres précédentes :

> En mon vivant n'apres ma mort avec,
> Prince royal, je n'entrouvry le bec
> Pour vous prier : or devinez qui est ce
> Qui maintenant en prent la hardiesse ?
> Marot bany, Marot mis à requoy,
> C'est luy sans autre ; et sçavez vous pourquoy
> Ce qu'il demande a voulu vous escrire ?
> C'est pour autant qu'il ne l'ose aller dire.
> Voyla le poinct ; il ne fault point mentir
> Que l'air de France il n'ose aller sentir,
> Mais s'il avoit sa demande impetrée,
> Jambe ne teste il n'a si empestrée,
> Qu'il n'y volast ! En vous parlant ainsy,
> Plusieurs diront que je m'ennuye icy,
> Et pensera quelque caffart pellé
> Que je demande à estre rappellé.
> Non Monseigneur, ce que demander j'ose
> Des quatre pars n'est pas si grande chose.
> Ce que je quiers, et que de vous j'espere,
> C'est qu'il vous plaise au Roy, vostre cher pere,

318. Voir V.-L. Saulnier, *La Mort du Dauphin François et son
tombeau poétique*, B.H.R., t. VI, 1945, p. 50 suiv.
319. *Bibliographie*, II, n° 50.

> Parler pour moy, si bien qu'il soit induict,
> A me donner le petit saufconduit
> De demy an, qui la bride me lasche,
> Ou de six moys, si demy an luy fasche.
> Non pour aller visiter mes chasteaulx,
> Mais bien pour veoir les petis maroteaux [320].

On note dans cette épître un côté dramatique très prononcé :

> Aussy affin qu'encor ung coup j'accolle
> La Court du Roy, ma maistresse d'escolle.
>   Si je voys là, mille bonnetz ostez,
> Mille bons jours viendront de, tous costez,
> Tant de dieugardz, tant qui m'embrasseront,
> Tant de salutz qui d'or point ne seront.
> Puis (ce dira quelque langue friande),
> Et puis Marot, est ce une grant viande
> Qu'estre de France eslongné et bany ?
> Pardieu, Monsieur, (ce diray je) nenny.
> Lors des cheres et des grans accollées
> Prendray les bons, laisseray les vollées [321].

C'est dans cette épître aussi que Marot, pour la première fois, s'érige en dispensateur d'immortalité :

> Et si de moy (comme j'espere) on pense,
> J'ay entrepris faire pour recompense
> Ung œuvre exquis, si ma Muse s'enflamme,
> Qui maulgré temps, maulgré fer, maulgré flamme,
> Et maulgré mort fera vivre sans fin
> Le Roy Françoys et son noble Daulphin [322].

C'est à Venise également, dans l'été de 1536, probablement au début du mois d'août [323], que Marot composa ses troisième et quatrième *coq-à-l'âne* [324]. Si dans le second *coq-à-l'âne* l'incohérence est le plus en évidence, c'est la

---

320. *Les Epîtres*, XLV, v. 1-26.
321. *Ibid.*, v. 33-44.
322. *Ibid.*, v. 73-78.
323. Voir C.A. Mayer, *Les Œuvres de Clément Marot : L'Economie de l'Edition Critique*, B.H.R., t. XXIX, 1967, p. 367.
324. *Œuvres satiriques*, IX et X.

fantaisie qui prédomine dans le troisième. Ainsi, au début
du poème, Marot s'en prend à Sagon dont le *Coup d'essay*
venait d'être publié [325]. Or, au lieu de réfuter les accusations de Sagon, au lieu de le suivre en accumulant des
calomnies, Marot a recours à un jeu plus subtil. Il déclare
que Sagon (sa fureur le prouve) a la tête pleine de poudre
à canon et de salpètre. A quoi pourrait-il être utile ? Il
peut servir de canon, évidemment ! Et alors Marot, à notre
grande joie, met Sagon en scène, sous forme de canon :

> On m'a promis qu'il a renom
> De salpestre et pouldre à canon
> Avoir muny tout son cerveau ;
> Faictes deux tappons de naveau
> Et les luy mectez en la bouche,
> Et puys apres que l'on le couche
> Tout de son long, et en l'oreille,
> Tout doulcement qu'il ne s'esveille,
> Gectez y pouldre pour l'emorche,
> Et gardez bien qu'on ne l'escorche [326].

A part Sagon, c'est Béda, le syndic de la Sorbonne, qui est
pris à partie dans ce poème, Marot l'accusant d'ignorance :

> Les latins, les grecs et hebreuz [327]
> Luy sont langaiges tenebreux.
> Mais en françoys de Heurepoix [328],

---

325. Voir plus haut, p. 280.
326. *Œuvres satiriques*, IX, v. 111-120.
327. Les trois langues enseignées au Collège des lecteurs
royaux, l'actuel Collège de France, fondé par François I<sup>er</sup> en
1529.
328. « Hurepoix... se trouve à l'orient & au midi de Paris...
j'adjousteray bien qu'à Paris, quand l'on veut dire qu'une façon
de faire n'est gueres civile, on use de ces mots : C'est du pais
ou quartier de Hurepoix : ce que d'autres disent : cela sent son
escolier latin. Comme si nos Roys demourrans du costé que
nous appellons Cité & Ville (à sçavoir au Palais, à St. Martin,
au Louvre, près S. Gervais, S. Paul & aux Tournelles, lieux habi-
tez par nos Roys) eussent plus façonné les habitans de cest
endroit de Paris ; & que celuy de l'Université fust moins civil,
pour n'estre pas tant hanté de courtisans : ce que luy auroit plus
faict retenir le langage Rustic Romain. » (Claude Fauchet,
*Recueil de l'origine de la langue françoise*, p. 35).

> Et beaulx escuz d'or et de poix,
> En quelque latin de marmite [329] —
> Par nostre dame, je le quicte —
> Pour vray, il est le plus sçavant ;
> C'est raison qu'il voyse devant.
> Quant de sa proposition
> Touchant la fornication,
> Il vauldroit mieulx la trouver bonne
> Qu'y besongner comme en Sorbonne [330].

C'est dans ce poème aussi — rappelons qu'il ne fut pas destiné à être publié — que Marot nous donne le récit burlesque de son arrestation à Bordeaux [331], et de sa fuite, récit qu'il fait suivre par cet aveu très franc et sans doute très sincère :

> Or jamais ne vous laissez prendre,
> S'il est possible de fouyr ;
> Car tousjours on vous peult ouyr
> Tout à loysir et sans collere ;
> Mais en fureur de telle affaire
> Il vault mieulx s'excuser d'absence
> Qu'estre bruslé en sa presence [332].

C'est dans ce poème qu'il nous livre ses sentiments sur la guerre et la gloire militaire :

> Les Françoys crient : vive France,
> Les Espaignolz : vive l'empire,
> Il n'y a pas pour tous à rire.
> Le plus hardy n'est sans terreur.
> N'est ce pas ung trop grant erreur,
> Pour les biens qui ne sont que terre,
> D'exciter si horrible guerre ?
> Les gensdarmes sont furieux,
> Chocquans au visaige & aux yeulx.
> Il ne fault qu'une telle lorgne
> Pour faire ung gentilhomme borgne ;
> Il ne fault qu'un traict d'arbaleste,

---

329. Le latin de marmite désigne le latin corrompu du moyen âge par opposition au latin classique.
330. Œuvres satiriques, IX, v. 11-22.
331. Voir plus haut, p. 267-268.
332. Œuvres satiriques, IX, v. 170-176.

> Passant au travers de la teste,
> Pour estonner ung bon cerveau.
> J'aymeroys autant estre veau
> Qui va droit à la boucherie
> Que aller à telle tuerie.
> C'est assez d'un petit boullet,
> Qui poingt ung souldart au collet,
> Pour empescher de jamais boire.
> Fy, fy, de mourir pour la gloire,
> Ou, pour se faire grant seigneur,
> D'aller mourir au lict d'honneur [333].

C'est dans ce poème enfin que la haine de la cruauté, de la stupidité et de la persécution religieuse arrache au poète ces vers vengeurs :

> Ilz ont esté si bien rotys
> Qu'ilz sont tous convertiz en cendre [334].

On a suggéré que le troisième *coq-à-l'âne*, étant moins décousu que les deux premiers, ne méritait pas de ce fait le titre de *coq-à-l'âne* [335]. C'est pour n'avoir pas vu que la vraie marque du *coq-à-l'âne* marotique est la fantaisie, l'envolée vers l'irréel, surtout si elles prennent la forme de la parodie, du burlesque ou de l'incohérence. Avec ses éjaculations, ses associations d'idées, ses récits burlesques, le troisième *coq-à-l'âne* est aussi typique du genre que l'est le second et ne lui est guère inférieur.

*Rentrée et abjuration.*

Vers le mois de novembre 1536 Marot semble avoir reçu le sauf-conduit désiré, ou du moins un document officiel lui permettant de rentrer en France. Ce document n'a pas été retrouvé, mais Marot y fait une allusion très claire dans l'épître au cardinal de Tournon [336] :

---

333. *Ibid.*, v. 184-206.
334. *Ibid.*, v. 168-169.
335. Voir R. Garapon, *La Fantaisie verbale et le comique dans le théâtre français du moyen âge à la fin du dix-septième siècle*, Paris, A. Colin, 1957.
336. *Les Epîtres*, XLVII, *A Monseigneur le Cardinal de Tournon estant à Lyon.*

> Puis que du Roy la bonté merveilleuse
> En France veult ne m'estre perilleuse ;
> Puis que je suis de retourner mandé,
> Puis qu'il luy plaist, puis qu'il a commandé,
> Et que ce bien procedde de sa grace [337]

Au commencement du mois de décembre, Marot arriva à Lyon où il espérait trouver la Cour :

> Dont j'ay attainct le gracieux Lion,
> Où j'esperoys à l'arriver transmectre
> Au Roy Françoys humble salut en mettre [338]

mais François I$^{er}$, entré à Lyon le 2 octobre, en était reparti le 10. Le poète dut donc se présenter devant le cardinal de Tournon, gouverneur de Lyon, et abjurer solennellement ses erreurs devant le prélat qui, le 14 décembre, écrivit à Anne de Montmorency :

> Monsr. Clément Marot est depuis plusieurs jours en ceste ville, qui est venu en bonne volonté, ce me semble, de vivre aultrement qu'il n'a vescu, deliberé de faire abjuration solempnelle en ceste ville devant moy et devant les vicaires de Monsr. de Lyon. Et vous prometz, Monsr. qu'il a grand repentance de ce qu'il a faict pour le passé et bonne envye de vivre en bon chrestien pour l'advenir. Et si je le pensois aultre, je suis seur que vous respondriez pour moy que je ne vouldrois point parler pour luy ; mais sans doubte, Monsr., je le vois en bon chemin ; parquoy, s'il vous plaist, vous luy ferez escripre par le Roy que, apres l'abjuration faicte, il puisse venir en seuretté devers luy et aller en son royaume, et je vous en supplie [339].

Quant à la cérémonie, elle doit se placer entre le 14 et le 31 décembre, puisque, le 1$^{er}$ janvier 1537, Eustorg de Beaulieu adressa à Marot le douzain suivant :

> Ce premier jour de la septmayne,
> Le premier du moys qui toutz mayne,

---

337. *Ibid.*, v. 1-5.
338. *Ibid.*, v. 36-38.
339. B.N. ms. fonds français, n° 5125, f° 165.

> Et ce premier jour de L'année,
> Ma plume agreste, foible & vayne
> Est entrée en challeur soubdayne,
> Nafvrant ma pensée estonnée
> Tant que ja demy forcenée
> M'a dict : Que ne salues tu
> A ce jour Marot qu'a batu
> Rigueur, Rage & Fureur ague ?
> Or, dis je, O homme de Vertu
> Treshumblement je te salue [340].

On voit l'allusion très claire à l'abjuration, au cours de
laquelle le délinquant repenti, en chemise, était frappé à
coups de verges.

L'ambassadeur de Ferrare, Feruffini, fait courir le bruit,
le 17 janvier 1537, que Marot serait à Genève [341] ; on a donc
pu croire qu'après avoir abjuré à Lyon, le poète s'en fut
à Genève, ce qui paraît improbable. D'autre part, dans
l'épître par laquelle il salue l'arrivée de Marot à Genève
en 1542, Mathieu Malingre [342] fait une allusion très claire
à un séjour antérieur du poète dans la ville de la Réformation :

> Lors saurons nous nouvelles de ta Muse
> Et pourquoy c'est qu'à Geneve t'amuse ;
> Aussi pour quoy icy es revenu,
> Veu qu'au pays n'avoir nul revenu.

et

> Desir de veoir t'auroit il amené ?
> Veu que piecea t'estois cy pourmené.

___

340. *Douzain envoyé de par l'Aucteur (ung premier jour de
l'An) à Treseloquent & docte Poete maistre Clement Marot, pour
lors estant à Lyon, Les Divers Rapportz*, Lyon, P. de Saincte
Lucie, 1537, f° XLVIII v°.

341. « Ho poi inteso che Marotto è a Geneva et che non osa
venire alla corte. » Cit. par Bertoni, *Documenti sulla dimora
di Clément Marot a Ferrara*, ouvr. cit.

342. *L'Epistre de M. Malingre, envoyée à Clément Marot*, ouvr.
cit. Voir plus haut, p. 225.

Il est donc presque certain que Marot a été à Genève, mais plutôt que de placer ce séjour après l'abjuration, il semble prudent de croire que c'est en allant à Lyon que Marot aura passé par Genève. C'est là l'itinéraire habituel — Venise, les Grisons, Genève et Lyon — que Du Bellay suivra à son retour de Rome.

Comment expliquer l'abjuration de Marot ? En dehors de ses déboires en Italie qui, du point de vue matériel au moins, peuvent expliquer le désir du poète de rentrer en France pour reprendre sa place de valet de chambre du roi, c'est sans doute dans le changement de climat à la Cour de France qu'il faut voir la véritable raison du retour de Marot. Avant 1534, il avait été témoin des progrès des novateurs à la cour et avait été un des champions de l'évangélisme. Il put croire ses efforts couronnés de succès, puisque François Ier semblait favoriser les réformateurs. Lorsque l'affaire des Placards amena la rupture entre le roi et les évangéliques, Marot prit la fuite. Les deux édits de tolérance lui rendirent probablement l'espoir de voir François Ier revenir à ses premiers sentiments. En plus de la promulgation des deux édits, le roi montra ce revirement en faveur des protestants par la tentative d'entretiens avec Melanchthon en vue d'amener une réforme de l'Eglise, tentative qui échoua en dernière minute à cause de l'opposition de la Sorbonne[343]. Ainsi donc, dans la deuxième moitié de l'année 1536, Marot a fort bien pu penser que l'alerte de 1534 était passée, et que le roi allait de nouveau se montrer favorable à l'évangélisme. Nous savons qu'il n'en fut rien et que la rupture entre le roi et les novateurs était définitive ; mais pour un contemporain, les choses ne pouvaient être aussi claires. Après tout, François Ier avait tergiversé avant 1534, quelques réformateurs comme Berquin avaient été condamnés à mort avant 1534, bien que, dans l'ensemble, l'évangélisme eût fait des progrès. Comment Marot pouvait-il savoir que maintenant la rupture était définitive et que le roi serait dorénavant le ferme soutien de l'orthodoxie ?

En consentant à l'abjuration, Marot a donc fort bien pu

---

343. Voir plus haut, p. 294, n. 103.

croire qu'il ne s'agissait que d'une pure formalité dépourvue d'importance. Son geste ne prouve en somme qu'une
chose, c'est que sa religion n'avait rien de fanatique.

Malgré la honte que le poète dut sentir en subissant la
cérémonie de l'abjuration, la sympathie qu'éprouvèrent
pour lui les membres de l'élite intellectuelle lyonnaise fut
sans doute une espèce de consolation. Dans les *Adieux à
la ville de Lyon* [344] Marot exprime sa gratitude :

> Adieu, Lyon qui ne mors point,
> Lyon plus doulx que cent pucelles,
> Synon quant l'ennemy te poingt ;
> Alors ta fureur point ne celles.
> Adieu aussy à toutes celles
> Qui embellissent ton sejour !
> Adieu, faces cleres et belles —
> Adieu vous dy — comme le jour [345].
> . . . . . . . . . . . . . . . . . . . . . . . . . . . . .
>
> Adieu, enfans plains de savoir
> Dont mort l'homme ne desherite ;
> Si bien souvent me vinstes veoir,
> Cela ne vient de mon merite.
> Grant mercy, ma Muse petite !
> C'est par vous, et n'en suis marry.
> Pour belle femme l'on visite
> A tous les coups ung laid mary [346].

C'est donc probablement au début du mois de janvier que
Marot quitta Lyon. Le 17 janvier, l'ambassadeur ferrarais
en France, Feruffini, écrivit que Marot était à Genève [347]. En
fait, à la fin du mois de février 1537, Marot était à Paris,
où il assista au banquet offert par Etienne Dolet pour
célébrer le pardon royal qui lui rendit la liberté, ayant
risqué d'être condamné pour avoir tué en duel le peintre
Compaing [348]. A part Marot, Guillaume Budé, Rabelais et
Nicole Bérault étaient les hôtes du célèbre humaniste.

---

344. *Œuvres lyriques*, LXXVII, Cantique II.
345. *Ibid.*, v. 1-8.
346. *Ibid.*, v. 25-32.
347. Voir plus haut, p. 371.
348. Voir plus bas, p. 421.

C'est le 8 mars que Marot retourna à la cour qui se
trouva à Compiègne [349]. Ce jour Feruffini écrit : « El bon
Clemente Marotto hora è in questa corte... [350] »

Marot salua le roi et la cour de son célèbre *Dieu Gard
de Marot à la Court de France* [351] :

> Vienne la mort quant bon luy semblera !
> Moins que jamais mon cueur en tremblera,
> Puis que de Dieu je reçoy ceste grace
> De veoir encor de Monseigneur la face.
>     Ha, mal parlans, ennemys de vertu !
> Totallement me disiez devestu
> De ce grant bien ; vostre cueur endurcy
> Ne congneut onq ne pitié ne mercy.
> Pourtant avez semblable à vous pensé
> Le plus doulx roy qui fut onq offensé.
>     C'est luy, c'est luy, France, royne sacrée,
> C'est luy qui veult que mon œil se recrée,
> Comme souloye, en vostre doulx regart !
> Or je vous voy, France, que Dieu vous gard !
> Depuis le temps que je ne vous ay veue
> Vous me semblez bien amandée et creue.
> Que Dieu vous croisse encores plus prospere !
> Dieu gard Françoys, vostre cher filz et pere,
> Le plus puissant en armes et science
> Dont ayez eu encor experience.
> Dieu gard la royne Elienor d'Austriche,
> D'honneur, de sang et de vertuz tant riche !
> Dieu gard du dard mortiffere et hideux
> Les filz du roy ! Dieu nous les gard tous deulx !
> O que mon cueur est plain de dueil et de ire
> De ce que plus les troys je ne puis dire !
> Dieu gard leur seur, la Margueritte plaine
> De dons exquis ! Ha, royne Magdelaine,
> Vous nous lairrez ; bien vous puis, ce me semble,
> Dire Dieu gard et adieu tout ensemble.
>     Pour abreger, Dieu gard la noble reste
> Du royal sang, origine celeste !
> Dieu gard tous ceulx qui pour la France veillent
> Et pour son bien combattent et conseillent !

---

349. *Cat. des Actes,* VIII, p. 495.
350. Bertoni, ouvr. cit., p. 11.
351. *Œuvres lyriques,* LXXVIII, Cantique III.

Dieu gard la court des dames, où abonde
Toute la fleur et l'eslite du monde !
Dieu gard en fin toute la court du lys,
Lyme et rabot des hommes mal polys !
  Or sus avant, mon cueur, et vous mes yeulx ;
Tous d'un accord dressez vous vers les cieulx,
Pour gloire rendre au pasteur debonnaire
D'avoir remis en son parc ordinaire
Ceste brebis eslongnée en souffrance ;
Remerciez ce noble roy de France,
Roy plus esmeu vers moy de pitié juste
Que ne fut pas envers Ovide Auguste ;
Car d'adoulcir son exil le pria,
Ce qu'acordé Auguste ne luy a.
Non que je vueille (Ovide) me vanter
D'avoir myeulx sceu que ta Muse chanter.
Trop plus que moy tu as de vehemence,
Pour esmouvoir à mercy et clemence.
Mais assez bon persuadeur me tien,
Ayant ung prince humain plus que le tien.
Si tu me vainqs en l'art tant agreable,
Je te surmonte en fortune amyable.
Car quant bany aux Getes tu estoys,
Ruysseaulx de pleurs sur ton papier jectoys,
En escrivant, sans espoir de retour,
Et je me voy myeulx que jamais autour
De ce grant roy. Cependant qu'as esté
Pres de Cesar, à Romme, en liberté,
D'amour chantas, parlant de ta Corinne ;
Quant est à moy, je ne vueil chanter hymne
Que de mon roy ; ses gestes reluysans
Me fourniront d'argumens suffisans.
Qui veult d'amour deviser si devise ;
Là est mon but ; mais quant je me radvise :
Doy je finir l'elegie presente,
Sans que ung Dieu gard encores je presente ?
Non ! Mais à qui ? Puis que Françoys pardonne
Tant et si bien qu'exemple à tous il donne,
Je dy Dieu gard à tous mes ennemys
D'aussy bon cueur qu'à mes plus chers amys.

# VII

## NOUVELLE GLOIRE

*Rentrée à la Cour.*

Marot réintégra sa place de valet de chambre du roi. Il adressa une épigramme au roi[1] :

> Plaise au roy me faire payer
> Deux ans d'absence de mes gaiges,
> Tant seullement pour essayer,
> Apres que l'on s'est veu rayer,
> Combien sont doulx les arreraiges.
> J'en chasseray tous les oraiges
> Qui loing de vous m'ont fait nager,
> Et sauray gré à mes contraires,
> Qui cuydans troubler mes affaires,
> M'auront fait si bon mesnager[2].

et une seconde épigramme au Trésorier de l'Epargne, Guillaume Preudhomme[3] :

> Va tost, Dixain, solliciter la Somme !
> J'en ay besoin ; pourquoy crains & t'amuses ?
> Tu as affaire à ung deux foys Preudhomme,

---

1. *Les Epigrammes*, CXCIII.
2. Cf. aussi Epigramme CXLIX. Voir plus haut, p. 224.
3. *Les Epigrammes*, CL.

Grand amateur d'Apollo et des Muses.
Affin (pourtant) que de s'amour n'abuses,
Parle humblement que mon zelle apperçoyve,
Et qu'en lisant quelcque plaisir conçoyve.
Mais de quoy sert tant d'admonnestement ?
Fais seulement que si bien te reçoive
Que recevoir je puisse promptement.

A en juger par ces deux poèmes Marot semble avoir reçu du roi un acquit-au-comptant pour ses gages de l'année courante. Cet acquit devait être scellé par le Trésorier de l'Epargne avant de pouvoir être changé en espèces. Apparemment, comme en 1527, le nom de Marot avait été oublié sur l'état de la maison du roi. En dehors des deux poèmes de Marot, un acte de François Iᵉʳ, non daté, mais qui se rapporte au mois de mars 1538, n.s., nous le montre :

> Au même (Jean Carré) 240 livres pour payer les gages de Clément Marot, valet de chambre du roi, qui n'avait pas été inscrit sur l'état desdits officiers, ladite année dernière [4].

Il semble avoir été reçu avec de très réelles marques d'affection, du moins de la part de l'élite lettrée. Des poètes français comme Charles Fontaine et Bonaventure des Périers [5], des poètes néo-latins comme Salmon Macrin, Nicolas Bourbon et Jean Visagier et des érudits comme Etienne Dolet et Jean de Boyssoné sont en rapport avec lui, lui dédient des poèmes ou prennent sa défense contre Sagon. Peut-être la meilleure expression de cette allégresse nous est-elle fournie par un poète anonyme qui, dans un *coq-à-l'âne*, du reste rimé de façon atroce, salue le retour de Marot :

> Pour t'advertir, chappon, du cher amy,
> Clement Marot, lequel estoit banny,

---

4. *Cat. des Actes*, VIII, 33, 29532. Ajoutons qu'à une date incertaine, probablement au début de 1538, Marot toucha de Marguerite de Navarre une gratification de 500 livres (Jourda, ouvr. cit., t. I, p. 228, n. 144).

5. Voir plus bas, p. 382.

A recouvert du Roy François credit
Maulgré envye ensemble son credit.
..............................
Tournons propos. Ce pere tant rusticque
Dist a Marot : Ou vas tu, pauvre ethicque ?
De grans douleurs ton cueur supportera
Mais en brief temps on le rappellera.
Pourtant, amy, surmonte ta colere,
Congnois tu pas la lune toute noire ?
Va en Ferrare, et de la en Venise,
Tu en congnoistras des Itales la guyse.
Mais les Lombards et leur terre opulante
Ne t'appartient, la France est plus decente,
Qui te vouldra ravoir a son plaisir.
Par quoy du mal ne prens nul desplaisir
Qui te viendra en ce val douloureux.
C'est la fortune qui te rend langoureux.
Marot respond : O parolle dorée !
Bran du fagot, merde pour la bourrée.
Vive le Roy, vive la fleur de liz,
Vive la seur, maulgré ses ennemys,
Vive la court, ma maistresse d'escolle,
Aussy les dames. Mais garde la bricolle [6].

Au moment de regagner la cour, Marot composa, à part
les poèmes déjà cités, deux œuvres importantes, bien que
de nature fort différentes, son deuxième épithalame et sa
dernière élégie. Le premier de ces deux poèmes appartient
par sa nature même au lyrisme officiel. Intitulée *Chant
nuptial du Roy d'Escoce & de Madame Magdelene Premiere Fille de France* [7], cette pièce célèbre le mariage de
Madeleine, fille de François Iᵉʳ à Jacques V, roi d'Ecosse,
mariage qui eut lieu le 1ᵉʳ janvier 1537 [8]. Si ce poème fut
composé pour la célébration du mariage, il faudrait supposer que Marot l'ait composé au mois de décembre pen-

---

6. *Epistre du coq au chappon*, v. 1-4 et 13-32. Cité par H. Meylan, *Epîtres du coq-à-l'âne*, Droz, 1956, p. 14-15.
7. *Œuvres lyriques*, LXXXVI, Epithalame II.
8. Sur la cérémonie, voir *Cronique du Roy Françoys Iᵉʳ*, ouvr.
cit., p. 201-205. Cf. aussi *Registres des délibérations du bureau
de la ville de Paris*, ouvr. cit., t. II, p. 301, 307, 309, 311, 313
et 314.

dant son séjour à Lyon. Or on sait que le poète n'y arriva
que vers le début du mois, qu'il dut y « abjurer ses
erreurs » et qu'il y composa un certain nombre d'autres
poèmes, ce qui ne lui donne guère le temps d'avoir écrit
cet épithalame avant le mariage. Puisque dans les trois
premières strophes dans lesquelles il fait la description de
la cérémonie, le poète emploie le passé défini, il convient
d'admettre que le poème fut composé quelque temps après
le mariage, c'est-à-dire après que le poète eut quitté Lyon.
On peut noter à ce propos que dans les v. 65 à 72 Marot
implore Madeleine de ne pas partir avant la fin de l'hiver.
Or son départ pour l'Ecosse se place au mois de mars, ce
qui nous permet de dater ce poème entre le 1er janvier et
le mois de mars 1537 [9].

Alors que le premier épithalame de Marot est largement
imité de Catulle, le second montre qu'au moment de composer cette œuvre, Marot devait travailler à la traduction
des Psaumes. En effet, bien que le début du poème :

> Celluy Matin que d'habit nuptial
> Le Roy d'Escoce ornoit sa beaulté blonde [10]

soit imité de l'épithalame d'Hélène par Théocrite :

> Ἔν ποχ᾽ ἄρα Σπάρτα ξανθότριχι πὰρ Μενελάῳ [11]

et que la fin soit tirée du second livre des *Métamorphoses*
d'Ovide, un assez grand nombre de passages importants
de cette pièce sont empruntés aux Psaumes, au Cantique
des Cantiques, et même aux Proverbes. Trois vers seulement viennent de Catulle.

---

9. On connaît un autre épithalame composé à l'occasion de
ce mariage. Ce poème se trouve dans le ms. 202 de la Bibliothèque de Soissons (f° 224 r°) et porte le titre : *Epithalame ou
vers nuptiaulx pour les nopces du serenissime roy d'Escosse et
Madame Magdeleine de France fille aisnee du Roy son espouse.
Fait et presenté audict seigneur le lendemain de ces nopces par
le dipsosophe prothonotaire de Monseigneur le reverendissime
cardinal de Bourbon.*
10. V. 1-2.
11. « Or donc, un jour à Sparte chez le blond Ménélas »,
*Bucoliques grecs,* éd. cit., t. I, p. 160.

L'élégie XXIV [12], l'autre poème composé au moment du
retour du poète, a une histoire curieuse, venant d'abord
du fait qu'elle ne fut jamais publiée au XVIᵉ siècle ; elle
fut imprimée pour la première fois par Génin, au XIXᵉ siècle [13], d'après le manuscrit 1700 du fonds français de la
Bibliothèque Nationale, qui est la seule source pour cette
pièce. De plus, le poème porte le titre *Epistre faicte par
Marot*. Il est pourtant de nature nettement élégiaque, puisque son thème est l'amour. Le poète rentré d'exil s'adresse
à sa maîtresse pour chanter sa joie, sa louange à dieu et
sa reconnaissance au roi :

> Bien doy louer la divine puyssance
> Qui de ta noble & digne cognoiscence,
> Nymphe de pris, m'a de grace estrené.
> Assez long temps y a que je suys né,
> Mais je n'ay veu passer encore année
> Qui à l'entrée feust si bien fortunée
> Que ceste icy, j'entendz en mon endroict
> Car liberté, qui sans cause & sans droict
> M'avoit esté par malings deffendue,
> Ce nouvel an par le roy m'est rendue.
> Ce nouvel an, maulgré mes ennemys,
> J'ay eu le bien de revoir mes amys,
> De visiter ma natale province
> Et de rentrer en grace de mon prince [14].

Puis il exprime son amour, avec des réminiscences de
Virgile et d'Ovide :

> ... O que ne suys je prince
> A celle fin que l'audace je prinsse
> Te presenter mon service petit,
> Qui sur honneur fonde son appetit.
> Mais pourquoy prince ? une montaigne basse

---

12. *Œuvres lyriques*, LXXV.
13. *Lettres de Marguerite d'Angoulême*, Paris, 1841, t. I, p. XIII.
Il convient de noter que, tout en étant très probablement de la
plume de Marot, cette élégie non imprimée au XVIᵉ siècle et qui
ne nous est connue que par un seul manuscrit, n'est pas d'authenticité absolument sûre. Voir *Œuvres lyriques*, p. 43 et 269.
14. V. 1-14.

Souvent la haulte en delices surpasse ;
Les roziers bas, les petitz oliviers
Delectent plus que ces grandz chesnes fiers ;
Et à nager en eau basse l'on treuve
Moins de danger que en celle d'ung grand fleuve.
Aussi jadiz deesses adourées
D'homes mortelz se sont enamourées.
Le jeune Athis feust aymé de Cibelle,
Endymion, de Diane la belle ;
Pour Adonis, Venus tant s'abbayssa
Que les haultz cieulx pour la terre layssa [15].

et termine le poème, sur une note de légitime fierté, en
promettant l'immortalité par ses vers à la femme aimée :

Donc si de faict ne suys prince ou vainqueur,
Au moins le suys je en vouloir et en cueur ;
Et mon renom en aultant de provinces
Est despendu comme celluy des princes.
S'ilz vainquent gens en faict d'armes divers,
Je les surmonte en beaulx escriptz et vers ;
S'ilz ont tresor, j'ay en tresor des choses
Qui ne sont point en leurs coffres encloses ;
S'ilz sont puyssantz, j'ay la puyssance telle
Que fere puys ma maistresse immortelle.
Ce que pourtant je ne dys par vantance,
Ne pour plustost tirer ton accointance,
Mais seullement par une ardante envye
Qu'ay de te faire entendre qu'en ma vie
De rencontrer au monde ne m'advynt
Femme qui tant à mon gré me convynt,
Ne qui tant eust ceste puyssance sienne
D'assubjectir l'obeyssance myenne [16].

*Sagon.*

Cependant, et bien qu'il ait déclaré dans le *Dieu gard* son
intention d'enterrer les vieilles rancunes, de pardonner à
tous ses ennemis, Marot se vit presque immédiatement
emmêlé de plus belle dans la querelle avec Sagon, sans

---

15. V. 33-48.
16. V. 63-80.

qu'il y eût de sa faute. L'occasion fut la suivante : au printemps de 1537 Marguerite de Navarre donna une fête au
parc de Saint-Cloud. Sagon s'y trouva en sa qualité de
secrétaire de l'abbé de Saint-Evroult [17], et Marot sans doute
comme protégé de Marguerite. Les hommes se rencontrèrent. Marot se tint coi. On ne connaît au juste la conte-
nance de Sagon qui ne devait certes pas se trouver à son
aise. Bonaventure des Périers, ami de Marot, poète et penseur, et protégé de Marguerite, intervint, accablant Sagon
d'injures, sans doute mu par une généreuse colère. Nous
savons l'incident uniquement par le témoignage de Sagon :

> Mais respondz moy, homme sans apparence,
> Propre à blasmer ung autre en son absence :
> Que ne tenoit Marot à ton advis
> Ces beaulx propos alors que vis à vis
> Mon maistre & luy au pont Sainct Clou se veirent ?
> C'est puys deux moys, tu sçais, qu'ilz s'entredirent.
> Et s'il y eust en bref temps & sejour
> Des deux partz dit ung dieu gard & bonjour,
> Au fort, la Royne assise lors en table
> Y servira de tesmoing veritable.
> Povre Marot, par ma foy, tu trembloys
> Encor plus fort que quant tu fus à Bloys,
> Fuiant le feu de la fureur civile
> Qui pourchassoit ta charogne si vile.
> Et que faisoit mon maistre ce pendant ?
> Il estoit là, son honneur deffendant,
> Et respondant à ung Bon Adventure
> Qui luy faisoit de maint cas ouverture [18].

Il n'y a pas lieu de croire avec Sagon que Marot, avant
leur rencontre, avait déjà composé contre lui l'Epître de
Frippelippes. Tout nous porte à admettre au contraire que
c'est après cet incident à Saint-Cloud qu'il prit la plume
pour se venger une fois pour toutes des attaques perfides,
des injures malicieuses, des calomnies insidieuses que

---

17. Voir plus haut, p. 259, n. 2.
18. *Le Rabais du caquet de Fripelippes et de Marot dict Rat
pelé, adictioné avec le comment. Faict par Mathieu de Boutigni,
page de maistre Françoys de Sagon, secretaire de l'Abbé de
sainct Ebvroult*, v. 730-747.

Sagon avait multipliées contre lui pendant son exil [19]. Le résultat fut l'Epître de Frippelippes [20], publiée d'abord à Lyon sous le titre *Le Valet de Marot contre Sagon* [21], et puis, à Paris par Jean Morin [22], avec un texte légèrement différent.

Dans ce poème Marot emploie la feinte de donner la parole à un valet — évidemment fictif — nommé Frippelippes pour insulter Sagon, ce dernier étant indigne de recevoir un écrit du prince des poètes français. Ce subterfuge transparent — il n'a jamais induit en erreur un lecteur, alors que la réponse de Sagon, imitée servilement de la feinte de Marot, a donné une existence de mauvais aloi au page de Sagon, Mathieu de Boutigny [23] — permet à Marot une ligne d'attaque magnifique, traitant Sagon de bête, de sagoin, de singe, d'âne, et le faisant fouetter par le valet Frippelippes dans une scène superbe où le réalisme le plus dru souligné par les onomatopées se mêle à la fantaisie la plus débordante :

> Zon dessus l'œil, zon sur le groing
> Zon sur le dos du Sagouyn,
> Zon sur l'asne de Balaan !
> Ha ! villain, vous petez d'ahan :
> Le feu sainct Anthoine vous arde !
> Ça, ce nez, que je le nazarde,
> Pour t'apprendre avecques deux doitz
> A porter honneur où tu doys.
> Enflez, villain, que je me joue ;
> Sus, apres, tournez l'autre joue.
> Vous cryez ? Je vous feray taire,
> Par dieu, monsieur le secretaire
> De beurre fraiz. Hou le mastin [24] !

---

19. Pour en donner des exemples on n'a que l'embarras du choix.

20. *Œuvres satiriques*, VI.

21. Lyon, P. de Saincte-Lucie, s.d. (1537), *Bibliographie*, II, n° 53.

22. 1537, *Bibliographie*, II, n° 54.

23. Voir plus bas, p. 388 suiv.

24. *Œuvres satiriques*, VI, v. 211-223.

Le poète commence de façon très directe, c'est-à-dire que dès les premiers vers, le valet Frippelippes se moque des bêtes qui attaquent son maître :

> Par mon ame, il est grant foyson,
> Grant année & grande saison
> De bestes qu'on deust mener paistre
> Qui regibent contre mon maistre [25].

pour énumérer ensuite les poètes de l'époque qui sont restés amis de Marot :

> Je ne voy point q'un sainct Gelais
> Ung Heroet, ung Rabelaiz,
> Ung Brodeau, ung Seve, ung Chappuy
> Voysent escrivant contre luy.
> Ne Papillon pas ne le poinct
> Ne Thenot ne le tenne point [26].

Mellin de Saint-Gelais, Antoine Heroet et Maurice Scève sont des poètes parfaitement connus. Claude Chappuys, bien que longtemps oublié, est maintenant reconnu comme un des *poetae minores* de l'époque [27]. Victor Brodeau et Almanque Papillon, quoique poètes d'une certaine importance [28], restent encore dépourvus de la relative reconnaissance d'une biographie ou édition critique. Il est difficile de savoir qui Marot désigne par le nom Thénot. S'agit-il d'Etienne Dolet, Thénot étant le diminutif d'Etienne ? Enfin il peut paraître surprenant de voir ici, parmi les poètes les mieux connus de l'époque, le nom de François Rabelais. Pourtant on sait maintenant qu'en dehors de très médiocres poèmes contenus dans le *Gargantua* Rabelais composa au moins deux poèmes publiés, assez curieusement, dans une édition lyonnaise de l'*Adolescence Cle-*

---

25. *Ibid.*, v. 1-4.
26. *Ibid.*, v. 5-10.
27. Sur Claude Chappuys, voir *Poésies intimes*, éd. cit.
28. Sur Brodeau, voir P. Jourda, *Un disciple de Marot, Victor Brodeau, Rev. d'hist. litt. de la France*, 1921, p. 30-59 et 208-228.
  Sur Papillon, voir C.A. Mayer, *Le Sermon du Bon Pasteur : un problème d'attribution*, B.H.R., t. XXVII, 1965, p. 286-303.

*mentine* [29]. Marot avait donc d'excellentes raisons pour considérer Rabelais comme poète.

S'il est exact qu'aucun de ces hommes n'ait écrit contre Marot, aucun d'eux n'a pourtant pris sa défense. Tout ce qu'on peut dire c'est qu'à la différence de Bonaventure des Périers et de Charles Fontaine, ils ont gardé une prudente neutralité.

Il faut noter que dès le début du poème il est question, non seulement de Sagon, mais de « grant foyson, grant année & grande saison de bestes ». Il est donc clair que Marot entend cette fois s'en prendre à tous ceux qui l'ont attaqué pendant son exil, c'est-à-dire en dehors de Sagon, à Jean Leblond et au « général de Caen [30] ». Il ne mentionne cependant que ce dernier, et encore seulement dans une manchette : *Le frere du general des veaulx à Caen;* par contre il attaque nommément Charles de la Huetterie, apparemment un ami de Sagon qui avait profité de l'exil de Marot pour demander au roi sa place de valet de chambre :

| | |
|---|---|
| L'un est ung vieulx resveur Normand | Le frere |
| Si goulu, friant & gourmand | du general |
| De la peau du povre Latin | des veaulx, |
| Qu'il l'escorcha comme ung mastin. | à Caen |
| L'autre ung Huet de sotte grace, | Huet pour |
| Lequel voulut voler la place | Hueterie, |
| De l'absent ; mais le demandeur | per |
| Eust affaire à ung entendeur. | syncopam |
| O le Huet en bel arroy | |
| Pour entrer en chambre de Roy [31] ! | |

On ignore les poèmes que composa La Huetterie avant cette date, mais ils durent exister d'après ce que dit Marot :

> Ce Huet & Sagon se jouent ;
> Par escript l'un l'autre se louent,
> Et semblent, tant ilz s'entreflatent,
> Deux vieux Asnes qui s'entregratent [32].

---

29. Voir C.A. Mayer et C.M. Douglas, *Rabelais poète*, B.H.R., t. XXIV, 1962, p. 42-46.
30. Voir plus haut, p. 281.
31. *Œuvres satiriques*, VI, v. 43-52.
32. *Ibid.*, v. 53-56.

La Huetterie, piqué au vif, publia une *Responce à Marot, dict Frippelippes* [33], dans laquelle il avoue le bien-fondé de l'accusation de Marot en la couvrant de mauvaises raisons :

> Luy, du renom d'aultruy goulu
> A esté mal que j'ay voullu
> Sa place au bon Roy demander.
> Il ne me sçauroit gourmander ;
> S'il y a faulte de ma part,
> Croyez que de luy elle part ;
> Car, si scandalisé ne feusse,
> Ta place demandé je n'eusse [34] !

La partie principale du poème, comme le titre l'indique, est bien dirigée contre Sagon. Dans quatre vers, Marot lui fait le procès de sa poésie :

> Au reste de tes escriptures
> Il ne fault vint ne cent ratures
> Pour les corriger. Combien donq ?
> Seulement une tout du long [35].

Ensuite il le compare au célèbre valet gascon [36] à l'avantage de ce dernier :

> Vray est qu'il avoyt ung valet
> Qui s'appelloyt Nichil valet,
> A qui comparer on t'eust peu ;
> Toutesfoys il estoit ung peu
> Plus plaisant à veoir que tu n'es,
> Mais non pas du tout si punes.
> Il avoit bien tes yeulx de Rane,
> Et si estoit filz d'un Marrane,
> Comme tu es. Au demourant,
> Ainsi vedel & ignorant,
> Sinon qu'il sçavoyt mieulx limer
> Les vers qu'il faisoit imprimer [37].

---

33. L'exemplaire unique de ce curieux ouvrage est conservé au British Museum.
34. British Museum, C.58.cc.9, f° a III.
35. *Œuvres satiriques*, VI, v. 65-68.
36. Voir plus haut, p. 179-181.
37. *Œuvres satiriques*, VI, v. 85-96.

On relève l'accusation de marane portée contre Sagon. Que Sagon fût d'origine juive cela n'a guère d'importance, vu son catholicisme profond et sincère. L'accusation de Marot s'explique du fait que dans *Le Coup d'essay,* Sagon, en bon chrétien, avait fait l'éloge de la France comme seul pays pur de Juifs :

> On sçait tresbien que France est la premiere
> Qui soyt de foy la tant clere lumiere.
> France est entiere en sa religion ;
> France n'a Juifz dedans sa region
> Ce qu'ont plusieurs des nations prochaines [38].

La repartie de Marot était donc bien envoyée.

Un passage surtout de ce poème mérite d'être cité :

> Enflez, villain, que je me joue ;
> Sus, apres, tournez l'autre joue.
> Vous cryez ? Je vous feray taire,
> Par dieu, monsieur le secretaire
> De beurre fraiz. Hou le mastin !
> Pleust à dieu que quelque matin
> Tu vinses à te revenger ;
> L'abbé seroyt en grant danger
> De veoir par maniere de rire
> Monsieur mon maistre luy escrire,
> Et d'estre de luy mieulx traicté
> Que de moy tu ne l'as esté ;
> Car il sçait tout, & sçait comment
> Te fit espres commandement
> De t'en aller mettre en besongne
> Pour composer ton Coup d'yvrongne ;
> Ce que luy accordas, pourveu
> Qu'en apres tu seroys pourveu
> De la cure de Soligny.
> Quant à celle de Sotigny,
> Long temps a, par election,
> Tu en prins la possession [39].

On y relève, outre les renseignements historiques et outre

---

38. *Œuvres satiriques,* p. 99, n. 4.
39. *Œuvres satiriques,* VI, v. 219-240.

le train endiablé de la satire, cette hardie parodie du passage notoire du Nouveau Testament :

> Enflez, villain, que je me joue :
> Sus, apres, tournez l'autre joue [40].

Cela montre clairement que lorsqu'il n'était pas directement sous l'influence de protestants ardents comme Matthieu Malingre ou Renée de France, Marot n'avait rien de particulièrement chrétien.

La réponse de Sagon ne fut pas lente, mais très longue. Intitulée *Le Rabais du caquet de Frippelippes et de Marot dict Rat pelé, adictioné avec le comment. Faict par Mathieu de Boutigni, page de maistre Françoys de Sagon, secretaire de l'Abbé de sainct Ebvroult* [41], elle s'étend sur plusieurs milliers de vers. Notons la pauvreté de l'invention de Sagon. Afin de répondre à l'épître du valet imaginaire Frippelippes, il crée un page imaginaire, Mathieu de Boutigny. Marot lui-même a relevé avec éclat cette pauvreté dans son épigramme *Contre Sagon* :

> Si je fais parler ung vallet,
> Sagon fera parler ung page ;
> Si je pains le premier fueillet,
> Sagon painct la premiere page ;
> Si je postille mon ouvraige,
> Sagon tout ainsy vouldra faire ;
> Quant tout est dit, veu son affaire,
> Je trouve que le babouyn
> Ne fait rien synon contrefaire,
> Comme vray singe ou sagouyn [42].

Du reste personne, ni contemporain ni érudit ou critique, ne s'est mépris sur l'identité du « page » Mathieu de Boutigny, sauf V.-L. Saulnier, qui dans sa curieuse « édition » de l'*Adolescence Clementine* [43], dit :

---

40. *Ibid.*, v. 219-220.
41. S. l. n. d. (1537), Arsenal 8° B.L. 8736 (exemplaire de Baluze) ; B.N. fonds Rothschild 2594 (exemplaire de Ch. Nodier ; British Museum, C.39.b.65.
42. *Les Epigrammes*, CXCV.
43. Paris, Editions Cluny, 1958.

« Pour le soutenir, Sagon ne trouvera que deux ou
trois médiocres de son espèce, un Charles Huet ou La
Hueterie, un Mathieu de Boutigny [44]. »

Dans ce triste pamphlet Sagon prétend que Marot avait
composé l'Epître de Frippelippes avant la querelle de Saint-
Cloud [45]. Pour réfuter l'accusation de marane [46], il donne,
suivant son habitude, des arguments aussi longs que spécieux et stupides :

O Sarrazin ! O infidele ! O asne !
Appelles tu ung Sagontin Marrane
Ou juif contraire à katholique foy ?
O le blaspheme ! O que ay loy de toy ?
As tu poinct leu ce lieu de Tite Live
Où Sagontins ont eu la foy tant vive
Que Hannibal, ennemy des Rommains,
Ne les sceust onc faire cheoir en ses mains,
Pour paction de paix qu'il eut offerte ?
As tu poinct sceu la fain qu'il(s) ont souferte,
L'ennuy facheux, misere et pitié,
Pour maintenir leur foy et amytié.
Ly : tu voirras que en foy furent tant fermes
Que quant la fain les mist aux derniers termes.
Et que on estoit en disposition
De traicter paix par composition
Ou de laisser leur pays & leur terre
Ou d'essayer la cruaulté de guerre.
Les Sagontins firent en peu de temps
Construire ung feu & mirent au dedens
Tous leurs tresors, leur famille & leurs femmes,
Puis tost apres s'exposerent aux flammes,
Voullans mourir fideles aux Rommains,
Plustost que vivre en desloyaulx humains,
Dont tu es l'ung, malgré ton ord museau,
Monstre maling, meschant marault meseau [47].

Enfin, pour couronner le tout, il montre une fois de plus
sa parfaite stupidité en accusant Marot d'avoir commis une

_____

44. Ouvr. cit., p. XXI.
45. Voir plus haut, p. 382.
46. Voir plus haut, p. 386-387.
47. *Le Rabais du caquet de Frippelippes,* ouvr. cit.

faute en parlant de « l'asne de Balaan [48] », puisque dans
la Bible cet animal est en réalité, non pas un âne, mais une
ânesse :

> Or suivons donc tes motz « peter d'ahan »,
> Convienent ilz à l'asne Balaan ?
> N'entendz tu point la trop longue distance
> De l'ung à l'autre, en Ryme & en substance ?
> Ta faulte enorme en ce lieu advertist
> Que ton Marot deforme, pervertist
> L'esprit divin de la saincte escripture
> Toutes les foys qu'il en faict ouverture ?
> As tu trouvé en tes livres lisant
> Une autre asnesse ainsy prophetisant ?
> En as tu veu, toy ou ton sot maistre,
> Une pareille en boys ou en champs paistre
> En Israel ou en Hierusalem ?
> En as tu veu en Ferrare, en Millan ?
> Je croy que non ; et encor moins Venise
> Nourrist anesse ; ainsi le prophetise.
> Mais se Marot de sens tout depourveu
> L'histoire au vray de l'anesse n'a veu,
> Sagon par toy est asne, & puis, qu'en est ce ?
> Encor tu mens, car c'estoit une asnesse !
> Pren qu'il la soit : & ton Marot mauldit
> Soit Balaan que l'escripture dict.
> Quel estoit il, convoiteux de Richesse,
> Et sans merite estime en sagesse,
> Combien qu'il eust ung parler gracieux :
> Cela estoit par dispense des cieux
> Ou don de dieu, pour dire en catholique.
> Ce Balaan eust la faveur publique,
> Lors qu'il sceut bien declarer en maint lieu
> Par l'esprit sainct la parolle de dieu ;
> En ce temps là qu'il rendoit aclercye
> L'intention de mainte prophetie,
> Et qu'il donnoit pour malediction
> Au peuple paix & benediction.
> Vela du bien qui l'homme vivifie ;
> Mais va, tout beau, & ne te glorifie,
> Car Balaan s'obstina envers dieu,

---

48. Voir plus haut, p. 383.

En resistant contre luy en maint lieu ;
Il fut coulpable en faisant l'edifice,
Pour à l'idole immoler sacrifice ;
Il offensa en demandant conseil
Au dieu regnant en magique appareil,
Et fut repris du conseil voluntaire
Dont il aprist à tromper populaire.
Vela comment Balaan est descript
Au teste sainct dont j'ay tiré l'esprit.
Encor fault il l'asnesse autant descripre
Que le prophete, & n'en deubst on point rire.
Ce Balaan, pour peuple martyrer,
Sur elle monte & veult tout droict tirer
Vers Balaac ; quant ung ange celeste
Feist en chemin à l'asnesse moleste,
Qui vit bien l'ange, & le prophete non,
Ce qu'en ce temps dieu ne permist, si non
Pour confuter par une simple beste
L'orgueil trop hault de Balaan prophete,
Pour bien voir celuy dessus l'asnesse assis.
Attens ung peu que ton sens soit rassis ;
Ce faict, reduy en la memoire tienne
Les ennemys de la foy chrestienne.
Lors tu veoirras l'ung apres l'autre : ceulx
Tumbez d'asnesse ayant pas paresseux.
Quoy plus ? l'asnesse en la vertu de l'ange
(Car d'elle sceulle en nature ne change)
Ne voulust onc marcher ou eschaper,
Combien qu'on sceust la batre et la frapper.
En cest arrest l'asnesse prophetise,
L'asnesse parle ; & l'ange luy devise
Tout son propos ; ou luy mesmes parla,
Puis tout subit de ce lieu s'en alla.
Vela donc l'asne alegué en ta Ryme :
C'estoit asnesse, il fault qu'on t'en reprime.
J'ay des figures plus d'ung cent
Où ceste asnesse condescend ;
Et n'oserois dire au contraire,
Mais la longueur m'en faict retraire.
Toutesfoys ung mot te diray,
Et puis ce propos cesseray,
En confutant ton coq à l'asne.
Mon maistre avoit bien une bane
D'asnes & de coqz tous infectz,

Mais il ne meist onc en ses faictz
L'anesse, & ne luy voulut mettre,
Craignant faire honneur à ton maistre [49].

Sagon, du reste, ne s'en tint pas à une seule réplique.
Bien que Marot ne publiât plus rien contre lui [50], il ajouta
au *Rabais du caquet de Frippelippes* toute une série d'autres pamphlets dont voici la liste :

*Epistre à Marot par François de Sagon pour luy
monstrer que Fripelippes avoit faict sotte comparaison des quatre raisons dudit Sagon à quatre Oysons* [51].

*Deffense de Sagon contre Clement Marot* [52].

*Elegie par Françoys de Sagon se complaignant à luy
mesmes d'aucuns qui ne prennent bien l'intention de
son Coup d'essay dont il frappa Marot* [53].

*Pour les disciples de Marot. Le page de Sagon parle
à eulx* [54].

Ce furent des amis peu connus de Marot qui prirent
sa défense. Ainsi on connaît les pièces suivantes :

*Contre Sagon et les siens. Epistre nouvelle, faicte par
ung amy de Clement Marot.*
*Les Disciples et Amys de Marot contre Sagon, la
Hueterie et leurs adherents.*
*Epistre responsive au rabais de Sagon. Ensemble une*

---

49. *Le rabais du caquet de Frippelippes*, ouvr. cit.
50. L'épigramme *Contre Sagon* (*Les Epigrammes*, CXCV, voir
plus haut, p. 388) se trouve dans le manuscrit de Chantilly et ne
fut jamais imprimée au XVIᵉ siècle.
51. G. Corrozet et J. André, 1537. Arsenal 8° B.L. 8736 (exemplaire de Baluze) ; B.N. fonds Rothschild 2594 (exemplaire de
Ch. Nodier) ; British Museum C.39.b.65.
52. S.d. (1537). Arsenal n° B.L. 8737 ; B.N. fonds Rothschild
2594 (exemplaire de Ch. Nodier).
53. S.l.n.d. (1537). Arsenal 8° B.L. 8737 ; B.N. fonds Rothschild 2594 (exemplaire de Ch. Nodier).
54. S.l.n.d. (1537). Arsenal 8° B.L. 8737 ; B.N. fonds Rothschild 2594 (exemplaire de Ch. Nodier).

> *Aultre Epistre faicte par deux amys de Clement
> Marot.*
> *Le Frotte-Groing Du Sagouyn. Avec scholies exposant
> l'artifice.*
> *Remonstrance à Sagon, à la Huterie et au Poete Cam-
> pestre par maistre daluce Locet, Parmanchois.*
> *Replicque par les Amys de l'auctheur de la Remons-
> trance faicte à Sagon contre celuy qui ce dict amy
> de l'imprimeur du coup d'essay. Ensemble responce
> à Nicolas Denisot qui blasma Marot en vers enragez
> à la fin du Rabais.*
> *Rescript à Françoys Sagon et au jeune poete Cham-
> pestre facteur de la genealogie de Frippelippes.
> Avecques ung Rondeau faict par Clement Marot du
> dict jeune poete. 1537* [55].

D'autres poètes, encore moins connus, prirent l'occasion
pour attaquer Marot. Le seul intérêt, outre l'éminente stupidité de tous ces pamphlets, c'est leur écœurante vulgarité, témoin le début du poème intitulé *La grande généa-
logie de Frippelippes* :

> *La grande plus inclite et tresadmirable
> genealogie du magnanime Frippelippes
> Avec la cronicque*

> L'an & le jour que l'on menoit les veaulx
> Pour paistre aux champs (les gens estoient nou-
> [veaulx)
> *Frittetrippe* enamoura Marmotte
> Et la fringua demy coup sur la motte
> Qu'en advint il elle chia *Frion*
> Trois jours apres dont fault que nous ryon

---

55. Voir *Bibliographie*, II, n° 250. Voir *ibid.*, II, nᵒˢ 249 et 253.
Un exemplaire de la collection intitulée *Plusieurs traictez, par
aucuns nouveaulx poetes du different de Marot, Sagon et la Hueterie, avec le dieu gard du dict Marot*, s.l., 1537, vient d'être
acquis par la Bibliothèque Nationale Rés. pye 2101. Plusieurs
de ces textes ont été imprimés en fac-similé par E. Picot et
P. Lacombe, *La Querelle de Marot et Sagon, Société rouennaise
de bibliophiles*, Rouen, 1920.

Cestuy frion estoit un petit nain
Lequel alloit peschant avec ung hain
Soubz petit pont et la merde n'eschappe
Que incontinent le dit frion ne happe
Pour son disner & ne feist en son temps
Aultre mestier ainsi comme j'entens
Il engendra FRIET ce bon marchand
De blanc savon, mais le pouvre meschant
Apres qu'il eust engendré FRIOLLET
Il fut pendu bien hault par le collet.
Ce friollet courant par mons & vaulx
Fut à la fin escorcheur de chevaulx
Et engendra FRIQUET pres montfaulcon
Dune putain qui avoit ung faulx con [56].

Comme Marot ne participa pas à la querelle, il est inutile de la décrire davantage.

*Voyage dans le Midi.*

Dans l'été de 1537, la reine Eléonore tomba malade à Fontainebleau. Suivant les ordres de son frère absent [57], Marguerite dut rester auprès d'Eléonore, bien que sa propre fille, Jeanne d'Albret, se trouvât à Blois, où elle aussi était malade. A en juger par ses lettres, ce n'est qu'à la fin du mois d'octobre que la reine de Navarre put se rendre auprès de sa fille. Marot l'accompagna, de même que Bonaventure des Périers. A son arrivée, elle trouva Jeanne guérie [58]. Pendant la maladie de la jeune fille, Marot avait écrit pour elle cette épître des plus charmantes :

---

56. *La grande genealogie de Frippelippes Composée par ung jeune Poete champestre Avecques une Epistre adressant le tout à Françoys Sagon.* On les vend au mont sainct Hylaire pres le college de Reims, au Phœnix.

57. François Ier était allé en Piémont, en octobre 1537, pour diriger personnellement la campagne d'Italie.

58. Voir Génin, ouvr. cit., t. II, 173. C'est par erreur que Génin date la lettre de Marguerite relatant cet événement de janvier 1538. Cf. P. Jourda, *Marguerite d'Angoulême,* ouvr. cit., t. I, p. 224.

*A une Damoyselle malade*

Ma Mignonne,
Je vous donne
Le bon jour.
Le sejour
C'est prison ;
Guerison
Recouvrez,
Puis ouvrez
Vostre porte,
Et qu'on sorte
Vistement,
Car Clement
Le vous mande.
   Va, friande
De ta bouche,
Qui se couche
En danger
Pour manger
Confitures ;
Si tu dures
Trop malade,
Couleur fade
Tu prendras,
Et perdras
L'embonpoint.
   Dieu te doint
Santé bonne,
Ma Mignonne [59].

On voit que pour obtenir un effet leste et primesautier le poète se sert de vers de trois syllabes, et qu'il réussit à merveille. Peu de poètes ont su écrire pour des enfants d'une façon aussi charmante.

Quelques jours après son arrivée, Marguerite mena sa fille de Blois à Tours par bateau, toujours accompagnée de Marot et de Bonaventure des Périers. Pour cette occasion, Marot compose un poème dans lequel il tient la plume pour Jeanne d'Albret :

---

59. *Les Epitres*, L.

### Pour la petite Princesse de Navarre, à Madame Marguerite [60]

Voyant que la Royne, ma Mere [61],
Trouve à present la Ryme amere,
Ma Dame, m'est prins fantasie
De vous monstrer qu'en Poesie
Sa Fille suis. Arriere Prose,
Puis que Rimer maintenant j'ose.
  Pour commencer donc à Rimer,
Vous pouvez (ma Dame) estimer,
Quel joye à la Fille advenoit,
Sachant que la Mere venoit ;
Et quelle joye est advenue
A toutes deux, à sa venue.
  Si vous n'en sçavez rien, j'espere,
Qu'au retour du Roy, vostre Pere,
Semblable joye sentirez,
Puis des nouvelles m'en direz.
  Or, selon que j'avoys envye,
Par eau jusque icy l'ay suyvie,
Avecques mon bon Perroquet
Vestu de Vert, comme ung Bouquet
De Marjolaine. Et audict lieu
M'a suyvie mon Escurieu,
Lequel tout le long de l'année
Ne porte que robbe Tanée.
  J'ay aussi, pour faire le tiers,
Amené Bure [62] en ces Quartiers,
Qui monstre bien à son visage
Que des trois n'est pas la plus sage.
  Ce sont là des nouvelles nostres ;
Mandez nous, s'il vous plaist, des vostres,
Et d'aultres nouvelles aussy ;
Car nous en avons faulte icy.
Si de la Court aulcun revient,
Mandez nous (s'il vous en souvient)
En quel estat il la laissa.
  Des nouvelles de par deça :
Loyre est belle & bonne Riviere,

---

60. Marguerite de France, fille de François Ier, née en 1523.
61. Marguerite de Navarre.
62. Il doit s'agir d'un animal.

Qui de nous revoir est si fiere
Qu'elle en est enflée & grossie,
Et en bruyant nous remercie.

Si vous l'eussiez donc abordée,
Je croy qu'elle fust desbordée,
Car plus fiere seroit de vous
Qu'elle n'a pas esté de nous ;
Mais Dieu ce bien ne m'a donné
Que vostre chemin adonné
Se soit icy, et fault que sente
Parmy ceste joye presente
La Tristesse de ne vous veoir.

Joye entiere on ne peult avoir
Tandis que l'on est en ce Monde.
Mais affin que je ne me fonde
Trop en Raison, icy je mande
A vous & à toute la Bande,
Qu'Estienne, ce plaisant Mignon [63],
De la Dance du Compaignon [64]
(Que pour vous il a compassée)
M'a ja fait Maistresse passée
De fine force (par mon Ame),
De me dire : tourne, ma Dame [65].
Si tost qu'ensemble nous serons,
Si Dieu plaist, nous la danserons.

Ce temps pendant, soit loing, soit pres,
Croiez que je suis faicte expres
Pour vous porter obeissance,
Qui prendra tousjours accroissance,
A mesure que je croistray.
Et sur ce la fin je mettray
A l'Escript de peu de value,
Par qui humblement vous salue
Celle qui est vostre sans cesse,
Jane, de Navarre Princesse [66].

---

63. Ce personnage était attaché à la maison du Grand-Maître.
(Cf. Génin, ouvr. cit., I, 345 et 350.) On ne saurait dire comment
il se trouvait à Tours.

64. Cette danse n'est pas connue.

65. Construction embrouillée. Sans doute le sens est :
Etienne... m'a appris la danse du compagnon « de fine force »,
en me disant : tourne, madame.

66. *Les Epîtres*, LI.

Une fois de plus on note le ton enfantin, mais sans mièvrerie, la simplicité sans bêtise et surtout le fait que Marot semble comprendre parfaitement la psychologie enfantine, ne se fait pas une idée absurde de l'enfance, comme le font cependant la plupart des adultes. Il évoque avec bonheur le « bon Perroquet, Vestu de Vert, comme ung Bouquet de Marjolaine », de même que l' « Escurieu » de Jeanne ; il parle du plaisir qu'elle tire de ses leçons de danse, de la Loire en crue. Chaque note est juste, chaque détail est correct. Encore une fois on ne peut qu'admirer le charme de Marot et sa capacité de prendre le ton qui convient au personnage.

Apparemment François Ier n'avait permis que de mauvais gré que sa sœur allât en Touraine. Ayant été en Piémont au mois d'octobre, il désira, semble-t-il, qu'elle le rejoignît dans le midi. Or Marguerite, loin de partir de Tours immédiatement pour le Sud, alla en Bretagne. Nous en sommes informés par une série de lettres de Montmorency au roi, et puis par une longue lettre en guise d'excuse que Marguerite écrivit au Grand-Maître [67]. On ignore si Marot l'accompagna ou s'il resta à Tours. Le but du voyage de Marguerite fut de s'enquérir des circonstances du gouverneur de la Bretagne, M. de Châteaubriant, veuf de l'ancienne maîtresse de François Ier. Cette visite semble pourtant n'avoir été qu'un prétexte ; le vrai motif qui poussa Marguerite à aller en Bretagne était d'aider Ysabeau d'Albret, parente du roi de Navarre [68]. Cette jeune femme se trouvait enceinte et, au dire de Marguerite [69], très misérable à cause de la pénurie dans laquelle se trouvait son mari, M. de Rohan. Marguerite ramena donc Ysabeau à Tours avec elle [70]. De là, la jeune femme semble être passée à Alençon ; on ignore si elle était accompagnée de Marguerite ou si elle était seule. Toutefois Marot composa pour elle une « Mommerie » représentée à Alençon [71], dans laquelle on relève des allu-

---

67. Voir Génin, ouvr. cit.
68. Voir plus haut, p. 259.
69. Voir Jourda, ouvr. cit., t. I, p. 225 suiv.
70. Voir *Les Epigrammes*, p. 257.
71. *Ibid.*, CXCVIII, *Mommerie de quatre jeunes Damoyselles, faicte de madame de Rohan à Alençon.*

sions discrètes à la grossesse de Mme de Rohan, et au don
d'une « boursette », don qui s'explique par la pauvreté du
jeune couple dont avait parlé Marguerite.

Au mois de décembre, toujours accompagnée par Marot,
Marguerite partit pour Limoges et le Midi [72]. Le 19 décembre, la reine se trouva à Limoges ; de là elle alla à Cahors
en compagnie de son mari et de Marot. Ce dernier salua
sa ville natale par une épigramme pleine de légitime fierté :

### De l'Entrée des Roy & Royne de Navarre à Cahors

> Prenons le cas, Cahors, que tu me doibves
> Aultant que doibt à son Maro Mantue ;
> De toy ne veulx, sinon que tu reçoyves
> Mon second Roy d'ung cueur qui s'esvertue
> Et que tu soys plus gaye & mieulx vestue
> Qu'aux aultres jours, car son Espouse humaine
> I vient aussi, qui ton Marot t'amaine ;
> Lequel tu as filé, fait & tyssu.
> Ces deux trop plus d'honneur te feront pleine
> D'entrer en toy, que moy d'en estre issu [73].

A une date incertaine, mais qui doit se placer au mois de
janvier, le couple royal et Marot arrivèrent à Toulouse [74].
La présence de Marot dans cette ville causa de vifs remous
dans les milieux lettrés, témoin cette épigramme de Jean
de Boyssoné [75] adressée au poète Villas ou Villars :

### A Villars de la Venue de Marot

> Puisque Marot, comme l'on dict, arrive
> Il nous fault mettre en la main nostre plume,
> Et que chescung de son quartier escrive

---

72. Voir P. Jourda, ouvr. cit., t. I, p. 223 suiv.
73. *Les Epigrammes*, CXLIV.
74. Voir Jourda, ouvr. cit., t. I, p. 227.
75. Sur Jean de Boyssoné, le principal humaniste toulousain,
voir F. Mugnier, *La vie et les poésies de Jehan de Boyssoné,*
Mémoires et documents de la Société Savoisienne d'histoire et
d'archéologie, 1897 ; De Buysson, *Un humaniste toulousain :
Jehan de Boysson, 1505-1559,* Paris, 1913, et H. Jacoubet, *Les
Poésies latines de Jehan de Boyssoné,* Toulouse, 1931.

Forgeant ouvrage affiné sur l'enclume
De purité. Sus, Villars, qu'on allume
Tous les fourneaulx de Rhetorique fine,
Et ces metaulx, sortans de rude myne,
Que l'on les purge avant que presenter
Au grand forgeur Marot ; qu'on les affine
Si nous voulons tel ouvrier contenter [76].

Marot, à son tour, invita Boyssoné, Villas et Guillaume de
la Perrière [77] à dîner :

### Il convie troys Poetes à disner

Demain que Sol veult le jour dominer,
Vien, Boyssonné Villas & la Perriere,
Je vous convye avec moy à disner ;
Ne rejectez ma semonce en arriere.
Car en disnant Phebus par la Verriere
(Sans la briser) viendra veoir ses Suppostz
Et donnera faveur à noz propos
En les faisant dedans noz Bouches naistre.
Fy du repas qui en paix & repos
Ne sçait l'Esprit (avec le Corps) repaistre [78].

Après son séjour à Toulouse on ignore ce que fit Marot.
Accompagna-t-il Marguerite ? On a suggéré qu'il alla à
Paris pour s'occuper de ses gages qui ne lui auraient pas
été versés [79]. Mais cette hypothèse n'est basée que sur deux
pièces dont la date est loin d'être sûre [80]. Il est certain
qu'il passa quelques jours à Lyon au printemps de 1538.
Il y composa le sonnet pour Pomponio Trivulce, gouverneur de Lyon :

76. *Les Trois centuries de Maistre Jehan de Boyssoné*, **éd. crit.**
par H. Jacoubet, Bibliothèque Méridionale, 2ᵉ série, t. XX, 1923,
p. 102, I, XVI.
77. Sur Guillaume de la Perrière, voir G.R. Dexter, *La Perrière
and his poetic works*, thèse de M.A., Londres, 1952.
78. *Les Epigrammes*, CXXVI.
79. Voir Guy, ouvr. cit., p. 249, § 355.
80. *Les Epigrammes*, CXLIX et CL. Voir plus haut, p. 224
et 376.

*Pour le May Planté par les*
*Imprimeurs de Lyon devant le Logis*
*du Seigneur Trivulse*

Au Ciel n'y a ne Planette ne Signe
Qui si à point sceust gouverner l'Année
Comme est Lyon, la Cité, gouvernée
Par toy, Trivulse, homme cler & insigne.

Cela disons pour ta Vertu condigne
Et pour la Joye entre nous demenée,
Dont tu nous as la Liberté donnée,
La Liberté des Tresors le plus digne.

Heureux Vieillard ; les gros Tabours tonnans,
Le May planté & les Fiffres sonnans
En vont louant toy & ta noble Race.

Or pense donc que sont noz voulentez,
Veu qu'il n'est rien, jusque aux Arbres plantez,
Qui ne t'en loue & ne t'en rende grace [81].

C'est de Lyon également qu'il adressa à Nicolas de Neufville une dédicace nouvelle pour *Le Temple de Cupido* [82]
datée du 15 mai 1538. De plus la collaboration du poète
avec Etienne Dolet, collaboration qui allait aboutir à la
première édition des *Œuvres* [83], montre que Marot passa un
laps de temps considérable à Lyon au cours de l'année
1538.

Après cela il est possible qu'il rejoignît la cour ou qu'il
regagnât Paris par la voie la plus directe. Il n'existe pas
d'indices sûrs nous permettant de savoir exactement ce
qu'il fit. Il semble pourtant avoir été vers ce moment-là en
d'assez étroits rapports avec la Cour, preuve les nombreuses
épigrammes adressées à des personnages officiels et des
dames de la cour, que le poème rima vers cette époque et
qui furent publiées la même année.

---

81. *Œuvres diverses*, CLXXIX, Sonnet III.
82. *Œuvres lyriques*, I.
83. *Bibliographie*, II, n° 70.

*Le manuscrit de Chantilly.*

Le 10 février 1538, le Grand-Maître Anne de Montmorency fut élevé au rang de Connétable de France, fonction
qui n'avait pas été occupée depuis la trahison du Connétable de Bourbon.

Montmorency semble avoir protégé Marot depuis 1527
environ. On se rappelle que dans l'affaire de l'état de
1527, c'est à Montmorency entre autres personnages que
s'était adressé Marot, bien qu'il y ait quelques incertitudes
à cet égard [84]. Nous savons de plus que vers 1531-1532,
Marot offrit au Grand-Maître un recueil manuscrit de certaines de ses œuvres. Ce recueil n'a jamais été retrouvé.
Il était accompagné d'une épître publiée peu après dans
*La Suite de l'Adolescence Clementine* [85], épître sans guère
d'intérêt, puisqu'elle est pleine d'allusions aux pièces que
contenait le manuscrit, allusions qui nous sont donc à
peu près incompréhensibles [86]. Enfin, si pendant son exil le
poète n'a pas demandé secours à Anne de Montmorency,
il ne pouvait ignorer que Renée de France écrivit au
Grand-Maître pour se plaindre de l'Inquisition de Ferrare [87].
Montmorency était donc parfaitement au courant de ses
déboires, et Marot le savait. Il était naturel qu'il s'adressât au favori à sa nomination au plus haut titre du
royaume.

Ce n'est pas que le nouveau Connétable fût un personnage particulièrement attrayant [88]. Froid, cruel, ambitieux,
il avait fait sa fortune politique étant le compagnon de jeux

---

84. Voir plus haut, p. 138-140.
85. *Les Epîtres*, XXXII.
86. Voir plus haut, p. 248-249.
87. Voir plus haut, p. 326-327.
88. Il nous manque une étude moderne sur ce personnage
important et, à bien des points de vue, remarquable. Les excel-
lents travaux de Decrue, *Anne de Montmorency, grand maître et
connétable de France, à la cour, aux armées et au conseil du
roi François I^er*, Paris, 1885, et *Anne de Montmorency, conne-
table et pair de France sous les rois Henri II, François II et
Charles IX*, Paris, 1889, sont après tout vieux de quatre-vingt-
dix ans.

et d'armes du jeune François Ier. Nommé Grand-Maître, et surtout après qu'il eût entièrement remplacé Jean de la Barre dans la faveur du roi, il fit preuve de très réels dons d'administrateur. Comme général, il montra les mêmes qualités d'organisation, d'énergie et de prudence. Sa défense de la Provence contre l'invasion par Charles-Quint dans l'été de 1536, défense dans laquelle il refusa de livrer, bataille, mais força l'armée impériale à une retraite aussi coûteuse que honteuse, fut un de ses faits les plus remarquables. Là encore, il faut cependant noter sa brutalité et sa cruauté. La défaite qu'il infligea à Charles-Quint fut payée par les souffrances des Provençaux, puisque dans cette campagne fut employée, peut-être pour la première fois et avec une rigueur extrême, la tactique de la terre brûlée. De plus, Montmorency fut notoire dès le début de sa carrière pour refuser quartier et pour ne jamais épargner les populations civiles de villes prises, ce qui causa une recrudescence de cruautés dans les guerres du XVIe siècle. Pourtant, et malgré ces défauts, il est difficile de ne pas être ému à la vue de son armure conservée au Musée des Invalides, armure percée d'une balle d'arquebuse dont fut tué le connétable âgé de soixante-dix ans, à cheval, se battant en première ligne dans une des batailles des guerres civiles. Son défaut principal et que ne rachète aucune qualité, ce fut son incroyable rapacité. Ce fut lui qui fit condamner à mort l'infortuné Semblançay, pour s'emparer de sa fortune, lui qui institua la Chambre de la Tour Carrée, dans le seul but de poursuivre les financiers et les dépouiller de leurs biens à son profit personnel [89]. C'est avec ces biens volés à l'aide de condamnations injustes, de véritables assassinats juridiques comme dans le cas de Semblançay, ou de longs emprisonnements suivis de confiscations et de bannissements, comme dans celui de Laurent Meigret, que Montmorency fit construire le château de Chantilly, où se trouve le manuscrit que lui offrit Marot au mois de mars 1538, et qui, chose à peu près unique dans l'histoire des manuscrits et imprimés de cette époque, n'a jamais changé de résidence, mais se trouve aujourd'hui,

---

89. Voir plus haut, p. 103-104.

comme en 1538, dans ce château, malgré tous les avatars que subit ce dernier entre sa construction originale et le xx⁰ siècle.

Il était naturel que, lorsque le 10 février 1538, François I⁰ʳ promut Anne de Montmorency au rang de Connétable, Marot n'allait pas tarder d'honorer son ancien protecteur. Il lui adressa d'abord une épigramme :

*Du Sire de Montmorency,*
*Connestable de France*

Meur en Conseil, en Armes redoubtable,
Montmorency, à toute Vertu né,
En vérité tu es faict Connestable
Et par merite & par Ciel fortuné.
Dieu doint qu'en brief du Glaive à toy donné
Tu fasses tant par prouesse & bon heur
Que cestuy là qui en fut le Donneur
Par ton service ait aultant de puissance
Sur tout le Monde (en Triumphe & honneur)
Comme il t'en a donné dessus la France [90].

Puis, il décida sans doute de faire rédiger pour Montmorency le recueil de ses œuvres qu'il lui remit au mois de mars.

L'existence de ce manuscrit fut inconnue jusqu'à sa découverte par G. Mâcon, bibliothécaire du duc d'Aumale dans le château — reconstruit — de Chantilly. Mâcon signala cette découverte, après la mort du duc d'Aumale, dans un article paru en 1898 [91]. Relié aujourd'hui en velours rouge, le recueil est un manuscrit d'apparat, exécuté avec le plus grand soin et rédigé d'une main très belle. Il consiste en soixante-quatorze feuillets sans foliation [92].

Rien de plus intéressant que ce manuscrit. Tout y est motivé, choix des pièces, ordre des pièces, omissions, changements, par la personnalité du Connétable, tout en nous révélant un grand nombre de poèmes autrement inconnus, et nous permettant de tirer d'importantes conclusions sur

---

90. *Les Epigrammes*, CXXVII.
91. *Bulletin du Bibliophile*.
92. Il y a une pagination moderne, de 1 à 147.

l'esthétique de Marot et sur le renouvellement qu'il opéra
dans la poésie française.

Montmorency était un catholique orthodoxe. Cela explique que dans des poèmes pour lesquels d'autres manuscrits
nous ont livré des versions, le texte du manuscrit de
Chantilly semble singulièrement adouci, du point de vue
religieux. Marot, afin de ne pas choquer les croyances du
Connétable a de toute évidence coupé tout ce qui était anti-
catholique, tout ce qui pouvait sembler protestant. C'est le
cas, par exemple, de l'*Epistre envoyée de Venize à Madame
la Duchesse de Ferrare par Clement Marot* [93], dont la version
originale nous vient du manuscrit 4967 du fonds français
de la Bibliothèque Nationale. Notons d'abord qu'alors que
la version du manuscrit de la Bibliothèque Nationale est
de cent vingt-six vers, celle du manuscrit de Chantilly n'en
a que cent six, ce qui suggère des coupures faites à une
version originale. Les trente-deux premiers vers sont à peu
près identiques dans les deux textes ; les vers 33 à 66 du
manuscrit de la Bibliothèque Nationale manquent dans
celui de Chantilly. Il est aisé de voir la raison de cette
omission. Voici ces vers :

> Cest quen esprit n'adorent nullement
> Luy qui est seul esprit totallement,
> Ains par haulx chantz, par pompes et par mynes,
> Qui est (mon Dieu) ce que tu abhomines.
> Et sont encor ces pouvres citoyens
> Pleins de lerreur de leurs peres payens.
> Temples marbrins y font et y adorent
> Images peinctz qua grandz despens ilz dorent.
> Et a leurs piedz ullans sont gemissans
> Les pouvres nudz, palles et languissans.
> Ce sont, ce sont telles ymaiges vives
> Qui de ces grans despenses excessives
> Estre debvoient aournees et parees
> Et ne nos yeulx les autres separees.
> Caer leternel les vives recommande
> Et de fuir les mortes nous commande.
> Ne convient il en reprendre que iceulx ?

---

93. *Les Epîtres*, XLIII. Cf. plus haut, p. 361-362, et *Œuvres
lyriques*, LXXXVIII, *Eglogue* II.

> Helas madame, ilz ne sont pas tous seulz.
> De ceste erreur tant crue et foisonnee
> La chrestienté est toute empoisonnee.
> Non toute, non, le seigneur regardant
> D'œil de pitié ce monde caphardant
> S'est faict congnoistre a une grand partie
> Qui a luy seul est ores convertie.
> O seigneur dieu faictz que le demourant
> Ne voyse pas les pierres adorant.
> Cest ung abbus dydollastres sorty
> Entre chestiens plusieurs foys amorty
> Et remys sus tousjours pour lavarice
> De la paillarde et grande meretrice
> Avec qui ont faict fornicacion
> Les roys de terre, et dont la potion
> Du vin public de son calice immonde
> A si longtemps enyvre tout le monde.

De ce long passage, le poète a supprimé complètement quelques vers ; il en a remplacé d'autres par des vers anodins ; enfin, il a changé quelques vers de façon à les rendre inoffensifs. Ainsi le vers 43

> Ce sont, ce sont telles ymaiges vives

est devenu dans le manuscrit de Chantilly :

> Ce sont, ce sont telles medailles vives (v. 49).

L'expression « médailles vives » pour désigner les mendiants me semble bien faible. Comment ne pas voir dans cette expression un adoucissement du mot « image » de l'original, où le contraste entre les images peintes, adorées dans les églises catholiques, et les « images vives » délaissées est tout à fait dans le style évangélique ? « Image » sentait évidemment le fagot, d'où nécessité de changer l'expression. De plus, des vers 33-34 du manuscrit de Chantilly :

> C'est que par trop grans moyens et petitz
> Laschent la bride a tous leurs appetitz

le premier me semble extrêmement vague, preuve que ces vers ont été rendus nécessaires par la coupure des vers 33 à 66 de la version originale. Il faut noter encore que dans les vers 63-64 de la version de Chantilly :

> Et ne veoy rien en toutes leurs pollices
> De superflu que povres et delices

le lien entre « povres » et « délices » est ténu, sinon insaisissable, d'autant plus que les pauvres ne sauraient proprement être décrits comme un élément de la politique des Doges et comme « superflus ». Ici encore, il est évident que Marot remanie un état antérieur du texte, puisque le vers équivalent dans le manuscrit 4967 est

> De superflu que pompes & delices

Sans doute le mot « pompe » a dû sembler dangereux à Marot, de sorte qu'il l'a remplacé par la leçon anodine, mais très faible : « povres ». En outre la fin de l'épître, selon le manuscrit de Chantilly :

> Quant il fuyoit la fureur et les ruses
> Des ennemys d'Apollo et des Muses.

est assez surprenante, car il serait difficile de soutenir sérieusement que Marot dût prendre la route de l'exil uniquement en tant que poète, et non pas plutôt parce que son nom figurait sur la liste des luthériens. Les vers équivalents de la version du manuscrit 4967 :

> Quant il fuyoit la fureur serpentine
> Des ennemys de la belle Christine.

sont rigoureusement corrects du point de vue historique (si l'on admet que « belle christine » équivaut à l'église protestante), mais étaient évidemment impropres à figurer dans un recueil destiné au Grand-Maître.

Du point de vue du choix des poèmes, le manuscrit ne contient que des pièces jusqu'alors inédites, ou du moins publiées sans le consentement et peut-être même sans le su du poète. De toute évidence Marot entend n'offrir au

Connétable que des inédits. Le titre du recueil est explicite de ce point de vue : *Recueil des dernières Œuvres de Clement Marot, non imprimées / Et premierement / Celles quil fit durant son exil, Et depuis son retour* [94]. Les poèmes semblent, à quelques exceptions près, le total de la production du poète à partir de son arrivée à Ferrare au printemps 1535 jusque vers la fin de l'année 1537 environ. Il va sans dire que des pièces entièrement protestantes, comme l'épître aux sœurs savoisiennes [95], ou bien de poèmes qui pouvaient paraître scandaleux, et qui sont certainement satiriques, comme le deuxième, troisième et quatrième *coq-à-l'âne* [96], ne figurent pas dans ce recueil, n'étant évidemment pas de nature à édifier le Connétable Anne de Montmorency. Hâtons-nous cependant d'ajouter que Marot ne semble pas avoir attribué à cet homme d'état et guerrier un goût trop raffiné, témoin ce poème aussi vulgaire que stupide qui se trouve à la fin du recueil :

> Janeton
> A du teton
> Et Cathin
> A du tetin,
> Martine
> De la tetine,
> Et Oudette
> De la tette,
> Thomasse
> De la tetasse [97].

L'économie du recueil est extrêmement intéressante, puisque l'ordre des pièces y est tout autre que dans les *Œuvres* du 31 juillet de la même année, et qu'il diffère aussi de celui de toutes les éditions précédentes. Sans doute ce recueil ne contient-il, comme il est dit au titre [98], que des poèmes inédits ; de sorte que la comparaison avec les

---

94. Musée Condé, Chantilly, ms. n° 748. Voir *Bibliographie*, ouvr. cit., t. I, p. 10-18.
95. *Les Epîtres*, XXXV. Voir plus haut, p. 287-288.
96. *Œuvres satiriques*, VIII, IX, X.
97. *Les Epigrammes*, CCIII.
98. Voir plus haut.

autres éditions n'est pas facile. Mais c'est dans sa conception même que l'économie du manuscrit de Chantilly diffère
de celui des éditions. En voici les sections :

> *Premierement Celles* [99] *qu'il fit durant son exil Et*
> *depuis son retour*
> *Dizains et huictains*
> *Autres œuvres faites à Venise*
> *Autres œuvres faictes depuis son retour*
> *Autres œuvres*
> *Autres œuvres — Epigrammes de l'invention de*
> *Marot*
> *Epigrammes de Marot à l'imitation de Martial.*

Ajoutons qu'à l'exception des sections ayant des noms de
genres comme titres, ces groupes contiennent des pièces
mêlées.

Avant de porter un jugement sur l'économie du manuscrit de Chantilly, il faut évidemment comprendre les préoccupations de Marot, les critères qui l'ont guidé dans le
choix et l'ordre des pièces. Tout d'abord il est clair qu'il
n'a voulu offrir à Montmorency que des poèmes inédits.
D'où, sans doute, la nécessité d'un ordre principalement
chronologique ; mais on peut aussi voir dans cette classification une tentative de présenter au connétable une espèce
de compte-rendu des faits et gestes du poète depuis sa
fuite en 1534.

Dans l'ensemble, le manuscrit donne l'impression d'un
recueil de mélanges, de poésies mêlées, où épîtres et poèmes
élégiaques se trouvent précédés et suivis de dizains, huitains, blasons, voire de sonnets.

En adoptant cet ordre, Marot suit, dans une très large
mesure, le goût de la fin du xv<sup>e</sup> et du début du xvi<sup>e</sup> siècle.
Les *Jardins de Plaisance, Fleurs de Poesie françoise,
Recueil de tout soulas,* et maints autres en témoignent.
C'est pourtant la seule fois où Marot a délibérément adopté
un tel classement. Est-ce parce qu'il s'agit d'un recueil
manuscrit et non d'une édition imprimée ? Ne serait-ce pas
plutôt, une fois encore, pour respecter le goût d'Anne de

---

99. C'est-à-dire les œuvres.

Montmorency, et ne pourrait-on pas considérer à juste titre l'économie du manuscrit de Chantilly comme un exemple d'archaïsme de la part de Marot [100] ?

Quoi qu'il en soit, la comparaison de ce recueil avec les éditions imprimées nous permet d'apprécier ce qu'il y a de révolutionnaire dans l'économie des éditions, de l'*Adolescence Clementine* jusqu'aux *Œuvres* de 1538. En groupant ses pièces par genres, en maintenant la distinction entre rondeaux, ballades, chansons, épîtres, élégies et épigrammes, Marot introduit la Renaissance dans la poésie française. Ses *Elégies* et ses *Deux Livres d'Epigrammes* préparent la voie aux *Quatre premiers livres des Odes* et aux *Hymnes* de Ronsard.

Ajoutons que dans l'ensemble les pièces du manuscrit de Chantilly, inédites alors, furent imprimées quelques mois plus tard dans l'édition des *Œuvres* publiée par Etienne Dolet le 31 juillet 1538. Il y a pourtant plusieurs exceptions. Ainsi toutes les pièces tant soit peu personnelles composées à Ferrare ou à Venise, c'est-à-dire les épîtres *A Madame de Soubize partant de Ferrare pour s'en venir en France* [101], *Epistre perdue au jeu contre Madame de Ponts* [102], *A Madamoiselle Renée de Parthenay partant de Ferrare pour aller en France* [103], les deux grandes épîtres élégiaques *Au Roy* [104] et *A la Royne de Navarre* [105], le cantique « Plaigne les mortz qui plaindre les vouldra [106] », de

---

100. Voir C.A. Mayer, *L'Archaïsme dans l'Œuvre de Clément Marot* dans *Cahiers de l'Association des Etudes françaises*, XIX, 1967.

101. *Les Epîtres*, XL.

102. *Ibid.*, XXXVIII.

103. *Ibid.*, XLI.

104. *Ibid.*, XLIV.

105. *Ibid.*, XLVI.

106. *Œuvres lyriques*, LXXVI, Cantique I, *Cantique de Clement Marot banny premierement de France, depuis chassé de Ferrare par le Duc et retiré à Venise.*

L'épître au dauphin (*Les Epîtres*, XLV, *Au tresvertueux prince, Françoys, Daulphin de France*) est une exception, ayant été publiée en plaquette peu de temps après sa composition (*Bibliographie*, II, n° 50). Notons pourtant que, comme les autres pièces mentionnées, elle ne figure ni dans les *Œuvres* de 1538, ni dans aucune édition publiée du vivant de Marot.

même qu'un assez grand nombre d'autres poèmes contenus dans ce manuscrit ne furent jamais publiés du vivant de Marot.

Ces autres poèmes du manuscrit de Chantilly que Marot ne publia pas par la suite sont, outre le poème contre Sagon [107] et la pauvreté sur « Janeton [108] », le groupe d'épigrammes imitées de Martial. Deux observations s'imposent au sujet de ce groupe de pièces. Elles sont, à bien des points de vue, les premières épigrammes françaises [109].

Avant son premier exil, c'est-à-dire avant le mois d'octobre 1534, Marot n'emploie pas le mot épigramme et ne semble songer à donner ce terme aux poèmes courts, bien que vers ce moment déjà il ait abandonné plus ou moins complètement les genres à forme fixe des Rhétoriqueurs, les rondeaux et ballades. Si durant son exil il écrit ce qui est probablement le premier sonnet de langue française [110], il ne semble pourtant pas avoir été initié au genre de l'épigramme pendant son séjour en Italie. Ce n'est qu'après son retour au mois de décembre 1536 qu'il paraît y avoir songé.

Il est possible de préciser. Marot écrivit un poème pour le dauphin François, portant le titre : *A Françoys Daulphin de France* [111]. L'incipit en est : « Celluy qui a ce Dixain composé. » Vu que le dauphin François mourut le 10 août 1536, il est évident que ce poème précède cet événement et fut donc composé pendant l'exil du poète. A ce moment donc Marot emploie l'appellation de *dizain* et ne songe encore au terme *épigramme*. Pourtant ce même poème figure dans le manuscrit de Chantilly — rappelons que ce recueil fut rédigé au mois de mars 1538 — et dans l'édition des *Œuvres* publiée par Dolet le 31 juillet 1538, sous le titre : *Epigramme*. C'est donc dans l'espace d'un peu plus d'un an, en l'occurrence entre la fin de 1536 et

---

107. Voir plus haut, p. 388.
108. Voir plus haut, p. 408.
109. Voir plus bas, p. 412-415.
110. Voir *Œuvres diverses*, CLXXVII, Sonnet ɪ, et C.A. Mayer, *Le premier sonnet français : Marot, Mellin de Saint-Gelais et Jean Bouchet*, art. cit., p. 481-493.
111. *Les Epigrammes*, LXXXIII.

la fin de 1537, que Marot a non seulement écrit pour la première fois des épigrammes, mais qu'il a décidé que l'appellation d'*épigramme* convenait à tous ses poèmes courts n'étant pas à forme fixe.

On a toujours admis l'influence d'Etienne Dolet sur Marot en ce qui concerne l'épigramme. Bien qu'il soit impossible de prouver cette influence, rien ne s'oppose à l'admettre, d'autant plus que cette invention, cette transformation se sont faites dans un laps de temps si bref. On est mal renseigné sur les relations entre Marot et Dolet. Lorsque le poète arriva à Lyon, probablement au début du mois de décembre 1536, Etienne Dolet se tenait caché après la mort de Compaing. Au mois de février, Dolet, ayant été pardonné, offrit un banquet qui réunit Marot, Rabelais, Budé, Bérault et plusieurs autres parmi les plus grands humanistes de l'époque [112]. Après cet événement les deux hommes semblent être restés en relation jusqu'en été 1538. Or c'est précisément au moment de l'amitié entre les deux hommes, au moment où Marot collabora avec le meilleur latiniste du xvi° siècle qu'il conçut l'idée de créer l'épigramme française. Tout en faisant la part des coïncidences, l'influence de Dolet sur les épigrammes de Marot, sans être certaine, est donc du moins très probable.

D'autre part, il n'est pas certain que ce soit Marot qui ait écrit en définitive la première épigramme française. On trouve en effet toute une série de poèmes intitulés *Epigrammes,* y compris plusieurs sonnets, dans un ouvrage du Rhéthoriqueur poitevin Jean Bouchet : *Le Jugement poetic de l'honneur feminin & sejour des illustres claires & honnestes Dames par le Traverseur* [113]. Le volume ne porte pas de date sur la feuille de titre, mais se termine par l'achevé d'imprimer suivant : « Imprimé à Poictiers le premier d'Avril 1538 par Jehan & Enguilbert de Marnef Freres. »

Cet achevé d'imprimer du 1er avril est-il de l'année 1538 n.s., ou bien, Pâques tombant le 21 avril en 1538, de l'an 1539 n.s. ? Il est impossible de trancher cette ques-

---

112. Voir plus haut, p. 373.
113. Poitiers, s.d. Sur ce volume, voir plus haut, p. 360.

tion. Vu l'usage des imprimeurs de l'époque, il est au moins probable qu'il s'agit de 1539. Toutefois le privilège de l'ouvrage de Bouchet semble dater de 1536, bien qu'ici encore il existe des doutes. En effet, voici le texte de ce privilège :

> Il est permis à M. Jehan Bouchet de Poictiers de faire imprimer ce present livre par tel librayre ou imprimeur que bon luy semblera & sont deffences faictes à tous imprimeurs, libraires & autres quelconques de non imprimer, vendre ne ahdenerer (*sic*) jusques au temps & terme de quatre ans : autres que ceulx imprimez par son congé, comme appert plus à plain par les lettres du Roy nostre Syre sur ce données & octroyées à Bleré le XV Novembre 1536.

On voit qu'au fond ce privilège n'est pas daté, mais renvoie à des lettres octroyées par le roi le 15 novembre 1536, lettres que nous n'avons pas retrouvées. Ces lettres se rapportent-elles exclusivement au présent ouvrage, ou sont-elles une espèce de privilège général octroyé à Jean Bouchet ? Dans le premier cas, faudrait-il supposer que l'ouvrage était entièrement composé, prêt pour l'impression avant le 15 novembre 1536 ? Il semble impossible de résoudre le problème.

De plus, un auteur relativement peu connu, Michel d'Amboise [114], publia, en 1533, un recueil contenant cent épigrammes, *Les Epigrammes, avecques la vision, la complainte de vertu traduyte du frere Baptiste Mantuan en son livre des Calamitez des temps, et la fable de l'amoureux Biblis et de Caunus traduyte d'Ovide par Michel*

---

114. Sur Michel d'Amboise, voir plus haut, p. 73, et J.F. Nicéron, *Mémoires pour servir à l'histoire des hommes illustres dans la République des lettres*, Paris, 1729-1745, t. XXXIII, p. 328 ; A. Hulubei, *L'Eglogue en France au seizième siècle*, ouvr. cit., t. I, p. 225 ; J. Hutton, *The Greek Anthology in France and in the Latin writers of the Netherlands to the year 1800*, ouvr. cit., p. 30, et P.M. Smith et C.A. Mayer, *La première épigramme française : Clément Marot, Jean Bouchet et Michel d'Amboise. Définition, Sources, Antériorité*, art. cit.

*d'Amboise, dit l'esclave fortuné escuyer, seigneur de Che-*
*villon* [115].

On voit que le titre de ce recueil donne l'impression qu'il
s'agit entièrement de traductions. Aussi J. Hutton, dans
*The Greek Anthology in France* [116], affirme-t-il que les cent
épigrammes sont probablement toutes traduites d'épigrammes latines composées par le poète napolitain Girolamo
Angeriano, publiées plusieurs fois à Paris vers cette
époque sous le titre de : *Hieronymi Angeriani Neapolitani* ἐρωτοπαιγνιον [117].

En fait, Michel d'Amboise traduit à peu près littéralement Angeriano dans au moins soixante-quinze de ses cent
épigrammes. Pour le reste il suit de très près l'inspiration
de l'*Anthologie grecque*. Ainsi dans l'état actuel de nos
connaissances, nous pouvons dire qu'il est presque certain
que les épigrammes de Michel d'Amboise sont des traductions. Dans ces conditions, bien qu'il soit sans doute le
premier à avoir employé le titre d'épigramme, Michel
d'Amboise ne peut guère être considéré comme l'auteur qui
a introduit ce genre dans la littérature française.

A certains points de vue, la question peut paraître
oiseuse. Avec l'essor de la Renaissance, l'influence de la
poésie italienne et de la poésie néo-latine — rappelons que
tous les poètes néo-latins amis de Marot, tels Salmon
Macrin, Nicolas Bourbon, Jean Visagier, etc., composèrent
des épigrammes — il était inévitable que vers ce moment-
là quelqu'un allait écrire des épigrammes françaises, de
même qu'il était inévitable que quelqu'un allait écrire des
sonnets français. C'est bien à la même époque que l'épigramme de même que le sonnet conquit droit de cité en
Angleterre dans l'œuvre du poète, ami de Marot, Thomas
Wyatt. S'il est impossible d'établir sans l'ombre d'un doute
que c'est Marot qui a composé la première épigramme
française, il reste quand même vrai que c'est lui qui a brisé
la tradition des Rhétoriqueurs et qui a le premier songé à
substituer aux genres traditionnels du rondeau, de la bal-

---

115. Paris, A. Lotrian et J. Longis, s.d. (le privilège est du
6 mars 1532, probablement a.s.).
116. Ouvr. cit.
117. Voir plus haut, p. 73, n. 138.

lade, du dizain, etc., les genres de la poésie gréco-latine. Du
reste, les épigrammes de Bouchet, comme l'indique leur
titre, n'ont rien d'épigrammatique ; celles de Michel d'Amboise sont des traductions.

Aussi Sebillet ne mentionne-t-il Bouchet, pas plus que
Michel d'Amboise, ni dans son chapitre de l'épigramme
ni dans celui, assez court en vérité, du sonnet. Et pourtant
Sebillet donne à l'épigramme la première place parmi les
genres :

> Je commenceray a l'Epigramme comme le plus
> petit et premier œuvre de Poésie : et duquel bonne
> part dès autres soustenue rend tesmoignage de sa per-
> fection et élégance [118].

et lui consacre un chapitre très détaillé énumérant toutes
les diverses formes d'épigrammes et mentionnant tous les
poètes français ayant illustré ce genre, c'est-à-dire, à part
Marot dont il cite huit pièces, Maurice Scève et Hugues
Salel.

En vue de l'histoire de l'épigramme marotique il est
évidemment malaisé d'en donner une définition. Notons
d'abord qu'il ne saurait être question de mettre en doute
le bien-fondé de cette appellation. Les épigrammes de
Marot ont droit à ce titre de même que les épigrammes
de n'importe quel poète depuis Archiloque jusqu'à Voltaire [119]. Il n'y a pas lieu non plus de chicaner pour savoir
si telles ou telles pièces doivent garder le titre d'épigrammes ou être rangées dans une autre section. Dans beau-

---

118. T. Sebillet, *Art. Poétique Françoys*, ouvr. cit., p. 103.
119. Cf. le jugement de J. Hutton dans son étude de l'influence
de l'*Anthologie grecque* sur la Renaissance : « Marot is justly
regarded as the founder of the French epigram, although in
giving this name to his verses he was five years behind Michel
d'Amboise. Marot however was writing *dizains* and *huitains,*
pretty certainly with the classical epigram in mind, as early as
the 'twenties and he prevails in any case by the value of his
work... More than a mere word was involved ; a consciousness
of the classical epigram would be vividly evoked by a term then
new in the vernacular, and there would be a consequent impulse
to assimilate one's verse to the inner, if not the outer form of
the classical type. » (*Ouvr. cit.*, p. 301.)

coup de cas Marot a hésité, phénomène parfaitement naturel si on considère la nature profondément révolutionnaire et novatrice de son œuvre. Par exemple, après avoir composé dans sa jeunesse deux ou trois Complaintes tout à fait dans le style des Rhétoriqueurs, il essaie de renouveler le genre dans la *Déploration de Florimond Robertet* [120] — pièce qu'il n'a pourtant jamais classée — pour l'abandonner en le remplaçant par l'églogue funèbre en 1531 [121]. Cependant, en 1533, dans *La Suite de l'Adolescence Clementine*, il rangea plusieurs des pièces publiées préalablement comme Complaintes parmi les Elégies ; enfin, en 1543 sans doute par un effet d'archaïsme il revient au genre de la complainte dans *La Complainte du général Preudhomme* [122]. Dans ces deux genres de la complainte et de l'élégie les hésitations et tergiversations de Marot obligent l'éditeur d'effectuer des changements en vue d'un classement rationnel et cohérent. Aucun problème analogue ne se pose pour les Epigrammes. Une fois que Marot eut décidé d'appeler *Epigrammes* ses poèmes préalablement publiés comme *Dizains, Huitains, Blasons, Envois* et *Etrennes*, il ne changea plus. Du reste, à la différence des complaintes, où il maintint le genre dans l'édition de 1538 tout en rangeant plusieurs des pièces publiées dans les éditions antérieures comme complaintes parmi les élégies, Marot, après avoir pour la première fois employé le titre d'épigramme, n'a plus écrit de poème court portant un titre différent.

De plus, et c'est là la deuxième observation sur les épigrammes dans le manuscrit de Chantilly, ces onze poèmes qui forment la section des *Epigrammes de Marot à l'imitation de Martial* sont les premières imitations de Martial dans la poésie française. Il faut insister d'abord sur le fait que Marot continuera presque jusqu'à la fin de sa vie à composer des épigrammes imitées de Martial, mais toujours sans les publier [123]. Tout nous porte donc à croire que Marot, en

---

120. *Œuvres lyriques*, VI, Complainte IV.
121. Voir *Œuvres lyriques*, p. 10-12.
122. *Œuvres lyriques*, IX, Complainte VII.
123. Tous ces poèmes furent publiés pour la première fois en 1547, à Poitiers, dans une édition imprimée par les frères de

refusant de livrer à l'imprimeur ses premières onze épigrammes imitées de Martial — et qui, rappelons-le, y forment une section à part — de même que les autres épigrammes composées à l'imitation du poète latin, entendit
les publier toutes ensemble, mais que la mort l'empêcha
de ce faire. Nous sommes donc en droit de considérer les
*Epigrammes de Marot à l'imitation de Martial* non seulement comme un groupe distinct et parfaitement défini,
mais encore comme un groupe formé par le poète lui-
même.

On a pourtant mis en doute cette volonté du poète. Selon
Villey notamment, Marot aurait pu songer à publier ces
épigrammes sous un titre différent, si la mort ne l'en avait
empêché [124]. Il est vrai que certaines épigrammes publiées
en 1538 dans les *Deux Livres d'Epigrammes* sont imitées
de Martial, ce qui pourrait nous faire croire qu'il n'entendait pas distinguer les poèmes imités de Martial de ses
autres pièces. Ce n'est pourtant qu'un exemple de plus
montrant que Marot hésite, qu'il ne va pas jusqu'au bout,
qu'il n'est pas vraiment systématique. Il reste que dans
le manuscrit de Chantilly il a mis à part les épigrammes
imitées de Martial, et qu'il n'a publié, dans aucune de ses
éditions, les autres épigrammes imitées de Martial, composées pour la plupart entre 1537 et 1542, et que nous ne
connaissons que par l'édition de 1547 [125], montrant ainsi
qu'il désirait les laisser en un groupe ayant une identité
très nette. Dans ces conditions l'argument de Villey relève
de l'arbitraire et de la pure hypothèse. Il nous est impossible de savoir ce que Marot aurait fait s'il avait vécu ;
nous ne pouvons que respecter ses volontés là où nous pouvons les établir par ses actions.

Répétons que c'est bien Marot qui a introduit Martial
dans la poésie française. On ne connaît aucune imitation
du poète latin avant mars 1538, date du manuscrit de

---

Marnef, *Epigrammes de Clement Marot, faictz à l'imitation de
Martial. Plus quelques autres Œuvres dudict Marot, non encores
Imprimees par cy devant ;* (Bibliographie, II, n° 154.)
   124. *Les grands écrivains du seizième siècle, Marot et Rabelais,* Champion, Paris, 1923, p. 119.
   125. Voir plus haut, p. 416, n. 123.

Chantilly. Même si l'on admet que Bouchet écrivit des épigrammes avant Marot[126], et ce n'est pas sûr, il faut répéter que les poèmes du Rhétoriqueur poitevin n'ont rien de satirique et n'ont rien de commun avec la poésie de Martial. De même les épigrammes de Michel d'Amboise, en admettant qu'elles ne soient pas toutes traduites d'Angeriano, ne doivent certainement rien à Martial.

D'une importance presque égale est le fait que nous sommes ici en présence de ce qui est probablement la première tentative systématique d'imitation poétique. Dans *La Deffence et Illustration de la langue françoise* Du Bellay condamne, on le sait, la traduction en matière de poésie pour prôner l'imitation. Il est vrai que cette condamnation est tant soit peu facile et superficielle, comme les réponses de Barthélemy Aneau et de Guillaume des Autels au pamphlet de Du Bellay le font observer à juste titre. Du reste Marot avait pratiqué la libre imitation des poètes de l'antiquité longtemps avant d'être initié à Martial. Pourtant c'est ici sa seule imitation systématique. Du point de vue de l'histoire littéraire ce fait est important.

L'imitation de Marot est en somme semblable à celle que feront plus tard Du Bellay et Ronsard de poètes tels que Bembo, Ariosto, Horace et Pindare. Tantôt il calque son original, tantôt il l'imite assez librement. Presque toujours il arrive à transposer très adroitement ce qu'il imite, témoin la longue épigramme sur la chienne de la reine Eléonore, imitée d'un poème de Martial[127], où le lecteur non prévenu ne pourrait savoir qu'il s'agit d'une imitation — aussi peu du reste que dans la plupart des autres épigrammes imitées de Martial — puisqu'il est question de la reine de France, de Fontainebleau, et que la reine Eléonore avait effectivement une chienne du nom de Mignonne.

D'une façon différente, mais également convaincante, l'épigramme *A F. Rabelais* ne suggère aucunement le calque ou l'imitation :

---

126. Voir plus haut, p. 360 et 412.

127. *Les Epigrammes*, CLIV, *De la Chienne de la Royne Elienor*, imitée de Martial « Issa est passere nequior Catulli » (*Epigrammes*, éd. H.J. Izaac, Paris, Les Belles-Lettres, Collection des Universités de France, 1930, I, CIX).

> S'on nous laissoit noz jours en paix user,
> Du temps present à plaisir disposer,
> Et librement vivre comme il faut vivre,
> Palays & Cours ne nous faudroit plus suyvre,
> Plaids ne proces, ne les riches maisons
> Avec leur gloire & enfumez blasons ;
> Mais sous belle ombre, en chambre & galeries,
> Nous promenans, livres & railleries,
> Dames & bains seroient les passetemps,
> Lieux & labeurs de noz espritz contens.
> Las, maintenant à nous point ne vivons,
> Et le bon temps perir pour nous sçavons,
> Et s'en voller, sans remedes quelconques ;
> Puys qu'on le sçait, que ne vit on bien donques [128] ?

C'est qu'ici prédomine la note personnelle. Si Marot s'est parfois trouvé heureux à la Cour, s'il l'a saluée dans un vers célèbre comme sa « Maistresse d'escole [129] » il est pourtant plus que probable, vu son indépendance d'esprit, que surtout après son retour d'exil, il a dû s'y trouver malheureux à plus d'une reprise, et que les sentiments qu'il exprime dans cette épigramme sont bien les siens.

Il arrive assez souvent que l'imitation de Marot vaille mieux que l'original. C'est le cas par exemple de l'épigramme *De Jehan Jehan* [130] imitée du poème de Martial :

> Praedia solus habes et solus, Candide, nummos
>     aurea solus habes, murrina solus habes,
> Massica solus habes et Opimi Caecuba solus,
>     et cor solus habes, solus et ingenium.
> Omnia solus habes — nec me puta uelle negare —
>     uxorem sed habes, Candide, cum populo [131].

Dans sa version, Marot aiguise le trait de l'original :

> Tu as tout seul, Jehan Jehan, vignes & prez ;
> Tu as tout seul ton cœur & ta pecune ;

---

128. *Les Epigrammes*, CLXXXIII.
129. *Les Epîtres*, XLV, v. 34.
130. *Les Epigrammes*, CLIX.
131. Martial, éd. cit., III, xxvi.

Tu as tout seul deux logis dyaprez,
Là ou vivant ne pretend chose aucune ;
Tu as tout seul le fruict de ta fortune ;
Tu as tout seul ton boire & ton repas ;
Tu as tout seul toutes choses fors une :
C'est que tout seul ta femme tu n'as pas.

Ainsi le manuscrit de Chantilly marque une étape importante dans la vie de Marot de même que dans l'histoire de la poésie française.

### Etienne Dolet et l'édition des Œuvres de 1538

**1. Dolet.**

Etienne Dolet est un des hommes les plus intéressants et les plus mystérieux de la Renaissance française [132]. Elevé à Padoue comme tant d'illustres humanistes, disciple du célèbre cicéronien Simon de Neufville et devenu par conséquent l'ennemi d'Erasme [133], Dolet attire d'abord l'attention par sa violente condamnation de la persécution religieuse commise à Toulouse sur la personne du recteur Jean de Caturce brûlé pour hérésie en 1532 [134]. Ces protestations éloquentes représentent un des premiers plaidoyers pour la tolérance religieuse et la liberté de conscience, et obligèrent l'auteur à quitter Toulouse. Etabli ensuite à Lyon, sans doute travaillant comme correcteur d'épreuves, il écrivit pendant un séjour à Paris une lettre souvent citée dans laquelle il se moque des protestants qui prennent leur religion au sérieux jusqu'à se faire brûler pour elle [135]. Peut-être a-t-on donné trop d'importance à cette lettre. De toute façon, il ne faudrait pas y voir la preuve, qu'après ses généreuses protestations contre l'assassinat de Jean de

---

132. Ici encore il nous manque une étude moderne. L'excellente monographie de R. Copley Christie, *Etienne Dolet, the martyr of the Renaissance*, Londres, 1880, fut écrite il y a presque un siècle, mais n'a jamais été remplacée.
133. Voir *ibid.*, p. 26 et suiv.
134. *Ibid.*, p. 51.
135. *Ibid.*, p. 199.

Caturce, Dolet, une fois à Lyon, se soit rangé et n'ait plus
fait preuve de courage. Le contraire est le cas. L'hypothèse
aussi curieuse que vraisemblable de Copley Christie, selon
laquelle Dolet aurait pris fait et cause, jusqu'à en venir aux
voies-de-fait, pour les ouvriers imprimeurs de Lyon dans
ce qui était sans doute la première grève dans notre histoire, montre à quel point Dolet fut un personnage extraordinaire et attrayant, tout en indiquant comment il dut être
haï à l'époque par ses collègues traditionnalistes, routiniers
ou intéressés [136].

Sa première affaire avec la justice est mystérieuse. C'est
son duel avec le peintre Compaing, entraînant la mort de
ce dernier. Le pardon qu'il reçut de François 1er est basé
sur le fait qu'il s'agit, non d'un meurtre, mais bien d'un
duel ou d'un cas de légitime défense. En l'absence d'autres
témoignages, on ne peut qu'accepter qu'il en fut ainsi [137].

Son activité d'éditeur à Lyon est également mystérieuse.
Outre les *Œuvres* de Marot il publia surtout des ouvrages
de propagande protestante [138]. C'est du reste pour ce crime
qu'il fut condamné à mort. Ayant de nouveau été pardonné
par l'intervention de François Ier, ses ennemis se servirent
contre lui d'un grossier subterfuge, les autorités lyonnaises
« trouvant » des livres interdits dans des paquets qui lui
étaient envoyés sous l'anonymat. Arrêté une fois de plus,
il fut finalement condamné à mort par le Parlement de
Paris après que la Sorbonne consultée eut déclaré que
Dolet, dans sa traduction du dialogue pseudo-platonique
*Axiochus* avait fait preuve d'athéisme en traduisant mal le
texte. Il avait rendu le grec οὐκ ἔιδει, en latin : *non eris*
(les théologiens de la Sorbonne étaient, on le sait, incapa-
bles de lire le grec) par « rien du tout », dans la phrase :
« Après la mort tu ne seras rien du tout. » Selon l'opinion
de la Sorbonne, ce « du tout » ne figurant pas dans le texte
original, Dolet en l'ajoutant avait attribué à Platon l'idée
de nier l'immortalité de l'âme. Se basant sur cette opinion

---

136. Voir *ibid.*, p. 324-326.
137. Voir *ibid.*, p. 296-313.
138. Voir C.A. Mayer, *The problem of Dolet's evangelical
publications*, B.H.R., t. XVII, 1955, p. 407-414.

de la faculté, le Parlement de Paris condamna Dolet à être brûlé vif. Il le fut le 3 août 1546 sur la place Maubert à Paris. Au XIX⁰ siècle une statue lui fut élevée à l'endroit même de sa mort. L'occupation allemande la fit enlever. Elle ne fut jamais remise, phénomène peu surprenant dans l'atmosphère de l'occupation et de l'après-guerre.

## 2. Marot et Dolet.

Il est peu probable que les deux hommes se soient connus avant 1537. Avant son arrivée à Lyon en décembre 1536, on ignore effectivement si Marot est jamais allé à Lyon [139]. Bien que la chose soit possible, on ne saurait l'affirmer avec certitude, et on ne saurait dire quand et à quelle occasion ce fut. De plus on ne connaît aucun poème de Marot adressé à Dolet avant 1537 et aucune mention de Marot dans les œuvres de Dolet avant cette date.

Lorsque Marot vint à Lyon à son retour d'exil, Dolet était à Paris [140]. Ce n'est donc qu'au banquet offert à Paris par Dolet lors de son pardon [141], que les deux hommes se rencontrèrent sans doute pour la première fois. De toute évidence, ils se prirent d'amitié, car entre février 1537 et juillet 1538 il existe de nombreux témoignages montrant les rapports étroits entre les deux hommes. Il est même certain qu'à cette époque Marot subit assez profondément l'influence de Dolet.

Le 6 mars 1538, à Moulins, Etienne Dolet obtint de François 1ᵉʳ un privilège spécial et à peu près unique dans les annales de l'imprimerie, lui donnant privilège d'imprimer tout ouvrage composé, traduit ou simplement revu par lui.

### Extraict du privileige

Par le don, & octroy du Roy il est permis à Estienne Dolet d'imprimer, ou faire imprimer touts livres par luy composés, & traduicts : & touts aultres œuvres des Autheurs modernes, & antiques, qui par luy

---

139. Voir R. Copley Christie, ouvr. cit., p. 299.
140. Voir plus haut, p. 412.
141. Voir plus haut, p. 373.

seront deuement reveus, amendés, illustrés, ou anno-
tés, soit par forme d'interpretation, scholies, ou aultre declaration : tant en lettres Latines, Grecques, Italiennes, que Françoyses. Et est faicte inhibition, &
deffence à toutes aultres personnes quelconques sur
peine de confiscation de leurs livres, & aultre amende
arbitraire de n'imprimer, ou faire imprimer, ne exposer, ou faire exposer en vente au Royaulme de France,
ny aultre part lesdicts livres, & œuvres sur les copies,
& exemplaires du dict Dolet dedans le terme de dix
ans, à compter du iour, que lesdicts livres seront
imprimés, comme il est contenu plus amplement en
l'original de ces presentes. Donné à Moulins le si-
xiesme iour de Mars l'an de grace M.D. XXXVII. Et
de ce Regne le vingt & quatriesme.

Par le Roy, Monseigneur
le Cardinal de Tournon
present.

> Signé de la Chesnay,
> & seellé du grand seau
> en cyre Iaulne.

Marot se prévalut de ce privilège pour donner une édition de ses Œuvres, comme il appert de la préface de l'édition de 1538 :

### Clement Marot a Estienne Dolet Salut
    Le tort que m'ont faict ceulx qui par cy devant ont
imprimé mes Œuvres, est si grand et si oultrageux,
cher Amy Dolet, qu'il a touché mon honneur & mis
en danger ma personne ; car, par avare convoitise de
vendre plus cher et plustost ce qui se vendoit assez,
ont adjousté à icelles miennes œuvres plusieurs aultres qui ne me sont rien, dont les unes sont froide-
ment & de maulvaise grace composées, mettant sur
moy l'ignorance d'aultruy ; et les aultres toutes pleines de scandale & sedition, de sorte qu'il n'a tenu à
vous que, durant mon absence, les ennemys de Vertu
n'ayent gardé la France & moy de jamais plus nous
entreveoir ; mais la grace de Dieu par la bonté du
Roy (comme tu sçais) y a pourveu. Certes j'ose dire
sans mentir (toutesfoys sans reproche) que de tous
ces miens labeurs le proffit leur en retourne. J'ay
planté les Arbres, ilz en cueillent les fruictz. J'ay

trayné la Charrue, ilz en serrent la moisson, et à moy
n'en revient qu'un peu d'estime entre les hommes,
lequel encor ilz me veulent estaindre, m'attribuant
œuvres sottes & scandaleuses. Je ne sçay comment
appeller cela sinon ingratitude, que je ne puis avoir
desservie, si ce n'est par la faulte que je feis quand
je leur donnay mes copies. Or ne suis je seul à qui ce
bon tour a esté faict. Si Alain Chartier vivoit, croy
hardiment (Amy) que vouluntiers me tiendroit compagnie à faire plaincte de ceulx de leur Art qui à ses
œuvres excellentes adjousterent La contre Dame sans
mercy, l'Hospital d'Amours, La complaincte de sainct
Valatin & la Pastourelle de Granson, œuvres certes
indignes de son nom & aultant sorties de luy, comme
de moy : La complaincte de la Bazoche, l'Alphabet
du temps present, l'Epitaphe du Conte de Sales & plusieurs autres lourderies qu'on a meslées en mes livres.
Encores ne leur a souffy de faire tort à moy seul,
mais à plusieurs excellens Poetes de mon temps, desquelz les beaulx Ouvrages les Libraires ont joinctz
avecques les miens, me faisant (maulgré moy) usurpateur de l'honneur d'aultruy. Ce que je n'ay peu sçavoir & souffrir tout ensemble. Si ay jetté hors de mon
livre non seulement les maulvaises, mais les bonnes
choses, qui ne sont à moy, ne de moy, me contentant
de celles que nostre Muse nous produict. Toutesfois,
au lieu des choses rejectées (affin que les lecteurs ne
se plaignent) je y ay mis douze fois aultant d'aultres
œuvres miennes par cy devant non imprimées, mesmement deux livres de Epigrammes. Et apres avoir
reveu & le vieil & le nouveau, changé l'ordre du Livre
en mieulx & corrigé mille sortes de faultes infinies
procedans de l'Imprimerie, j'ay conclu t'envoier le
tout, affin que soubz le bel & ample Privilege, qui pour
ta Vertu meritoire t'a esté octroyé du Roy, tu le fasses (en faveur de nostre amytié) reimprimer, non seulement ainsi correct que je le t'envoye, mais encores
mieulx, qui te sera facile si tu y veulx mettre la diligence egalle à ton sçavoir. Si te prie de tout mon
cueur y vouloir vacquer en Amy, m'aydant à garder
diligemment les Imprimeurs & Libraires que desor-
mais ilz n'y adjoustent rien sans m'en advertir, & ilz
feront beaucoup pour eux ; car si j'ay aulcunes œuvres à mettre en lumiere, elles tumberont assez à
temps en leurs Mains, non ainsi par pieces comme ilz

les recueillent ça & là, mais en belle forme de livre.
D'advantaige, par telles leurs additions se rompt tout
l'ordre de mes livres qui tant m'a cousté à dresser.
Lequel ordre (docte Dolet & vous aultres Lecteurs
debonnaires) j'ay voulu changer à ceste derniere reveue, mettant l'Adolescence à part ; et ce qui est hors
d'Adolescence tout en ung, de sorte que plus facilement que paravant rencontrerez ce que vouldrez y
lire. Et si ne le trouvez là où il souloit estre, le trouverez en reng plus convenable. Vous advisant que de
tous les livres qui par cy devant ont esté imprimez
soubz mon nom, j'advoue ceulx cy pour les meilleurs,
plus amples & mieulx ordonnez. Et desadvoue les aultres comme bastardz ou comme enfans gastez. Escript
à Lyon, ce dernier jour de Juillet, l'an Mil cinq cens
trente et huict.

Comme on le voit, cette préface fut d'abord adressée à
Dolet [142], et Marot ne se contente pas de nommer et de
louer le grand humaniste, mais fait une allusion précise
au privilège spécial. Cependant, dans l'édition de Gryphius,
publiée peu de jours après celle de Dolet [143], le nom de celui-
ci et la mention du privilège sont omis :

*Clement Marot à ceulx qui par cy*
*devant ont imprimé ses œuvres*

Le tort que vous m'avez faict, vous aultres qui par
cy devant avez imprimé mes Œuvres, est si grand et
si oultrageux qu'il a touché mon honneur & mis en
danger ma personne ; car, par avare convoitise de
vendre plus cher et plustot ce qui se vendoit assez,
avez adjousté à icelles miennes œuvres plusieurs aultres qui ne me sont rien, dont les unes sont froide-
ment & de maulvaise grace composées, mettant sur
moy l'ignorance d'aultruy ; et les aultres toutes pleines de scandale & sedition, de sorte qu'il n'a tenu à
vous que, durant mon absence, les ennemys de Vertu
n'ayent gardé la France & moy de jamais plus nous
entreveoir ; mais la grace de Dieu par la bonté du
Roy (comme sçavez) y a pourveu. Certes j'ose dire

---

142. Sur les deux éditions des *Œuvres* de 1538, la première
donnée par Dolet, la seconde par Gryphius, voir plus bas, p. 430
et 444.

143. Voir plus bas, p. 444.

sans mentir (toutesfoys sans reproche) que de tous ces miens labeurs le proffit vous en retourne. J'ay planté les arbres, vous en cueillez les fruictz. J'ay trayné la charrue, vous en serrez la moisson, et à moy n'en revient qu'un peu d'estime entre les hommes, lequel encor vous me voulez estaindre, m'attribuant œuvres sottes & scandaleuses. Je ne sçay comment appeler cela sinon ingratitude, que je ne puis avoir desservie, si ce n'est par la faulte que je feis quand je vous donnay mes copies. Or ne suis je seul à qui ce bon tour a esté faict. Si Alain Charretier vivoit, voluntiers me tiendroit compagnie à faire plaincte de ceulx de vostre art qui à ses œuvres excellentes adjousternent La contre Dame sans mercy, l'Hospital d'Amours, La complaincte de sainct Valentin & la Pastourelle de Granson, œuvres certes indignes de son nom & aultant sorties de luy, comme de moy : La complaincte de la Bazoche, l'Alphabet du temps present, l'Epitaphe du Conte de Sales & plusieurs autres lourderies qu'on a meslées en mes livres. Encores ne vous a souffy de faire tort à moy seul, mais à plusieurs excellens Poetes de mon temps, desquelz les beaulx ouvrages vous avez joinctz avecques les miens, me faisant (maulgré moy) usurpateur de l'honneur d'aultruy. Ce que je n'ay peu sçavoir & souffrir tout ensemble. Si ay jetté hors de mon livre non seulement les maulvaises, mais les bonnes choses, qui ne sont à moy, ne de moy, me contentant de celles que nostre Muse nous produict. Toutesfois, au lieu des choses rejectées (affin que les lecteurs ne se plaignent), je y ay mis douze fois aultant d'aultres œuvres miennes par cy devant non imprimées, mesmement deux livres de Epigrammes. Parquoy, Imprimeurs, je vous prie que doresenavant n'y adjoustez rien sans m'en advertir, et vous ferez beaucoup pour vous ; car si j'ay aulcunes œuvres à mettre en lumiere, elles tumberont assez à temps en voz mains, non ainsi par pièces comme vous les recueillez çà & là, mais en belle forme de livre. D'advantaige, par telles voz additions se rompt tout l'ordre de mes livres qui tant m'a cousté à dresser. Lequel ordre (Lecteurs debonnaires) j'ay voulu changer à ceste derniere reveue, mettant l'Adolescence à part ; et ce qui est hors d'Adolescence tout en ung, de sorte que plus facilement que paravant rencontrerez ce que vouldrez y lire. Et si ne le trouvez là où il

souloit estre, le trouverez en reng plus convenable.
Vous advisant que de tous les livres qui par cy devant
ont esté imprimez soubz mon nom, j'advoue ceulx cy
pour les plus amples & mieulx ordonnez. Et desadvoue les aultres comme bastardz ou enfans gastez.
Escript à Lyon, ce dernier jour de Juillet, l'an Mil
cinq cens trente et huict.

Pourtant c'est bien vers ce moment que Marot semble
avoir obtenu de François 1er un privilège extraordinaire.
Voici le texte de ce curieux document :

### Declaration sur l'impression des œuvres de Marot

François etc. à tous ceulx, etc. Notre cher et bien
amé vallet de chambre ordinaire Clement Marot nous
a faict dire et remonstrer que communement il se
trouve de ses œuvres courans et disposées par tous les
lieux et endroits de ce roiaume, qui sont imprimées
et mises en lumiere avec impressions si impertinentes
et mal ordonnées que le plus souvent l'on y voit plus
de faultes que de bons mots, dont il se sent fort scan-
dalizé au lieu de honneur et reputation qu'il preten-
doit avoir aucunement acquis en recompense du labeur par luy prins à l'invention et compillacion desdits œuvres pour la recreation, utilité et ediffication
des bons esprits qui se delectent à veoir la poésie et
rethorique deduictes en nostre langue vulgaire françoise. Lesquelles faultes et erreurs prouviennent d'un
tas de libraires, imprimeurs et autres qui ont trouvé
et trouvent moien de retirer et substraire des minu-
ties, copies et exemplaires dudit Marot ou de ses
amys auxquels il faict liberallement part et communication de ses œuvres, et soubdainement que tels
curieux et indiscrets les ont en leurs mains, sans
aucun autre respect que leur particulier et singulier
prouffict qu'ils ont plus devant leurs yeux pour recommandé que nulle autre consideration honneste, les
font imprimer par paouvres ignorans qui ne scavent
ce qu'ils font, et leur est assez de se depescher pour
faire un nombre effluent de volumes et apres en abu-
ser le peuple duquel, en ce faisans, ne leur baillant
chose qui vaille, ils desrobent et tirent souvent l'argent ; sans le tort evident et irreparable qu'ils font à

l'autheur, le frustrant ainsi de son labeur, tellement qu'il ne luy demoure seulement que le nom, et intitulation de l'œuvre qui ne servent [144] que de couleur et couverture auxdits abbuz. Au tres grant regret, ennuy et desplaisir dudit Marot, lequel n'a le plus souvent loysir de faire ses honneurs envers nous et les princes et Seigneurs estans lez nous, qui en devons avoir la première communication ; par ce moien est reboutté et desdaigne de vouloir plus riens faire, si nostre plaisir n'estoit sur ce luy vouloir pourvoir de nostre grace et remede convenable. Et pour ce aussi qu'il y a quelques autres livres en rithme françoise tant des anciens bons autheurs que des modernes qui sont decedez, lesquels livres, encore qu'ils soient de non moindre audition que de plaisir et delectation, ont esté succession de temps corrompuz ou vitiez de telles pernicieuses et ignorantes personnes que ceulx cy dessus alleguez, ledit Marot vouldroit volentiers travailler et prendre la peine, selon l'intelligence qu'il a pleu à Dieu luy donner, de les revoir et nettoyer desdites corruptions, faultes et erreurs qui se trouvent contre la dignité, repputation et intention de l'autheur [145] mais que nostre plaisir fust aussi donner ordre que lesdictz livres ainsy par luy reveuz ne fussent imprimez ne exposez en vente sinon par ceulx auxquels il en baillera les exemplaires corrigés de sa main [146] et sur ce faire les deffenses avec introduction de peines en tel cas requises et pertinentes.

Sçavoir faisons que nous avons sur toutes autres choses singulierement desiré de nostre temps et siècle les lettres en toutes disciplines et professions, qui par cy devant estoient demourées ensevelies, profanées et deteriorées de leur vray sens et intelligence, estre reduictes en leur prestence, lumiere, honneur, decoration et repputation, et, pour cest effet, entretenir, gratifier et favoriser en ce qu'il nous a esté possible les professions d'icelles, pour les divertir et anymer à faire de bien en mieux leur debvoir esdites professions et disciplines, dont nostre royaume est pour le jourd'huy sur tous les autres desiré et honoré : ne

---

144. Ms. : sont.
145. Ms. : auctorité.
146. Ms. : maison.

voulons icelles choses vertueuses, lesquelles avec si
grant soin, labeur et diligence avons introduictes,
estre par les vices et erreurs des ignorans, curieux et
ambitieux corrompues ou aultrement alterées, selon
et ainsi que dict est cy dessus. Pour ces causes, et
autres bonnes et justes considerations à ce nous
mouvans, avons par les presentes de nostre certaine
science ; pleine puissance et autorité royale prohibé
et deffendu, prohibons et deffendons à tous libraires,
imprimeurs et autres personnes quelquonques, que
doresnavant du jour de la publication de ces presentes, ils ne aucuns d'eux aient à imprimer ne faire
imprimer ne exposer en vente en quelque maniere
que ce soit, aucune œuvre dudit Marot de celles qui
sont ja imprimées et longtemps a permises et publiées, elles n'ont esté par luy revues, corrigées et
amendées, et qu'il ne nous en ait baillez les copies et
exemplaires signés de sa main avec permission de les
mettre en impression telles qu'il verra et cognoistra
estre à faire, et ce sous peine de confiscation des livres
et volumes qui apres la dicte publication se trouveront audevant imprimez et exposez en vente, et auxdits libraires, imprimeurs et vendeurs d'amende arbitraire et d'estre pugniz comme infracteurs de nosdites
ordonnances et deffences, lesquelles nous voulons d'estendre avec les mesmes peines que dessus pour les-
dits autres livres d'autheurs modernes, ja prouve que
ledit Marot, ainsi que dict est, vouldra prendre la
peine de revoir, corriger et nettoier lesdites corruptions, faultes, vices et erreurs qui se trouveront à
l'impression contre l'honneur, dignité et intention
desdits autheurs et dudit Marot ; aussi pour les œuvres nouvelles et recentes qu'il fera apres, à sa charge
que preallablement elles seront visitées par gens suffisans [147] à ce commis et qui certifieront lesdites œuvres nouvelles n'estre prejudiciables à la chose publique. Et donnons cy mandement par les presentes aux
prevost de Paris, bailliz de Rouen et de Dijon, sene-
chaulx de Lyon, Toulouse et Guyenne ou à leurs
lieutenans et à tous nos autres justiciers et officiers
qu'il appartiendra, par tous les lieux et endroicts de
leurs provinces, destroicts et jurisdictions que besoin

147. Ms. : suffisance.

sera de [148] icelles entretenir, garder et observer de
poinct en poinct sans enfraindre, en pugnissant les
transgresseurs par les peines cy dessus indictes et
autres encore ainsi qu'ils verront estre à faire selon
l'exigence du cas. Car tel est nostre plaisir, nonobstant etc., et pour que etc., nous voulons etc., auquel
etc. faire une etc. et a chacun d'eulx endroit soy et si
comme à luy appartiendra [149].

L'importance de l'édition de 1538 a été pleinement
démontrée par Villey [150]. D'abord elle constitue une tentative de la part de Marot de réunir en un seul volume toutes
ses compositions, exception faite toutefois des pièces
que pour une raison ou une autre il n'entendait pas livrer
au public [151]. De plus cette édition est certainement la dernière donnée par les soins du poète. L'édition dite Constantin, publiée à Lyon en 1544 et qui avait longtemps passée
pour être l'édition définitive des *Œuvres* de Marot, a très
évidemment été imprimée sans sa collaboration et même à
son insu, preuve non seulement le fait que l'auteur était en
exil depuis la fin de l'année 1542 et qu'il mourut à Turin
au mois de septembre 1544, mais encore les assez nombreuses pièces apocryphes et les innombrables fautes et
leçons mauvaises qui figurent dans cette édition [152].
Marot, il est vrai, a donné, après 1538, plusieurs éditions
partielles, comme par exemple ses *Cantiques de la Paix* [153]
en 1540, sa traduction de *L'Histoire de Leander et de
Hero* [154] en 1541, ses *Etrennes aux Dames de la Cour* [155] en

---

148. Ms. : et.
149. Le texte de ce privilège figure dans le ms. 18111 du fonds
français de la B.N. (f° 57). Ce manuscrit étant un formulaire,
le texte du privilège n'est pas daté. Il fut publié par Ph. A. Becker (*Zeitschrift für französische Sprache und Litteratur*, XLII,
1914, p. 224-229).
150. *Recherches sur la Chronologie*, ouvr. cit., p. 148 suiv.
151. C'est le cas des poèmes d'exil (voir plus haut, p. 340-341)
et de pièces satiriques comme l'*Enfer*, le deuxième et le troisième *coq-à-l'âne*, etc.
152. Sur ce problème, voir C.A. Mayer, *Le Texte de Marot*,
B.H.R., t. XV, 1953, p. 75-80.
153. *Bibliographie*, II, n° 86.
154. *Ibid.*, II, n° 99.
155. *Ibid.*, II, n° 91.

1541, et ses deux éditions des *Psaumes* chez Estienne Roffet [156] en 1541 et 1543, mais il n'a plus publié d'éditions complètes de ses œuvres. Cette considération à elle seule confère à l'édition de 1538 une très grande valeur.

De cette édition si précieuse un seul exemplaire nous est connu, conservé à la Bibliothèque Nationale [157]. C'est un in-8° gothique en quatre parties de 90 feuillets chiffrés, 96 feuillets chiffrés, 32 feuillets chiffrés et 26 feuillets chiffrés respectivement. Une remarque intéressante s'impose. Ce volume, le deuxième à porter la marque d'éditeur d'Etienne Dolet, fut en réalité imprimé dans l'atelier de Sébastien Gryphius. C'est chez ce dernier, sans doute, à part Jean de Tournes, le plus important et le plus estimé des éditeurs lyonnais, que Dolet semble avoir travaillé comme correcteur d'épreuves, avant d'établir sa propre maison d'édition. De toute évidence, au début de son exercice — rappelons que l'édition des *Œuvres* de Marot est le second ouvrage publié par Dolet [158] — Dolet ne possédait pas encore de presses [159], de sorte qu'il dut faire imprimer ses premiers volumes chez son ancien patron.

Que Marot ait personnellement surveillé cette édition, cela ne fait pas de doute. Les nombreux changements effectués dans le texte en font foi. On trouve d'abord plusieurs exemples de ce qu'on pourrait appeler de la hardiesse, où Marot rétablit le texte original, adouci ou coupé dans l'*Adolescence Clementine*. C'est le cas de la célèbre attaque contre la corruption de la justice dans l'épître *Au roy, pour le deslivrer de prison* [160]. Rappelons que cette épître, composée au mois d'octobre 1527, fut publiée pour la première fois dans le recueil subreptice *Les Opuscules et petitz Traictez de C. Marot* par O. Arnoullet à Lyon probablement en 1531 [161]. Dans cette première impression les vers 32 à 42 se lisent :

---

156. *Ibid.*, II, n°ˢ 101 et 119.
157. Rés. Ye 1457-1460.
158. Voir R. Copley Christie, ouvr. cit., p. 521.
159. Il ne semble jamais avoir possédé d'atelier, puisque tous les livres qu'il édita portent cette curieuse marque : A Lyon, au logis de Monsieur Dolet.
160. *Les Epîtres*, XI.
161. *Bibliographie*, II, n° 6. Cf. plus haut, p. 227-230.

Et neantmoins j'ay plus grant appetit
De pardonner à leur folle fureur
Qu'a celle la dung maistre procureur
Que male mort les deux jambes luy casse !
Il a bien prins de moy une becasse,
Une perdrix, et un levrault aussi :
Et toutesfoys je suys encore icy.
Encores je croy si jen avoye plus
Quilz prendroient tout, car ilz ont tant de glus
Dedans leurs mains, ces faiseurs de pipée
Que toutes choses, ou touchent est grippée.

Or en 1532 dans l'*Adolescence Clementine* ce passage est sensiblement différent. Le vers 40 devient :

Qu'il ne fauldroit a prandre comme glus

et les vers 41 et 42 manquent. De toute évidence, Marot, en 1532, a dû juger trop hardi ce trait satirique contre la corruption de la justice et l'a, par conséquent, éliminé. Or, en 1538, il l'a restitué, le passage étant presque identique à l'édition princeps :

Et toutesfois j'ay plus grand appetit
De pardonner à leur folle fureur
Qu'à celle là de mon beau Procureur.
Que male Mort les deux Jambes luy casse !
Il a bien prins de moy une Becasse,
Une perdrix, et ung Levrault aussi.
Et toutesfoys je suis encor icy.
Encor je croy, si j'en envoioys plus,
Qu'il le prendroit, car ilz ont tant de glus
Dedans leurs mains, ces faiseurs de pipée
Que toute chose où touchent est grippée.

Dans d'assez nombreux cas, Marot corrige des versions fautives ou inférieures. Le meilleur exemple de ces corrections est également fournie par l'épître *Au roy, pour le deslivrer de prison*. L'édition d'Arnoullet avait donné, du vers 53, une version fautive de onze syllabes :

Au pis aller ny echerroit que une amende.

Dans l'*Adolescence Clementine* ce vers avait été mal corrigé :

Au pis aller ny cherroit que une amende.

On voit qu'afin de réduire le vers à dix syllabes, l'auteur ou l'éditeur avait pratiqué une coupure maladroite du mot « echerroit » en le remplaçant par « cherroit », mot qui n'est pas attesté ailleurs dans la langue française de l'époque. En 1538 Marot corrige ce vers, mettant :

Au pis aller n'escherroit que une Amende [162].

Enfin un dernier groupe d'exemples de corrections que Marot a pratiquées dans l'édition de 1538 accusent nettement son évolution poétique. Ainsi, dans l'épître *Au Reverendissime Cardinal de Lorraine* [163] il change les vers 19 et 20 de la version originale :

Ce qu'il attend en ceste Court gist là ;
Et ce pendant pour tous Tresors il a
Troys petis dons, où quelque heur il praticque
Cestassavoir une plume rusticque,
Ung don Royal, où ne peult advenir,
Et ung Espoir (en vous) d'y parvenir.

Ce qu'il attend en ceste Court gist là ;
Et ce pendant pour tous Tresors il a,
Non Revenu, Banque, ne grand Practique,
Mais seulement sa Plume Poetique,
Ung don Royal, où ne peult advenir,
Et ung Espoir (en vous) d'y parvenir.

Notons d'abord que la version originale est donnée par Arnoullet en 1531 de même que dans l'*Adolescence Cle-*

---

162. Il est curieux de noter qu'en 1544 Constantin rétablit la mauvaise leçon « n'y cherroit », leçon qui a été répétée depuis dans toutes les éditions de Marot, ce qui a eu le résultat d'enrichir la langue française, puisque tous les lexicographes ont donné la forme *cherroit* comme exemple unique du verbe *cheoir* dans le sens que le mot a dans ce vers, c'est-à-dire le sens d'échoir.

163. *Les Epîtres*, XV.

*mentine,* et que jusqu'en 1538 on ne connaît pas d'autre
version. Il est évident qu'en 1538 Marot a considérablement évolué et n'accepte plus la poétique des Rhétoriqueurs. Par conséquent la fausse modestie de la « plume
rustique » et des « troys petis dons » est remplacée avec
bonheur par la légitime fierté de l'écrivain qui se vante
de ne posséder au monde que « sa plume poétique ».

Pour toutes les pièces dont nous connaissons un état
antérieur à celui de l'*Adolescence Clementine* [164], il existe
trois états distincts, celui de l'édition princeps, celui de
l'*Adolescence* et enfin celui des *Œuvres* de 1538 [165]. Pour
toutes les pièces parues pour la première fois dans *La Suite
de l'Adolescence Clementine* [166] d'autre part, l'état de 1538
est, chose curieuse, sensiblement le même que celui de
l'édition princeps.

Pourtant il serait faux d'exagérer le degré de surveil-
lance que Marot a exercé sur l'édition des *Œuvres* de 1538.
La question est de savoir si Marot a soigneusement revu
et corrigé le texte. Malheureusement, il semble que dans
beaucoup de cas une telle révision n'ait pas eu lieu. En
effet, on trouve dans l'édition de 1538 des fautes qui
excluent l'hypothèse d'une révision minutieuse de la part
de l'auteur. Ainsi on peut relever plusieurs exemples de
coquilles introduites dans une des nombreuses éditions
publiées après l'édition princeps et conservées dans celle
de 1538. Cela prouve que pour beaucoup de pièces, Dolet
copie une édition antérieure et n'imprime certainement pas
d'après un manuscrit de l'auteur.

Ainsi dans l'*Epistre faicte pour le Capitaine Raisin
audict Seigneur de la Rocque* [167], se trouve un long passage
représentant les plaintes du pauvre « Raisin » atteint de
la maladie vénérienne :

> Ainsi navré, je contemple & remire
> Où je pourrois trouver souverain Mire ;

---

164. Voir plus haut, p. 231.
165. Voir C.A. Mayer, *Le Texte de Marot,* art. cit., t. XIV,
p. 323-328.
166. Voir plus haut, p. 240-241.
167. *Les Epîtres,* VI.

> Et, prenant cueur aultre que de malade,
> Vins circuir les limites d'Archade,
> La Terre neufve & la grand Tartarie,
> Tant qu'à la fin me trouvay en Surie,
> Où ung grand Turc me vint au corps saisir,
> Et, sans avoir à luy faict desplaisir,
> Par plusieurs jours m'a si tresbien frotté
> Le Dos, Les Rains, les Bras et le Costé,
> Qu'il me convint gesir en une couche,
> Criant les Dentz, le Cueur, aussi la Bouche ;
> Disant, helas, o Bacchus, puissant Dieu,
> M'as tu mené expres en ce hault lieu
> Pour veoir à l'œil moy, le petit Raisin,
> Perdre le goust de mon proche Cousin [168] ?

L'expression « hault lieu » du vers 48 est dénuée de tout sens. On devine qu'il s'agit d'une coquille et qu'il faut lire « chault lieu », qui désigne la « Surie ». En nous reportant à l'édition princeps de cette épître — en l'occurrence l'*Adolescence Clementine* imprimée par Geoffroy Tory pour Pierre Roffet à Paris le 12 août 1532 [169], nous trouvons en effet la leçon « chault lieu ». La coquille « hault lieu » fut introduite par une des deux éditions de l'*Adolescence* publiées par Roffet en 1534 [170], et copiée dans l'édition de 1538. Seulement quelqu'un semble s'être aperçu de l'erreur en dernière minute, de sorte que l'errata imprimé en tête du volume rétablit la bonne leçon. C'est pour cela sans doute aussi que la bonne leçon se retrouve dans l'édition de Dolet de 1542 et à sa suite dans celle de Constantin.

Autre exemple : dans l'épître *Au Roy, pour succeder en l'estat de son pere* [171], telle que la donne l'édition de 1538, on relève un couplet (v. 39-40) dans lequel il y a une répétition maladroite du mot « mort » :

> Si est il mort ainsi qu'il demandoit
> Et me souvient, quand sa mort attendoit

---

168. V. 35-50, *Œuvres*, Lyon, S. Gryphius, s.d. (été 1538) ; *Bibliographie*, II, n° 71.
169. *Bibliographie*, II, n° 9.
170. *Bibliographie*, II, n°ˢ 16 et 19.
171. *Les Epîtres*, XII.

Or l'édition princeps de cette épître — dans un recueil de poèmes de Jean Marot publié en 1533 [172] — présente sans nul doute la bonne leçon :

> Si est il mort ainsi qu'il demandoit
> Et me souvient quand sa fin attendoit [173]

On pourrait allonger la liste de ces exemples où le texte de 1538 est fautif. Ainsi ce passage de l'épître *Au Reverendissime Cardinal de Lorraine* est tant soit peu obscur :

> C'est le motif qui mon epistre meine
> Devant vos yeulx, esperant que bien prinse
> Sera de vous, sans en faire reprinse ;
> Non que dedans rien bon y puisse avoir,
> Fors un desir de mieulx faire sçavoir [174].

Le « faire scavoir » du vers 66 ne veut rien dire. S'il fallait y voir une métaphore pour « écrire » elle serait d'une pauvreté difficile à concevoir sous la plume de Marot. Mais ici encore l'édition princeps nous offre un texte parfaitement correct :

> Fors ung desir de mieulx faire & sçavoir.

Toute sa vie, Marot a eu pleinement conscience de son manque d'instruction ; il a exprimé son désir de s'instruire à plusieurs reprises. C'est ce désir d'acquérir du savoir et de s'élever dans son art qu'il exprime ici de la façon la plus simple.

---

172. *Sur les deux heureux voyages de Genes et Venise victorieusement mys a fin par le treschrestien roy Loys, douziesme de ce nom Pere au peuple*, Paris, G. Tory pour P. Roffet, *Bibliographie*, II, n° 239.

173. Il faut remarquer cependant qu'il s'agit ici tout bonnement d'une erreur de l'édition de 1538. Comme cette épître ne figure dans aucun recueil de Clément Marot avant l'édition de 1538, elle ne fut jamais imprimée entre l'édition princeps et l'édition de 1538, de sorte que l'erreur ne saurait provenir d'une édition intermédiaire, comme c'était le cas dans l'exemple précédent.

174. *Les Epîtres*, XV, v. 62-66.

Dans la même épître se trouve un autre endroit tant
soit peu obscur :

> Mais d'où provient que ma plume se mesle
> D'escrire à vous ? ignore ou presume elle ?
> Non, pour certain ; motif en est Mercure
> Qui, long temps a, de me dire print cure
> Que vous estiez des bien aymez amans
> Des dictz dorez et de rimez romans
> Soit de science ou divine ou humaine.

La construction du dernier vers est problématique ; il semble impossible d'y discerner un sens précis. Dans l'*Adolescence Clémentine* de 1532 ce vers se lit :

> Et de science & divine & humaine.

ce qui est tout à fait clair.

L'épître *A la Damoyselle negligente de venir veoir ses
Amys*, publiée pour la première fois dans l'*Adolescence
Clementine* en 1532, contient le passage suivant :

> Si t'advisons, nostre Amye treschere,
> Que pardeça ne se faict bonne chere,
> Que de t'avoir on ne face ung souhaict.
> Si l'ung s'en rit, si l'aultre est à son haict,
> Si l'un s'esbat, si l'aultre se recrée,
> Si tost qu'on tient propos qui nous agrée,
> Tant que le cueur de plaisir nous sautelle,
> Pleust or à Dieu (ce dit l'un) q'une telle
> Fust or icy, L'autre dit, pleust à Dieu
> Qu'un Ange l'eust transportée en ce lieu [176].

Dans l'édition de 1538 une coquille s'est glissée dans le
vers 18 :

> Pleust or à Dieu (ce dit lon) q'une telle

coquille qui détruit le sens du vers, puisque tout le passage
est bâti sur l'antithèse l'un — l'autre.

---

175. *Ibid.*, v. 55-61.
176. *Les Epîtres*, IV, v. 11-20.

Enfin dans l'*Eglogue sur le Trespas de ma Dame Loyse de Savoye*[177] le vers 235 se lit dans l'édition de 1538 :

> Aubepins blancs, Aubepins azurez.

Ce n'est pas seulement la répétition maladroite du mot « aubepin » qui choque le lecteur moderne. On avouera qu'un aubépin bleu, malgré Proust, est une absurdité, et qu'il n'en a jamais existé. Marot est peut-être inférieur à Ronsard comme poète de la nature, mais on ne peut aller jusqu'à lui reprocher une pareille faute d'observation. C'est du reste inutile. Dans les quatre premières éditions de l'*Adolescence Clementine*[178] ce vers se lit :

> Aubepins blancs, Aubefains azurez

leçon parfaite, le mot « aubefain » signifiant bluet. Il est évident qu'il s'agit d'une faute dans l'édition de 1538.

En conclusion on peut dire que l'édition de 1538 présente un nombre assez considérable d'erreurs, qui, il importe de le dire, ne sont pas de simples fautes d'impression sans conséquence, mais bien de véritables erreurs qui changent le sens des vers. Ce fait rend improbable une révision soigneuse du texte par Marot, au moins pour toutes les pièces. D'ailleurs, circonstance aggravante, la faute provient parfois d'une édition antérieure, ce qui prouve que loin d'avoir sous les yeux un manuscrit de l'auteur, l'éditeur de 1538 s'est contenté, pour certaines pièces, de réimprimer une édition antérieure tout au plus revue par Marot.

Enfin l'économie des *Œuvres* de 1538 est extrêmement décevante. Au lieu de réunir en un seul vrai volume tous ses ouvrages, Marot se contente de réimprimer ses trois recueils précédents, c'est-à-dire l'*Adolescence Clementine*, *La Suite de l'Adolescence Clementine* et *Le Premier Livre de la Metamorphose d'Ovide* en y ajoutant deux recueils nouveaux, les *Deux Livres d'Epigrammes*. A l'intérieur de chaque recueil Marot a effectué des changements. Certains sont motivés, semble-t-il, par un pur souci de chronogie. Ainsi la dernière section de l'*Adolescence Clementine*

---

177. *Œuvres lyriques*, LXXXVII, Eglogue i.
178. *Bibliographie*, II, nᵒˢ 9, 11, 12 et 14.

de 1532 : *Autres Œuvres... Faictes depuis l'eage de son adolescence. Par cy devant incorrectement et maintenant correctement imprimees*, est supprimée en 1538, toutes les pièces imprimées dans cette section en 1532 étant rangées, en 1538, dans *La Suite de l'Adolescence Clementine*.

La plupart de ces changements trahissent d'autres préoccupations de la part de l'auteur. Nous avons déjà noté que plusieurs poèmes publiés dans *La Suite de l'Adolescence Clementine* de 1533-1534 comme complaintes se trouvent, en 1538, parmi les élégies. Les transpositions les plus frappantes concernent les pièces brèves. Les dizains qui parurent dans l'*Adolescence Clementine* de 1532 y sont rangés dans une section portant le titre *Les Dizains* ; les huitains, douzains etc., dans une autre section au titre *Blasons et Envoys*. Dans les *Œuvres* de 1538, tous ces poèmes passent dans *Le Premier Livre des Epigrammes*. C'est également vrai en ce qui concerne les pièces de ce genre publiées pour la première fois dans *La Suite de l'Adolescence Clementine* où elles figurent dans une section intitulée *Le Menu*, pour être absorbées, en 1538, dans *Le Premier Livre des Epigrammes*. Il est aisé de voir ce qui s'est passé. Jusqu'en 1537 Marot semble être resté fidèle aux genres, ou du moins aux appellations des Rhétoriqueurs, pour ce qui est des pièces brèves. Ce n'est qu'après cette date qu'il cessa de les appeler huitains, dizains, blasons ou étrennes pour les publier comme épigrammes. On peut être à peu près sûr de la date, puisque le titre *Epigramme* paraît pour la première fois en 1538 dans le manuscrit de Chantilly.

Par conséquent les considérations d'ordre chronologique sont loin de jouer un rôle très important ; au contraire ce sont évidemment des préoccupations esthétiques qui ont poussé Marot à effectuer de très considérables changements en 1538, lorsqu'il garda, assez légèrement, ses trois recueils précédents comme sections de ses *Œuvres*. Il ne faudrait pas croire cependant que Marot a désiré faire de ces sections de l'édition des unités cohérentes. En ôtant de l'*Adolescence* et de la *Suite* les nombreuses pièces brèves, Marot a non seulement détruit le cadre chronologique de ces recueils, mais il les a encore singulièrement affaiblis.

Au fond, la seule section importante du point de vue
de l'histoire littéraire est la dernière, à savoir *Les Deux
Livres d'Epigrammes.* L'examen du manuscrit de Chantilly nous a déjà montré le moment exact quand Marot
a introduit ce genre dans la poésie française [179]. Reste
à dire que c'est l'édition de 1538 qui donne, en imprimé,
les premières épigrammes de Marot. Mais si ce titre est
nouveau dans la poésie marotique, beaucoup des poèmes
publiés sous ce titre ne le sont pas. En effet de ces deux
livres d'épigrammes, le premier consiste en grande partie
en poèmes préalablement publiés sous des titres différents.

Retraçons donc rapidement l'histoire de ces poèmes. La
première édition des œuvres de Marot, publiée avec le consentement et la collaboration du poète, fut l'*Adolescence
Clementine* [180]. Dans ce recueil, Marot, fidèle aux genres des
Rhétoriqueurs, donne toute une section de pièces courtes
sous les titres : *Dixains, Blasons et Envoys* [181].

En voici la liste :

*Le dizain de Barbe et de Jaquette* [182]
*Le dizain de madame Jehanne Gaillarde, Lyonnoise* [183]
*Le dizain du monstre, à madame la Duchesse d'Alen-
çon* [184]
*Le Dizain de Fermeté* [185]

---

179. Voir plus haut, p. 411-415.
180. Paris, P. Roffet, 12 août 1532 ; *Bibliographie,* II, n° 9.
181. Rappelons les sections de l'*Adolescence Clementine.* Ce
sont :
Une section de poésies diverses :
« La Première Eglogue des Bucoliques de Virgile. »
« Le Temple de Cupido & la Queste de Ferme Amour. »
« Le Jugement de Minos sur la preference de Alexandre le
grant, Hannibal de Cartaige & Scipion le Romain. »
« Les tristes vers de Philippes Beroalde sur le jour du vendredy sainct. »
« Oraison contemplative devant le Crucifix » est suivie des
Epistres, Complainctes & Epitaphes, Ballades, Chant-royal,
Rondeaux, Dixains, Blasons et Envoys, Chansons.
182. *Les Epigrammes,* II.
183. *Ibid.,* III.
184. *Ibid.,* IV.
185. *Ibid.,* V.

*Le Dizain des Innocens* [186]
*Le dizain du songe* [187]
*Le dizain de May* [188]
*Le Dizain du baiser reffusé* [189]
*Le Blason des Statues de Barbe et de Jaquette, esle-*
*vées à saincte Croix d'Orleans. Translaté vers pour*
*vers de Latin en Francoys. Vers alexandrins* [190].
*Blason de la Rose envoyée pour Estreines* [191]
*Le blason du Pin, transmis à celle qui en porte le*
*nom* [192]
*Le blason de la Chapelle envoyé à celle qui en porte le*
*nom. En vers Alexandrins* [193]
*Blazon à la louange du Roy. Translaté de Latin en*
*François. En vers Alexandrins* [194]
*Envoy, pour estrener une damoyselle* [195]
*Envoy Satirique à Lynote, la lingere mesdisante* [196]
*(Envoy d'un poete Picard à Marot)*
*Envoy responsif au precedent* [197]
*Envoy à Maistre Grenoille, Poete ignorant* [198]
*Envoy à ung nommé Charon le conviant à soupper* [199]
*Envoy à celle que son amy n'ose plus frequenter* [200].

Dans le deuxième recueil de ses œuvres, à savoir *La
Suite de l'Adolescence Clementine* [201], Marot publie une
autre section de pièces courtes sous le titre *Le Menu*. En
dehors de trois rondeaux [202] *Le Menu* contient les pièces
suivantes :

---

186. *Ibid.*, VI.
187. *Ibid.*, VII.
188. *Ibid.*, VIII.
189. *Ibid.*, IX.
190. *Ibid.*, X.
191. *Ibid.*, XI.
192. *Ibid.*, XII.
193. *Ibid.*, XIII.
194. *Ibid.*, XIV.
195. *Ibid*, XV.
196. *Ibid.*, XVI.
197. *Ibid.*, XVII.
198. *Ibid.*, XVIII.
199. *Ibid.*, XIX.
200. Devient Chanson XLII, *Œuvres lyriques*, LI.
201. Paris, veuve P. Roffet, s.d. ; *Bibliographie*, II, n° 15.
202. *Œuvres diverses*, LVII, LVIII et LIX.

*Placet au Roy* [203]
*Dixain de Marot à Monsieur le Grant Maistre pour estre mys en l'estat* [204]
*Le dixain de May qui fut ord, Et de fevrier qui luy feit tort* [205]
*Le dixain du depart* [206]
*Le dixain de neige* [207]
*Le dixain du Paradis terrestre* [208]
*Dixain de la Venus de Marbre presentée au Roy & sur laquelle plusieurs latins composerent* [209]
*La mesme Venus de Marbre dit en vers Alexandrins* [210]
*Huictain d'une 'Dame à ung qui luy donna sa pourtraicture* [211]
*Huictain pour Estreines envoyé avecques ung present de couleur blanche* [212]
*Huictain sur la Devise : Non ce que je pense* [213]
*Huictain* [214]
*Huictain pour Estreines* [215]
*Quatrain pour estreines* [216]
*De la statue de Venus endormye* [217]

Presque sans exception, les poèmes de ces sections sont repris dans le *Premier Livre des Epigrammes* en 1538.

Les épigrammes nouvelles, c'est-à-dire non publiées avant juillet 1538 et qui ne sont pas contenues dans le manuscrit de Chantilly semblent pour la plupart composées en 1537 et 1538.

Le *Second Livre* porte le titre — détail curieux — *Le*

---

203. *Les Epigrammes*, XX.
204. *Ibid.*, XXI.
205. *Ibid.*, XXII.
206. *Ibid.*, XXIII.
207. *Ibid.*, XXIV.
208. *Ibid.*, XXV.
209. *Ibid.*, XXVI.
210. *Ibid.*, XXVII.
211. *Ibid.*, XXVIII.
212. *Ibid.*, XXIX.
213. *Ibid.*, XXX.
214. *Ibid.*, XXXI.
215. *Ibid.*, XXXII.
216. *Ibid.*, XXXIII.
217. *Ibid.*, XXXIV.

*Second Livre des Epigrammes dédié à Anne* [218]. On pourrait donc voir dans ce recueil d'une centaine d'épigrammes consacrées à une seule maîtresse une espèce de *canzoniere,* en l'occurence le premier *canzoniere* français, s'il n'était que la plupart des poèmes dans ce *Second Livre* ne se rapportent ni à Anne, ni à l'amour du poète pour cette maîtresse. Toutefois le premier et le dernier poèmes de ce *Second Livre* sont bien adressées à Anne, « Anne, ma sœur, sur ces miens Epigrammes » et « Puis que les Vers que pour toy je compose [219] ». Il s'agit donc en quelque sorte d'une tentative de *canzoniere,* plutôt que d'une vraie imitation [220]. Pourtant la chose est importante. Une fois de plus on voit le véritable rôle de novateur que joue Marot. De même que les élégies préparent la voie aux *Odes* de Ronsard [221], *Le Second Livre des Epigrammes dédié à Anne* prépare la voie à la *Délie* de Scève et à l'*Olive* de Du Bellay.

Ajoutons — nous l'avons déjà noté à propos des Rondeaux — que, tout comme l'influence de l'*Anthologie grecque* et celle de Martial, le Pétrarquisme, même au moment où Marot abandonne cette veine d'inspiration, a donné des résultats particulièrement heureux. Qu'on considère l'épigramme suivante :

> Elle a tresbien ceste gorge d'Albastre,
> Ce doulx parler, ce cler tainct, ces beaux yeux ;
> Mais en effect ce petit Ris follastre
> C'est (à mon gré) ce qui luy sied le mieux.
> Elle en pourroit les chemins & les lieux
> Où elle passe à plaisir inciter ;
> Et si ennuy me venoit contrister
> Tant que par mort fust ma vie abatue,
> Il ne fauldroit pour me resusciter
> Que ce Ris là duquel elle me tue [222].

---

218. Sur Anne, voir plus haut, p. 79-82.
219. *Les Epigrammes,* LXXIX et CLI.
220. Sur le Pétrarquisme de Marot, voir C.A. Mayer et D. Bentley-Cranch, *Clément Marot, poète pétrarquiste,* art. cit., et plus haut, p. 57-72.
221. Voir C.A. Mayer, *Les Œuvres de Clément Marot : L'Economie de l'Edition Critique,* art. cit.
222. *Les Epigrammes,* LI, *Du Ris de ma Damoyselle d'Allebret.*

Imitée évidemment du *dolce riso* si fréquent chez Pétrarque, cette épigramme contient les principaux *concetti* de la poésie italienne : description physique à l'aide de métaphores, expression de la force de l'amour à l'aide d'antithèses. Elle semble pourtant infiniment plus naturelle que les poèmes de Tebaldeo, de Serafino et des autres imitateurs précieux de Pétrarque. De plus, cette épigramme souligne une fois de plus le rôle de précurseur qu'a joué Marot, car enfin la « gorge d'Albastre » et « ce petit Ris follastre » présagent de façon très précise non seulement l'*Olive* de Du Bellay, mais encore les *Amours* de Ronsard.

Comme toute la vie d'Etienne Dolet, son édition des *Œuvres* de Clément Marot est en quelque sorte entourée de mystères. Il existe une édition à peu près identique à celle de Dolet, non datée, mais de toute évidence publiée dans cette même année de 1538, et qui porte la marque de Gryphius [223]. Les seules différences entre ces deux éditions, sont que dans la deuxième la préface de Marot adressée à Etienne Dolet est remplacée par une préface où le nom de Dolet est omis [224]. De plus les pièces louangeuses à destination de Dolet disparaissent, ou plutôt sont remplacées par les poèmes suivants :

*A ung quidem*
Veulx tu sçavoir à quelle fin
Je t'ay mis hors des œuvres miennes ?
Je l'ay faict tout expres affin
Que tu me mettes hors des tiennes [225].


*A Benest*
Benest, quand ne te congnoissoye,
Ung sage homme je te pensoye ;
Mais quant j'ay veu ce qui en est,
Je trouve que tu es Benest [226].

Il n'est pas sûr qu'au moment d'écrire ces épigrammes Marot pensât à attaquer Dolet. Leur inclusion dans l'édition de Gryphius d'autre part semble indiquer qu'à ce

---

223. *Bibliographie*, II, n° 71.
224. Voir plus haut, p. 425-427.
225. *Les Epigrammes*, XLIX.
226. *Ibid.*, L.

moment-là au moins ce fut bien là le dessein de Marot [227].
Il est certain de toute façon — l'existence de l'édition de
Gryphius et l'omission du nom de Dolet le prouvent —
qu'au cours de l'été 1538 une brouille eut lieu entre l'humaniste et le poète. Sur les raisons de la dispute nous ne
possédons pas la moindre information. Il est certain qu'une
brouille a dû intervenir entre Dolet et Gryphius et il est évident que cette brouille n'a pu éclater qu'en 1538, après la
publication des *Œuvres* de Marot par Dolet et avant celle
des *Œuvres* de Marot par Gryphius. Autrement dit, elle
doit se placer exactement à la même période que la brouille
entre Dolet et Marot. Malheureusement, nous ne connaissons les causes ni de l'une ni de l'autre de ces querelles.
A cause de leur simultanéité, trois possibilités se présentent. Premièrement, Dolet s'est brouillé avec les deux hommes à la fois. Deuxièmement, il s'est brouillé avec Marot,
qui a pu impliquer Gryphius dans cette affaire. Ou bien il
s'est brouillé avec Gryphius qui a entraîné Marot. Il est
impossible, sans données plus précises, de décider laquelle
de ces trois possibilités est la plus forte. Dolet aurait-il
rompu avec ses deux amis à la fois ? S'étant querellé avec
l'un, a-t-il vu l'autre l'abandonner aussi ? Avant la brouille,
Gryphius est l'ami, le protecteur et le collaborateur de
Dolet : il me semble difficile d'admettre que sans motifs
valables il ait pu embrasser la haine d'un tiers contre Dolet,
ce tiers fût-il Marot. Par conséquent, la solution la plus probable, c'est qu'une querelle ayant éclaté entre Dolet et Gryphius pour des raisons que nous ignorons, ce dernier, le
plus puissant, le plus riche des imprimeurs lyonnais, a per-
suadé à Marot de rompre avec Dolet. Remarquons seulement que, dans l'hypothèse d'une brouille entre Dolet et
Gryphius, il n'est même pas nécessaire d'imaginer Gryphius
en relation avec Marot : il a pu faire comme tant d'autres
imprimeurs, et donner une édition entière sans l'aveu,
même sans le su de l'auteur. Faire cela lui était d'autant
plus facile qu'ayant imprimé la première édition pour Dolet,
il avait chez lui les bonnes feuilles et n'avait qu'à les repro-
duire avec quelques changements.

---

227. Sur la brouille entre Marot et Dolet, voir C.A. Mayer, *Le
Texte de Marot*, art. cit., t. XV, p. 80-84.

Au fond, nous savons fort peu de choses sur la brouille entre Marot et Dolet, et il n'y a guère de chances qu'on en sache jamais davantage.

L'édition des *Œuvres* de 1538 marque une étape importante dans la carrière du poète. Elle consacre sa place comme le plus grand des poètes français de son époque. De plus, à partir de cette date, et jusqu'en 1544, date de l'édition Constantin, ce sera l'édition des *Œuvres* de Dolet qui servira de modèle à tous les éditeurs imprimant le texte de Marot. Entre juillet 1538 et l'édition Constantin, on connaît au moins dix-sept éditions des *Œuvres* de Marot plus ou moins calquées sur celle d'Etienne Dolet.

*L'Eglogue de Marot au Roy, soubz les noms de Pan & Robin.*

Pour la deuxième moitié de l'année 1538, c'est-à-dire après l'édition des *Œuvres* et la brouille avec Dolet, nous n'avons guère de renseignements sur la vie de Marot. Après son voyage dans le midi dans l'hiver 1537-1538 [228] il ne semble pas, au cours des années 1538 et 1539 avoir accompagné la Cour de France [229]. Il n'y au fond rien de très surprenant à cela. Contrairement à ce qu'on a toujours cru, Marot paraît avoir passé le plus clair de son temps à Paris ou à Blois [230], à travailler, et n'a été à la Cour qu'à certains moments. Sa situation de valet de chambre ne l'obligeait certes pas d'être présent en permanence près de la personne du roi.

Pendant cette période il semble s'être occupé presque exclusivement de la traduction des Psaumes, ce que prouvent les premières éditions de ces poèmes portant le mil-

---

228. Voir plus haut, p. 394-401.
229. Dans l'été de 1538 la Cour était dans le Midi lors des conférences de Nice et d'Aigues-Mortes. L'automne et l'hiver de cette année, de même que dans la plus grande partie de 1539, elle se trouva surtout dans l'Ile-de-France (Paris, Fontainebleau, Chantilly, Compiègne). En hiver 1539, elle passa au Val de Loire. Pendant tout ce temps Marguerite de Navarre était auprès de son frère. Aucun document ne mentionne la présence de Marot.
230. Voir plus haut, p. 41.

lésime de 1539. Tout nous porte à croire qu'après le retour
d'exil, le poète, sous l'influence d'Etienne Dolet, se consa-
cra à l'épigramme, et plus précisément à l'imitation de
Martial, mais qu'après la brouille avec le grand humaniste,
il retourna à une entreprise commencée avant son exil[231].

Aussi les pièces personnelles, alors que jusqu'à l'édition
de 1538 elles abondent dans l'œuvre de Marot, se font-elles
très rares à partir de juillet 1538. A peine peut-on dater
trois épigrammes de la deuxième moitié de 1538 et de
toute l'année 1539. Ce sont les épigrammes : *Huictain*[232],
*A Anne*[233] et *De Monsieur du Val, Tresorier de l'espargne*[234],
dont les deux premières chantent l'amour du poète pour
Anne l'Alençon[235], la troisième étant une espèce de remer-
ciement au trésorier de l'Epargne, Jean Duval, qui l'avait
sans doute aidé à obtenir l'arriéré de ses gages. Seule cette
dernière épigramme peut du reste être datée avec précision ; elle fut composée au début de 1539 quand Duval fut
nommé à l'Epargne en succession de son beau-père Guillaume Preudhomme[236]. La date des deux pièces consacrées
à Anne par contre est difficile à déterminer. Comme elles
ne figurent pas dans les *Œuvres* de 1538, étant publiées
pour la première fois dans l'édition posthume des *Epigrammes* en 1547[237], on peut admettre qu'elles furent probablement composées après le mois de juillet de 1538, à
moins de supposer qu'étant de tous les poèmes au sujet
d'Anne les plus explicites[238], le poète n'ait pas voulu les

---

231. Voir plus haut, p. 285 et plus bas, p. 461.
232. *Les Epigrammes*, CCVIII.
233. *Ibid.*, CCIX.
234. *Ibid.*, CCX.
235. Voir plus haut, p. 79-82.
236. Voir *Les Epigrammes*, p. 269, n. 1. Cf. plus bas, p. 507.
237. *Bibliographie*, II, n° 154.
238. Rappelons l'épigramme CCVIII :

> *Huictain*
> J'ay une lettre entre toutes eslite ;
> J'ayme ung pais, & ayme une chanson :
> N est la lettre, en mon cœur bien escripte,
> Et le pais est celuy d'Alençon :
> La chanson est (sans en dire le son) :
> Alegez moy, doulce, plaisant brunette ;
> Elle se chante à la vieille façon,
> Mais c'est tout ung, la brunette est jeunette.

publier, auquel cas il faudrait renoncer à toute tentative
de les dater. Comme Anne se maria en décembre 1540, il
est du moins probable que ces deux pièces furent composées avant cette date.

Selon toutes les apparences donc Marot passa la
deuxième moitié de 1538 et toute l'année 1539 à Paris. Le
seul document que nous possédions pour cette époque renforce cette hypothèse. C'est un acte — ou des Lettres
patentes — de François 1er daté du mois de juillet 1539,
faisant au poète le don d'une maison sise à Paris au Clos
Bruneau :

> Françoys, par la grace de Dieu, roi de France, etc.,
> savoir faisons... que nous, ayans regard et considera-
> tion aux bons, continuels et agreables services que
> notre cher et bien amé vallet de chambre ordinaire,
> Clement Marot, nous a par ci-devant et par longtemps
> faictz, tant en son dit estat que autrement, en plu-
> sieurs maintes et louables manieres, voullans iceulx
> services aucunement recognoistre envers luy, affin de
> luy donner meilleure voullenté, moien et occasion de
> continuer et perseverer de bien en mieulx, à icellui,
> pour ces causes et autres à ce nous mouvans, avons
> donné et octroyé, ceddé, quitté, transporté et délaissé,
> donnons et octroyons, ceddons, quictons et transpor-
> tons pour luy, ses hoirs, successeurs et ayans cause,
> à tousjours, une maison, grange et jardin, le tout
> enclos de murailles et scitué et assis ès fauxbourg
> Saint-Germain des Prez de Paris, en la rue du Cloz-
> Bruneau ; auquel lieu a esté fondu ung grant cheval
> de cuivre, que nous y avons faict faire. Laquelle mai-
> son et jardin a esté, pour cest effet, cy-devant acquise
> par notre commendement de Me Jehan Bymont pres-
> tre, pour Pierre Esprit, lequel depuis la nous a ceddée
> et delaissé comme acquise de nos deniers. Pour des-
> dites maison, grange et jardin ainsi encloz que dit
> est, de quelque valeur et estimation qu'ilz soient et
> puissent monter, joyr et user, par ledit Clement
> Marot, ses hoirs, successeurs et ayans cause, en pren-
> dre et percevoir les fruictz, proffictz, revenus et émo-
> lumens, et en faire et disposer comme de leur propre
> chose et heritaige plainement, paisiblement et perpe-
> tuellement, à la charge de paier et acquitter les devoirs
> estant sur lesdites maisons, grange et jardin, et ainsi

qu'il appartiendra. Si donnons en mandement, par ces
mêmes presentes, à noz amez et feaulx les gens de noz
comptes et tresoriers à Paris, au Prevost dudict lieu
ou à son lieutenant, et à tous, etc. Car tel est nostre
plaisir, etc. Donné à Tournain-en-Brye, au moys de
juillet, l'an de grâce mil VeXXXIX, et de notre regne
le XXVe. Ainsi signé FRANCOYS. Par le Roy : Bre-
ton [239]. »

C'est pour remercier le roi de sa munificence que Marot
écrivit ce qui est sans doute un de ses poèmes les plus
émouvants et les plus beaux, *l'Eglogue de Marot au Roy,
soubz les noms de Pan & Robin* [240].

Cette églogue est la troisième de la plume de Marot. On
se souvient que c'est lui qui a introduit ce genre dans la
poésie française en 1531 avec *l'Eglogue sur le Trespas de
ma Dame Loyse de Savoye* [241]. Pendant son séjour à Ferrare, il avait écrit une seconde églogue, *l'Avant-naissance
du troiziesme enffant de madame Renée, duchesse de Ferrare, composé par Clement Marot, secrétaire de la dicte
dame, en juillet Vcxxxvj, estant audict Ferrare* [242].

En 1539, quand Marot composa sa troisième églogue,
d'autres poètes, surtout Michel d'Amboise, avaient écrit
dans ce genre ; l'églogue avait acquis droit de cité en
France. Surpassant ses premières tentatives, et les ouvrages de ses imitateurs, Marot allait maintenant composer
un véritable chef-d'œuvre, une des plus belles églogues de
la poésie française, un des modèles du genre.

Au début du poème le pasteur Robin invoque le dieu
Pan, lui demandant d'écouter sa prière :

> ... O Pan, dieu souverain,
> Qui de garder ne fuz oncq paresseux
> Parcs & brebis & les maistres d'iceulx,
> Et remectz sus tous gentilz pastoureaulx,
> Quant ilz n'ont prez, ne loges, ne toreaulx,
> Je te supply (si oncq en ces bas estres

---

239. Arch. Nat. Trésor des Chartes, J.J. 254, n° 301, f° 57 v°.
240. *Œuvres lyriques*, LXXXIX.
241. *Ibid.*, LXXXVII ; voir plus haut, p. 198-212.
242. *Ibid.*, LXXXVIII ; voir plus haut, p. 288-290.

> Daignas ouyr chansonnettes champestres),
> Escoute ung peu, de ton vert cabinet,
> Le chant rural du petit Robinet [243].

Des manchettes expliquent : « Robin pour Marot » et
« Pan pour le roy ». Robin, dans sa prière, fait une espèce
de *curriculum vitae,* évoquant sa jeunesse gaie et insou-
ciante, et parlant de l'influence qu'eut sur lui son père :

> Ce que voyant, le bon Janot, mon pere,
> Voulut gaiger à Jaquet, son compere,
> Contre ung veau gras deux aignelletz bessons,
> Que quelque jour je feroys des chansons
> A ta louange (o Pan, dieu tressacré),
> Voire chansons qui te viendroient à gré.
> Et me souvient que bien souvent aux festes,
> En regardant de loing paistre noz bestes,
> Il me souloit une leçon donner
> Pour doulcement la musette entonner,
> Ou à dicter quelque chanson ruralle
> Pour la chanter en mode pastoralle.
> Aussi le soir, que les trouppeaulx espars
> Estoient serrez & remis en leurs parcs,
> Le bon vieillart apres moy travailloit,
> Et à la lampe assez tard me veilloit,
> Ainsi que font leurs sansonnetz ou pyes
> Aupres du feu bergeres accropyes [244].

La manchette en regard de ce passage se lit : « Janot Jan
Marot, Jacquet Jacques Colin. » Puis le poète met dans la
bouche du père « Janot » un magnifique éloge de « Pan »,
c'est-à-dire de François 1er :

> Pan (disoit il) c'est le dieu triumphant
> Sur les pasteurs, c'est celluy (mon enfant)
> Qui le premier des roseaulx pertuysa,
> Et d'en former des flustes s'advisa.
> Il daigne bien luy mesme peine prendre
> De user de l'art que je te veulx apprendre [245].

---

243. V. 6-14.
244. V. 49-66.
245. V. 79-84.

éloge qui contient cependant une demande à peine voilée :

> Appren le donc, affin que montz & boys,
> Rocz & estangs appreignent soubz ta voix
> A rechanter le hault nom, apres toy,
> De ce grand dieu que tant je ramentoy ;
> Car c'est celluy par qui foisonnera
> Ton champ, ta vigne, & qui te donnera
> Plaisante loge entre sacrez ruisseaulx
> Encourtinez de flairans arbrisseaulx.
> Là, d'ung costé, auras la grand closture
> De saulx espes, où, pour prendre pasture,
> Mousches à miel la fleur sucer iront,
> Et d'ung doulx bruit souvent t'endormiront,
> Mesmes alors que ta fluste champestre
> Par trop chanter lasse sentiras estre
> Puis, tost apres, sur le prochain bosquet,
> T'esveillera la pie en son caquet ;
> T'esveillera aussi la colombelle,
> Pour rechanter encores de plus belle [246].

Après le discours du père, Robin reprend le récit de sa vie, évoquant son âge mûr par l'analogie avec l'été qui suit le printemps de la jeunesse :

> Quant printemps fault & l'esté comparoist,
> Adoncques l'herbe en forme & force croist.
> Aussi, quant hors du printemps j'euz esté
> Et que mes jours vindrent en leur esté,
> Me creut le sens, mais non pas le soucy.
> Si emploiay l'esprit, le corps aussi,
> Aux choses plus à tel aage sortables,
> A charpenter loges de boys portables,
> A les rouler de l'ung en l'autre lieu,
> A y semer la jonché au mylieu,
> A radouber treilles, buyssons & hayes,
> A proprement entrelasser les clayes
> Pour les parquetz des ouailles fermer ;
> Ou à tyssir (pour frommaiges former)
> Paniers d'osiere & fiscelles de jonc,
> Dont je souloys (car je l'aimoys adonc)
> Faire present à Helayne la blonde [247].

---

246. V. 85-102.
247. V. 107-122.

Ayant décrit au long sa carrière de poète, Robin continue l'analogie des saisons en parlant de son automne et
de sa hantise de l'hiver :

> Mais maintenant que je suis en l'automne
> Ne sçay quel soing inusité m'estonne
> De tel façon que de chanter la veine
> Devient en moy non point lasse, ne vaine,
> Ains triste & lente : & certes bien souvent,
> Couché sur l'herbe à la frescheur du vent,
> Voy ma musette, à ung arbre pendue,
> Se plaindre à moy que oysive l'ay rendue ;
> Dont tout à coup mon desir se resveille,
> Qui, de chanter voulant faire merveille,
> Trouve ce soing devant ses yeulx planté.
> Lequel le rend morne & espoventé ;
> Car tant est soing basanné, laid & pasle,
> Qu'à son regard la muse pastoralle,
> Voyre la muse heroyque & hardie,
> En ung moment se treuve refroidie ;
> Et devant luy vont fuyant toutes deux,
> Comme brebis devant ung loup hydeux.
> J'oy, d'autre part, le pyvert jargonner,
> Siffler l'escouffle & le buttor tonner ;
> Voy l'estourneau, le heron & l'aronde
> Estrangement voller tout à la ronde,
> M'advertissans de la froide venue
> Du triste yver, qui la terre desnue.
> D'autre costé, j'oy la bise arriver,
> Qui en soufflant me prononce l'yver ;
> Dont mes trouppeaulx, cela craignans & pis,
> Tous en ung tas se tiennent accropiz ;
> Et diroit on, à les ouyr beller,
> Qu'avecques moy te veulent appeller
> A leur secours, & qu'ilz ont congnoissance
> Que tu les as nourriz des leur naissance [248].

C'est à ce point que le poète fait sa demande :

> Je ne quiers pas (o bonté souveraine)
> Deux mille arpens de pastiz en Touraine,

---

248. V. 199-230.

Ne mille bœufz errans par les herbis
Des montz d'Auvergnes, ou autant de brebis.
Il me suffit que mon trouppeau preserves
Des loups, des ours, des lyons, des loucerves,
Et moy du froid, car l'yver, qui s'appreste,
A commencé à neger sur ma teste [249].

Dans dix-huit vers des plus lyriques et des mieux venus
il exprime le bonheur qui sera le sien une fois sa prière
exaucée :

Lors à chanter plus soing ne me nuyra,
Ains devant moy plus viste s'enfuyra
Que devant luy ne vont fuyant les muses,
Quant il verra que de faveur tu me uses.
Lors ma musette, à ung chesne pendue,
Par moy sera promptement descendue,
Et chanteray l'yver à seureté,
Plus hault & cler que ne feiz onc l'esté.
Lors en science, en musique & en son,
Ung de mes vers vauldra une chanson ;
Une chanson, une eglogue rustique ;
Et une eglogue, une œuvre bucolique.
Que diray plus ? Vienne ce qui pourra ;
Plus tost le Rosne encontremont courra,
Plus tost seront haultes forestz sans branches,
Les cygnes noirs, & les corneilles blanches,
Que je te oublie (o Pan de grand renom)
Ne que je cesse à louer ton hault nom [250].

et termine le poème de façon extrêmement rapide par une
allusion discrète au fait que sa prière a été exaucée, c'est-à-
dire que François 1er lui a fait don d'une maison :

Sus, mes brebis, trouppeau petit & maigre,
Autour de moy saultez de cueur allaigre ;
Car desja Pan, de sa verte maison,
M'a faict ce bien, de ouyr mon oraison [251].

249. V. 231-238.
250. V. 239-256.
251. V. 257-260.

Les sources de ce poème sont moins nombreuses que celles de la première églogue du poète. On n'y remarque notamment aucune imitation directe de Théocrite ni de Moschos. Même les emprunts à Virgile sont relativement rares [252]. D'autre part, le poète a mis à contribution, et

---

252. Le début de l'églogue est imité de la deuxième églogue de Virgile (*Bucoliques,* éd. cit., v. 3-5 :

> Tantum inter densas, umbrosa cacumina, fagos
> adsidue ueniebat ; ibi haec incondita solus
> montibus et siluis studio iactabat inani.

L'éloge de Pan : « Pan (disoit il) c'est le dieu triumphant » (v. 79), vient également de la deuxième églogue de Virgile, v. 32-33 :

> Pan primus calamos cera coniungere pluris
> instituit ; Pan curat ouis ouiumque
> magistros ».

La description du « locus amoenus » (v. 89-102, voir plus haut, p. 451) est calquée sur un passage de la première églogue de Virgile, v. 53-58 :

> Hinc tibi, quae semper, uicino ab limite saepes
> Hyblaeis apibus florem depasta salicti
> saepe leui somnum suadebit inire susurro ;
> hinc alta sub rupe canet frondator ad auras ;
> nec tamen interea raucae, tua cura, palumbes,
> nec gemere aeria cessabit turtur ab ulmo.

Enfin les vers dans lesquels Marot assure le roi de sa gratitude, bien que contenant un lieu commun remontant à Euripide :

> Que diray plus ? Vienne ce qui pourra,
> Plus tost le Rosne encontremont courra,
> Plus tost seront haultes forestz sans branches
> Les cygnes noirs, & les corneilles blanches,
> Que je te oublie (o Pan de grand renom),
> Ne que je cesse à louer ton hault nom.

sont largement inspirés de la première églogue de Virgile, v. 59-64 :

> Ante leues ergo pascentur in aethere cerui,
> et freta destituent nudos in litore piscis,
> ante pererratis amborum finibus exsul
> aut Ararim Parthus bibet aut Germania Tigrim,
> quam nostro illius labatur pectore uoltus.

cela de la façon la plus surprenante, l'œuvre des Grands
Rhétoriqueurs.

Si l'idée d'identifier le roi avec le dieu Pan n'était pas
nouvelle, François 1er ayant été représenté sous les traits
de ce dieu par Guillaume Crétin [253], il faut dire que, n'étant
pas de nature surprenante, il est peut-être faux de considérer ce détail comme une imitation. Il n'en est pas ainsi
du long passage décrivant la jeunesse du poète, passage qui
est emprunté à Jean Lemaire de Belges. Notons d'abord
que cette partie du poème a souvent été citée comme une
espèce d'autobiographie du poète, plusieurs critiques ayant
même voulu voir dans ces vers une description du caractère léger, primesautier et insouciant du poète. Or Marot
a imité ici de très près la description, dans l'*Illustration
de Gaule et singularitez de Troye,* de la façon de vivre du
jeune Pâris :

> De la premiere imposition et etymologie du nom de
> lenfant Paris, filz de Priam et de Hecuba. De la pro-
> gression de son enfance, avec description locale, du
> territoire de Troas, en la region de la basse Phrygie.
> Des montaignes Idees, des fleuves Simois et Scaman-
> der : De la situation de Troye et de Cebrine : et des
> esbatemens iuveniles, et exercitations de l'enfant
> Paris, qui furent de grand louenge, avec plusieurs
> incidens servans à la louenge de Troye.
> Brief à tous les ieux, esbatemens et doctrines aus-
> quelz les petits ieunes bergeretz sont introduits, et ont
> accoustumé de faire, il y estoit propre, ardant et
> esveillé. Et non content de seiour, quand il pouvoit
> avoir licence de ses parens putatifz, tousjours estoit
> inuenteur de quelque nouvelle emprise, consonant à
> l'estude des bergers : en esmouvant ses freres et com-
> paignons ou à aller cueillir les houx piquans en la
> forest, pour faire du gluy à prendre les petits oiseletz
> ramages, vestuz de diverses couleurs de plumettes, ou
> à tistre filetz pour les decevoir en chantant, ou faire
> cages pour les garder et nourrir. Aucunesfois luy et
> eux grimpoient sur les hauts arbres pour desnicher
> les pies, les chauuettes, les iays et les coquus. Ou ilz
> alloient tout coyement parmy les humbles buissonets

---

253. *Œuvres,* éd. K. Chesney, p. 287-288, v. 181-189.

chercher les nyz des chardonnetz et des lynottes. Ou
autresfois ilz surmontoient les dangereux rochers aguz
et mal rabotez, pour trouver les gistes et tamieres des
escuireaux faitiz, des belles martres, des fouynes,
ienettes, herissons, et blanches herminettes, et empor-
toient leur faons avec eux. Et pour ce faire, sans pre-
cogiter les dangers des autres cruelles bestes sauvages
de la montaigne (car tel aage est toujours aveugle et
inconsidéré) Paris saventuroit le premier à descendre
dedens les parfondes cauernes des hautes forestz.
Autresfois il montoit legerement sur les fructueux
arbres en la saison, et iettoit à ses compaignons des
rouges cerisettes, mesples, sorbes, cornilles, franches
meures, chastaignes, caroubes, pignolles, noisettes, et
maintes autres sortes de fruits agrestes dont la region
abonde ; et puis il les menoit baigner au fleuve Xan-
thus, autrement appelé Scamander, lequel court aval
la prairie tout du long de la valee [254].

Pourtant, il est certain que la partie la plus belle de tout
le passage, la comparaison avec l'hirondelle qui en forme
le début :

Sur le printemps de ma jeunesse folle,
Je ressembloys l'arondelle qui volle [255]

ne doit rien à Jean Lemaire [256].

254. J. Lemaire de Belges, *Œuvres,* éd. Stécher, t. I, p. 134
suiv., livre I, chap. XXI.
Cette imitation a été découverte à peu près simultanément par
J. Bayet, *La source principale de l'églogue de Marot « au roy
soubs les noms de Pan et Robin »,* R.H.L.F., XXXIV, 1927,
p. 659-671, et par G. Charlier, *Sur l'enfance* de Marot, R.H.L.F.,
XXXIV, 1927, p. 426.
255. V. 15-16.
256. Dans un des derniers articles écrits de sa vie L. Spitzer
a nié que cette description de la jeunesse de Marot puisse être
imitée, et prétend au contraire, malgré l'évidence si claire, que
ce passage est entièrement original et montre la spontanéité de
Marot (*Zu Marots Eglogue au Roy soubs les noms de Pan et
Robin, Romanistisches Jahrbuch,* IX, 1958, p. 161-173). Fidèle
à sa méthode, Spitzer y déploie, en dehors de son évidente stupidité, toute la hargne et méchanceté si coutumières dans ses
écrits. Il trouve notamment les arguments — parfaitement
rationnels — de Charlier et de Bayet « ridicules ». Pour com-

La source la plus importante de cette églogue est la cinquième églogue du poète néo-latin Battista Spagnuoli, connu sous le nom du Mantouan, dont l'œuvre jouit d'un très vif succès en France au début du XVIᵉ siècle. Ses églogues furent traduites en vers français par Michel d'Amboise en 1531 [257], et c'est peut-être dans cette traduction que Marot a lu les Bucoliques du poète italien. Or dans sa cinquième églogue Spagnuoli développe au long l'analogie de l'existence avec le cours de l'année et le passage des saisons. Plus précisément encore il demande à son mécène de le protéger contre la venue de l'hiver et la pauvreté. Par conséquent l'idée principale de son poème, Marot la tient certainement du Mantouan, bien qu'il l'ait développée avec beaucoup de bonheur, surpassant de loin son modèle.

Car il n'y a pas de doute : l'*Eglogue au roy soubz les noms de Pan & Robin* est un véritable chef-d'œuvre. Non seulement l'imitation y est-elle extrêmement discrète, à tel point que de nombreux critiques s'y sont mépris, voyant dans les vers imités de Jean Lemaire un parfait échantillon de poésie personnelle et spontanée [258], mais encore la hantise de la vieillesse y est exprimée peut-être avec plus de délicatesse que chez Horace. On peut ajouter que l'évoca-

---

prendre la mentalité de ce triste saltimbanque, il faut se rappeler que sa formation intellectuelle fut acquise dans la Vienne d'avant 1914, et est en tout point comparable à celle de son plus notoire compatriote et contemporain, surtout dans sa violente haine du rationalisme et de l'humanisme, haine qui tire son origine des clichés les plus rabâchés courant dans les cafés de Vienne à cette époque.

257. *Les Bucoliques de Frere Baptiste Mantuan, Nouvellement traduictes de Latin en Rigme Françoyse par Michel d'Amboyse aultrement dict l'Esclave fortuné...* On les vend à Paris en la rue neufve nostre dame à l'enseigne de l'escu de France. Paris, A. Lotrian et D. Janot, s.d. (privilège du 10 mars 1530 a.s.).

Ajoutons que plusieurs éditions latines des *Bucolica* de Spagnuoli avaient paru en France au début du siècle ; entre autres : Paris, J. Petit, 1503 et Paris, J. Bade, 1505.

Sur Michel d'Amboise, voir plus haut, p. 413. L'influence des *Bucolica* de Spagnuoli sur Marot a été signalée et étudiée par A. Hulubei dans *L'Eglogue en France*, ouvr. cit.

258. Voir plus haut, p. 455.

tion nostalgique de l'enfance et de la jeunesse est extrêmement émouvante dans ce poème, et donne effectivement
une impression de spontanéité. Sans doute, chez Marot,
comme chez tout grand poète lyrique, on peut diagnosti-
quer le regret vrai ou faux de l'enfance perdue, d'une
pureté, simplicité et naïveté tout à fait opposées au monde
si hostile des grandes personnes, cette nostalgie à laquelle,
Rilke a peut-être donné sa meilleure expression et qu'on
retrouve, non seulement chez Horace, mais encore chez Villon, chez Musset et chez Hugo. Quoi qu'il en soit, ce sont
ces sentiments auquel Marot, dans l'*Eglogue au Roy*,
donne une expression heureuse et délicate.

### *Les Psaumes.*

Au cours de cette même année 1539 parut la première
édition de plusieurs Psaumes de Marot. Bien qu'on ait cru
à l'existence d'une édition genevoise de la traduction de
Marot cette année-là [259], elle est hypothétique, alors qu'on
connaît un exemplaire unique d'un recueil de psaumes
publié à Strasbourg en 1539 sous le titre : *Aulcuns pseaulmes et cantiques mys en chant* [260]. Comme le titre l'indique,
cette édition contient, mis en musique, des psaumes traduits par plusieurs auteurs qui ne sont pas nommés. Douze
de ces psaumes appartiennent à Marot. En voici la liste :
psaumes I, II, III, XV, XXXII, LI, CIII, CXIV, CXV, CXXX,
CXXXVII, CXLIII.

Deux ans plus tard, l'imprimeur A. des Gois, d'Anvers,
publia une collection de psaumes sous le titre : *Psalmes de*

---

259. *Saulmes de Clement Marot*, Genève, J. Gérard, s.d.
(*Bibliographie*, II, n° 74). Cette édition est citée par Douen,
*Clément Marot et le Psautier Huguenot*, ouvr. cit., t. II, n° 5, et
p. 645-647. Douen ajoute que cette édition aurait été publiée
avant le 1er mai 1539, et probablement déjà en 1538. En fait,
on ne connaît aucun exemplaire de cette prétendue édition.
Dans une note manuscrite, conservée à la Bibliothèque publique
et universitaire de Genève, Théophile Dufour dit : « Je commence à croire à la possibilité d'une édition princeps des
Psaumes, imprimée par Gérard, à Genève, en 1539. »

260. *Bibliographie*, II, n° 82. L'exemplaire unique se trouve
à la Bayerische Staatsbibliothek, Munich.

*David. Translatez de plusieurs Autheurs, et principalement de Cle. Marot. Veu, recongneu et corrigé par les theologiens, nommement par nostre M.F. Pierre Alexandre, Concionateur ordinaire de la Royne de Hongrie, Lan M.D.XLI. Cum gratia & privilegio* [261]. Cette édition comprend tous les psaumes de Marot ayant paru en 1539, sauf le psaume II, et, en plus, les dix-huit psaumes suivants : psaumes IV, V, VI, VII, VIII, IX, X, XI, XII, XIII, XIV, XIX, XXII, XXIV, XXXVI, XXXVIII, CIV, CXIII.

La version que donne Des Gois est sensiblement la même que celle de l'édition strasbourgeoise. Vers la fin de la même année, Marot publia lui-même, chez Estienne Roffet à Paris, une édition de trente psaumes, sous le titre : *Trente Pseaulmes de David, mis en françoys par Clement Marot, valet de chambre du Roy. Avec privilege* [262]. Cette édition reproduit les pièces préalablement publiées, avec un texte revu, et, parfois, très différent. Enfin, en 1543, Marot publia, de nouveau chez Estienne Roffet, dix-neuf nouveaux psaumes et le Cantique de Siméon, sous le titre — incorrect — *Trente-deux Pseaulmes de David, translatez et composez en rythme françoyse par Clement Marot, veuz et visitez oultre les autres precedentes editions par ledit Marot, et autres gens sçavans, avec argumens sur chascun Pseaulme. Plus vingt autres Pseaulmes. Nouvellement envoyez au Roy par ledit Marot* [263].

---

261. *Bibliographie*, II, n° 93. Il existe un deuxième exemplaire de cette édition comprenant, outre les psaumes, le *Sermon du bon pasteur & du mauvais*, faussement attribué à Marot (*Bibliographie*, II, n° 94). Sur l'authenticité du *Sermon du bon pasteur & du mauvais*, poème qui appartient en réalité à Almanque Papillon, voir C.A. Mayer, *Le Sermon du Bon Pasteur : un problème d'attribution*, B.H.R., t. XXVII, 1965, p. 286-303.

262. Paris, E. Roffet, s.d. (le privilège est du 30 novembre 1541), *Bibliographie*, II, n° 101.

263. Paris, E. Roffet, s.d. (le privilège est du 31 octobre 1543), *Bibliographie*, II, n° 119. Le titre est incorrect, puisque la première partie consiste en trente et non en trente-deux psaumes, et que la seconde comporte, non pas vingt, mais dix-neuf psaumes et le cantique de Siméon. Du reste, l'étude de l'exemplaire unique de cette édition donne l'impression qu'il s'agit d'une édition séparée des *Vingt Psaumes*, qui se trouvent réunis, sous un titre factice, à l'édition des *Trente Pseaumes* de 1541. Sur

La même année parut, sans lieu et sans nom d'imprimeur, une édition complète des Psaumes de Marot sous le titre — toujours incorrect — *Cinquante pseaumes en françois par Clem. Marot. Item une Epistre par luy nagueres envoyée aux Dames de France* [264]. Cette édition anonyme doit être postérieure à l'édition de Roffet de la même année. En effet l'épître aux Dames de France qu'elle donne en princeps est datée du mois d'août de cette année, et, à moins de supposer que l'éditeur anonyme fut un Genevois — rappelons que Marot passa l'été 1543 à Genève — il n'est guère probable que cette épître, si elle est bien l'ouvrage de Marot, ait pu être connue et imprimée en France quelques semaines seulement après sa composition. Cette édition non munie d'un privilège, ni d'une préface, et publiée par un éditeur anonyme est de toute évidence fort suspecte. Le texte qu'elle donne des psaumes est presque identique au texte qui fut publié l'année suivante par l'éditeur Constantin, dans son édition suspecte des *Œuvres de Marot* [265], et qui a été considéré depuis ce temps comme le texte authentique et définitif des psaumes de Marot. Dans l'état actuel de nos connaissances il est fort douteux que ce texte puisse être accepté, les seules éditions possédant de l'autorité étant celles de Roffet publiées en 1541 et 1543.

Ajoutons qu'il existe de nombreux manuscrits des psaumes de Marot. Chose curieuse, ils contiennent tous, soit en partie, soit dans l'ensemble, les *Trente Pseaumes* publiés en 1541. On ne connaît par contre pas une seule version manuscrite d'un des *Vingt Pseaumes* publiés en 1543 [266].

Parmi les nombreux problèmes que posent les psaumes de Marot il y a, en dehors de la question des éditions et

---

la question générale du texte des Psaumes de Marot, voir C.A. Mayer, *Le Texte des Psaumes de Marot, Studi Francesi,* 1971 (43), p. 1-28.

264. *Bibliographie,* II, n° 116.

265. *Bibliographie,* II, n° 129. Voir C.A. Mayer, *Le Texte de Marot,* art. cit., t. XV, p. 75-80.

266. A l'exception du ms. 5095 de la Bibliothèque de l'Arsenal qui semble dater de la fin du siècle. Voir C.A. Mayer, *Le Texte des Psaumes de Marot,* art. cit.

des manuscrits, celle de l'époque vers laquelle Marot a entrepris ce travail, celle de l'existence d'une version originale et celle des sources du poète, pour ne nommer que les plus importants.

Comme je l'ai déjà indiqué [267], et contrairement à ce qu'on a longtemps cru, Marot semble avoir commencé la traduction du psautier d'assez bonne heure, et non pas seulement après son retour d'exil. Rappelons que sa traduction du sixième psaume fut publiée probablement avant 1533 [268]. De plus, parmi les papiers de Marot confisqués et brûlés lors de la perquisition dans son logis en octobre 1534, des traductions de psaumes semblent avoir occupé une place importante [269]. Enfin le fait que nous connaissons pour les *Trente Psaumes* au moins deux versions différentes fournies par les éditions de 1539 et de 1541 de même que par les nombreux manuscrits, atteste que le travail du poète a dû s'espacer sur une période assez longue. Les *Vingt Psaumes* — rappelons qu'il s'agit de dix-neuf psaumes et du cantique de Siméon — furent sans doute composés peu de temps avant leur publication en 1543. On peut en voir la preuve dans l'absence de toute version manuscrite et d'états différents du texte.

Quel est le texte des psaumes dont Marot s'est servi pour sa traduction ? Disons tout de suite qu'on n'est jamais arrivé à résoudre ce problème, et que je ne prétends pas non plus pouvoir en donner la solution. Marot a pu se servir du texte original hébreux, il a pu traduire la Vulgate latine ; il a pu lire les traductions en prose française de Lefèvre d'Etaples ou d'Olivétan. Je ne doute pas qu'on puisse encore inventer d'autres versions du psautier comme sources attrayantes des psaumes de Marot [270].

Il n'existe aucune preuve démontrant que Marot savait l'hébreu. Pour sortir de cette difficulté Becker a imaginé que Marot assista aux cours de Vatable au Collège des lecteurs royaux, et que ce premier grand hébraïsant aida

---

267. Voir plus haut, p. 447.
268. *Bibliographie*, II, n° 8.
269. Voir plus haut, p. 285.
270. Voir C.A. Mayer, *Le Texte des Psaumes de Marot*, art. cit.

le poète dans son travail [271]. Il n'existe malheureusement aucun fait à l'appui de cette hypothèse. D'autre part la différence entre les psaumes de Marot et la Vulgate latine est si grande — tous les critiques et érudits sont d'accord sur ce point — qu'elle exclut de façon absolue la possibilité que le poète eût pu prendre le texte latin comme base. Restent les traductions en prose française [272]. Ici des ressemblances existent, surtout avec la Bible d'Olivétan. Pourtant, il semble impossible d'indiquer de façon précise et définitive une seule source. Tantôt le texte de Marot semble être pris du commentaire de Bucer, tantôt de saint Jérôme, tantôt on croit déceler le texte d'Olivétan, tantôt Marot ne traduit que très librement les vers hébreux sans qu'on puisse voir une source. Au fond Marot est trop bon poète pour imiter de façon servile ; d'où l'impossibilité de trouver la base de sa traduction [273].

Du point de vue de l'histoire littéraire la traduction des Psaumes est l'œuvre la plus importante qu'ait composée Marot. Le succès en fut immédiat et éclatant. Entre 1539, date de la première édition partielle, et la fin du siècle il y eut plus de cinq cents éditions des Psaumes de Marot, sans compter qu'à partir de 1544 les Psaumes furent également publiés dans toutes les éditions des *Œuvres* de Marot. Un succès de librairie à peu près unique. Il s'explique, en partie du moins, par le mouvement de la Réforme. Luther et Calvin avaient tous deux reconnu l'importance des chants d'église, des cantiques. Les psaumes furent donc éminemment susceptibles de servir le protestantisme. Aussi les psaumes de Marot furent-ils chantés

---

271. Ouvr. cit.
272. On peut exclure toute idée d'une imitation de la part de Marot d'une des traductions antérieures en vers français. Les traductions médiévales furent inconnues à Marot. Du reste il n'y a aucune ressemblance des vers de Marot avec ces textes du moyen âge, pas plus du reste qu'avec les psaumes de Gringore et d'autres poètes du début du xvie siècle.
273. Sur ces problèmes, voir la thèse de C. Reuben, *Clément Marot, Les Psaumes de David*, déposée à l'Université de Liverpool. Voir aussi Bucer, S. *Psalmorum Libri quinque ad Ebraicum veritatem explanatione elucidati.*

dans les églises calvinistes dès 1540 [274], et le sont toujours. Ils servirent d'arme spirituelle aux Huguenots dans les guerres de religion ; le duc de Joyeuse fut surpris d'entendre de loin les compagnons d'Henri de Navarre chanter un psaume de Marot le matin de la bataille de Coutras. Mais leur succès ne fut pas dû seulement à la Réforme. Selon un témoignage ultérieur, Marot présenta un manuscrit de ses psaumes à Charles-Quint lors du passage de ce dernier à Paris en janvier 1540 [275], et toucha une somme de 200 doublons de la munificence de l'empereur. Selon le même témoignage le futur Henri II, au sortir d'une maladie grave à Angoulême en 1542 composa lui-même la musique pour le psaume CXXVIII de Marot [276].

Il ne faudrait de toute manière pas attribuer ce succès éclatant à des causes accidentelles. La valeur littéraire des Psaumes de Marot est évidemment très grande. On a essayé de les critiquer en y trouvant des longueurs, des chevilles, un ton de grisaille, un manque d'harmonie et de couleur biblique [277]. Ces reproches sont trop faciles et superficiels. En vérité, la poésie des Psaumes de Marot est magnifique. La comparaison de la traduction de Marot avec les tentatives de traductions faites par d'autres poètes, y compris Calvin et De Bèze, montre toute la grandeur des Psaumes de Marot [278]. Il est certain que Marot a su donner à ces poèmes un rythme d'une noblesse et d'une dignité remarquables, qu'à de très rares exceptions près il a choisi des images splendides, et que ses strophes sont à bien des points de vue les modèles de la poésie lyrique grave.

---

274. Selon Herminjard, ouvr. cit., on chantait les psaumes de Marot à Orbe, en 1540. Sur la musique des psaumes, voir P. Pidoux, *Le Psautier Huguenot du seizième siècle*, Bâle, Bärenreiter, 1962.

275. Lettre d'un nommé Villemadon, autrefois au service de Marguerite de Navarre, à Catherine de Medici, du 26 août 1559, reproduite par Th. de Bèze, les *Mémoires de Condé* et Bayle. Elle est citée par O. Douen, ouvr. cit., I, p. 284-287.

276. *Ibid.*

277. Voir Plattard, ouvr. cit., p. 205, et Jourda, ouvr. cit., p. 161.

278. Voir M. Jeanneret, *Poésie et tradition biblique au seizième siècle*, Paris, Corti, 1969, p. 51-105.

Mieux encore, du point de vue de la traduction, l'œuvre de Marot est remarquable. Le caractère saillant de la poésie hébraïque des Psaumes est l'emploi du parallélisme. Comme les odes pindariques, les psaumes hébraïques furent chantés par des chœurs, et le plus souvent par deux chœurs chantant de manière antiphonique, c'est-à-dire qu'à chaque vers récité par la première partie du chœur, la seconde partie répond. Le parallélisme qui en résulte peut prendre plusieurs formes diverses, telles la répétition de la pensée du premier vers dans le second par une expression ou image différente, ou l'antithèse, ou encore la synthèse où le second vers insiste sur l'idée du premier de manière à obtenir un effet cumulatif [279]. Marot, phénomène rare, surtout si on considère que Ronsard en imitant Pindare ne s'est jamais rendu compte de l'essence de la poésie grecque, a parfaitement compris cet effet de style inconnu à la poésie française, et l'a transposé dans ses psaumes avec bonheur, témoin le psaume XV :

> Qui est ce qui conversera,
> O Seigneur, en ton tabernacle ?
> Et qui est celluy qui sera
> Si heureux que par grace aura
> Sur ton sainct mont seur habitacle ?
>
> Ce sera celluy droictement
> Qui va rondement en besongne,
> Qui ne faict rien que justement,
> Et dont la bouche apertement
> Verité en son cueur tesmoigne.
>
> Qui par sa langue point ne faict
> Rapport qui los d'aultruy efface,
> Qui à son prochain ne mesfaict,
> Qui aussi ne souffre de faict
> Qu'opprobre à son voisin on face.
>
> Ce sera l'homme contemnant
> Les vicieux ; aussi qui prise
> Ceulx qui craignent le dieu regnant ;

279. Sur ces questions, voir *The Psalms with Hebrew text and English commentary*, éd. A. Cohen, Soncino Press, 1945.

> Ce sera l'homme bien tenant
> (Fust ce à son dam) la foy promise ;
>
> Qui à usure n'entendra,
> Et qui si bien justice exerce
> Que le droict d'aultruy ne vendra ;
> Qui charier ainsi vouldra,
> Craindre ne fault que jamais verse.

Pour revenir à l'histoire littéraire, l'influence qu'eurent les Psaumes de Marot sur sa poésie française fut de la plus haute importance. On connaît la phrase par laquelle Ronsard, dans la préface à son recueil *Les quatre premiers livres des Odes* de 1550 stigmatise toute la poésie de ses prédécesseurs :

> ... l'imitation des nostres m'est tant odieuse (d'autant que la langue est encores en son enfance) que pour ceste raison je me suis esloigné d'eus, prenant stile apart, sens apart, œuvre apart, ne desirant avoir rien de commun avecq'une si monstrueuse erreur [280].

Cette phrase, de même que de nombreux passages de *La Deffence et Illustration de la Langue françoise* de l'année précédente ont induit en erreur des générations de lecteurs et de critiques. Pourtant, pour surprenant qu'il soit, le fait est là : la métrique des Odes de Ronsard est prise telle quelle des Psaumes de Marot. Il n'existe pas une seule ode de Ronsard dont les strophes et les mètres ne soient pas reproduits des Psaumes de Marot. C'est un des plus grands mérites de la thèse magistrale de P. Laumonier [281] que d'avoir démontré cette imitation si surprenante. Et pourtant, bien que cette démonstration n'admette aucune discussion, et n'ait par conséquent jamais été discutée, son caractère surprenant a empêché qu'elle n'ait été vraiment appréciée. Ainsi P. Villey a dit : « Après avoir forgé dans ses *Pseaumes* l'instrument du lyrisme, il ne semble pas se douter de ce qu'il vient de faire [282]. » De

---

280. *Au lecteur*, Œuvres, éd. Laumonier, S.T.F.M., t. I, p. xxiv.
281. *Ronsard, poète lyrique*, Paris, Hachette, 1909.
282. P. Villey, ouvr. cit., p. 146.

cette façon a été invoquée la notion — complètement insoutenable — de la création inconsciente, afin d'expliquer cette simple vérité de considérer Marot comme le vrai créateur de la poésie française, si incroyable à tous ceux élevés, fussent-ils aussi avisés que l'était Pierre Villey, dans l'erreur historique consistant à accepter comme de bon argent les déclarations aussi flamboyantes que fausses et ridicules de Du Bellay et de Ronsard.

Et pourtant la forme de cette œuvre si grandiose, si importante et si magnifique n'est pas aussi révolutionnaire qu'on pourrait le penser. Si les strophes et les mètres que le poète emploie sont originaux, ils ne sont pas pour autant nouveaux dans la poésie française. Dans l'emploi de la strophe, et de la strophe à mètres variés où des vers longs de huit ou de dix syllabes alternent avec des vers courts de trois ou de quatre syllabes, Marot suit dans l'ensemble ses propres *Chansons* [283]. Et la structure des *Chansons,* originale à certains points de vue, comme l'est celle des psaumes, doit pourtant beaucoup à la poésie populaire du xv$^e$ siècle et même à certaines œuvres des Rhétoriqueurs.

Reste un dernier problème. La traduction des psaumes a-t-elle une signification religieuse ? En entreprenant cette œuvre, Marot montre-t-il des sentiments religieux ? agit-il en bon catholique, ou bien se montre-t-il protestant ? Or, à traiter ce problème en lui-même, en s'en tenant au texte de la traduction et sans se reporter à des témoignages indépendants, on ne saurait arriver à une solution même approximative. En effet, une traduction ne peut que rarement nous montrer la véritable pensée du traducteur. Il serait par exemple impossible de prétendre que tous les humanistes qui, à l'époque de la Renaissance, ont traduit des œuvres de Lucien — rappelons qu'Erasme, Thomas More et Melanchthon sont du nombre — fussent des athées. Si du fait que Marot a traduit des psaumes on conclut au christianisme du poète, rien ne nous empêche de voir une preuve de paganisme dans sa traduction des *Métamorphoses*. Au xvi$^e$ siècle, la traduction est affaire de mode. On traduit les ouvrages les plus susceptibles d'être goûtés

---

283. Voir plus haut, p. 66-70.

du public. Du point de vue religieux la traduction des psaumes ne prouve absolument rien, et ne permet pas la moindre conclusion quant aux opinions du poète. Tout au plus
peut-on noter — mais c'est presque de la tautologie —
qu'en s'inspirant d'un texte différent de la Vulgate, Marot
se montre novateur et homme de la Renaissance.

## La poésie de Cour.

En 1539 la ville de Gand s'était révoltée contre l'empereur Charles-Quint, qui, en sa qualité de duc de Bour-
gogne, possédait les Pays-Bas à titre personnel. Depuis la
trève de Nice et l'entrevue d'Aigues-Mortes, l'entente
régnait entre Charles-Quint et François Iᵉʳ. C'est sous le
signe de cette entente que l'empereur demanda au roi
de France la permission de traverser la France, venant
d'Espagne avec une armée afin de soumettre Gand révoltée.
On sait qu'il y eut des discussions acharnées au conseil
du roi à ce sujet. Enfin Charles-Quint obtint la permission
voulue, sans qu'il en résultât le moindre profit pour la
France, comme certains des conseillers de François Iᵉʳ
l'avaient prédit [284].

Charles-Quint et son armée firent une procession triomphale à travers la France. L'entrée de l'empereur à Paris
eut lieu le 1ᵉʳ janvier 1540. Marot, nous le savons, fut présenté à Charles-Quint et lui remit un manuscrit des psaumes, recevant de l'empereur un don de 200 doublons [285].

Dans sa situation de poète officiel Marot dut célébrer
cet événement. Il le fit dans un cantique, *Clement Marot
sur la venue de l'empereur en France* [286]. De plus il fit
publier, au mois de janvier 1540, une plaquette chez
Estienne Roffet, intitulée *Les Cantiques de la Paix* [287], plaquette qui contient, outre le cantique déjà cité, trois autres
cantiques, c'est-à-dire poèmes appartenant au lyrisme
grave d'inspiration politique. Ce sont :

---

284. Voir Du Bellay, *Mémoires,* ouvr. cit., t. III, p. 446-453.
285. Voir plus haut, p. 463.
286. *Œuvres lyriques*, LXXXIII, Cantique VIII.
287. *Bibliographie*, II, n° 86. Le privilège de cette plaquette
est du 13 janvier 1539 a. s.

> *La Chrestienté à Charles Empereur et à Françoys, roy
> de France* [288]
> *Clement Marot à la Royne de Hongrie venue en
> France S.* [289]
> *Le canticque de la Royne sur la maladie et convales-
> cence du Roi par Marot* [290]

Le premier de ces poèmes fut composé en juin 1538, à
l'occasion de la trêve conclue entre le roi et l'empereur
à Nice. Le second date du mois d'octobre 1538, lors de
la visite de Marie de Habsbourg, sœur de Charles-Quint,
reine de Hongrie et régente des Pays-Bas, venue en France
peu après l'entrevue d'Aigues-Mortes entre le roi et l'empereur. Le troisième enfin fut composé au mois de septembre 1539 quand François Ier était grièvement malade.
Ces poèmes, il est presque oiseux de le dire, ne sont pas
parmi ce que Marot a fait de meilleur. Forcé d'écrire des
pièces d'apparat, des poèmes de circonstance, Marot revient
à l'inspiration des Grands Rhétoriqueurs et cherche son
salut dans la vieille recette de l'allégorie. Ce faisant, soit
dit en passant, il devance Ronsard, qui dans bien de ses
poèmes officiels a fait la même chose.

Il n'en est pas ainsi du groupe de poèmes publié sous le
titre *Les estreines de Clement Marot* et connu sous le titre
plus expressif *Les Etrennes aux Dames de la Court*. Le
1er janvier 1541 la Cour se trouva à Fontainebleau. Marot
à ce moment-là, on ne sait pour quelle raison, était présent près du roi. Le jour de l'an il offrit à quarante et une
des principales dames de la cour comme étrenne à chacune un petit poème exprimant les vœux de nouvelle
année. Toutes ces pièces sont faites sur le même mètre et
présentent le même jeu de rimes, étant de cinq vers chacune, dont les premiers, troisième et quatrième sont de sept
syllabes, les deuxième et cinquième de trois syllabes, et
rimant AABBA. Ces poèmes furent publiés, peu de temps
après, probablement au mois de février 1541, à Paris [291].

---

288. *Œuvres lyriques*, LXXX, Cantique v.
289. *Ibid.*, LXXXI, Cantique vi.
290. *Ibid.*, LXXXII, Cantique vii.
291. *Les estreines de Clement Marot*, Paris, J. Dupré, 1540
(a.s.). Le privilège est du 10 février 1540 (a.s.). *Bibliographie*,
II, n° 91.

Dans les *Etrennes aux Dames de la Court*, Marot revient en quelque sorte à l'inspiration de sa jeunesse, à un moment où presque tous ses efforts sont dirigés vers la poésie sérieuse, la traduction des psaumes et le lyrisme grave des cantiques. La verve, l'entrain, la gaîté et l'esprit qui brillent dans les Etrennes montrent de façon éclatante que la plume de Marot n'a rien perdu de son charme.

Ces poèmes, étant adressés chacun à une dame de la cour, n'échappent pas entièrement au défaut inhérent à ce genre de composition, à savoir le goût de la plaisanterie intime, susceptible d'être entendue des seuls initiés. Pourtant, dans la plupart des cas, les allusions sont si fines qu'elles n'ôtent rien au plaisir qu'on éprouve à la lecture de ces pièces. De plus, elles sont le plus souvent limpides, de sorte que le lecteur non initié comprend sans trop de difficulté de quoi il est question. Ainsi, dans l'Etrenne *A Madame de Bressuyre* :

> S'on veult changer vostre nom
> De renom
> A un meilleur ou pareil,
> Ne vueillez de mon conseil
> Dire non [292].

il n'est pas nécessaire de savoir que Jehanne de Bretagne, dame de Bressuire, était veuve depuis quatre ans, pour comprendre que dans ce poème Marot exprime le souhait que la dame à qui il s'adresse trouve un mari digne d'elle, et veut faire sentir que cette dame, évidemment d'un certain âge, montre peut-être trop de fierté.

Dans d'autres Etrennes, l'allusion est plus voilée, sans pour autant défigurer le poème par trop d'obscurité. Ainsi, dans l'Etrenne *A Madame la grand'Seneschale* :

> Que voulez, Diane bonne,
> Que vous donne ?
> Vous n'eustes, comme j'entens,
> Jamais tant d'heur au printemps
> Qu'en Automne [293].

---

292. *Œuvres diverses*, CXLVII, Etrenne xiv.
293. *Œuvres diverses*, CXLIV, Etrenne xi.

le poète fait allusion à la liaison de Diane de Poitiers avec le dauphin Henri. A l'époque, cette liaison n'étant un secret pour personne, l'allusion si délicate devait être comprise de tout le monde. Aujourd'hui, le poème, même si l'allusion n'est plus très claire, reste un petit chef-d'œuvre de galanterie et de délicatesse.

Il en est de même de l'Etrenne *A Madame l'Admiralle* :

> La doulce beaulté bien née
> Estrenée
> Puissions veoir avant l'esté,
> Mieulx qu'elle ne l'a esté
> L'autre année [294].

où la disgrâce de l'Amiral Chabot en 1540, tout en formant le vrai sujet du poème, est introduite avec tant de tact et d'élégance, que le poème reste encore aujourd'hui un modèle de bon goût.

C'est la simplicité de l'Etrenne, dépourvue de toute préciosité et des fioritures du pétrarquisme, qui en fait tout l'attrait. Quoi de plus simple, de plus limpide, de plus charmant que ces vœux de nouvelle année adressés à la duchesse de Nevers :

> La Duchesse de Nevers
> Aux yeulz vertz,
> Pour l'esprit qui est en elle,
> Aura louenge eternelle
> Par mes vers [295].

Revenant au badinage de sa jeunesse, Marot se permet une ou deux fois des plaisanteries sur le nom de la dame à qui il s'adresse. Pourtant, ici encore, Marot réussit à créer un effet d'élégance, alors que d'ordinaire ce genre de plaisanterie nous semble franchement grossier. Voici par exemple l'Etrenne adressée à une Italienne du nom de Lucresse :

---

294. *Œuvres diverses*, CXLIII, Etrenne x.
295. *Œuvres diverses*, CXXXVIII, Etrenne v.

> Cest an vous face maistresse,
> Sans destresse,
> D'amy aussi gracieux
> Que fut Tarquin furieux
> A Lucresse [296].

Il en est de même des plaisanteries grivoises qui, dans ces poèmes, revêtent un caractère de simple et délicate galanterie comme par exemple dans l'Etrenne *A Bye* :

> Voz graces en faict & dict
> Ont credit
> De plaire, Dieu sçait combien.
> Ceux qui s'y congnoissent bien
> Le m'ont dit [297].

ou encore l'Etrenne *A ma Dame de Bernay dicte Sainct Pol* [298] :

> Vostre mary a fortune
> Opportune ;
> Si de jour ne veult marcher,
> Il aura beau chevaucher
> Sur la brune [299].

Marot est le maître de tous ces poètes épicuriens qui, par delà le froid intellectualisme des salons dix-sept cent cinquante, retrouveront chez l'abbé de Chaulieu, à la fin du grand siècle, l'art de faire des portraits ressemblants, des allusions intimes, des plaisanteries sur le nom ou le caractère d'une dame de façon délicate et galante. Lui, en tout cas, possédait cet art à la perfection.

C'est au début de l'année 1541 que se place ce qu'on ne saurait nommer qu'un intermède comique. Le 26 janvier 1541, l'ambassadeur anglais à Paris, John Wallop, adressa la lettre suivante à son gouvernement :

---

296. *Œuvres diverses*, CLXV, Etrenne xxxii.
297. *Œuvres diverses*, CLXVI, Etrenne xxxiii.
298. C'est Anne d'Alençon, l'ancienne amie du poète. Voir plus haut, p. 79-82.
299. *Œuvres diverses*, CLXXIV, Etrenne xli.

> Francis sends ships and 500 or 600 footmen to seek
> the trade of spicery by a shorter way than the Portu-
> galles use, i.e. by the Mare Glasearum. Their pilot,
> Jacques Cartier, a Breton, thinks it will be navigable
> for three months in the year. The captain of the foot-
> men is Clement Marotte, who has been an exile by
> Lutheranisme and his men are malefactors and vaga-
> bonds who can well be spared, so that if they never
> return it will be no great loss [300].

Il y a quelque chose d'amusant à trouver le nom de Marot
suggéré pour le rôle de « colonial », ou, pour éviter tout
anachronisme, de « conquistador ». Que le bruit rapporté
par l'ambassadeur repose sur la réalité peut sembler plus
que douteux. Rien dans la vie de Marot ne suggère qu'il
pût même être considéré pour cette charge. Du reste notons
que Wallop ne sait rapporter comme détail biographique
que le seul fait — véridique — à savoir que Marot avait
été exilé pour luthéranisme. Pour ce qui est de l'origine
de ce bruit, il est impossible de rien affirmer, sauf pour
dire qu'il dut être complètement controuvé.

Cette même année de 1541, François Iᵉʳ songea à une
alliance avec le duc de Clèves, Guillaume III. A cet effet il
offrit au duc la main de sa nièce, la jeune Jeanne d'Albret.
Marguerite, comme son mari Henri, était terrassée par ce
mariage, qui était contraire à toutes les ambitions de la
famille royale de Navarre, et qui semblait mettre une fin
absolue à son influence. C'est seulement pour plaire à son
frère, qu'elle accepta enfin d'accorder sa fille au duc de
Clèves. Mais la jeune Jeanne d'Albret, âgée de douze ans,
fit les plus grandes difficultés :

> Le 13 juin la petite princesse manifeste plus nette-
> ment qu'elle ne l'avait encore fait son refus absolu

---

300. J. Gairdner, *Letters and papers, foreign and domestic of
the reign of Henry VIII, preserved in the Public Record Office,*
Londres, 1886, v. XVI, p. 234, n° 488. La version originale et non
abrégée de cette lettre est reproduite dans *Collection of Documents relating to J. Cartier and Roberval,* ed. by H.P. Biggar,
Publications of the Public Archives of Canada, n° 14, Ottawa,
1930, p. 188-189.

de se marier. Si le mariage se faisait, déclare-t-elle, ce
ne serait que par contrainte et parce qu'elle n'osait
désobéir au Roi son oncle non plus qu'à ses parents.
On l'avait menacée ; la baillive de Caen l'avait fouet-
tée sur l'ordre de Marguerite ; si je refusais, ajoutait
la jeune fille, je serois tant fessée et maltraitée que
l'on me feroit mourir [301].

Le duc de Clèves arriva en France pour célébrer le mariage.
La fête eut lieu à Châtellerault. Voici comment Martin Du
Bellay decrit l'événement :

> L'an 1540 se commença à traitter le mariage d'en-
> tre le duc de Cleves, de Gueldres et de Gulliers, avec
> la fille unique de Henry, roy de Navarre, et de madame
> Marguerite, sœur du Roy ; lequel traicté fut continué
> tant qu'il fut conclu que ledit duc de Cleves viendroit
> en France devers le Roy, ce qu'il feit ; et le vint trou-
> ver à Chastellerault, où il fut honorablement re-
> cueilly, et audit lieu furent celebrées les nopces dudit
> duc de Cleves et madite dame fille du Roy de Navarre,
> de parole seulement et non d'execution, par ce qu'elle
> n'estoit encores en aage nubile, mais fut accordé que
> elle estant en aage elle seroit conduitte à Aix la cha-
> pelle, ville d'obeissance dudit duc, pour la finale con-
> sommation dudit mariage. Ausdittes nopces se fei-
> rent de magnifiques tournois en la Garenne de Chas-
> tellerault, d'un bon nombre de chevaliers errans, gar-
> dans entierement toutes les ceremonies qui sont escri-
> tes des chevaliers de la table ronde. Après lesdits
> tournois et autres festes et festins, s'en retourna ledit
> duc de Gueldres en ses pais... [302].

Marot était, semble-t-il, à Châtellerault avec la Cour. La
partie la plus éclatante des festivités fut un tournoi, dit
le Tournoi des Chevaliers errants, qui se déroula dans
une maison de plaisance près de Châtellerault, appelée La
Berlandière. *La Cronique du Roy Françoys premier* [303] donne
une description extrêmement détaillée de ces fêtes. Marot

301. P. Jourda, ouvr. cit., t. I, p. 264-265.
302. M. Du Bellay, *Mémoires*, ouvr. cit., t. III, p. 453-454.
303. Ouvr. cit., p. 363-383.

rima six pièces pour ce tournoi [304]. Ces poèmes servirent d'inscriptions aux perrons, c'est-à-dire les bases de marbre sur lesquels se tenaient les chevaliers au cours de ce tournoi. Il est curieux que tout en écrivant ces six poèmes pour les fêtes de Châtellerault, Marot n'ait pas écrit un seul vers faisant mention du mariage qui en fut la cause. Ajoutons que ce mariage ne fut jamais consommé, mais fut annulé bientôt, et que Jeanne d'Albret épousa Antoine de Bourbon, duc de Vendôme, qui devint ainsi le fondateur de la lignée des Bourbon.

Ici encore la comparaison avec Ronsard s'impose. Les « Perrons » de Marot présagent les *Cartels et Masquarades*.

## Les Traductions.

Si entre l'été de 1538 et le début de 1540 Marot semble occupé surtout par la traduction du psautier, et si nous le voyons repris par la vie de Cour et la poésie officielle dans les années 1540 et 1541, ce n'est pas à dire que les Psaumes, l'*Eglogue au Roy soubz les noms de Pan & Robin*, *Les Cantiques de la Paix*, *Les Etrennes aux Dames de la Court* et les six « Perrons » eussent été ses seules productions littéraires pendant ces années. D'une part le poète a certainement composé des épigrammes, et surtout des épigrammes imitées de Martial vers cette époque [305], d'autre part une grande partie de son temps a été occupée par diverses traductions. C'est en effet entre les années de 1538 et 1542 que se placent ses traductions de Pétrarque, de l'*Histoire de Leander et de Hero* de Museus, du second

---

304. *Pour le Perron de mon seigneur le Daulphin au tourney des Chevaliers errants à la Berlandiere pres Chatelerault, Les Epigrammes*, CCXII ; *Pour le Perron de Monseigneur d'Orleans, Les Epigrammes*, CCXIII ; *Pour le Perron de monsieur de Vendosme, Les Epigrammes*, CCXIV ; *Pour le Perron de monsieur d'Anguien dont la superscription estoit telle : Pour le Perron d'un chevalier qui ne se nomme point, Les Epigrammes*, CCXV ; *Pour le Perron de monsieur de Nevers, Les Epigrammes*, CCXVI; *Pour le Perron de monsieur d'Aumale qui estoit semé des lettres L & F, Les Epigrammes*, CCXVII.

305. Voir plus haut, p. 416-417.

livre des *Métamorphoses* d'Ovide et de trois Colloques
d'Erasme.

Jusqu'en 1560 environ la traduction en vers fut à la
mode. Rappelons que Du Bellay traduira Virgile. Il est
donc oiseux de se demander ce qui a pu pousser Marot à
entreprendre ces traductions. Excepté pour ses années
d'exil, à Ferrare et à Venise, où il semble n'avoir composé
que des pièces personnelles, Marot a fait des traductions
presque toute sa vie durant.

Les six sonnets de Pétrarque furent publiés en plaquette
par Gilles Corrozet probablement en 1539 [306]. *L'Histoire
de Leander et Hero* imprimée pour la première fois à Paris
en janvier 1541 [307] sans l'aveu du poète, et réimprimée, toujours sans l'aveu de l'auteur, deux fois [308], parut, au mois
d'octobre 1541 à Lyon chez Gryphius précédée d'une préface du poète dans laquelle il répudie les éditions antérieures [309]. Le deuxième livre des *Métamorphoses* par contre
ne figure en aucune édition séparée, mais fut publié pour
la première fois par Etienne Dolet dans l'édition qu'il procura des *Œuvres* de Marot en 1543 [310]. Enfin deux seulement des trois *Colloques* d'Erasme que traduisit Marot
furent imprimés, d'ailleurs dans des éditions posthumes
en 1548 et 1549 [311] ; le colloque *Dialogue de la vierge repentie* resta manuscrit jusqu'au xix⁰ siècle [312].

Il est difficile de résumer l'œuvre de Marot pendant
les années 1537 à 1542. Réitérons qu'il a créé, dans les
Psaumes, une des grandes œuvres de la Renaissance fran-

306. *Six Sonnetz de Petrarque sur la mort de sa dame Laure,
traduictz d'Italien en François par Clement Marot*, Paris, G. Corrozet, s.d. ; *Bibliographie*, II, n° 85.

307. *Museus ancien Poete grec, des amours de Leander &
Hero, traduict en Rithme françoise, par Clement Marot*, Paris,
G. de Bossozel pour J. André et G. Corrozet, 1541, n.s. ; *Biblio-
graphie*, II, n° 92.

308. *Bibliographie*, II, n⁰ˢ 97, 98. Cf. C.A. Mayer, *Encore une
édition inconnue de Clément Marot*, B.H.R., t. XXVII, 1965,
p. 669-671.

309. *Bibliographie*, II, n° 99.

310. *Bibliographie*, II, n° 118.

311. *Bibliographie*, II, n⁰ˢ 166, 167 et 168.

312. Publié par Guiffrey, *éd. cit.*, t. II, p. 251-260.

çaise, qu'il a introduit l'épigramme dans la littérature française et que dans son imitation de Martial il a dirigé la littérature française dans la voie de l'imitation intelligente de l'antiquité. Enfin, dans l'*Eglogue au Roy soubz les noms de Pan & Robin,* il a écrit la plus belle églogue de la Renaissance française.

# VIII

## SECOND EXIL ET MORT

Pour la seconde moitié de l'année 1541 et presque toute l'année 1542 les documents nous manquent en ce qui concerne la vie de Marot. Nous ne savons à peu près rien de lui pendant cette époque. Même les publications ne nous renseignent guère, puisque les éditeurs se contentent dans l'ensemble de réimprimer des éditions et ne nous livrent guère d'ouvrages inédits. Ainsi outre les éditions des *Œuvres* de Marot sortant des ateliers des frères Angelier [1], de Jean Ruelle [2], d'Etienne Dolet [3], de Jean Bignon [4], d'Alain Lotrian [5] et de nouveau des frères Angelier [6] on ne connaît que les éditions des Psaumes déjà mentionnées [7], de l'*Histoire de Leander et Hero* [8], et des *Cantiques de la Paix* [9].

La dernière catégorie d'ouvrages imprimés pendant ces années consiste en publications et poèmes subreptices. Ainsi Etienne Dolet donna en 1542 la première édition

1. *Bibliographie*, II, n° 95.
2. *Ibid.*, II, n° 96.
3. *Ibid.*, II, n° 105.
4. *Ibid.*, II, n° 108.
5. *Ibid.*, II, n° 109.
6. *Ibid.*, II, n° 110.
7. Voir plus haut, p. 458-460.
8. Voir plus haut, p. 475.
9. Voir plus haut, p. 467.

française de l'*Enfer* suivi d'un groupe de poèmes se rapportant au premier emprisonnement du poète, de même que de l'épître *Au Roy, du temps de son exil à Ferrare*[10], du premier et deuxième *coq-à-l'âne*[11], et du *Dieu gard à la Court*[12]. Aucune de ces pièces ne fut inédite en 1542. A part les poèmes publiés par Marot lui-même dès 1532 ou 1534, comme le premier *coq-à-l'âne* et les pièces se rapportant à l'affaire de 1526, l'épître *Au Roy, du temps de son exil à Ferrare* avait été publiée dès 1536 à Anvers par Steels[13], l'*Enfer*, comme le deuxième et du reste aussi le troisième *coq-à-l'âne*, par le même Steels à Anvers en 1539[14], et le *Dieu gard* dans trois plaquettes[15] en 1537 et 1538.

Pour cette raison principalement on ne connaît guère de poèmes composés par Marot vers cette époque. Aucune épigramme ne peut être placée avec précision dans la deuxième moitié de 1541 ou de l'année 1542. Au fond, la seule pièce qui puisse être datée sans l'ombre d'un doute de 1542, c'est l'épître *De Madame la Daulphine escripvant à Madame Marguerite*[16]. Ce poème, censé être écrit par la dauphine, Catherine de Medici, qui parlait mal le français et l'écrivait encore plus mal, doit être l'œuvre d'un poète de Cour, le plus probablement Clément Marot. Puisque la dauphine s'y plaint de sa solitude au château de Fontai-

---

10. *Les Epîtres*, XXXVI.
11. *Œuvres satiriques*, VII et VIII.
12. *Œuvres lyriques*, LXXVIII, Cantique iii. Voici les pièces contenues dans ce recueil (*Bibliographie*, II, n° 102) :
   *L'Enfer de Clement Marot* (*Œuvres satiriques*, I.)
   *Le Rondeau qui fut la cause de sa prise* (*Œuvres diverses*, LXIII, Rondeau lxiii.)
   *La Ballade Contre celle qui fut s'Amye* (*Œuvres diverses*, LXXX, Ballade xiv.)
   *Rondeau parfait* (*Œuvres diverses*, LXIV, Rondeau lxiv.)
   *L'epistre à son amy Lyon* (*Les Epîtres*, X.)
   *Au Roy, du temps de son exil à Ferrare* (*Les Epîtres*, XXXVI).
   *Le Dieu gard à la Court* (*Œuvres lyriques*, LXXVIII, Cantique iii).
   *Le premier coq-à-l'âne* (*Œuvres satiriques*, VII).
   *Le deuxième coq-à-l'âne* (*Œuvres satiriques*, VIII).
13. *L'adolescence clementine, Bibliographie*, II, n° 45.
14. *Bibliographie*, II, n° 79.
15. *Bibliographie*, II, n°s 51, 52, 69.
16. *Les Epîtres*, LV.

nebleau, on peut placer la composition de cette épître dans
l'été-automne, plus précisément août-septembre de 1542,
lorsque le roi et le dauphin Henri furent au siège de Perpignan, alors que Catherine resta seule à Fontainebleau.
D'autre part, l'authenticité de cette épître n'est pas sûre,
sa seule source étant le manuscrit de Gilbert Grenet [17]. Le
poème n'est toutefois pas indigne de Marot :

> Vous vous pourés esmerveilher, Madame,
> Dont si soubdain, sans avoir apris d'ame,
> Je me suys mise à composer en vers,
> Veu que dormy n'ay soubz les umbres vers
> De Pernasus, ny beu en la fontaine
> Où puiser fault science cy haultaine.
>   Peult estre aulcuns n'en seront esbays,
> Et vous diront que je suys du pays
> Où, de tous temps, les neuf Muses habitent.
> Elles, pour vray, à rymer ne me imvytent ;
> Le grant desir d'envelopper et mectre
> Mes durtz regrectz en moingtz fascheuse lectre,
> Et que je say que, de nature, aymés
> Le son plaisant des vertz qui sont rymés,
> C'est ce qui m'a, et cy ne say coment,
> Fait devenir poete en ung momment ;
> C'est que l'amour, qu'ay à vous indicible,
> M'a fait trouver bien aisé l'impossible.
> Hellas, tous ceulx qui à rymer se pennent
> Les argumens de plaisir entreprenent ;
> Mais, pour monstrer ce que faire je say,
> Me fault escripre, en ce myen coup d'essay,
> L'ennuy que j'ay d'estre loing demeurée
> De vous, ma Dame et seur treshonnourée.
> Sans qui esbactz ne me samblent que ennuys,
> Et que les jou(r)s ne me sanblent que nuytz.
>   Aucunesfois, avecques abit noyr,
> Je me pourmaine en ce noble manoir,
> Lequel plus grant qu'il ne soloyt me sanble
> N'y voyant plus la compaignie ensanble.
>   Aucunesfois, au jardin m'en allant,
> Tout à part moy, à luy je voys parlant,
> Car vous diriés, tant il croit qu'il (m)'agrée,

17. Voir *Bibliographie*, I, p. 47-63, et *Les Epîtres*, p. 61-62.

Qu'il est marry qu'en luy ne me recrée.
Jardin royal, se dis je, ta verdure,
Tes fruictz, tes fleurs, tout ce que art et nature
T'a peu donner, n'a ores la puissance
De me donner ung brin d'esjoyssance ;
Si tu veulx donc qu'autre chere je fasse,
Rans moy la fleur qui les tiennes efface,
Rans moy la noble et franche Marguerite,
Rans moy aus(s)i de noblesse l'eslite,
Mon cher espoux, qu'elle et moy soulions voir
Sur grans chevaulx, et faire son devoir
A les picquer sur tes alléez grandes ;
Lors, me verras ainsi que me demandes.
En ce temps là, pour plaisir les picquoit
Et sans dangier aux armes s'aplicquoit ;
Mais, mainctenant, pour le bien de la France
Et pour honneur, prent armes à oultrance.
Que Dieu luy doin(t), apres tout debatu
Fourtune esgalle à sa grande vertu !

Sur ce, m'en vois à ma chambre ou ma salle,
Lieulx dessollez ; on n'y chante ny balle.
Là devissant, à mes gens je m'adresse,
Aus(s)i fachez quazi que leur maistresse.
Tandis parfois devers nous se transporte
Poste ou lacquest qui nouvellles apporte ;
Mes lectres prens avec estreme joye,
Mais tout à coupt j'ay cy grant peur que j'oye
En les lissant quelque mal advenu,
Qu'entre aise et poyne est mon cueur detenu.
Quant j'ay tout leu, et que riens je n'y treuve
De mal venu, advis m'est que j'espreuve
L'aize de ceulx qui on(t) fait leur voyage
Dessus la mer sans avoir eu orage.

O ! plus heureulx que Mercure, celluy
Qui, des demain, ou plustout, aujourd'uy
Me vouldroit dire, en rian(t) de vray zelle :
« Ma Dame vient », ou « allez devers elle » !
Et plus heureulx, celluy qui viendroit dire :
« Henry vaincqueur en France se retire. »
Soubz cest espoir, en grans devotions,
Journellement faisons provissions.
Processions, regretz, deul et soucy
Sont les esbatz que nous prenons icy,
En adtandent la fourtune prospere
Des filz aymés et de l'honnouré pere.

En dehors de cette pièce il n'y a que les épîtres *A son amy, en abhorrant folle amour*[18] d'authenticité douteuse, et *Au Roy pour luy recommander Papillon, Poete François estant malade*[19] qui appartiennent à cette période de la vie du poète et encore sans qu'on puisse en préciser la date.

C'est vers cette époque qu'un long poème à tendance protestante fut attribué à Marot. C'est le *Sermon du bon pasteur et du mauvais.* Sous le titre *Bergerie* cette pièce semble avoir été imprimée par J. Michel à Genève en 1539[20]. En 1541, dûment attribuée à Marot et intitulée : *Sermon tresutile et salutaire du bon pasteur & du mauvais,* elle se trouve dans une édition des *Psaumes* de Marot, publiée à Anvers par A. des Gois[21]. L'année suivante, elle figure dans une nouvelle édition des *Psaumes* publiée par Dolet[22]. Par la suite l'ouvrage fut réimprimé sous le titre de *Bergerie du bon pasteur et du mauvais*[23].

La question de l'authenticité de cette pièce a été compliquée par celle de la religion du poète. Bien qu'impliquant une très réelle pétition de principe, l'argumentation a roulé avant tout sur la question de savoir si la pièce est trop protestante pour pouvoir être de Marot. Je crois avoir montré ailleurs[24] que, quelle que soit l'étiquette religieuse qu'on se plaise à afficher à notre poète, il se trouve, parmi ses écrits les plus authentiques, des passages qui ne sont certes pas moins hérétiques que le *Sermon du bon pasteur.* La religion ne peut guère servir à décider de l'authenticité d'une pièce. Nous sommes donc réduits aux preuves historiques.

Si la critique a toujours hésité à admettre la paternité de Marot pour ce poème, c'est avant tout parce qu'il ne figure pas dans l'édition de Constantin. Or, puisque cette édition n'a guère de valeur, ce critère tombe. Quant à l'édi-

---

18. *Les Epîtres,* LIII.
19. *Ibid.,* LII.
20. *Bibliographie,* II, n° 84.
21. *Bibliographie,* II, n° 94.
22. *Bibliographie,* II, n° 112.
23. *Bibliographie,* II, n° 139.
24. *La Religion de Marot,* ouvr. cit.

tion d'Anvers, la première à attribuer le poème à Marot, il est difficile de juger de son autorité.

Il existe une autre preuve. Entre Noël 1542 et le 2 mars 1543, la Sorbonne dressa un catalogue d'ouvrages condamnés [25]. Sur la liste figure : *Ung Sermon du bon & mauvais Pasteur, du même Marot.* Dans le second Index de la Sorbonne, on lit sous la rubrique *Ex libris Clementis Marot : Ung sermon du bon & mauvais Pasteur.* Le même index, sous la rubrique *Catalogus librorum Gallicorum ab incertis Authoribus,* contient *La Bergerie spirituelle, envoyée au Roi,* qui est un titre différent du même ouvrage. Il est curieux que les théologiens aient condamné deux fois le même ouvrage ; et plus curieux encore que le *Sermon du bon pasteur* soit attribué à Marot, alors que la *Bergerie spirituelle* est qualifiée d'ouvrage d'un auteur inconnu [26] ! Tout cela montre que l'Index de la Sorbonne ne nous aide guère dans la discussion de l'authenticité de cette pièce. Ajoutons que le *Sermon du bon pasteur* figure sur l'Index de Vidal de Bécanis [27], sans nom d'auteur.

Cependant le scribe du ms 12795 du fonds français de la Bibliothèque Nationale a attribué ce poème non à Clément Marot mais à Almanque Papillon. Comme les imprimés et les documents ne nous permettent pas de tirer une conclusion concernant le problème de l'authenticité, l'indication de la version manuscrite me semble de la plus haute importance. J'incline donc à attribuer *Le Sermon du bon pasteur* à Papillon [28].

On sait qu'à la fin de 1542 Marot une fois de plus prit la fuite et s'exila, cette fois pour ne jamais revoir la

---

25. Voir Du Plessis d'Argentré, ouvr. cit., I, 1, p. 134 et *La Religion de Marot,* ouvr. cit., p. 45.

26. C'est uniquement sur la foi de cet Index que J. Plattard (article dans B.S.H.P.F., 1912) a prétendu que la *Bergerie spirituelle* et le *Sermon du bon pasteur* étaient deux ouvrages différents. En effet la *Bergerie spirituelle,* dont nous ne connaissons aucun exemplaire, doit être identique à la *Bergerie (Bibliographie,* II, n° 139). Or le texte du poème imprimé sous ce titre est effectivement le même que celui du *Sermon du bon pasteur.*

27. *Voir La Religion de Marot,* ouvr. cit.

28. Sur ce problème, voir C.A. Mayer, *Le Sermon du bon pasteur, problème d'attribution,* art. cit.

France. A la différence de la fuite du poète en 1534 qui fut causée par un événement précis, à savoir l'affaire des Placards, on ne connaît aucun fait qui à lui seul pourrait expliquer pourquoi Marot se sentit menacé en France au point de prendre la route de l'exil. On a avancé un nombre d'hypothèses à ce sujet.

Déjà au début du xviie siècle ces légendes commencent à courir. Ainsi Colletet, dans sa *Vie de Marot*, dit :

> Toutesfois, s'il faut en croire Antoine de Laval, le subject du bannissement de Marot vient d'un dis-cours un peu libre qu'il avoit proféré contre le roi François, lorsqu'il avoit dict : Il n'est que du sablon d'Estampes pour faire reluire un vieux pot. Ceux qui sçavent l'histoire secrette et particuliere du temps, n'ignorent pas que cela regardoit la maistresse du Roy, duchesse d'Estampes et de Ponthieux, laquelle voulut se vanger de Marot à la premiere occasion.

Disons qu'en ce qui concerne les racontars stupides, le procès de Colletet n'est plus à faire. Ainsi à propos de Marot, il confond tout, et cite par exemple l'épître *Au Roy, du temps de son exil à Ferrare*[29] à propos du deuxième exil du poète, disant, malgré le titre si clair, qu'elle fut composée à Turin. Le jeu de mots sur le sablon d'Estampes est contenu dans deux vers :

> Il n'est que du sablon d'Estampes
> Pour faire reluire un vieux pot

vers qui se trouvent dans un *coq-à-l'âne* anonyme, daté de 1544, dans le ms 1718 du fond français de la Bibliothèque Nationale. Rien dans ce *coq-à-l'âne* ne suggère qu'il puisse être de la plume de Marot. Sur la foi du racontar de Colletet, on a cependant attribué à Marot cette pièce[30]. On voit ici le danger des légendes. Elles mènent en dernière analyse à des attributions fantaisistes, lesquelles peuvent à leur tour créer d'autres légendes et ainsi de suite[31]. Notons

---

29. *Les Epîtres*, XXXVI.
30. Voir H. Meylan, *Epîtres du coq-à-l'âne*, ouvr. cit.
31. Voir C.A. Mayer, *Coq-à-l'âne, définition-invention-attributions*, F.S., XVI, 1962, p. 1-13.

à ce propos que Colletet lui-même a eu scrupule d'accepter l'histoire du sablon d'Etampes, et ne la donne que sous toutes réserves. Examinant les raisons possibles de l'exil du poète, il écrit : « S'il faut en croire Antoine de Laval... [32] » et c'est ce dernier qu'il rend seul responsable de la légende du jeu de mots sur la favorite, disant très clairement que ni lui, ni la majorité des érudits de son époque n'y ajoutent foi :

> Mais si l'on doit ajouter foi à un autheur moderne, Marot fut banny du royaume et des bonnes graces de son roy pour avoir composé des vers trop libres contre les gens d'église. En effet la plus commune croyance est que l'estroitte familiarité qu'il avoit contractée avec les principaux lutheriens le fit soupçonner d'avoir changé de religion.

De toute manière il n'est pas croyable que cette seconde fuite qui, comme celle de 1534, ne peut s'expliquer que par des raisons religieuses, soit due à la rancune de la favorite du roi. Ce n'est pas pour se soustraire à la vengeance d'Anne de Pisseleu que Marot s'est décidé à chercher refuge à Genève. Et s'il en avait été ainsi, lorsque le poète quitta cette ville, essaya de rentrer en France et écrivit à cet effet au roi et au dauphin [33], n'aurait-il pas été naturel qu'il adressât alors un poème à la favorite pour apaiser son courroux ? Puisque ce poème n'existe pas, on peut être certain que l'insulte faite à la duchesse d'Etampes et la vengeance de celle-ci, forçant Marot à se réfugier à Genève, ne sont que des légendes.

Remarquons enfin que cette légende se rattache à celles qui accompagnent les autres mésaventures de Marot. La première, celle de la dénonciation par Ysabeau qui eut pour résultat l'emprisonnement de 1526 [34], a été lancée par

---

32. Voir plus haut, p. 483.
33. *Les Epigrammes*, CCXXIX, *Dizain au Roy, envoyé de Savoye, 1543*, et *Œuvres lyriques*, XC, Eglogue IV, *Eglogue sur la Naissance du filz de Monseigneur le Daulphin Composée par Clement Marot.*
34. Voir plus haut, p. 90-93.

le poète lui-même. La seconde légende insinue que l'exil de 1534 serait dû :

A la seule parole
D'une femme trop folle [35].

Il n'est donc pas surprenant que, pour le second exil, on ait de nouveau eu recours à cette vieille histoire de la rancune féminine, qui semble décidément la source de tous les déboires de Marot. Encore une fois, cette tactique vise simplement à transposer une affaire du domaine religieux dans celui du dépit amoureux ou des intrigues de cotillon.

Une autre hypothèse qu'on a avancée pour expliquer la fuite de Marot, c'est le danger qu'aurait constitué pour lui la publication des *Psaumes,* de l'*Enfer* et du *Sermon du bon pasteur.* On a suggéré notamment que la publication de l'*Enfer* en 1542 avait offensé le Parlement, et que ce serait devant la colère des juges que Marot aurait pris la fuite. Cette hypothèse est gratuite. L'*Enfer* ne fut pas condamné par le Parlement et d'autres éditions de cet ouvrage hardi parurent dans les années suivantes [36]. Enfin, l'édition de Dolet n'est pas la première, puisque ce texte avait été imprimé dès 1539 à Anvers [37]. Que cette satire ait indisposé les membres du Parlement contre Marot, c'est certain. Mais qu'on puisse expliquer le second exil par la publication, en 1542, d'une pièce composée en 1526, lue devant le roi quelque temps après, et publiée une première fois en 1539, voilà qui est impossible.

Quant aux *Psaumes,* la question est évidemment beaucoup plus difficile. La traduction en langue vulgaire du texte de la Bible, que ce soit l'Ancien ou le Nouveau Testament, était interdite par l'Eglise. Aussi les *Psaumes* de Marot allaient-ils bientôt figurer sur l'Index, de même du reste que son œuvre toute entière. Pourtant Marot avait pris toutes les précautions possibles. La remise de son

35. *Les Epîtres,* Appendice II, 1, v. 16-17.
36. *Bibliographie,* II, nᵒˢ 114, 123, 124, 126, 115 et 125.
37. *Bibliographie,* II, n° 79.

manuscrit des psaumes à l'empereur Charles-Quint ne saurait guère être considérée comme acte de rébellion ou de
protestantisme. De même pour son édition des *Trente
Psaumes* chez Roffet en 1541 le poète avait obtenu un
privilège royal. Il semble donc difficile d'accepter que le
seul fait de la traduction du psautier ait forcé le poète à
s'enfuir. Enfin le *Sermon du bon pasteur* n'est pas de
Marot. Il lui fut attribué dans l'édition d'Anvers ; mais
tant de pièces scandaleuses le lui furent au cours de sa
vie qu'il est difficile de croire que cette seule attribution
erronnée eût été la cause de son exil.

Pour comprendre le véritable motif qui a poussé Marot
à s'enfuir, il convient d'étudier les documents. En 1535,
François Ier avait promulgué l'édit de Coucy, permettant
aux luthériens bannis et condamnés par contumace de
rentrer en France. En 1536, peut-être sous la pression des
princes allemands luthériens et de certaines villes suisses
dont l'alliance était nécessaire à sa politique, il avait encore
atténué les conditions sous lesquelles cet édit permettait
le retour d'exil [38]. Ces actes peuvent être considérés comme
les premières mesures de tolérance ; bien qu'il se crût
obligé de se munir d'un sauf-conduit royal, ce fut vrai-
semblablement ce climat de tolérance qui permit à Marot
de rentrer en France et de reprendre sa place de valet de
chambre. Cependant cette politique, celle des Du Bellay,
champions de l'alliance avec les princes allemands et ennemis de l'intransigeance religieuse [39], fut de courte durée.
L'entrevue d'Aigues-Mortes décida le roi à abandonner
toute tentative de réforme et à ne plus essayer de ménager les susceptibilités des princes allemands. A partir de
ce moment donc, François Ier se montrera de plus en plus
intolérant à l'égard des novateurs. Dès le 16 décembre 1538, à la suite du procès et de l'exécution de l'inquisiteur toulousain Louis de Rochète, qui avait montré des
sympathies pour les réformés, il promulgua un édit contre

---

38. Voir Herminjard, ouvr. cit., t. IV, p. 70-73.
39. Voir V.L. Bourrilly et N. Weiss, *Jean Du Bellay, les Protestants et la Sorbonne*, B.S.H.P.F., t. LIII, 1904, et V.L. Bourrilly,
*Guillaume Du Bellay*, Paris, 1905.

les luthériens, adressé toutefois au seul Parlement de Toulouse [40]. Dans ce document, le roi rappelle les commence-
ments du luthéranisme en France, énumère ensuite ses
mesures de tolérance prises à l'égard des réfugiés :

> Et apres plusieurs grandes et severes executions
> desdits delinquans, nous, considerans que à leurs der-
> niers jourz ils s'estoient reduictz envers Dieu nostre
> createur, saincte Eglise et foy chrestienne, et que
> grand nombre s'estoient absentez, qui se disoient estre
> deuement contrictz et repentens des maudites erreurs
> qu'ilz avoyent tenues et esquelles ils estoient escheuz
> par persuasion diabolique ; voulans user de la grace
> et misericorde dont il a pleu au benoit Createur nos-
> tre sauveur et redempteur nous donner le pouvoir en
> ce mortel monde, et ne delaysser au desespoir iceulx
> recognoissans leurs erreurs, ayons octroyé premiere
> et seconde foiz noz lettres de grace, pardon et miseri-
> corde et iceulx rappellez des banissmens contre eulx
> promulgués, en venant toutesfoys par eulx, au dedans
> du temps ordonné par nous es dites lettres, et abju-
> rent prealablement les dictes maudites et dampnées
> heresies, en la presence de leurs prelatz et diocesains.

Malgré l'abjuration, bon nombre des « rappelés » ont per-
sévéré dans leur hérésie :

> Et combien que, au dedans du dit temps, grand
> nombre d'iceulx delinquans ayent abjuré les dites
> heresies et usé de nostre grace et misericorde, nean-
> moins les aucuns y sont depuys retournez, les autres
> ont perséveré et continué par moyens secretz et ini-
> ques, subornans et attrahians à eulx les autres pau-
> vres gens miserables et de legier esperit, leur admi-
> nistrant livres mauditz, dampnez, reprouvez et ana-
> tematizés, et tellement que la dite erreur pullule en-
> cores en nostre royaume, pays et seigneuries, à nostre
> tres grand regret, contristation, ennuy et deplaisir.

L'édit se termine par une exhortation à la persécution
contre tous les suspects, contre ceux qui auront imprimé,

---

40. Voir *La Religion de Marot*, ouvr. cit., Appendice I, 22.

vendu ou acheté des livres défendus, contre ceux qui auront caché des coupables, etc. On notera donc que, dès ce moment, François I<sup>er</sup> est prêt à sévir de nouveau contre les novateurs, que bon nombre des réfugiés rentrés semblent avoir gardé leur foi malgré l'abjuration, et que, de nouveau, l'hérésie « pullule » en France.

Aussi le 24 juin 1539, François I<sup>er</sup> publia-t-il un second édit, adressé cette fois à tous les Parlements du royaume [41]. Ce document est extrêmement intéressant et se distingue par la violence des mesures ordonnées. Pour la première fois, les tribunaux séculiers de première instance sont chargés de poursuivre les hérétiques, et le droit d'appel aux Parlements est abrogé. Seul le procureur royal a le droit d'appeler *a minima*. Mais ici encore le procès ne sera pas envoyé aux Parlements, et une procédure spéciale est instituée. Après l'appel *a minima* du procureur, les tribunaux de première instance, c'est-à-dire les baillis, sénéchaux, etc., devront s'adjoindre, pour le jugement définitif, jusqu'à huit ou neuf personnages savants, lettrés, etc., choisis par le procureur :

> Voulons et ordonnans que les sentences et jugemens donnez par noz baillifz et seneschaulx ou leurs lieuxtenans vaillent, tiennent et soyent executées nonobstant oppositions ou appellations quelzconques, par iceulx prevenuz, condamnez, attainctz et convaincuz interjectées ou à interjecter, tout ainsi que si estoit par arrest de noz courtz souveraines, si par noz procureurs generaulx ou particuliers n'en est appelé a minima, en appelant avecques eulx pour le jugement diffinitif jusques au nombre de huict ou neuf bons personnaiges sçavans, lectrez, bien experimentez et de bonne conscience ; et six ou sept pour la torture où elle sera requise, qui signeront les dictons desdites sentences avec les dits baillifz, et seneschaulx ou leurs dits lieuxtenans generaulx.

Un autre point intéressant de cet édit, c'est qu'il y est fait mention des protections dont bénéficient les novateurs :

---

41. Voir *La Religion de Marot*, ouvr. cit., Appendice I, 23, et N. Weiss dans B.S.H.P.F., t. XXXVIII, 1889, p. 238-243.

> ... adverty aussi que les seminateurs de ceste infection sont à ce induiz et persuadez par plusieurs gros personnaiges qui secretement les recellent, supportent et favorisent en leurs faulses doctrines, leur aydant et subvenant de leurs biens et des lieulx et places secretes et occultes esquelles ilz retirent leurs sectateurs, pour les instruire ès dites erreurs et infections...

Cet édit fut dûment enregistré par tous les Parlements, sauf apparemment celui de Paris [42]. Il se peut que la procédure révolutionnaire et l'exclusion des Parlements aient rebuté les magistrats parisiens. Dans deux autres édits des 14 avril et 1er juin 1540 [43], les clauses relatives à ces innovations sont rapportées. Les tribunaux de première instance devront instruire les procès « jusques à sentence de torture en définitive exclusivement », après quoi ils seront tenus de :

> ... envoyer incontinent & sans delay lesdits procez & prisonniers en nos dites cours souveraines, pour par icelles estre jugez promptement à toute diligence.

L'édit du 1er juin 1540 introduit deux clauses nouvelles : d'abord des menaces réitérées contre tous les magistrats qui n'auraient pas fait leur devoir dans l'extirpation de l'hérésie ; puis pour la première fois, le roi se sert ici du subterfuge, connu par l'emploi qu'en fera Philippe II dans la répression du protestantisme aux Pays-Bas, à savoir l'assimilation du crime d'hérésie à celui de lèse-majesté :

> ... attendu que tels erreurs & fausses doctrines contiennent en soy crime de leze majesté divine & humaine, sedition de peuple & perturbation de nostre estat & repos public...

Après l'été de 1540 pourtant, un nouveau revirement semble avoir eu lieu dans la politique royale. Alors que François Ier avait promulgué quatre édits contre les luthériens

---

42. Voir N. Weiss, art. cit.
43. Voir *La Religion de Marot*, ouvr. cit., Appendice I, 24 et 25.

entre décembre 1538 et juin 1540, on n'en connaît pas un seul entre cette dernière date et le 29 août 1542. Ce qui explique que l'on enregistre pendant les années 1541 et 1542 un renouveau de la propagande évangélique. En 1541, Pierre Landry, curé de Sainte-Croix, prêcha des sermons condamnant la messe, la confession et le culte de la Vierge et des saints. La Sorbonne voulut le forcer à se rétracter, mais n'y parvint pas, Landry étant protégé par le cardinal Du Bellay et Marguerite de Navarre. Tout au long de l'année suivante, le curé semble avoir continué ses sermons évangéliques, au grand scandale de la Sorbonne. Ce ne fut que le 15 mars 1543 que la Faculté, apparemment grâce à l'appui du cardinal de Tournon, le fit emprisonner pour le forcer à se rétracter après un procès fort intéressant [44].

Autre exemple de ce renouveau évangélique : Etienne Dolet s'étant établi imprimeur en 1538 [45], n'avait publié, dans les quatre premières années de son activité professionnelle, que trois ouvrages religieux proprement dits. Or, au cours de l'année 1542, quatorze livres évangéliques sortirent de ses presses [46]. Et ce fut là sans doute la raison principale pour laquelle l'infortuné humaniste fut arrêté pendant l'été de 1542 et condamné à mort par l'inquisiteur Mathieu Orry.

L'année 1542 est une date importante dans l'histoire des idées religieuses, celle où eut lieu la dernière tentative pour gagner François Iᵉʳ à l'idée d'une réforme en France. Le fait que le curé Landry fut protégé par Marguerite de Navarre et par Jean Du Bellay, et que le bailleur de fonds de Dolet, Hélouin Dulin, était un des agents de Guillaume

---

44. Voir N. Weiss dans B.S.H.P.F., t. XXXVII, 1888, p. 241 et suiv.

45. Voir plus haut, p. 421.

46. Ce sont, entre autres, une traduction française du Nouveau Testament, les Psaumes de Marot (*Bibliographie*, II, n° 112), une traduction des Psaumes en prose, deux traductions d'ouvrages d'Erasme, à savoir *Le Chevalier Chrestien* et *Le vrai moyen de bien et catholiquement se confesser*, un *Sommaire du vieil et nouveau Testament* et *Les épistres et évangiles des cinquante et deux dimenches de l'An, avecques briefves et très utiles expositions d'ycelles*. Cf. C.A. Mayer, *The problem of Dolet's evangelical publications*, art. cit.

Du Bellay, seigneur de Langey, indique que le renouveau
d'évangélisme fut déclenché par ceux qui avaient toujours
essayé de pousser François I<sup>er</sup> dans le sens de la réforme de
l'Eglise.

Il va sans dire que la réaction catholique fut vive. Elle
eut pour résultat, comme nous venons de le voir, la rétrac-
tion de Landry, la condamnation à mort de Dolet et la fuite
de Marot. Dès l'été de cette année, une nouvelle vague de
persécutions s'abattit sur les protestants [47]. Le 21 juin, le
Parlement de Guyenne décida que, dans ses deux principales chambres, seuls les procès d'hérésie seraient enten-
dus [48]. Le lendemain, il envoya plusieurs conseillers dans
différentes localités de son ressort pour « faire et parfaire
le procès » des luthériens [49]. Le 28 juin, François I<sup>er</sup> adressa
une commision à un président et à deux conseillers du
Parlement de Guyenne, pour faire le procès à certains habitants de Bordeaux soupçonnés d'appartenir à la secte luthérienne [50]. Le Parlement de Paris, de son côté, lança, le
1<sup>er</sup> juillet, un arrêt contre les livres contenant « doctrines
nouvelles et heretiques », sommant les laïques qui en possé-
daient de les déposer au greffe dans les trois jours, sous
peine de la hart [51]. Enfin, le 29 et 30 août, François I<sup>er</sup> promulgua deux édits, d'ailleurs identiques, ordonnant aux
Parlements de se consacrer uniquement à la poursuite des
hérétiques et de s'informer des assemblées secrètes :

> Nous... vous mandons, commettons & enjoignons
> par ces presentes, que repris par devers vous nosdites
> ordonnances, edicts, statuts & declarations sur le faict
> dont est question, vous ayez à toute diligence & tous
> autres affaires cessans, à proceder rigoureusement &

---

47. Voir Herminjard, ouvr. cit., VIII, p. 107, n. 18.
48. J. de Métivier, *Chronique du Parlement de Bordeaux*,
Publication de la Société des Bibliophiles de Guyenne, Bordeaux,
1886, t. I, p. 367.
49. *Ibid.*
50. *Catalogue des Actes de François I<sup>er</sup>*, ouvr. cit., t. IV, p. 338,
n° 12588.
51. Voir C. Drion, *Histoire chronologique de l'église protestante de France jusqu'à la révocation de l'édit de Nantes*, Paris,
1855, t. I, p. 29.

sans deport contre les dits personnages qui se trouveront de la qualité & condition dessusdite, ainsi &
par la forme & maniere qu'il vous est mandé, commis
& enjoint par la teneur d'iceux nos edicts, statuts,
ordonnances & declarations, en sorte que la justice,
punicion, correction & demonstration en soit faite
telle & si griefve que ce puisse estre perpetuel exemple à tous autres. Et pour cet effet informez vous sur
tout diligemment, secrettement & bien des assemblées,
conventicules, intelligences & practiques secrettes que
font & conduisent journellement ceux desdites sectes
pour communication de leurs dites doctrines & seduc-
tion du peuple [52].

Ce texte important confirme que les édits de 1539 et de
1540 n'avaient pas été exécutés dans toute leur rigueur, de
sorte qu'à la fin de la dernière tentative de conciliation, le
roi ordonna simplement leur mise en vigueur.

Entre Noël 1542 et le 2 mars 1543, la Sorbonne dressa
un premier catalogue d'ouvrages condamnés [53], où figurent
quatre œuvres de Marot :

> *Trente Pseaumes de David translatés par Clément
> Marot* [54].
> *Psalmes de Daniel* (sic) *commentés* (sic) *par Clément
> Marot* [55].

---

52. Sur ces deux édits, voir *La Religion de Marot,* ouvr. cit.,
Appendice, I, 26.

53. Du Plessis d'Argentré, ouvr. cit., II, 1, 134 : *Catalogus
Librorum visitatorum & qualificatorum Theologiae Parisiensis
a Festo Nativitatis Dominicae, anno Domini 1542, ad secundam
diem Martii anni* (1543 n.s.).

54. Il doit s'agir des *Trente Pseaulmes de David, mis en françoys par Clement Marot,* publiés par E. Roffet sans doute vers
la fin de 1541 ; *Bibliographie,* II, n° 101.

55. Cette description fantaisiste ne nous permet pas d'identifier avec certitude l'édition visée. Il semble cependant qu'il
s'agisse d'une édition avec commentaire. Dès lors il est possible
que les théologiens aient attribué par erreur à Marot la traduction des psaumes en prose avec commentaires publiée, en 1542,
par Etienne Dolet sous le titre : *Psalmes du royal prophete
David. Fidelement traduicts de Latin en Françoys. Ausquelz est
adjouxté son argument & sommaire à chascun particulierement.*
R. Copley Christie, *E. Dolet, The Martyr of the Renaissance,*

> *Ung Sermon du bon & mauvais Pasteur, du même Marot* [56].
>
> *Psaulmes de David mis en rimes, par Clement Marot & autres de nouveau traduits en chant, ainsi qu'il dit le plus modeste qu'il a été possible* [57].

Ces ouvrages figurent en deuxième, huitième, neuvième et onzième place. Leur condamnation pose deux problèmes, celui de l'authenticité du *Sermon du bon pasteur*, et celui de savoir si la traduction des Psaumes doit être considérée comme une profession de foi protestante. De toute manière, cette mise à l'Index des Psaumes montre qu'en 1542-1543 cette œuvre était considérée comme hérétique.

Nous ne possédons qu'un seul document sur la fuite de Marot. C'est une lettre dans laquelle Calvin explique à Viret que Marot se trouve à Genève, ayant pris la fuite après avoir appris qu'un mandat d'amener avait été lancé contre lui :

> Marotium cum videro, salutabo tuis verbis. Haec causa adventus : quod cum ex aula domum se conferret, audierit decretum fuisse a curia Parisiensi, ut captus illuc quam primum adduceretur. Flexit iter alio, ut diligentius inquireret. Re bene comperta, huc recta concessit. Nunc penitus habere in animo se dicit, hic manere.

Selon Herminjard qui a publié cette lettre [58], elle fut écrite le 8 décembre 1542.

On a longtemps cru qu'avant d'aller à Genève Marot aurait cherché refuge en Savoie et aurait espéré d'obtenir, de la part du président du Parlement, Pélisson, la permission de résider dans ce duché récemment annexé par la France. Selon cette légende, ce n'aurait été qu'après avoir

---

ouvr. cit., n° 45 ; Brunet IV, 927 ; British Museum, 1409.a.8. Sur cette éditon, voir C.A. Mayer, *The problem of Dolet's evangelical publications*, art. cit.

56. *Bibliographie*, II, n° 94. Voir plus haut, p. 481.

57. Il s'agit probablement de l'édition, *Aulcuns pseaulmes et cantiques mys en chant*, Strasbourg, 1539 ; *Bibliographie*, II, n° 82.

58. Ouvr. cit., t. VIII, p. 218.

essuyé un échec auprès de Pélisson que Marot serait allé
à Genève. Disons tout de suite que pas un seul document,
pas un seul témoignage n'étayent cette conjecture, qui est
basée, comme tant d'autres légendes, sur une fausse attribution. Le recueil posthume publié par les frères De Marnef à Poitiers, *Epigrammes de Clement Marot faictz à
l'imitation de Martial* en 1547 [59] contient une épître *A Monsieur Pelisson, President de Savoye, 1543* :

> Excuse, las, President tresinsigne,
> L'escrit de cil qui du faict est indigne.
> Indigne est bien quand il veult approcher,
> L'Honneur de cil qu'homme ne deust toucher.
> Seroit ce point pour ton honneur blasmer,
> Et le blasmant du tout le deprimer ?
> Certes nenny. Car tout homme vivant,
> Ne peult aller ton bonheur denigrant.
> C'est toy qui es le chef & Capitaine
> De tous espritz : la chose est bien certaine.
> Ung Ciceron, quant à l'art d'eloquence,
> Pour d'un chascun prendre benivolence.
> Ung Salomon, en jugemens parfaictz,
> Plein de divins & de tous humains faictz.
> Ung vray Cresus en bien & opulence,
> Humble d'autant & remply de clemence.
> Ung où le Roy s'est du tout reposé,
> Pour le pais, qu'en main luy a posé,
> Regir du tout, aussi le gouverner,
> Droict exercer & le tout dominer.
> Brief si j'avoys des langues plus de cent,
> Et d'Apollo le savoir tant decent,
> Je ne pourroys encor bien satisfaire
> A declarer l'honneur qu'on te deust faire.
> Doncques de moy qui suis infime & bas,
> Comment pourras appaiser les debatz ?
> Comment seront mes experitz delivres,
> Pour en ton nom publier quelques Livres ?
> Car mes escriptz n'ont merité, sans faulte,
> De parvenir à personne si haulte.
> Quoy qu'il soit, la doulceur des neuf Muses,
> Qui en toy sont divinement infuses,

---

59. *Bibliographie,* II, n° 154.

M'ont donné cœur (evitant pour ung point
Prolixité) dire ce qui me poingt.

    Las (cher Seigneur) depuys troys moys en ça,
De France ay prins mon chemin pardeça,
Pour voltiger & veoir nouveaux pais.
Mais à la fin mes sens tous esbahis
Si ont esté, & mesmes quand ma plume
De son plain vol a perdu la coustume.
Je pensoys bien trouver le cas semblable
Comme à Paris : mais mon cas estoit fable
Ainsi que voy ; car icy la practique
M'a bien monstré qu'elle estoit fort eticque.
Et seroys mis quasi en desespoir,
Si ce n'estoit que j'ay ung ferme espoir
Que Medecin seras en cest endroit,
Quand ung boyteux tu feras aller droit
Par recipez, en me disant ainsi :
Pourveu tu es : ne te bouge d'icy.

    Si te supply (cher Seigneur) qu'il te plaise
D'oyr mes dictz, les lisant à ton aise.
Et me pourveoir de troys motz seulement,
Qui me pourront donner allegement.
En ce faisant ma plume s'enflera,
Et mon voller du tout s'augmentera,
Pour du vouloir, aussi de la puissance
Faire devoir & deue obeissance,
Tant en quatrains, dixains, rondeaux, ballades,
A cil qui rend la santé aux mallades.
Te suppliant de recevoir en gré,
L'escrit de cil qui n'a cy nul degré,
Et qui tousjours demoura depourveu,
Si de par toy en cela n'est pourveu [60].

Suivant Villey, je ne crois pas à l'authenticité de cette
épître. Elle semble bien avoir été écrite par un poète français venu de Paris et réfugié en Savoie : voilà sans doute
ce qui explique pourquoi cette pièce a pu être attribuée
à Marot. Il faut noter cependant qu'elle est d'une facture
extrêmement faible. On a l'impression qu'elle est l'œuvre
d'un Rhétoriqueur qui imite, très mal d'ailleurs, l'épître

---

60. *Les Epîtres*, Appendice II, 2.

de Marot au cardinal de Lorraine [61]. Je sais bien que la médiocrité d'un poème n'est pas une raison pour ne pas l'attribuer à Marot, qui en a écrit de fort mauvais. Cependant, lorsqu'il n'y a pas de preuves sérieuses en faveur de l'authenticité d'une pièce, on est naturellement tenté de l'écarter si elle est tout à fait médiocre. Le recueil posthume dans lequel ce poème fut publié et attribué à Marot est dans l'ensemble digne de confiance, donnant en inédit un grand nombre de pièces authentiques. Pourtant il contient une pièce qui appartient en réalité à Mellin de Saint-Gelais, *A une malcontente d'avoir esté sobrement louée & se plaignant non sobrement* [62]. Dans ces conditions il faut soumettre chacune des pièces du recueil de 1547 à un examen minutieux. Or, l'authenticité de tous les poèmes en question peut être vérifiée de plusieurs façons. Il en est qui se trouvent dans le manuscrit de Chantilly ; dans d'autres le poète se nomme ; enfin l'ami de Marot, Charles Fontaine, dans l'édition qu'il procura des *Œuvres* de celui-ci en 1550 [63], réimprima tous ceux qu'il considéra comme authentiques. En l'occurrence il les réimprima tous sauf l'épître *A une malcontente* de Mellin de Saint-Gelais et l'épître *A Monsieur Pelisson*. Cette omission est décisive. Ajoutons encore qu'il peut sembler étrange qu'en 1542 ou 1543 Marot eût parlé d'écrire des rondeaux et ballades, genres auxquels il avait renoncé depuis longtemps. Il faut conclure que l'attribution des frères De Marnef est fausse et que cette épître n'est pas de Marot.

Or toute la légende du séjour de Marot en Savoie, avant d'être allé à Genève, repose uniquement sur cette épître. Une fois de plus, il n'existe pas le moindre document.

---

61. *Les Epîtres*, XV.
62. Cf. *Menagiana* (t. II, p. 197 de l'édition de 1715) : « L'élégie à une mal contente est imitée de l'Arétin. Je sais bien que cette élégie fait le 27ᵉ et dernière de celles de Marot dans quelques éditions, mais c'est un quiproquo. Elle est très certainement de Saint-Gelais. Un manuscrit de ses poésies, ancien et de bonne main, où elle est rapportée, ne permet pas d'en douter. Clément Marot n'a rien imité ni traduit de l'Arétin. »
Voir *Saint-Gelais, Œuvres*, éd. Blanchemain, t. I, p. 196.
63. *Bibliographie*, II, n° 174. Sur l'importance de cette édition, voir *Les Epîtres*, p. 53.

Ajoutons que selon la lettre de Calvin[64], Marot est à
Genève depuis le début du mois de décembre au moins. De
plus, Thomas Malingre, pasteur à Yverdon, adressa au
poète réfugié à Genève une épître en vers datée du 2 décembre 1542, ce qui suggère que Marot était à Genève depuis
quelque temps. Bien que nous ignorions la date exacte à
laquelle Marot a quitté la France, et qu'il nous soit donc
impossible de déclarer en toute assurance que le poète s'est
acheminé vers le Léman par la route la plus directe et en
l'espace de trois ou quatre jours seulement, tout nous
porte à croire que les choses se sont passées de la sorte.
Quoi qu'il en soit, rien ne nous autorise à croire à un
séjour préalable en Savoie, dont ni Calvin, ni Malingre ne
soufflent mot.

Tout ce que nous savons c'est que Marot, devant la
recrudescence de la persécution religieuse en France, s'enfuit vers la fin de l'année 1542 et s'en fut directement à
Genève, où il arriva probablement au mois de novembre
ou avant. Cette date seule permet un laps de temps suffi-
sant pour que la nouvelle pénétrât à Yverdon et donnât à
Thomas Malingre le temps de composer son épître de bienvenue, datée du 2 décembre.

Cette épître est effectivement le premier document que
nous possédions sur la présence de Marot dans la ville de
la Réforme. Elle est très longue :

> *M. Malingre en Jesus Christ salue*
> *Clement Marot, Poete de value*
> *Esten de Dieu afin que soit rymé*
> *Tout son Psautier par Poete estimé.*

Long temps y a (Poete de hault pris)
Qu'amour m'avoit de te rescrire espris
Et embrazé le cœur d'ardant soucy,
Pour te mander des nouvelles d'icy.
Mais ce villain danger, comblé de rage
D'icy en France empeschait le passage
Et ne laissoit passer ne rapasser

───────

64. Voir plus haut, p. 493.

> Nul de nos gens qu'il ne fit trespasser
> Ou qu'il ne mist en peril de leur vie.
>     Or maintenant puis que malgré envie
> Dieu a chassé Dangier de sa caverne
> Par le moyen des haultz Princes de Berne
> Princes puissans & Princes Chrestiens
> Nous te pourrons aller veoir & les tiens.

Malingre lui demande ensuite les raisons qui ont pu le pousser à quitter la France pour les bords du Léman. Ces questions sont presque toutes oiseuses ; aussi Malingre y répond-il souvent lui-même :

> Aurois tu fait trahison & delictz
> Contre Franceoys le noble Roy des lis
> Duquel jadis valet de chambre estois
> Pour cy venir habiter soubz noz toitz ?
>     Helas nenny ; je ne le creu jamais
> En mon vivant & ne le croiray ja...

Elles sont de plus franchement stupides et prolixes :

> Es tu venu pour passetemps mondains
> Comme chasser dessus les haultz montz dains
> Ou cerfz soubdain, bisches, regnards, sangliers
> Veu que France a ces plaisirs singuliers ?
>     Es tu venu pour cy faire voller
> Sacre, faulcon ou esprevier en l'air ?
> Pour joindre & prendre heron, canard ou pie ?
> Plustost prendrois à ton nés la roupie.
>     Es tu venu prendre esbatz & soulas
> Pensant pescher dedans ces profondz lacs,
> Meilleurs poissons que ceulx qui sont en France.
> Je croy que non. Car sans nulle doubtance
> En France avez tant de mer que rivieres
> Meilleurs poissons & de plusieurs manieres
> Qu'en ce pays ; car vous avez merbus,
> Gras marsoyns, solles, pliz, rougetz, lucz,
> Daulphins, turbotz, harens, estourgeons, seiches,
> Huytres, merlus, congres & rayes fresches
> Au moys d'Avril, maquereaux & pucelles
> Dont à Rouen y sont pleines nacelles
> Que les marchands conduysent cea & là.
> Mais ce pays n'a rien de tout cela.

Ou bien :

> Pardonne moy, si plus te veulz en querre
> Amour de prendre avec femmes esbatz
> Pour y jouster sans selle ne sans baz
> T'auroit il fait habiter à Geneve ?
> Je croy que non, car Venus y a trefve
> Et n'ose plus user de privaulté
> Comme souloit durant la Papaulté
> Quand nourrissoit grassement les chanoynes,
> Les chapellains, curez, prestres & moynes
> Car l'Evangile y a mis si bon ordre
> Qu'on y punist tout estat & tout ordre
> Qui met aux piedz celuy de mariage
> Pour exalter Venus & son bernage
> Et s'elle y vient loger en tapinois
> Ou que son filz tirast de son carquois
> Ses dardz ardans pour quelcun enflammer
> Par la justice on le fera blasmer
> Et corriger quoy qu'on en veuille dire.
>    Si fault il bien qu'il y ait a redire
> Dessus ton cas puisque icy viens hanter.
>    Viendrois tu pas enseigner à chanter
> Aux jeunes gens chansons luxurieuses
> Pour decevoir ces folles amoureuses
> Et les induire à choses plus infames ?
>    Tu monstre bien le contraire aux Psalmes
> Qu'as mis en ryme elegante & raison
> Qu'on chante au Temple en forme d'oraison
> Dont mention de toy en sera faicte
> Tant que de Christ la maison soit defaicte.

Le pasteur passe ensuite à faire de la polémique anticatho-
ique, toujours sous le prétexte de demander à Marot la
raison de son départ :

> Dy clairement (Marot) sans faire pause
> De ton depart hors de France la cause.
>    As tu escrit de l'orgueil des prelatz
> De leur abus & lubriques solas
> De leurs exces & prodigalité ?

Dans la plupart de ces questions Malingre tombe dans les

pires excès des Rhétoriqueurs en faisant d'insipides rimes équivoquées basées sur de stupides calembours :

> As tu escrit ou dit Facilité
> Pour Faculté & pour Docteur Doubteur ?
> Inquinateur pour dire Inquisiteur ?
> Ou Bas cellier en lieu de Bachelier
> Pour Cordelier dit Corne de belier ?
> Et telle chose où l'on se peult forfaire
> Comme disant Moyne sans moue faire.
>   Ou si as dit La feinte Cerberique
> (Sans y penser) pour dire Sorbonique ?
>   Ou si pour dire Evesque portatif
> Tu avois dit Avecque potatif ?
>   Ou si au lieu de dire Les sandales
> De nostre evesque avois dit Les scandales ?

Puis, de façon plus sérieuse, Malingre parle des abus catholiques et de plusieurs aspects de la persécution des protestants, pour revenir au mauvais goût et à la stupidité :

> Un autre dit que tu crains tant Sagon
> (Combien qu'il soit plus foyble que Dagon)
> Que n'oseroys devant luy comparoistre.
> Cela est faulx & ne peult apparoistre,
> Car tu ne crains Sagon ne Sagoyn
> Non plus qu'Hedon eust fait un baboyn.

Après avoir fait une allusion allégorique à l'aide bernoise qui vient de sauver Genève :

> Puisque Dangier est hors & ses millours
> Par le moyen de plus de dix mille ours
> Qui puissamment l'ont mis hors de Savoye
> Je te supply prendre par decea voye

il fait l'éloge de cette ville :

> Pour eviter donc tous maulx & dangiers
> Viens demeurer soubz noz seigneurs de Berne
> Quand à cela qui ton estat concerne
> Viens hardiment dessoubs leur seigneurie
> Où doulcement Calliope est nourrie

Et la noblesse haultement decoree
Quand de vertu est richement parée.

pour chanter ensuite une espèce d'ode triomphale saluant
l'arrivée du poète :

Bien soit venu le Poete Franceoys
Qui d'un seul Dieu a fait & fera choys
Pour l'adorer en verité d'esprit
Par le moyen de son filz Jesus Christ.
Bien soit venu l'aisné filz de Phebus
Qui a laissé le monde & ses abus.
Bien soit venu le mignon de Minerve
Que le Seigneur à jamais nous conserve.
Bien soit venu l'Apollo & l'Orpheus
Que nostre Dieu a sauvé des ords feus
Ja preparez (helas ce n'est pas ris)
Pour te brusler à grand tort en Paris
Pourtant qu'il croist en Dieu tant seulement.
Bien soit venu nostre pere Clement
Clement de nom & clement par effectz
Comme il demonstre en ses beaulx dictz & faictz.
Despeche toy (o Poete royal)
De besongner comme servant loyal
Et d'achever le Psaultier Davidique
L'œuvre sera chef d'œuvre poetique
Parfais le donc, ainsi que l'attendons.
Car au Psaultier à Dieu nous demandons
De noz pechez avoir pleine indulgence
Et racontons de Dieu la grand clemence
Ou de ses biens luy rendons graces almes
Et tout cela est contenu aux Psalmes.
En les chantant nous nous esmerveillons
Des faitz de Dieu & aussi reveillons
L'affection par devotion fainte
Que par avant en nous estoit estainte.
Telle chanson aussi nous reconforte
Et nous soustient les cœurs par la foy forte
En attendant que Dieu nous aidera
Par Jesus Christ qui pour nous plaidera.
En ces chansons n'y a lieux ne places
Dont ne puissons au Seigneur rendre graces
Soit de justice ou de misericorde
Soit de la mort, de guerre ou de concorde.

> En les chantant nous voyons les raisons
> Pourquoy à Dieu devons faire oraisons,
>  Nous y voyons aussi comme & pourquoy
> Vivre devons en ce monde en requoy,

Après ce cantique et un long développement sur les Psaumes, Malingre énumère au long, et à commencer par Laurent Meigret[65], tous les amis et toutes les connaissances de Marot réfugiés à Genève et dans les divers cantons réformés[66], et termine son épître par une tentative de consolation :

> Or maintenant prens consolation
> Avecques nous en ceste affliction
> Et bien te garde à France avoir regret
> Car s'il y a du bien, il est aigret
> Fort à garder & plain de grand coustance
> En la Court n'est aussi nulle constance
> Mais flatterie, envie & trahison
> D'y retourner donc n'auras achoison
> Ains rendras grace à Dieu qu'en es sorty
> Et que d'un tel pays t'a assorty
> Où tu pourras finer ta pouvre vie
> En Jesus Christ où est joye assovye
> Que Dieu nous a donné pour tout guerdon
> Auquel sois tu. Escript à Yverdon
> L'an mil cinq cens avec quarante & deux
> Le second jour de Decembre froideux.

En général nous sommes fort mal renseignés sur le séjour de Marot à Genève. On ignore la date exacte de son arrivée, l'endroit qu'il habitait, ses occupations, ses fréquentations, en somme à peu près tout. Dans ces conditions, il n'est pas surprenant que les légendes foisonnent. Assez récemment E. Droz et P.-P. Plan, prenant comme base le manuscrit de Gilbert Grenet[67], en ont lancé un grand nombre, en acceptant comme authentiques les nombreux poèmes, surtout des *coq-à-l'âne*, que ce scribe, habitant Genève à cette époque-là, a copiés, et que ces érudits

---

65. Voir plus haut, p. 103-107.
66. Voir *La Religion de Marot*, ouvr. cit., p. 53-59.
67. Voir *Les dernières années de Clément Marot, d'après des poèmes inédits*, B.H.R., t. X, 1948, p. 7.

ont cru pouvoir attribuer à Marot, à tort on le sait maintenant [68]. C'est ainsi que la légende du trictrac, de la cita-
tion devant le Consistoire de Genève, et d'autres encore
ont pu reprendre vie, après que Ph.-A. Becker a prouvé
qu'elles n'étaient pas fondées [69]. Par exemple un des *coq-
à-l'âne* acceptés comme authentiques par ces érudits, mais
qui ne saurait être de Marot, contient les vers :

> Déjà Luther, comme je tiens,
> A mys Genève en papauté.

Sur la foi de ces vers, mal cités, on a affirmé que Marot était
malheureux à Genève et en voulait à Calvin, disant :

« Déjà Calvin... a mys Genève en papauté [70]. »

En fait il paraît que Calvin accueillit le poète avec bien-
veillance, espérant sans doute qu'il terminerait à Genève la
traduction du psautier. A cet effet Calvin demanda au
Conseil de la Ville de Genève d'accorder une pension au
poète. La demande fut vaine, comme il appert des registres
du Conseil :

> Du 15 octobre 1543. Maistre Calvin pour et au nom
> de Clement Marotz. Le Sr Calvin a exposé pour et au
> nom de Clement Marotz requerant luy faire quelque
> bien et il se perforcera de amplir les seaulmes de
> David. Ordonne de luy dire qui pregnent passience
> pour le presentz [71].

Afin de gagner sa vie, le poète essaya de faire réimpri-

---

68. Voir *Bibliographie*, I, p. 47-63 et C.A. Mayer, *Coq-à-l'âne :
Définition, Invention, Attributions*, art. cit.

69. Ouvr. cit., p. 176.

70. E. Droz et P.P. Plan, art. cit., et P. Jourda, *Clément Marot,
l'homme et l'œuvre* (Paris, Boivin, 1950), p. 48. Cf. *Bibliographie*, t. I, p. 60, n. 4. Ajoutons que dans la deuxième édition
de son ouvrage (Paris, Hatier, 1967), M. Jourda ne répète pas
cette affirmation.

71. Voir A. Cartier, *Arrêts du Conseil de Genève sur le fait
de l'imprimerie et de la librairie de 1541 à 1550*, 1893, p. 40,
n. 1.

mer certaines de ses œuvres à Genève. Ainsi le Conseil de
la Ville fut saisi d'une demande d'autorisation de sa part
de faire imprimer l'*Enfer,* et s'exprima sur elle le 11 juillet 1543 :

> Le Sr Clement Marot. A sa humble requeste luy a
> esté permys de fere imprimer le livre intitulé Lenfert
> de Paris, composé et revisité par Clement Marot [72].

Déjà le 9 juin 1543 le Conseil avait pris une décision
concernant une édition projetée des Psaumes de Marot,
édition dont du reste aucun exemplaire ne nous est connu :

> Psalmes de David. Lesqueulx sont imprimé avec-
> que la game et les prieres de leglises, mes pource qu'il
> fayct mencion en iceulx de la salutation angelique,
> resoluz que icelle soyt ostée et la reste est trouvé bon.
> Et que il ne soyt fayct faulte de cella oster [73].

Ce document est intéressant surtout du point de vue de
la religion de Marot, montrant que le dogme en soi ne l'in-
téressait point. L'idée que la salutation angélique ne s'ac-
cordait pas avec le culte réformé ne semble pas lui être
venue.

En dehors des soucis matériels la seule difficulté
qu'éprouva le poète fut une affaire au fond insignifiante,
à laquelle on a accordé beaucoup trop d'importance. Marot
s'était lié de toute évidence avec François Bonivard, le
futur prisonnier de Chillon [74]. Un soir, dans une taverne, ils
firent une partie de dés. Un témoin, accusé peu de temps
après devant le Consistoire d'avoir joué pendant un dimanche, déclara qu'il croyait le jeu permis puisque l'hôte de
la taverne avait permis à un « ministre de la parole de
Dieu » de jouer dans son logis. Après enquête on apprit
qu'il s'agissait de Bonivard et de Marot. Apparemment le

---

72. Cartier, ouvr. cit., p. 55 et *Bibliographie,* II, n° 115.
73. Cité par Cartier, ouvr. cit., p. 39.
74. Sur François Bonivard, voir J.-J. Chaponnière, *Notice sur
Fr. Bonivard, prieur de St. Victor, Mémoires et documents de
la société d'histoire et d'archéologie de Genève,* t. IV, 1847,
p. 137 suiv.

témoin avait pris Marot pour un ministre à cause de son
habit. Puisqu'à l'avis de Calvin et du Consistoire de Genève
le jeu n'était interdit que pour les ministres et que les
dimanches, l'affaire n'eut pas de suites.

Ainsi le seul souci de Marot à Genève était le manque
d'argent. On peut cependant accepter que la simplicité et
le rigorisme n'étaient guère pour lui plaire. De toute façon,
il quitta Genève vers la fin de l'année 1543, probablement
au mois de décembre, quoiqu'on ne puisse pas être sûr de
la date exacte. La ville étant à cette époque entourée par
les troupes bernoises, son départ ne dut pas être facile.
Il alla d'abord dans le château de Longefan sis à 26 kilomètres au sud d'Annecy, aujourd'hui disparu, où habitait
une dame célèbre dans la région, Pétremande de la Balme,
belle-sœur de François Bonivard qui lui recommanda
Marot sans doute. Elle semble avoir été belle, gracieuse
et lettrée, et on connaît des poèmes latins célébrant ces
qualités chez elle [75]. Marot, la quittant après un séjour
d'une longueur que nous ignorons, lui dédia une de ses
épigrammes les plus charmantes :

> Adieu ce bel œil tant humain,
> Bouche de bon propos armée
> D'ivoire la gorge & la main,
> Taille sur toutes bien formée ;
> Adieu douceur tant estimée,
> Vertu à l'Ambre ressemblant ;
> Adieu, de celuy mieux aymée
> Qui moins en monstra de semblant [76].

De là le poète s'en fut au château de Bellegarde, à une
dizaine de kilomètres de Chambéry, chez un ami de François Bonivard, un seigneur de la région appartenant à une
famille importante, François Noël, seigneur de Bellegarde,
écuyer et maître d'hôtel du duc de Savoie avant l'expulsion
de ce dernier par François Ier [77]. Il remplissait des charges
importantes en Savoie, et fut envoyé en mission auprès de

---

75. Voir E. Droz et P.-P. Plan, art. cit.
76. *Les Epigrammes*, CCXXVIII.
77. Voir J. Freymond, *La politique de François Ier à l'égard
de la Savoie*, Lausanne, 1939.

François I[er][78]. Marot lui fut sans doute recommandé par
François Bonivard.

Notons que beaucoup de critiques ont cru que l'ami de
Marot à qui il allait dédier son épître *A ung sien Amy*[79]
était Claude de Bellegarde, seigneur de Montagny en Genevois[80], frère aîné de François de Bellegarde, professeur au
collège de Chambéry[81]. Il fut à un moment emprisonné
par les autorités françaises, et libéré seulement au retour
du duc de Savoie, quand il fut nommé lieutenant du gouvernement de Savoie, en 1563. P.-P. Plan et E. Droz, en
disant que c'est chez François et non pas chez Claude de
Bellegarde que se réfugia Marot, font valoir le fait que
François était un seigneur campagnard, résidant dans son
château où il pouvait accorder l'hospitalité au poète, alors
que Claude, à cette époque, n'était qu'un « Apollon de collège ». Une preuve beaucoup plus concluante est le texte
de l'épître *A ung sien Amy*. Dans un passage qui chante
les louanges des parents et amis de son protecteur, le poète
dit :

> Sans oublier Montigny, ton aisné,
> Qui pour escrire en vostre langue est né[82].

Ainsi donc Marot s'adresse au frère cadet. Mieux encore,
parlant du frère aîné, il le loue de ses prouesses poétiques
en langue savoyarde. Or, précisément, nous savons que
Claude de Bellegarde, seigneur de Montagny, composait
des vers savoyards. Marc-Claude de Buttet, dans son *Apologie de la Savoye*[83], dit : « Montagny, un de nos gen-
tilshommes, a bien montré en ses plaisans et gracieux vers
combien de grâce elle (la langue savoyarde) a et auroit
davantage si quelqu'un vouloit prendre la peine de l'illustrer[84]. » Clairement donc Marot s'adresse à François de

---

78. *Ibid.*, p. 65.
79. *Les Epîtres*, LVI. Voir plus bas, p. 515-516.
80. Canton d'Annecy-Sud.
81. Voir E. Droz et P.-P. Plan, art. cit.
82. *Les Epîtres*, LVI, v. 39-40.
83. Citée par F. Mugnier, *M.-C. de Buttet, poète savoisien,
Mémoires et documents publiés par la Société savoisienne d'Histoire et d'Archéologie*, t. XXXV, 1896, p. 165-219.
84. Cité par F. Mugnier, art. cit.

Bellegarde et non pas à son frère aîné, Claude, le poète.

Le châtelain de Bellegarde vécut à ce moment dans son château entouré d'un groupe de jeunes gens assez turbulents, vraie jeunesse dorée de la Savoie. Marot semble s'être senti à l'aise dans ce milieu, qui devait, à ses yeux, être infiniment préférable au rigorisme bourgeois de Genève. Résida-t-il à Bellegarde pendant quelque temps ? Ou bien habitait-il Chambéry en rendant de fréquentes visites à Bellegarde ? Il nous est impossible de le savoir avec précision. Toujours est-il que plus tard le fils du poète et des éditeurs posthumes prétendront avoir trouvé des papiers de Marot dans son appartement à Chambéry.

Au cours de l'année 1543 mourut le trésorier de l'Epargne et général des finances Guillaume Preudhomme, celui qui avait refusé, en 1527, d'honorer l'acquit-au-comptant que le roi avait remis au poète afin de pouvoir toucher le montant de ses gages [85]. Marot, on le sait, n'avait pas gardé rancune au trésorier et semble au contraire être devenu son ami. Aussi, à la nouvelle de la mort de ce dernier, le poète composa-t-il deux pièces à l'honneur du défunt, une épitaphe [86], et une Complainte [87]. Il peut sembler étrange qu'en 1543 Marot écrivit une complainte, alors qu'il avait abandonné ce genre dès 1527. Le fait s'explique sans doute par une espèce d'archaïsme, conscient, voulu [88]. Preudhomme appartenait à la génération du père de Marot. Il en avait certainement gardé les goûts. C'est ce qui fait que Marot revient au genre de la complainte, et, imitant Virgile, imagine, à l'aide de la vieille et désuète recette du songe, l'arrivée de l'âme du défunt aux Champs-Elysées :

> Unique filz de Preudhomme, dont l'ame
> Ces jours passez, soubz la funebre lame
> Laissa le corps, escoute un peu comment
> Celle du mien s'en vint en un moment
> Bien tost apres en mon lict m'apparoistre,

---

85. Voir plus haut, p. 136.
86. *Œuvres diverses,* CXXXIII, *Epitaphe* XLIV.
87. *Œuvres lyriques,* IX, Complainte VII.
88. Voir C.A. Mayer, *Marot et l'Archaisme,* Cahiers de l'Association Internationale des Etudes françaises, n° 19, mars 1967, p. 27-37.Cf. aussi plus haut, p. 164.

Et les secretz qu'elle me feit congnoistre.
    Filz (ce dit elle) en noz champs Elisées,
N'a pas long temps, par les droictes brisées,
Est devers nous un Esprit arrivé,
Discret, gentil, amyable & privé,
Qui, deschargé de son terrestre corps,
Et plus n'estant de ce monde records,
S'en vint trouver au plus beau du pourpris
Les immortelz & fleurissans Esprits
Des renommez vieulx Poetes Galliques
Qui en accords plus divins que Angeliques,
Tout à l'entour des Lauriers tousjours verts,
Alloient chantant à l'envy maintz beaulx vers [89].

Puisque c'est Jean Marot qui a la parole et qu'il relate le discours de réception du nouveau-venu, il est parfaitement naturel qu'il fasse l'éloge des poètes, ses amis, c'est-à-dire des Grands Rhétoriqueurs :

    Or donc, Espritz pleins de bonté nayve,
Souffrez qu'icy avecques vous je vive,
Puis que vescu avez au cabinet
De ma memoire. Adonques Molinet
Aux Vers fleuris, le grave Chastellain,
Le bien disant en rithme & prose Alain,
Les deux Grebans au bien resonnant stile,
Octovian à la veine gentile,
Le bon Cretin aux Vers equivoqué,
Ton Jean le Maire entre eulx hault colloqué,
Et moy, ton pere, en joye le receusmes,
Car quasi tous de luy congnoissance eusmes.
Heureux Esprit (ce luy va Cretin dire)
Quelle raison plus tost vers nous te tire
Que par devers tant d'espritz excellens
Qui sont icy, jadis tous opulens,
A toy pareilz & Conseilliers royaulx,
Desquelz tu fuz, voyre, des plus loyaulx ?
Il luy respond : O ame debonnaire,
Penser me fais au labeur ordinaire
Que j'eu au monde, & parmy eulx estant,
Je y penserois encores tant & tant

---

89. *Œuvres lyriques*, IX, Complainte VII, v. 1-18.

Que le record de ces solicitudes
Me priveroit des grans beatitudes
Qui sont ceans. Je cherche les delices
Qui aux espritz sont duysans & propices ;
Je cherche joye & repos & sçavoir ;
Où les peult on mieulx qu'entre vous avoir ?
Or soit ma joye en ce poinct acomplie.
Et par sus tout, Cretin, je te supplie
De me monstrer, en ces beaulx champs floris,
Nostre Ennius, Guillaume de Loris,
Qui du Romant acquit si grand renom,
Duquel aussi nous deux portons le nom,
Dont mieulx je l'ayme. Adonc Cretin le mene
Par un sentier odorant & amene,
Au bout duquel, soubz un Rosier plaisant,
Peult veoir de loing Loris encor faisant
Tout à part soy ses regretz & clamours
Apres sa Rose. O puissance d'amours !
Là parvenuz, Cretin, qui le plainct fort,
Luy dit : Loris, Amour te doint confort !
Laisse tes plainctz ! Voicy une noble Ame
Qui, evitant d'ignorance le blasme,
Fut en son temps le copieux registre
Des beaulx escriptz que jadis sceurent tistre
Les bons facteurs du Gallique Hemispere,
Desquelz tu es le bon ancien pere [90].

Notons cependant que vers la fin du poème, toujours dans
le même discours de Jean Marot, allusion est faite à la nouvelle génération de poètes :

Au demourant, nostre Gaulle, ainsi comme
Nous a compté l'Esprit du grand Preudhomme,
De maint Poete ores est decorée ;
Mais, entre nous, de trois moult honorée,
Dont tu es l'un, Sainct Gelais Angelique,
Et Heroet, à la plume Heroique.
Maulgré le temps, voz escriptz dureront
Tant que Françoys les hommes parleront.
Ainsi le dit l'ame de frais venue
A qui, sans fin, est la troupe tenue

90. *Ibid.*, v. 35-82.

> De Parnasus, veu qu'en mortelle vie
> Aymée l'a & en l'autre suyvie [91].

Vers ce moment Marot commença à nourrir l'espoir d'un retour en France. On connaît une épigramme qui doit dater de cette époque et dans laquelle il traite Genève d'enfer et demande plus ou moins ouvertement la permission de rentrer :

> Lors que la peur aux talons met des esles,
> L'homme ne sçait où s'en fuyr ne courre.
> Si en Enfer il sçait quelques nouvelles
> De sa seurté, au fin font il se fourre.
> Puis peu à peu sa peur vient à escourre ;
> Ailleurs s'en va. Syre, j'ay faict ainsi,
> Et vous requiers de permettre qu'icy,
> A seurté, service je vous face ;
> Puny assez je seray en soucy
> De plus ne voir vostre Royalle face [92].

Dans une autre épigramme, suivant la technique qu'il avait employé à Ferrare, il demande à François Ier de l'argent pour lui permettre d'entreprendre un travail littéraire :

> Plaise au roy congé me donner
> D'aller faire le tiers d'Ovide,
> Et quelzques deniers ordonner
> Pour l'escrire, couvrir, orner.
> Apres que l'auray mis au vuyde,
> Ilz serviront aussi de guyde
> Pour me mener là où je veulx.
> Mais au retour, comme je cuyde,
> Je m'en reviendray bien sans eulx [93].

Enfin, Catherine de Medici ayant donné naissance à un fils, le futur François II, Marot prit cette occasion pour célébrer cet événement dans une églogue, entièrement calquée sur la quatrième églogue de Virgile :

---

91. *Ibid.*, v. 123-134.
92. *Les Epigrammes*, CCXXIX.
93. *Les Epigrammes*, CCXXXIV.

  Confortez moy, Muses Savoisiennes !
Le souvenir des adversitez miennes
Faictes cesser, jusques à tant que j'aye
Chanté l'Enfant dont la Gaule est si gaye !
Et permettez l'infortuné Berger
Sonner Eglogue en propos moins leger
Que cy devant ; les Rosiers qui sont bas
Et les tailliz à tous ne plaisent pas.
Sus, à ce coup, chantons Forestz ramées !
Les Forestz sont des grandz Princes aymées.

  Or sommes nous prochains du dernier aage
Prophetizé par Cumane, la saige ;
Des siecles longs le plus grand & le chef
Commencer veult à naistre de rechef.
La vierge Astrée en brief temps reviendra ;
De Saturnus le regne encor viendra ;
Puis que le Ciel, lequel se renouvelle,
Nous ha pourveuz de lignée nouvelle
Diane clere ha de là sus donné
Faveur celeste à l'Enfant nouveau né
D'Endymion ; à l'Enfant voyrement
Dessoubz lequel fauldra premierement
La Gent de Fer, & puis par tout le Monde
S'eslevera la Gent d'Or pur & munde.

  Ce temps heureux, Françoys preux & sçavant,
Commencera dessoubz toy bien avant ;
Et si l'on voit soubz Henry quelque reste
De la malice aujourd'huy manifeste,
Elle sera si foible & si estaincte
Que plus de rien la terre n'aura craincte.
Puis, quand au Ciel serez Dieulx triumphans,
Ce nouveau né, heureux sur tous enfans,
Gourvernera le Monde, ainsi Prospere
Par les vertuz de l'un & l'autre pere.

  La terre doncq', gracieux Enfantin,
Te produira Serpolet & Plantin,
Treffle & Serfueil, sans culture venuz,
Pour engresser tous les troupeaux menuz.
Les Chevres lors au logis reviendront
Pleines de laict ; les Brebis ne craindront
Lyon ne loup ; l'herbe qui venin porte
Et la Coleuvre aux champs demourra morte ;
Et l'odorant Amome d'Assyrie
Sera commun comme herbe de prairie.

  Regarde, Enfant de celeste semence,

Comment desja ce beau Siecle commence ;
Ja le Laurier te prepare couronne ;
Ja le blanc Liz dedans ton bers fleuronne ;
D'icy à peu, de haultz Princes parfaictz,
Et du grant Pere aussi les nobles faictz
Lire pourras, tandis que les louanges
Du pere tien par nations estranges
Iront volant ; & deslors pourras tu
Sçavoir combien vault honneur & vertu.

En celluy temps, steriles Montz & Pleins
Seront de Bledz & de Vignes tous pleins :
Et verra l'on les Chesnes plantureux
Par les Forestz suer miel savoureux.
Ce neantmoins des fraudes qui sont ores
Quelque relique on pourra veoir encores.
La terre encor du Soc on verra fendre,
Villes & Bourgz de murailles deffendre,
Conduyre en Mer les navires volans ;
Et aura France encores des Rolands.

Mais, quand les ans t'auront faict homme fort,
Plus ne sera de guerre aucun effort ;
Plus voile au vent ne fera la Gallée
Pour traffiquer dessus la Mer sallée ;
Chascune Terre à chascune Cité
Apportera toute commodité ;
Arbres croistront d'eulx mesmes à la ligne ;
Besoing n'aura plus de serpe la Vigne ;
Et ostera le Laboureur champestre
Aux Bœufz le joug ; plus ne feront que paistre,
La laine plus n'aura besoing d'apprendre
A fainctement diverses couleurs prendre ;
Car le Belier, en chascune saison,
De cramoysi portera la toyson,
Ou jaune, ou perse ; & chascun Aignelet
Sera vestu de pourpre ou violet.
Ce sont, pour vray, choses determinées
Par l'immuable arrest des Destinées.

Commence, Enfant, d'entrer en ce bonheur !
Reçoy desja & l'hommage & l'honneur
Du bien futur ; voy la ronde machine,
Qui soubz le poix de ta grandeur s'encline !
Voy comme tout ne se peult contenir
De s'esgayer pour le Siecle advenir.
O si tant vivre en ce monde je peusse
Qu'avant mourir loysir de chanter j'eusse

> Tes nobles faictz, ny Orpheus de Thrace,
> Ny Apollo, qui Orpheus efface,
> Ne me vaincroit, non pas Clio la belle,
> Ny le dieu Pan & Syringue, y fust elle.
>   Or vy, Enfant, enfant bienheureux !
> Donne à ta mere un doulx ris amoureux ;
> D'un petit ris commence à la congnoistre ;
> Et fay les jours multiplier & croistre
> De ton ayeul, le grand Berger de France,
> Qui en toy voit renaistre son enfance [94].

Ces espoirs de retour, s'ils étaient sérieux, furent déçus.
Marot changea alors de tactique. Au début de l'année, une
armée française commandée par le jeune François de Bourbon, comte d'Enghien, était concentrée en Piémont pour
renouveler la guerre en Italie. Le 14 avril 1544, d'Enghien
remporta la brillante victoire de Cerisole sur une armée
impériale commandée par le vieux marquis Del Vasto. Le
18 avril, l'armée française investit la ville de Carignano où
commandait Pirro Colonna. Ce dernier fut forcé de rendre
la ville aux Français le 20 juin. Ajoutons que le comte
d'Enghien trouva la mort peu après. Marot paraît avoir
espéré pouvoir effectuer son retour en s'attachant à la personne du jeune général. Il semble être passé en Piémont au
cours de l'été. C'est là qu'il écrivit une épigramme sur la
campagne de Cerisole :

>   Soit en ce camp paix pour mieux faire guerre !
> Dieu doint au chef suite de son bon heur,
> Aux chevaliers desir de loz acquerre,
> Aux pietons proufit joint à l'honneur,
> Tout aux despens & au grand deshonneur
> De l'ennemy. S'il se jette en la plaine,
> Soit son cœur bas, son entreprise vaine,
> Pouvoir en vous de le vaincre & tuer,
> Et à Marot occasion & veine
> De par escrit voz noms perpetuer [95].

---

94. *Œuvres lyriques*, XC, Eglogue IV, *Eglogue sur la Naissance du filz de Monseigneur le Daulphin Composée par Clement
Marot*.

95. *Les Epigrammes*, CCXXXI, *Salutation du camp de Monsieur d'Anguien à Sirisolle*.

et que, quelque temps après la reddition de Carignano, probablement au mois de juillet, il composa une épître triomphale au jeune vainqueur [96]. Cette épître présage à certains points de vue les Odes pindariques de Ronsard. De toute façon, ce dernier, vers 1547, alors que la victoire était vieille de trois ans et mort le vainqueur, écrivit une ode sur cet événement en déclarant que les vers de Marot étaient indignes de l'occasion :

> L'Hymne qu'apres tes combas
> Marot fist de ta victoire,
> Prince heureux, n'egala pas
> Les merites de ta gloire :
> Je confesse bien qu'à l'heure
> Sa plume estoit la meilleure
> Pour ombrager simplement
> Les premiers traits seulement.
> Estant nay d'un meilleur âge,
> Et plus que luy studieux,
> Je veux parfaire l'ouvrage
> D'un art plus laborieux [97].

Il est vrai que ce poème de Marot est assez faible. Ce fut sans doute le dernier qu'il écrivit. Ses espoirs d'une rentrée en France déçus, il s'en fut à Turin où il mourut subitement au mois de septembre [98].

Lyon Jamet, son ami fidèle, accourut, fit enterrer la dépouille mortelle du poète à l'Ospidale San Giovanni Battista et fit inscrire sur la tombe cette épitaphe :

> Icy devant, au giron de sa Mere,
> Gist des François le Virgile & l'Homere
> Cy est couché & repose à l'envers
> Le nompareil des mieux disans en Vers
> Cy gist celuy qui peu de terre cœuvre
> Qui toute la France enrichit de son œuvre

---

96. *Les Epîtres*, LVII.
97. *La Victoire de François de Bourbon, Comte d'Anguien, à Cerisoles.*
98. A moins que ce ne fût au mois d'août. Notons qu'une plaquette, *Deploration sur la mort de Clement Marot*, fut publiée à Paris par Benoist Prevost (pour Jean André) en 1544 avec un permis d'imprimer daté du 1er octobre.

> Cy dort un mort qui toujours vif sera
> Tant que la France en François parlera
> Brief gist, repose & dort en ce lieu cy
> Clement Marot de Cahors en Quercy [99].

Peu de temps après l'Inquisition semble avoir enlevé toutes traces de ce tombeau. Déjà au dix-huitième siècle il était introuvable [100].

Au fond son vrai testament poétique est représenté par l'épître qu'il adressa, peu de temps avant sa mort, à François de Bellegarde, et où se montrent avec éclat son vrai caractère, sa légitime fierté, son courage dans l'adversité, sa vraie grandeur :

> Contemple ung peu, je te prie, & regarde,
> Amy parfait, de bonne & belle garde,
> Quelle vertu souveraine ont en elles
> Nayvement les Muses eternelles,
> De nous avoir de vraye amour pourveuz,
> L'un envers l'autre, ains que nous estre veuz ;
> De la doubler encor' apres la veue,
> Et de l'avoir de telle foy pourveue
> Que franchement & sans peur, t'ay ouvert
> Le cœur de moy, tant fust clos & couvert ;
> Et toy à moy faict cognoistre par preuve
> Qu'amy plus franc au monde ne se treuve.
> En verité si des seurs bien apprinses,
> Nous n'eussions point les sciences comprinses,
> Il est certain, au moins est à penser,
> Que nostre amour seroit à commancer,
> Si qu'un tel bien ne me fust advenu ;
> Et ne me tiens aux Muses moins tenu,
> Dont elles m'ont ung tel amy gaigné,
> Que de m'avoir en ma langue enseigné.
> Que pleust à Dieu que l'occasion j'eusse,
> Qu'aupres de toy user mes jours je peusse,

---

99. *Epitaphe sur le tombeau de Marot, Faict par Lyon Jamet, insculpé en marbre en l'Eglise Saint-Jean de Turin, 1544, le 12 septembre,* publiée dans *Cinquante-deux psaumes,* Paris (Denis et Sergent), 1546, *Bibliographie,* II, n° 149.
100. Sur la tombe de Marot, voir A. Olivero, *Una testimonianza trascurata sulla tomba di Clément Marot a Torino, Studi Francesi,* XVI, 1962, p. 263-265.

Loing de tumulte & loing des plaisirs cours,
Qui sont en ces ambitieuses Cours.
Là me plairoit mieux qu'avec Princes vivre.
Le Chien, l'Oyseau, l'Espinette & le Livre,
Le deviser, l'amour à ung besoing,
Et le Masquer seroit tout nostre soing,
. . . . . . . . . . . . . . . . . . . . . . . . . . . . . .
En telle troupe & si plaisante vie
A ton advis, porterons nous envie
A ceulx qu'on voit si haultement jucher,
Pour mieux apres lourdement trebucher ?
Doué en biens, tel fut Cresus tenu,
Qui tout à coup ung Job est devenu.
Nostre voller, qui hault ne bas ne tend,
De l'entre-deux seroit tousjours content
Car cestuy là qui hault ne bas ne volle
Va seurement, & jamais ne s'affolle.
Au demourant : Quel arrest a Fortune ?
Sinon l'arrest du Vent ou de la Lune ?
Tien toy certain qu'en l'homme tout perit,
Fors seulement les biens de l'esperit.
Ne voy-tu pas, encore qu'on me voye
Privé des biens & estatz que j'avoye,
De vieulx amys, du pais, de leur chere,
De ceste Royne & maistresse tant chere
Qui m'a nourry, & si, sans rien me rendre,
On m'ayt tollu tout ce qui se peut prendre,
Ce neantmoins, par mont & par campaigne,
Le mien esprit me suyt & m'acompaigne ?
Malgré fascheux, j'en jouyz & en use ;
Abandonné jamais ne m'a la Muse.
Aulcun n'a sceu avoir puissance là ;
Le Roy portoit mon bon droict en cela.
Et tant qu'ouy & nenny se dira
Par l'univers, le monde me lira.
Toy donc aussi, qui as savoir & veine
De la liqueur d'Helicon toute pleine,
Ecry, & faictz que mort, la faulse lisse,
Rien que le corps de toy n'ensevelisse [101].

---

101. *Les Epîtres*, LVI.

# BIBLIOGRAPHIE

## *Plan de la Bibliographie*

I. — Ouvrages sur Marot.

  1. Ouvrages d'ensemble.

  2. Etudes partielles.
    a) Biographie.
    b) Bibliographie.
    c) Sources.
    d) Genres.
    e) Etudes littéraires.
    f) Versification, langue.
    g) Iconographie.

II. — Editions modernes de Clément Marot.

III. — Auteurs anciens et prédécesseurs de Marot.

IV. — Contemporains de Marot, auteurs du XVIᵉ siècle.

V. — Ouvrages historiques.

VI. — Etudes bibliographiques et littéraires.

VII. — Autres ouvrages consultés.

# I. — OUVRAGES SUR MAROT

## 1. Ouvrages d'ensemble

BECKER, Ph.A., *Clément Marot, sein Leben und seine Dichtung,* Munich, 1926.

DOUEN, O., *Clément Marot et le psautier huguenot,* Paris, 1878.

GUY, H., *Clément Marot et son école* (t. II de l'*Histoire de la poésie française au seizième siècle*), Champion, Paris, 1926 (Bibliothèque littéraire de la Renaissance, nouv. série, n° XII).

JOURDA, P., *Marot, l'homme et l'œuvre,* Boivin, Paris, 1950 (Connaissance des Lettres).

MAYER, C.A., *La Religion de Marot,* Genève, Droz, 1960 (Travaux d'Humanisme et Renaissance, n° XXXIX).

— *Clément Marot,* Seghers, 1964, réimprimé 1969 (Ecrivains d'hier et d'aujourd'hui, n° 16).

PLATTARD, J., *Marot, sa carrière poétique et son œuvre,* Boivin, Paris, 1938.

SMITH, P.M., *Clément Marot, Poet of the French Renaissance,* The Athlone Press, University of London, 1970.

VILLEY, P., *Les grands écrivains du seizième siècle, Marot et Rabelais,* Champion, Paris, 1923 (Bibliothèque littéraire de la Renaissance, nouv. série, n° XI).

## 2. Etudes partielles

a) *Biographie.*

BECKER, Ph.A., *Marots Leben, Zeitschrift für französiche Sprache und Litteratur,* XLI-II, 1913-1914, p. 186-232, 87-139, 141-207.

BERTONI, G., *Documenti sulla dimora di C. Marot a Ferrara, Mélanges de Philologie offerts à J.J. Salverda de Grave,* Groningue, 1933.

— *Clément Marot à Ferrare, Documents nouveaux, Revue des Etudes italiennes,* t. I, 1936, p. 188-193.

BONNEFON, P., *Le Différend de Marot et de Sagon*, Revue d'Histoire littéraire, 1894, p. 103-138 et 259-285.

BONNET, J., *Clément Marot à la cour de Ferrare*, B.S.H.P.F., t. XXI, 1872, p. 159 et suiv.

— *Clément Marot à Venise*, B.S.H.P.F., t. XXXIV, 1885, p. 289 et suiv.

DROZ, E., et PLAN, P.P., *Les dernières années de C. Marot d'après des poèmes inédits*, B.H.R., t. X, 1948, p. 7.

FROMAGE, R., *Clément Marot, son emprisonnement*, B.S.H.P.F. t. LIX, 1910, p. 52-71 et 122-129.

LEFRANC, A., *Le Roman d'amour de Clément Marot*, dans Grands Ecrivains français de la Renaissance, Paris, Champion, 1914.

MAYER, C.A., *Le départ de Marot de Ferrare*, B.H.R., t. XVIII, 1956, p. 197-221.

— *Clément Marot et le grand Minos*, B.H.R., t. XIX, 1957, p. 482-484.

— *Clément Marot et le général de Caen*, B.H.R., t. XX, 1958, p. 278-295.

— *Clément Marot et le docteur Bouchart*, B.H.R., t. XXI, 1959, p. 98-102.

— *Marot et « Celle qui fut s'Ayme »*, B.H.R., t. XXVIII, 1966, p. 324-331.

MUGNIER, P., *Le séjour de Marot en Savoie*, Mémoires et documents publiés par la Société savoisienne d'histoire, t. XXXIX, 1900, p. LXIV.

OLIVERO, A., *Una testimonianza transcurata sulla tomba di Clément Marot a Torino*, Studi Francesi, XVI, 1962, p. 263-265.

PHILIPOT, E., *Sur un amour de Clément Marot*, R.H.L.F., 1912, p. 59-74.

b) *Bibliographie*.

ALBARIC, M., *Le psautier de Clément Marot*, Revue des Sciences philosophiques et théologiques, t. LIV, n° 2, avril 1970, p. 227-243.

BECKER, Ph.A., *Das Druckprivileg für Marots Werke von 1538*, Zeitschrift für französische Sprache und Litteratur, XLII, 1914 (Referate und Rezensionen), p. 224-229.

— *Ein unbekanntes Epigramm Clement Marots*, Archiv für das Studium der neueren Sprachen und Literaturen, CXXXIII, p. 142.

— *Clement Marot und der Rosenroman*, Germanisch Romanische Monatschrift, IV, 1912.

FROMAGE, R., *Poésies inédites de Clément Marot*, B.S.H.P.F., t. LVIII, 1909.

GAUDU, F., *Un manuscrit de la Traduction du premier livre des Métamorphoses par Marot*, R.S.S., 1924, p. 258.

HAEMEL, A., *Clément Marot und François Juste*, Zeitschrift für französische Sprache und Litteratur, t. L, 1927, p. 131-134.

HARRISSE, H., *La Colombine et C. Marot*, Paris, 1886.

MACON, G., *Poésies inédites de Clément Marot*, B.d.B., 1898, p. 158-170 et p. 233-248.

MAYER, C.A., *Une édition inconnue de Clément Marot*, B.d.B., 1953, p. 151-166.

— *Le Texte de Marot*, B.H.R., t. XIV, 1952, p. 314-328 et t. XV, 1953, p. 71-91.

— *Bibliographie des Œuvres de Clément Marot*, Genève, Droz, 1954, t. I, *Manuscrits*, t. II, *Editions* (Travaux d'Humanisme et Renaissance, nos x et xiii).

— *Une épigramme inédite de Clément Marot*, B.H.R., t. XVI, 1954, p. 209-211.

— *Un manuscrit important pour le texte de Marot*, B.H.R., t. XXVIII, 1966, p. 366-373.

— *Les Œuvres de Clément Marot : L'Economie de l'Edition critique*, B.H.R., t. XXIX, 1967, p. 357-372.

— *Le Texte des Psaumes de Marot*, Studi Francesi, 1971 (43), p. 1-28.

PANNIER, J., *Une première édition des Psaumes de Marot imprimée par E. Dolet*, B.S.H.P.F., 1929, p. 283.

PELLETIER, A., *Sur une épître attribuée à Marot*, Neophilologus, 1955.

PLATTARD, J., article dans B.S.H.P.F., 1912.

RAU, A., *L'édition originale de la Déploration sur le Trespas de feu Messire Florimond Robertet par Clément Marot*, Paris, 1938.

VILLEY, P., *Tableau chronologique des publications de Marot*, R.S.S., t. VII-VIII, 1920-1921, et Paris, Champion, 1921.

— *Recherches sur la chronologie des œuvres de Marot*, B.d.B., 1920-1923, et Paris, Leclerc, 1921.

— *A propos d'une édition de Marot*, R.S.S., t. XV, 1928, p. 156-160 et 388-389.

— *Encore une édition inconnue de Marot*, R.S.S., 1929, p. 331.

— *Introduction à l'explication des pièces de Marot, II, Le Texte de Marot*, Revue des Cours et Conférences, t. I, 1931-1932.


c) *Sources.*

BAMBECK, M., *A propos d'un poème attribué à Clément Marot*, Studi francesi, XIII, 1961.

BAYET, J., *La source principale de l'églogue de Marot « au roy soubs les noms de Pan et Robin »*, R.H.L.F., XXXIV, 1927, p. 569-571.

BECKER, Ph.A., *Clément Marot und Lukian*, Neuphilologische Mitteilungen, XVIII, Helsinki, 1922.

CHARLIER, G., *Sur l'enfance de Marot*, R.H.L.F., 1927, p. 426.

ECKHARDT, A., *Marot et Dante, L'Enfer et l'Inferno*, R.S.S., 1926, p. 140.

FRANÇON, M., *Clément Marot and popular songs*, Speculum, XXV, 1950.

FRAPPIER, J., *Sur quelques emprunts de Clément Marot à Jean*

Lemaire de Belges, *Mélanges de philologie et d'histoire littéraire offerts à E. Huguet*, Paris, 1940, p. 161 et suiv.

GUY, H., *De fontibus Clementis Maroti*, 1898.

LEBÈGUE, R., *La source d'un poème religieux de Marot, Mélanges offerts à Abel Lefranc*, Paris, 1936, p. 58.

LEBLANC, P., *Les Sources du Chant nuptial de Renée de France*, B.S.H.P.F., 1954.

MAGRINI, D., *Clemente Marot e il Petrarchismo, Miscellanea Guido Mazzoni*, t. I, 1907.

MAYER, C.A. et BENTLEY-CRANCH, D., *Clément Marot, poète pétrarquiste*, B.H.R., t. XXVIII, 1966, p. 32-51.

NICHOLS, S.G., *Marot, Villon and the Roman de la Rose, Studies in Philology*, LXII, 1966, 2, p. 135-143, LXIV, 1967, 1, p. 25-43.

VILLEY, P., *A propos des sources de deux Epîtres de Marot*, R.H.L.F., 1919, p. 220.

WAGNER, A., *Clément Marots Verhältnis zur Antike*, Leipzig, 1906.


d) *Genres.*

BECKER, Ph.A., *Cl. Marots Buch der Elegien, Romanica, Festschrift Professor Dr. Fritz Neubert*, Berlin, 1948.

LESURE, F., *Autour de C. Marot et de ses musiciens, Revue de Musicologie*, décembre 1951.

MAYER, C.A., *Coq-à-l'âne : Définition-Invention-Attributions*, F.S., vol. XVI, 1962, p. 1-13.

— *Le premier sonnet français : Marot, Mellin de Saint-Gelais et Jean Bouchet*, R.H.L.F., 1967, p. 481-493.

REUBEN, C.A., *Clément Marot, les Psaumes de David*, thèse déposée à l'Université de Liverpool, 1971.

ROEDEL, A., *Studien zu den Elegien Clement Marots*, Leipzig, 1893.

ROLLIN, J., *Les Chansons de Clément Marot*, Paris, Fischbacher, 1951.

SAULNIER, V.L., *Les Elégies de C. Marot*, Paris, Société d'édition d'enseignement supérieur, 1952.

SMITH, P.M. et MAYER, C.A., *La première Epigramme française : Clément Marot, Jean Bouchet et Michel d'Amboise. Définition, Sources, Antériorité*, B.H.R., t. XXXII, 1970, p. 579-602.

SPITZER, L., *Zu Marots Eglogue au Roy soubs les noms de Pan et Robin, Romanistisches Jahrbuch*, IX, 1958, p. 161-173.

VIANEY, J., *Les épîtres de Marot, Les grands événements littéraires*, Paris, Malfère, 1935.

— *Les Epîtres de Marot*, Paris, Nizet, 1962.


e) *Etudes littéraires.*

JAMES, M.A., *La Nature dans l'Œuvre de Clément Marot*, thèse déposée à l'Université de Liverpool, 1968.

JEANNERET, M., *Marot traducteur des Psaumes entre le néo-platonisme et la Réforme*, B.H.R., t. XXVII, 1965.

KINCH, C.E., *La poésie satirique de Clément Marot*, Paris, Boivin, 1940.

LEBLANC, P., *La poésie religieuse de Clément Marot*, Paris, Nizet, 1955.

MAYER, C.A., *Notes sur la réputation de Marot aux dix-septième et dix-huitième siècles*, B.H.R., t. XXV, 1963, p. 404-407.

— *Clément Marot et l'archaïsme, Cahiers de l'Association internationale des Etudes françaises*, n° 19, mars 1967, p. 27-37.

— *Clément Marot and Literary History, Studies in French Literature presented to H.W. Lawton*, Manchester University Press, 1968, p. 247-260.

REGIUS, K., *Untersuchungen zum Uebersetzerstil Clement Marots*, Schwarzenbach, 1951.

**f) Versification, langue.**

CAMPROUX, C., *Langue et métrique. A propos du decasyllabe des Epîtres de Marot, Français moderne*, 1964, p. 194-205.

GLAUNING, *Syntaktische Studien zu Marot*, Nördlingen, 1873.

KEUTER, *Clément Marots Metrik, Archiv für das Studium der neueren Sprachen und Litteraturen*, 1882, p. 331 et suiv.

VIANEY, J., *L'art du vers chez Cl. Marot, Mélanges Lefranc*, Paris, 1936, p. 44-57.

**g) Iconographie.**

BENTLEY-CRANCH, D., *A Portrait of Clément Marot by Corneille de Lyon*, B.H.R., t. XXV, 1963, p. 174-177.

— *Further additions to the iconography of Clément Marot*, B.H.R., t. XXVI, 1964, p. 418-423.

PANNIER, J., *Les portraits de Clément Marot ; notes iconographiques et historiques*, B.H.R., t. IV, 1944, p. 144 et suiv.


## II. — EDITIONS MODERNES DE CLEMENT MAROT

D'HÉRICAULT, Ch., *Œuvres de Clément Marot annotées, revues et précédées de la vie de Clément Marot*, Garnier, Paris, 1867.

GRENIER, A., *Œuvres complètes de Clément Marot*, Garnier, Paris, s.d., 2 vol.

GUIFFREY, G., *Œuvres de Clément Marot*, Paris, 1875-1931, 5 vol. (Le t. I a été édité par R. Yve-Plessis, les t. IV et V par J. Plattard d'après les papiers de G. Guiffrey.)

JANNET, P., *Œuvres complètes de Clément Marot*, Picard, Paris, 1868, 4 vol.

LENGLET-DUFRESNOY, *Œuvres de Clément Marot*, La Haye, Gosse et Neaulme, 1731, 6 vol.

MARC, B.C., *Œuvres de Marot*, Paris, Garnier, 1879.

MAYER, C.A., *Clément Marot, Les Epîtres*, The Athlone Press, University of London, 1958.

— *Clément Marot, Œuvres satiriques*, The Athlone Press, University of London, 1962.

— *Clément Marot, Œuvres lyriques*, The Athlone Press, University of London, 1964.
— *Clément Marot, Œuvres diverses*, The Athlone Press, University of London, 1966.
— *Clément Marot, Les Epigrammes*, The Athlone Press, University of London, 1970.

## III. — AUTEURS ANCIENS
## ET PREDECESSEURS DE MAROT

ARCHILOQUE, *Elegy and Iambus*, éd. S.M. Edmonds, Londres, 1954.

ARISTOPHANE, *Œuvres complètes, Collection des Universités de France*, Paris, 1948.

BAUDE, H., *Les vers de Maître Henri Baude*, éd. Quicherat, 1856.

BOCCACE, *Flammette, complaincte des tristes amours de Flammette à son amy Pamphile, translatée d'italien en vulgaire françoys*, Lyon, Claude Nourry dict le Prince, 1532.

CATULLE, *Poésies*, éd. G. Lafaye, Les Belles Lettres, 1949.

CHARLES D'ORLÉANS, *Poésies*, éd. P. Champion, C.F.M.A., 1934.

CHARTIER, Alain, *Les Faictz et Dictz*, Paris, Galiot du Pré, 1526.
— *Œuvres*, Paris, Galiot du Pré, 1529.
— *Les Œuvres*, Paris, P. le Mur, 1617.
— *La Belle Dame sans Mercy et les Poésies lyriques*, éd. A. Piaget, Genève, Droz, Textes littéraires français, 1949.

CHASTELLAIN, G., *Œuvres*, éd. K. de Lettenhove, Bruxelles, 1863-1866, 8 tomes.

COMMINES, P. de, *Mémoires*, éd. Calmette, Paris, 1924, 2 vol.

COQUILLARD, Guillaume, *Œuvres*, Paris, Galiot du Pré, 1532.
— *Œuvres*, éd. Ch. d'Héricault, Paris, Jannet, 1857.

CRÉTIN, G., *Œuvres poétiques*, éd. K. Chesney, Paris, Firmin-Didot, s.d.

DANTE ALIGHIERI, *The Inferno*, Londres, Temple Press, 1950.

D'AUVERGNE, Martial, *L'amant rendu cordelier à l'observance d'amours*, éd. A. de Montaiglon, Paris, S.A.T.F., Firmin-Didot, 1881.
— *Les Arrêts d'Amour*, éd. Rychner, Paris, S.A.T.F., Picard, 1951.

DE LA HALLE, Adam, *Le Jeu de la Feuillée*, éd. E. Langlois, Paris, C.F.M.A., 1911.

DE LORRIS, Guillaume et DE MEUNG, Jean, *Le Roman de la Rose*, éd. E. Langlois, S.A.T.F., Paris, 1914-1922, 5 vol.

DE ROJAS, Fernando, *Célestine, en laquelle est traicté des deceptions des serviteurs envers leurs maistres et des macquerelles envers les amoureux translaté d'ytalien* (sic) *en françois*, Paris, N. Cousteau pour Galiot du Pré.

DU BUS, G., *Le Roman de Fauvel*, p.p. A. Langfors, Paris, S.A.T.F., 1914-1919.

DU SAIX, Antoine, *L'esperon de discipline*, s.l., 1532.

GASTÉ, A., *Chansons normandes du quinzième siècle*, Caen, 1866.

GEROLD, Th., *Chansons populaires des quinzième et seizième siècles avec leurs mélodies*, Strasbourg, 1913.

— *Le manuscrit de Bayeux, Publications de la faculté des lettres de l'Université de Strasbourg*, Strasbourg, 1921.

HÉRODOTE, *Histoires*, éd. Ph.E. Legrand, Paris, Les Belles Lettres, 1932-1950, 7 tomes.

JENKINS, Ph.A., *L'Espurgatoire Saint Patriz of Marie de France*, Philadelphia, 1894.

LANGLOIS, E., *Recueil d'Arts de Seconde Rhétorique, Collection Documents inédits sur l'Histoire de France*, Paris, 1902.

LATINI, Brunetto, *Li livres dou Tresor*, éd. crit. par J. Carmody, *University of California Publications in Modern Philology*, 22, University of California Press, 1948.

LEMAIRE DE BELGES, Jean, *Œuvres*, éd. Stécher, 1882.

— *La Plainte du Désiré*, éd. D. Yabsley, Paris, 1932.

— *La Concorde des deux Langages*, éd. J. Frappier, Textes littéraires français, Genève, Droz, 1947.

— *Les épîtres de l'amant vert*, éd. J. Frappier, Textes littéraires français, Genève, Droz, 1948.

LEROUX DE LINCY, *Le livre des proverbes français*, 1842.

LUCIEN, *Luciani Samosatensi Opera*, Francfort, 1543.

— *Œuvres complètes de Lucien de Samosate*, trad. par E. Talbot, Paris, Hachette, 1874.

MAROT, Jean, *Sur les deux heureux voyages de Genes et Venise victorieusement mys a fin par le treschrestien roys Loys, douziesme de ce nom Pere au peuple*, G. Tory pour P. Roffet, Paris, 1533.

— *Recueil des œuvres de Jehan Marot*, Lyon, F. Juste, 1537.

— *Le vray disant advocate des Dames, Œuvres*, Paris, A. Bonnemère, 1538.

— *Œuvres*, Paris, Coustelier, 1723.

MARTIAL, *Epigrammes*, éd. H.J. Isaac, Paris, *Les Belles Lettres, Collection des Universités de France*, 1930, 3 vol.

MOLINET, J., *Les faictz et dictz*, Paris, J. Longis et vve. J. de Saint Denys, 1531.

— *Les faictz et dictz*, éd. N. Dupire, S.A.T.F., Paris, 1936, 3 vol.

MORAWSKI, J., *Proverbes français antérieurs au quinzième siècle*, C.F.M.A., Paris, 1925.

OROSE, P., *Le Premier volume de Orose, Le Second volume de Orose, Senecque des motz dorez des quatre vertus en françois*, Paris, Vérard, s.d.

— *Opus prestantissimum historiarum*, Paris, J. Petit, 1506.

OVIDE, *Les XXI epistres d'Ovide translatées de latin en françoys par reverent père en dieu monseigneur l'evesque d'Angoulesme* (O. de Saint-Gelays), s.l., 1538.

— *Heroides*, éd. H. Bornecque, Paris, Les Belles Lettres, 1928.

— *Métamorphoses*, éd. G. Lafaye, Paris, Les Belles Lettres, 1928-1930, 3 vol.

— *Les Fastes*, éd. E. Ripert, Paris, Garnier, 1934.
— *Tristium libri quinque, Ibis, Ex Ponto libri quattuor, Halieutica fragmenta*, éd. S.G. Owen, *Scriptorum classicorum Bibliotheca Oxoniensis*, Oxford, 1951.
— *Amores, Medicamina Faciei Femineae, Ars Amatoria, Remedia Amoris*, éd. E.J. Kenney, Oxford, 1961.
PARIS, G., *Chansons du quinzième siècle*, Paris, S.A.T.F., 1875.
PETIT DE JULLEVILLE, L., *Répertoire du Théâtre comique en France au Moyen Age*, Paris, 1886.
PÉTRARQUE, *Rime*, Milan, 1875.
— *Rime e trionfi*, éd. F. Néri et E. Carrara, Turin, 1953.
PÉTRONE, *Le Satiricon*, éd. A. Ernout, Paris, Les Belles Lettres, 1958.
PICOT, E., *Recueil général des sotties*, Paris, 1902-1912.
— *Chants historiques français du seizième siècle*, Paris, 1903.
PLINE L'ANCIEN, *Naturalis historia*, p. p. A. Ernout, *Collection Guillaume Budé*, Paris, 1949.
PROPERCE, *Elégies*, éd. D. Paganelli, Paris, Les Belles Lettres, 1929.
RAYNAUD, G., *Rondeaux et autres poésies du quinzième siècle*, Paris, S.A.T.F., 1889.
RÉGNIER, Jean, *Fortunes et Adversitez*, éd. E. Droz, Paris, S.A.T.F., 1923.
ROBERTET, Jean, *Œuvres*, éd. C.M. Zsuppan, Genève, Droz, 1970.
ROBERTET, Jean et François, *A critical edition of the works of Jean and François Robertet*, C.M. Douglas, thèse déposée à la bibliothèque de l'Université de Londres.
SÉNÈQUE, *Tragédies*, éd. L. Hermann, Paris, Les Belles Lettres, 1926.
TERENCE, *Œuvres*, éd. J. Marouzeau, Les Belles Lettres, *Collection des Universités de France*, 1947.
THÉOCRITE, *Theocritii siracusani Bucolicum...*, Paris, J. Petit, 1503.
— *Bucoliques grecs*, éd. Legrand, Paris, Les Belles Lettres, 1925.
TIBULLE, *Tibulle et les auteurs du Corpus Tibullianum*, éd. M. Ponchot, Paris, Les Belles Lettres, 1955.
VALERIUS, *Valerii Maximi, Factorum et dictorum memorabilium ad Tiberium Cesarem*, Strasbourg, 1470.
VILLON, François, *Œuvres*, éd. Foulet, Paris, Champion, C.F.M.A., 1932.
VIRGILE, *Opera Vergiliana*, Paris, Josse Badius, 1507.
— *Bucoliques*, texte établi et traduit par E. de Saint-Denis, Paris, Collection des Universités de France, 1942.
— *Eneide*, p. p. H. Goelzer et R. Durand, Paris, Les Belles Lettres, 1952, 2 vol.
VISING, J., *Le Purgatoire de Saint-Patrice*, Gotenborg, 1916.
WACE, *Le Roman de Rou*, éd. H. Andresen, 1877-1879.
*Anthologia latina*, éd. F. Buecheler et A. Riese, Leipzig, Teubner, 1906.

*La Farce de maistre Pathelin*, éd. T. Holbrook, Paris, C.F.M.A., 1924.

*Le Jardin de Plaisance et Fleur de Rhétorique*, éd. Droz et A. Piaget, Paris, 1925.

*Le sainct voyage de Jerusalem du seigneur d'Anglure*, éd. F. Bonnardot et A. Longnon, S.A.T.F., 1880.

*Les chansons attribuées à Guiot de Dijon et Jocelin*, p. p. E. Nissen, Paris, Champion, 1929.

*Pierre de Provence et la belle Maguelonne*, éd. A. Biedermann, Paris et Halle, 1913.

*Piramus et Tisbé*, éd. C. de Boer, Paris, C.F.M.A., 1921.

*Margarita Facetiarum*, Strasbourg, 1508.

*Le Recueil Trepperel*, éd. E. Droz, t. I, *Les Sotties*, Paris, 1938 ; t. II, Genève, 1961.

*Roman de Renart*, éd. M. Roques, Paris, Champion, C.F.M.A., 1948-1951, 3 vol.

*The Psalms with Hebrew text and English commentary*, éd. A. Cohen, Soncino Press, 1945.


## IV. — CONTEMPORAINS DE MAROT
## AUTEURS DU XVI* SIECLE

AGRIPPA, C., *De Occulta Philosophia, Opera*, per Beringos fratres, Lyon, s.d.

ALAMANNI, Luigi, *Opera toscane*, Lyon, 1532.

ANGERIANO, G., *Hieronymi Angeriani Neapolitani*, Paris, Vatellus, s.d. (1520 ?).

ARBEAU, Thoinot, *Orchesographie et traicté en forme de dialogue par lequel toutes personnes peuvent facilement apprendre & practiquer l'honneste exercice des dances*, Lengres, J. dez Preyz, s.d. (1588).

BAIF, A. de, *Œuvres en rime*, Paris, Breyer, 1573.

BAYRI, P., *De medendis humani corporis malis Enchiridion, vulgo veni mecum dictum*, Lyon, G. Roville, 1564.

BEMBO, P., *Prose e Rime di Pietro Bembo*, a cura di Carlo Dionisotti, Turin, 1960.

BERGOUNIOUX, H., *Hugues Salel, Œuvres poétiques*, Bordeaux, 1929.

BEROALDUS, Ph., *Carmen lugubre de dominice passionis die*, éd. J. Badius, Paris, 1509.

BÈZE, Th. de, *Histoire ecclesiastique des eglises reformées au royaume de France*, Genève, 1580, 3 vol.

— *Les vrais pourtraits*, Genève, Jean de Laon, 1581.

BILLON, J. de, *Le fort inexpugnable de l'honneur feminin*, Paris, J. d'Albier, 1555.

BONNET, J., *J. Castelion ou la Tolérance au seizième siècle*, B.S.H.P.F., XVI, 1867.

BOURBON, N., *Nugae,* Paris, Vascosan, 1533.

BOYSSONÉ, J., *Les Trois centuries de Maistre Jehan de Boyssoné,* éd. H. Jacoubet, Toulouse, 1931.

BRANTÔME, *Œuvres complètes,* éd. L. Lalanne, Paris, 1867.

BUCER, S. *Psalmorum Libri quinque ad Ebraicum veritatem explanatione elusidati,* G. Ulrico, Argentorati, 1529.

BUCHER, G. COLIN, *Un émule de Clément Marot : Germain Colin Bucher,* éd. J. Denais, Paris, 1890.

CALVIN, J., *Opera,* Amsterdam, 1671.

— *Lettres,* éd. J. Bonnet, 1855.

— *Catéchisme français de Calvin,* réimprimé par Albert Rillet et Théophile Dufour, Genève, 1876.

— *Three French Treatises,* éd. Francis M. Higman, Athlone Renaissance Library, The Athlone Press, University of London, 1970.

CATHELAN, A., *Passevent parisien respondant à Pasquin rommain de la vie de ceux qui sont allez demourer au pais jadis de Savoye,* s.l., 1556.

CECHINI, *Serafino Aquilano,* 1935.

CELLINI, Benvenuto, *Mémoires,* traduits par L. Leclanché, Paris, 1844.

CHAPPUYS, Claude, « *L'aigle qui a faict la poule devant le cocq a Landrecy* ». *Poème de la fuite de l'empereur Charles Quint devant le roi François Ier,* E. Roffet, Paris, 1543.

— *A critical edition of Claude Chappuys* par A.M. Best, thèse déposée à la bibliothèque de l'Université de Londres.

— *Poésies Intimes,* éd. A.M. Best, Genève, Droz, 1966.

CHARITEO, B. Gareth (Il Chariteo), *Le Rime,* Naples, 1892, 2 vol.

CLICHTOVE, J., *Antilutherus...,* Paris, S. de Colines, 1524.

CORDIER, Mathurin, *Commentarius puerorum de quotidiano sermone,* Paris, R. Estienne, 1541.

COUILLARD, A. (Seigneur du Pavillon les Lorriz), *L'Instruction et Exercice des Greffiers des Justices tant Royalles que subalternes des Prevots & Baillifs de ce Royaume,* Paris, J. Longis, 1543.

— *Les antiquités & singularitez du monde,* A. le Clerc, Paris, 1547.

— *Les fleurs odoriférantes, cueillis ès delectables Jardins de vertu, divisées en deux Livres,* L. Begat, Paris, 1549.

— *Les Propheties du Seigneur du Pavillon lez Lorriz,* pour J. Dallier, Paris, 1556.

— *Epistre au Roy de Pologne,* B. Rigaud, Lyon, 1573.

CRESPIN, J., *Histoire des martyrs persecutez et mis à mort pour la verité de l'Evangile, depuis le temps des Apostres jusques à l'an 1574,* Genève, 1582-1597.

D'AIGUE, Etienne, *Singulier Traicté contenant la proprieté de Tortues, Escargotz, Grenoilles & Artichaultz,* Paris, Galiot du Pré et Pierre Vidoue, 1530.

D'AMBOISE, Michel, *Les Epigrammes avecques la complainte de vertu traduyte du frere Baptiste Mantuan en son livre des calamitez des temps, et la fable de l'amoureux Biblis et de Cannas traduyte d'Ovide par Michel d'Amboyse dit l'esclave fortuné, escuyer, seigneur de Chevillon*, Paris, A. Lotrian et J. Longis, s.d. (1532).

D'AUBIGNÉ, Agrippa, *Histoire Universelle*, éd. Lalanne, 1854.

DAVISON, F., *A Poetical Rhapsody*, 1602.

DE BEAULIEU, Eustorg, *Les gestes des solliciteurs*, Bordeaux, J. Guyart, 1529.

— *Les divers rapportz*. P. de Saincte Lucie, Lyon, 1537.

— *Chrestienne Resjouyssance*, s.l. (Genève), 1546.

DE COLLERYE, Roger, *Œuvres*, éd. d'Héricault, Paris, Jannet, 1855.

DE LA BORDERIE, Bertrand, *L'Amye de Court*, G. le Bret, Paris, 1549.

DE BUTTET, M.C., *Apologie de la Savoie*, publié dans *M.C. de Buttet, poète savoisien*, par F. Mugnier, Mémoires et documents publiés par la Société savoisienne d'histoire et d'archéologie, t. XXXV, 1896.

— *Œuvres poétiques*, p. p. le Bibliophile Jacob (P. Lacroix), Paris, 1880.

DESIRÉ, Artus, *Les combats du fidelle papiste pelerin romain contre l'apostat priapiste*, Rouen, R. et I du Gort, 1550.

— *Le Contrepoison des cinquante deux Chansons de Clement Marot, faulsement intitulées par luy Psalmes de David*, Paris, P. Gaultier, 1562.

— *La Singerie des Huguenots, marmotz et guenons de la nouvelle derision Theodobeszienne, contenant leur arrest & sentence par jugement de raison naturelle*, Paris, G. Jullien, 1574.

DES PERIERS, Bonaventure, *Recueil des Œuvres*, 1544.

— *Cymbalum Mundi*, éd. P. Marchand, Amsterdam, 1711.

— *Les Nouvelles Récréations ou joyeux Devis*, éd. La Monnoye, Amsterdam, 1735.

— *Œuvres françaises de B. des Périers*, éd. Lacour, Paris, Jannet, 1856.

DEXTER, G., *La Perrière and his poetic works*, thèse déposée à la bibliothèque de l'Université de Londres.

DOLET, Etienne, *Commentariorum Linguae Latinae Epitome Duplex*, Bâle, 1537.

— *Second Enfer*, Troyes, 1544.

DU BELLAY, J., *La Deffence et Illustration de la langue françoise*, éd. Chamard, Paris, S.T.F.M., 1904.

— *Œuvres*, éd. H. Chamard, Paris, S.T.F.M., 1908-1931, 6 vol.

DU BELLAY, M. et G., *Mémoires de Martin et Guillaume Du Bellay*, p. p. V.L. Bourrilly et F. Vindry, Société de l'histoire de France, Paris, 1908-1919, 4 vol.

DUCHER, G., *Epigrammaton libri duo*, Lyon, 1538.

DU PONT, G., *Les Controverses des sexes masculin et feminin*, Toulouse, I. Colomiel, 1534.

ERASME, *Novum Testamentum ab eodem tertio recognitum Annotationes item ab ipso recognitae*, Bâle, Froben, 1522.
— *Familiarum Colloquiorum Des. Erasmi Roterodami liber...*, Florence, per haeredes Philippi Juntae, 1531.
— *Colloquiorum Desiderii Erasmi Roterodami familiarum opus aureum*, Londres, 1760.
— *Eloge de la Folie*, trad. par E. Des Essarts, Paris, 1877.
ESTIENNE, Henri, *Apologie pour Herodote*, éd. P. Ristelhuber, Paris, 1879, 2 t.
— *Deux dialogues du nouveau langage françois italianizé*, éd. P. Ristelhuber, Paris, Lemerre, 1885.
FAUCHET, C., *Recueil de l'origine de la langue et poesie françoise, ryme et romans. Plus les noms et sommaire des œuvres de cxxvii poetes François vivans avant l'an MCCC*, M. Patisson, Paris, 1581.
FLAMINIO, Marcantonio, *A.S. Sannazarii Odae. Eiusdem Elegia de malo punico. Ioannis Cottae Carmina. M. Antonii Flaminii Carmina*, Venise, 1529.
FONTAINE, C., *La Contr'Ayme de Court*, S. Sabon, Lyon, 1543.
— *Ruisseaux de Fontaine*, T. Payan, Lyon, 1555.
FRANÇOIS Ier, LOUISE DE SAVOIE et MARGUERITE DE NAVARRE, *Poésies du roi François Ier, de Louise de Savoie, duchesse d'Angoulême, de Marguerite, reine de Navarre et correspondance intime du roi*, p. p. A. Champollion-Figeac, Paris, 1847.
GAGUIN, R., *Roberti Gaguini Epistole et Orationes*, p. p. L. Thuasne, Paris, 1904.
GARASSE, F., *Les recherches des recherches*, Paris, 1622.
GRINGORE, P., *Œuvres complètes*, éd. C. d'Héricault et A. de Montaiglon, Paris, 1855, 2 vol.
GUÉGAND, B., *Œuvres poétiques de Maurice Scève*, Paris, 1927.
HABERT, F., *Le Temple de Chasteté*, Paris, Fezandat, 1549.
HARSY, Olivier de, *Joyeuses aventures*, Paris, 1552.
HÉROET, A., *La Parfaicte Amye*, N. Paris, Troyes, 1542.
— *Œuvres poétiques*, éd. F. Gohin, Paris, 1909.
LA CROIX DU MAINE ET DU VERDIER, *Les Bibliothèques françoises de la Croix du Maine et du Verdier*, éd. Rigoley de Juvigny, Paris, 1772-1773, 5 vol.
LEBLOND, J., *Le Printemps de l'humble esperant, aultrement dict Jehan Leblond Seigneur de Branville*, A. Langelier, Paris, 1536.
LOISEL, A., *Pasquier ou Dialogue des Advocats*, p. p. M. Dupin, Paris, 1844.
LUTHER, M., *De votis monasticis*, Wittemberg, s.d.
MACQUÉRIAU, Robert., *Chronique*, p. p. Téchener, 1841.
MALINGRE, M., *L'Epistre de M. Malingre, envoyée à Clément Marot...*, Bâle, J. Estauge, 1546.
MARCOURT, Antoine de, *La confession et raison de la foy de Maistre Noel Beda, Docteur en theologie et Sindique de la sacree Université à Paris, envoyee au treschrestien Roy de*

*France Françoys premier de ce nom,* Pierre de Vingle, Genève.

MARGUERITE DE NAVARRE, *Le Miroir de tres chrestienne princesse Marguerite de France, Royne de Navarre...,* auquel elle voit & son neant & son tout, Augereau, Paris, 1533.

— *Lettres,* éd. Génin, Paris, 1841, 2 vol.

— *Dernières poésies,* éd. A. Lefranc, Paris, 1896.

— *L'Heptaméron,* éd. M. François, Paris, Garnier, 1943.

— *Théâtre Profane,* éd. V.L. Saulnier, Paris, 1946.

— *Tales from the Heptaméron,* éd. H.P. Clive, The Athlone Renaissance Library, The Athlone Press, University of London, 1970.

MEIGRET, L., *Le tretté de la Grammere francoeze,* Paris, C. Wechel, 1550.

MEYLAN, H., *Epitres du Coq à l'âne, Contribution à l'histoire de la satire au seizième siècle,* Travaux d'Humanisme et Renaissance, Genève, Droz, 1956.

MONTAIGLON, A. de, et ROTHSCHILD, J. de, *Anciennes poésies françaises, Recueil de poésies françaises des quinzième et seizième siècles,* Jannet, Frank et Daffis, Paris, 1865-1878, 13 vol.

MONTAIGNE, M. de, *Essais,* éd. P. Villey, Paris, 1922-1923, 3 vol.

MONTLUC, B. de, *Commentaires,* éd. P. Courteault, Paris, 1911-1925, 5 vol.

PAPILLON, Almanque (?), *La Victoire et triumphe d'argent,* F. Juste, Lyon, 1537.

— *Le Nouvel Amour,* N. de Burges, Rouen, s.d. (vers 1541).

PARÉ, Ambroise, *Les Œuvres,* Paris, 1598.

PASQUIER, E., *Recherches de la France,* Paris, L. Sonnius, 1611.

— *Les Œuvres,* Trévoux, 1723.

PELETIER DU MANS, J., *Art poétique,* éd. A. Boulenger, *Publications de la Faculté des Lettres de l'Université de Strasbourg,* fasc. 53, Paris, 1930.

PICOT, E., et LACOMBE, P., *Querelle de Marot et Sagon,* Société rouennaise de bibliophiles, Rouen, 1920.

PONTALAIS, Jean du, *Les Contredicts de Songecreux,* Paris, G. du Pré, 1530.

POULAILLE, H., *La fleur des chansons d'amour du seizième siècle,* Paris, 1943.

PUYS HERBAULX, G. de, *Theotimus, sive de tollendis malis libris libri tres,* 1549.

RABELAIS, François, *Les Epistres,* Paris, 1651.

— *Œuvres de François Rabelais,* éd. crit. par A. Lefranc, Paris, Genève, 1912.

— *Œuvres,* éd. Plattard, Paris, Les Belles Lettres, 1946-1948, 5 vol.

REGNAULT, A., *Discours du voyage d'outre mer au sainct sepulchre de Jerusalem,* 1573.

RONSARD, P. de, *Œuvres,* éd. Laumonier, S.T.F.M., Paris, 1914-67.

SAGON, F., *Le coup dessay de Françoys de Sagon Secretaire de labbe de St.Ebvroul, Contenant la response a deux espistres de Marot retire a Ferrare. L'une adressante au Roy treschrestien. L'autre a deux damoyselles seurs*, Paris, s.d. (1537).

— *Rabais du caquet de Fripelippes & de Marot dict rat pelé*, s.l.n.d.

— *Epistre à Marot par François de Sagon pour luy monstrer que Fripelippes avoit faict sotte comparaison des quatre raisons dudit Sagon à quatre Oysons*, 1537.

— *Pour les disciples de Marot. Le page de Sagon parle à eulx*, 1537.

— *Elegie par Françoys de Sagon se complaignant a luy mesmes d'aucuns qui ne prennent bien l'intention de son Coup d'essay*, 1537.

— *Deffense de Sagon contre Clément Marot*, s.l.n.d.

SANUTO, M., *Diarii*, Venise, 1879-1903, 59 t.

SAINT-GELAIS, MELLIN de, *Œuvres*, Lyon, H. de Harsy, 1574.

— *Œuvres*, éd. P. Blanchemain, Paris, Daffis, 1873, 3 vol.

SAINTE-MARTHE, Charles de, *Poésie françoise*, Lyon, Le Prince, 1540.

SALEL, Hugues, *Les Œuvres*, Paris, E. Roffet, 1540, n.s.

SANNAZARO, J., *Libro Pastorale Nominale Arcadio (sic)*, Venise, 1502.

— *Opere Volgari*, a cura A. Mauro, Bari, 1961.

SASSOFERRATO, Olimpo di, *Strambotti d'amore*, Perouse, 1518.

— *Gloria d'Amore*, s.d.

SEBILLET, T., *Art poétique françoys*, éd. F. Gaiffe, S.T.F.M., Paris, 1910.

SERAFINO AQUILANO, *Opere*, Venise, 1508.

SCÈVE, Maurice, *La Déplourable fin de Flamecte*, F. Juste, Lyon, 1535.

— *Délie*, éd. I.D. McFarlane, Cambridge University Press, 1966.

— *Œuvres poétiques*, éd. B. Guégand, Paris, Garnier, 1927.

SHAKESPEARE, W., *Mesure pour Mesure*, traduit par G. de Pourtalès, Paris, 1921.

SONET, J., *Répertoire d'Incipit de Prières en ancien français*, Société des Publications Romanes et Françaises, Genève, Droz, 1956.

SPAGNUOLI Battista dit LE MANTOUAN, *Bucolica ; Les Bucoliques de Frere Baptiste Mantuan*, traduction par Michel d'Amboise, Paris, A. Lotrian et D. Janot, 1531.

TABOUROT, E., *Les Bigarrures du seigneur des Accords*, Paris, 1583.

— *Les Escraignes dijonnoises*, Paris, C. de Monstrœil, 1595.

TEBALDEO, *Opere*, Venise, 1508.

— *Opere d'Amore*, Vineggia, 1550.

TORY, G., *Champfleury*, Paris, G. Tory et G. de Gourmont, 1529.

VAISSIÈRE, P. de, *Journal de Jean Barillon, secrétaire du chancelier Duprat, 1515-1521*, Société de l'histoire de France, Paris, Renouard, 1897-1899, 2 t.

VULTEIUS, Jo., *Hendecasyllaborum Libri IV*, Paris, 1538.

WYATT, Sir Thomas, *Collected Poems*, éd. K. Muir et P. Thomson, Liverpool University Press, 1969.

*35 Chansons*, Paris, Attaingnant, s.d. (vers 1529).

*38 Chansons*, Paris, Attaingnant, 1529.

*Cronique du Roy Françoys premier ce de Nom*, p. p. G. Guiffrey, Paris, 1860.

*Epistolae obscurorum virorum*, Londres, 1925.

*Journal d'un Bourgeois de Paris sous le règne de François I<sup>er</sup>*, p. p. V.L. Bourrilly, Paris, 1910.

*La chasse et Depart Damours*, Paris, Vérard, 1509.

*La Chronique parisienne de Pierre Driart, chambrier de Saint-Victor, 1522-1535*, p. p. F. Bournon, Mém. de la Soc. d'Hist. de Paris, XXII, 1895.

*La fleur des chansons*, Paris, A. Lotrian, 1542.

*La fleur des chansons*, Paris, J. Bonfons, s.d.

*La Mer des Croniques et Mirouer hystorial de France*, Paris, 1536.

*La saincte Bible en Françoys selon la pure et entiere traduction de sainct Hierome*, Anvers, M. Lempereur, 1530.

*La Verité cachée composée à six personnages*, Genève, A. Cercéa, 1559.

*Le 7<sup>e</sup> livre des Chansons vulgaires*, p. p. P. Bogart, Douey, 1633.

*Livre de raison de M<sup>e</sup> Nicolas Versoris avocat au Parlement de Paris (1519-1530)*, p. p. G. Fagniez, Mém. de la Soc. d'Hist. de Paris, 1885.

*Plusieurs belles chansons nouvelles et fort joyeuses*, Paris, Lotrian, 1543.

## V. — OUVRAGES HISTORIQUES

ANSELME, *Histoire généalogique*, 1726-1733.

BALAN, P., *Monumenta saeculi XVI historiam illustrantia*, Innsbruck, 1885.

BARNAUD, J., *Lefèvre d'Etaples et Bédier*, B.S.H.P.F., 1936.

BERGER, S., *Le procès de Guillaume Briçonnet au Parlement de Paris en 1525*, B.S.H.P.F., XLIV, 1895, p. 20.

BERNIER, J., *Histoire de Blois*, 1682.

BERNUS, A., *Le Ministre Antoine de Chandieu*, B.S.H.P.F., XXXVII, 1888, p. 408.

BERTY, *Topographie historique du vieux Paris*, Paris, 1866-1897, 6 vol.

BÉTENCOURT, P.L.J. de, *Noms féodaux*, Paris, 1926.

BLANCHARD, J., *Les Presidens au mortier du Parlement de Paris*, Paris, 1647.

BONNET, J., *Disgrâce de M. et Mme de Pons à la cour de Ferrare*, B.S.H.P.F., XXIX, 1880.

— *Les premières persécutions à la cour de Ferrare*, B.S.H.P.F., XXXIX, 1890.

BOREL, F., *Un document inédit relatif à la paix de St. Germain*, B.S.H.P.F., XLIII, 1894, p. 297-313.

BOUCHET, J., *Anciennes et modernes généalogies des rois de France*, Paris, 1537.

BOURRILLY, V.L., *Guillaume Du Bellay*, Paris, 1905.

— *Jacques Colin, abbé de Saint-Ambroise*, Paris, 1905.

BOURRILLY, V.L. et WEISS, N., *Jean Du Bellay, les Protestants et la Sorbonne*, B.S.H.P.F., LIII, 1904.

BREGHOT DU LUT et PERICAUD, M.A., *Biographie lyonnaise*, Lyon, 1839.

BRENET, M., *Les Musiciens de la Sainte-Chapelle du Palais*, Paris, 1910.

BRETSCHNEIDER, C.G., *Corpus reformatorum*, Halle, 1834.

BREWER, J.S., *Letters and Papers, Foreign and Domestic, of the Reign of Henry VIII*, vol. IV, Londres, 1872.

BUGGORT, K.W., *Alberto da Ripa, Lutenist and Composer*, Phil. Diss., Michigan, 1956.

BUISSON, A., *Le chancelier Antoine Duprat*, Paris, 1935.

CAMPARDON, E., et TUETEY, A., *Inventaire des registres des insinuations du Châtelet de Paris, règnes de François I$^{er}$ et de Henri II*, Paris, 1906.

CANEL, A., *Recherches historiques sur les fous des rois de France*, Paris, Lemerre, 1873.

CARON, P., *Noel Béda*, Ec. des Chartres, Pos. Th. 1898.

CARTWRIGHT, J., *Isabella d'Este*, Londres, 1903.

CHAMPOLLION-FIGEAC, A., *Collection de documents inédits, Captivité du roi François I$^{er}$*, Paris, 1847.

CHAPONNIÈRE, J.J., *Notice sur Fr. Bonivard, prieur de St. Victor*, Mémoires et documents de la société d'histoire et d'archéologie de Genève, t. IV, 1847.

CHENEVIÈRE, A., *A. Du Moulin, valet de chambre de la reine de Navarre*, R.H.L.F., II, 1895, p. 469-490, et III, 1896, p. 218-244.

CHENU, J., *Privilèges octroyez aux maires et eschevins... de Bourges*, Paris, 1603.

COLLIGNON, A., *Le mécenat du cardinal Jean de Lorraine (1498-1550)*, Annales de l'Est, 24$^e$ année, n° 2, Paris-Nancy, 1910.

CONDÉ, L. de, *Mémoires de Condé, ou Recueil pour servir à l'histoire de France*, Londres, 1740, 6 vol.

COPLEY CHRISTIE, R., *E. Dolet, le martyr de la Renaissance*, Paris, 1886.

CRISTIANI, *Josse Clichtove et son Antilutherus*, Revue des questions historiques, t. LXXXIX, 1911, p. 120-134.

CROTTET, A., *Histoire et Annales de la ville d'Yverdon depuis les temps les plus reculés jusqu'à l'année 1845*, Genève, 1859.

DARU, *Histoire de la Republique de Venise*, Paris, 1821.

DE BOYSSON, *Un humaniste toulousain : Jehan de Boysson, 1505-1559*, Paris, 1913.

DECRUE, F., *Anne de Montmorency, grand maître et connétable de France, à la cour, aux armées et au conseil du roi François Ier*, Paris, 1885.

— *Anne de Montmorency, connétable et pair de France sous les rois Henri II, François II et Charles IX*, Paris, 1889.

DELISLE, L.V., *Notice sur un registre des procès-verbaux de la Faculté de Théologie de Paris pendant les années 1505-1533*, Paris, 1899.

DICKINSON, G., *The Instructions sur le Faict de la Guerre of Raymond de Beccarie de Pavie, sieur de Fourquevaux*, The Athlone Press, University of London, 1953.

DOUCET, R., *Les Institutions de la France au seizième siècle*, Paris, 1948, 2 vol.

DRELINCOURT, Ch., *La Défense de Calvin*, Genève, 1667.

DRION, C., *Histoire chronologique de l'église protestante de France jusqu'à la révocation de l'édit de Nantes*, Paris, 1855.

DU BOULAY, C.F., *Historia Universitatis Parisiensis*, Paris, 1665-1673, 6 vol.

DU PLESSIS D'ARGENTRÉ, *Collectio judiciorum de novis erroribus*, Paris, 1728, 3 vol.

DU PLESSIS, Dom Toussaints, *Histoire de l'église de Meaux*, Paris, 1731.

DU RADIER, Dreux, *Mémoires historiques, critiques et anecdotes des reines et régentes de France*, Amsterdam, 1776.

FAUVELET DU TOC, *Histoire des Secretaires d'Estat*, Paris, 1668.

FEBVRE, L., *L'origine des Placards de 1534*, B.H.R., t. VII, 1945.

FENIER, P., *Relation du siège memorable de la ville de Peronne en 1536*, Paris, 1862.

FONTANA, B., *Renata di Francia, duchessa di Ferrara*, Rome, 1889-1899, 3 vol.

FONTANON, A., *Les Edicts et Ordonnances des Rois de France depuis Louis VI*, Paris, 1611, 3 vol.

FRAIKIN, J., *Nonciatures de France. Nonciatures de Clément VII, t. I. Depuis la bataille de Pavie jusqu'au rappel d'Acciaiuoli. Archives de l'histoire religieuse de la France*, Paris, 1906.

FRANÇOIS, A., *Le magnifique Meigret, valet de François Ier, ami de Marot*, Genève, 1947.

FRANÇOIS, M., *Le cardinal de Tournon, homme d'Etat, diplomate, mécène et humaniste*, Boccard, Paris, 1951.

FRÉVILLE, M. de, *Un index du seizième siècle*, B.S.H.P.F., t. I.

FREYMOND, J., *La Politique de François Ier à l'égard de la Savoie*, Lausanne, 1939.

GACHARD, M., *Relation des troubles de Gand sous Charles V*, p. p. M. Gachard, Bruxelles, 1846.

GAILLARD, G.H., *Histoire de François Ier, roi de France, dit le grand roi et père des lettres*, Paris, 1769, 8 t.

GAIRDNER, J., *Letters and papers, foreign and domestic of the reign of Henry VIII, preserved in the Public Record Office*, t. IX, London, 1886.

Giovio, P., *Historia sui temporis*, Florence, 1550-1552.

Groer, G. Brasart de, *Le Collège, agent d'infiltration de la Réforme. Barthélemy Aneau au Collège de la Trinité, Aspects de la Propagande Religieuse*, Genève, Droz, 1957.

Guigard, J., *Bibliothèque héraldique de la France*, Paris, 1861.

Guigne, M.C. et C., *La grande rebeyne de Lyon*, Bibl. hist. du Lyonnais, Lyon, 1886.

Haag, E. et E., *La France protestante*, Paris, 1877-1888, 6 vol.

Hari, R., *Les Placards de 1534*, dans *Aspects de la Propagande Religieuse*, Genève, Droz, 1957.

Hauser, M., *La Rebeyne de Lyon, Etudes sur la réforme française*, Paris, 1909.

Herminjard, A.L., *Correspondance des Réformateurs dans les pays de langue française*, Genève, 1866-1897, 9 vol.

Hours, H., *Procès d'hérésie contre Aimé Meigret*, B.H.R., t. XIX, 1957, p. 14-43.

Huet, P.-D., *Les origines de la ville de Caen et des lieux circonvoisins*, Rouen, Mourry, 1702.

Hyrvoix, H., *Noel Bédier, d'après des documents inédits (1533-1534)*, Revue des Questions historiques, 1902.

Imbart de la Tour, P., *Les Origines de la Réforme*, Paris, 1905-1935, 4 vol.

Isambert, F.A., *Recueil général des anciennes lois françaises depuis l'an 420 jusqu'à la révolution de 1789*, Paris, 1821-1833, 29 vol.

Jougla de Morenas, H., *Grand Armorial de France*, 1934, 7 t.

Laferrière-Percy, *Marguerite d'Angoulême, son livre de dépenses (1540-1545)*, Paris, Aubry, 1862.

Lavisse et Rambaud, *Histoire générale du quatrième siècle à nos jours*, Paris, 1893-1901, 12 vol.

Lefranc, A., *Histoire du collège de France*, Paris, 1893.

— *La jeunesse de Calvin*, Paris, 1888.

— *Un nouveau registre de la Faculté de théologie de Paris au seizième siècle*, B.S.H.P.F., t. LI, 1902, p. 14-112.

Lefranc, A., et Boulenger, J., *Comptes de Louise de Savoie et de Marguerite d'Angoulême*, Paris, 1905.

Le Glay, A.J.G., *Négociations diplomatiques entre la France et l'Autriche durant les trente premières années du seizième siècle*, 1845, 2 vol.

Legrand, J., *Histoire du divorce d'Henry VIII, roy d'Angleterre*, Paris, 1688.

Lehoux, F., *Gaston Olivier, aumônier du roi Henri II (1552)*, Paris, 1957.

Le Roux de Lincy, *Recueil de chants historiques français depuis le douzième jusqu'au dix-huitième siècle (xvie siècle dans deuxième série)*, Paris, 1841.

Le Vasseur, J., *Annales de l'église cathédrale de Noyon*, Paris, 1633.

Litta, P., *Famiglie celebri italiane*, Naples, 1902-1923, 2 vol.

MARICHAL, P., *Catalogue des Actes de François I$^{er}$*, Paris, 1887, 10 vol.

MARICHAL, R., *Les compagnons de Roberval, Revue d'Humanisme et Renaissance*, t. I, 1934, p. 51-122.

MAUDE LA CLAVIÈRE, *Louise de Savoie et François I$^{er}$, Trente ans de jeunesse, 1485-1515*, Paris, Perrin, 1835.

MÉTIVIER, J. de, *Chronique du Parlement de Bordeaux*, p. p. A. de Brezetz et J. Delpit, *Publications de la Société des Bibliophiles de Guyenne*, Bordeaux, 1886, 2 vol.

NICÉRON, J.P., *Mémoires pour servir à l'histoire des hommes illustres dans la République des lettres*, Paris, 1729-1745.

PAQUIER, J., *L'Humanisme et la Réforme : Jérôme Aléandre, de sa naissance à la fin de son séjour à Brindes (1480-1529)*, Paris, 1900.

PETITOT, C.B., *Collection des Mémoires relatifs à l'histoire de France, depuis le règne de Philippe Auguste*, Paris, 1819-1829, 180 t.

PIERREFIEUR, *Mémoires de Pierrefieur*, éd. Junod, Lausanne, 1933.

RENAUDET, A., *Préréforme et Humanisme*, Paris, 1955.

RODOCANACHI, E., *Une protectrice de la Réforme en Italie et en France, Renée de France, duchesse de Ferrare*, Paris, 1896.

RONCIÈRE, C. de la, *Histoire de la Marine Française*, Paris, 1906.

ROTT, E., *Histoire de la représentation diplomatique de la France, auprès des cantons suisses, de leurs alliés et de leurs confédérés*, Berne, 1900.

RUBYS, C. de, *Histoire véritable de la ville de Lyon*, 1604.

RUCHAT, A., *Histoire de la Réformation de la Suisse*, Genève, 1727-1728, 6 vol.

SAUVAL, Henri, *Histoire et recherches des antiquités de la ville de Paris*, Paris, 1724, 3 vol.

SCHEURER, R., *Correspondance du Cardinal Jean Du Bellay*, Paris, Librairie C. Klincksieck, 1969.

SPONT, A., *Semblançay (?-1527), La bourgeoisie financière au début du seizième siècle*, Paris, 1895.

SURIREZ DE SAINT RÉMY, *Jean II de Bourbon, duc de Bourbonnais et d'Auvergne, 1426-1488*, Paris, 1944.

VAISSÈTE, Dom, *Histoire générale du Languedoc*, Paris, 1745.

VUILLEUMIER, H., *Histoire de l'Eglise réformée du pays de Vaud*, Lausanne, 1927-1933.

WEISS, N., *Documents inédits pour servir à l'histoire de la réforme sous François I$^{er}$*, B.S.H.P.F., t. XXXIV, 1885.

— *Documents pour servir à l'histoire de la Réforme sous François I$^{er}$*, B.S.H.P.F., t. XXXVIII, 1889, p. 70-74 et 238-243.

— *Le réformateur Aimé Meigret*, B.S.H.P.F., t. XXXIX, 1890.

*Collection of Documents relating to J. Cartier and Roberval*, éd. H.P. Biggar, *Publications of the Public Archives of Canada*, n° 14, Ottawa, 1930.

## VI. — ETUDES BIBLIOGRAPHIQUES ET LITTERAIRES

BAUDRIER, H., *Bibliographie lyonnaise*, Lyon, 1895, 12 vol. *Tables* (par G. Tricou), Genève, 1950-1952.

BECKER, Ph.A., *Margareta von Navarra und die Complainte pour un prisonnier*, *Archiv für das Studium der neueren Sprachen und Litteraturen*, CII, 1899.

— *Die Versepistel vor Clément Marot*, *Aus Frankreichs Frührenaissance*, Munich, 1927.

BEGEY, M.B., *Le Cinquecentine Piemontesi*, Turin, 1961.

BOURRILLY, V.L., *B. de la Borderie et le Discours du voyage de Constantinople*, *Revue des études rabelaisiennes*, 1911.

CARTIER, A., *Arrêts du Conseil de Genève sur le fait de l'imprimerie et la librairie de 1541 à 1550*, 1893.

CHAMARD, H., *Histoire de la Pléiade*, Didier, Paris, 1939, 4 vol.

CHAMPION, P., *Histoire poétique du quinzième siècle*, Paris, 1923.

CHARLIER, G., *Jean Leblond et son apologie de la langue françoise*, *Revue de l'instruction publique en Belgique*, Bruxelles, t. LV, 1912, p. 331-344.

CHAVANNES, F., *Notice sur un ms. du seizième siècle appartenant à la Bibliothèque cantonale ; Poésies inédites de Clément Marot, de Catherine de Médicis et de Théodore de Bèze*, Lausanne, 1844.

CLERVAL, A., article Clichtove, dans *Dictionnaire théologique*, t. III, col. 236-243.

CLIVE, H.P., *The Psalm Translations in Bibliothèque Nationale Manuscrit Fr. 2336*, B.H.R., t. XXVII, 1965, p. 80-95.

DELARUELLE, L., *Répertoire analytique de la correspondance de Guillaume Budé*, Toulouse et Paris, 1907.

DELBOUILLE, M., *Notes de Philologie et de Folklore ; I. La Legende de Herlekin. II. Les origines du lutin Pacolet*, *Bulletin de la Société de langue et de littérature wallones*, 1953.

DROZ, E., *Les formes littéraires de la chanson française au quinzième siècle*, dans *Gedenkboek Scheurleen*, La Haye, 1925.

DUFOUR, T., *Notice bibliographique sur le catéchisme et la confession de foi de Calvin et sur les autres livres imprimés à Genève et à Neuchâtel*, Genève, 1878.

DU MONT, Ch.-Ph., *Armoiries et généalogies. Collections historiques de feu Ch.-Ph. Du Mont, I, Manuscrits, imprimés, autographes*, Genève, 1910.

ESPINER-SCOTT, J.G., *Claude Fauchet, sa vie, son œuvre*, Paris, Droz, 1938.

FAGUET, E., *Seizième Siècle*, Boivin, Paris, s.d.

FEBVRE, L., *Le problème de l'incroyance au seizième siècle, la religion de Rabelais*, Paris, 1947.

FINK, G., *Recherches bibliographiques sur Paul Orose*, *Revista de Archivos, Bibliotecas y Museos*, Madrid, t. LVIII, 1952, p. 271-322.

FRANÇON, M., *Notes sur l'histoire du sonnet en France*, Italica, XXIX, 1952, p. 121-128.

— *La date d'un sonnet de Saint-Gelais*, B.H.R., t. XV, 1953, p. 213-214.

FRÈRE, E., *De l'Imprimerie et de la Librairie à Rouen dans les quinzième et seizième siècles*, Rouen, 1843.

FRIEDRICH, H., *Montaigne*, Berne, Francke, 1949.

GENDRE, A., *Ronsard, Poète de la Conquête Amoureuse*, Editions de la Baconnière, Neuchâtel, 1970.

GERHARDT, M.I., *La Pastorale, essai d'analyse littéraire*, Assen, 1950.

GILSON, E., *Rabelais franciscain, Les Idées et les Lettres*, Paris, Vrin, 1932.

GUY, H., *Jean Marot*, Revue des Pyrénées, 1905.

— *Histoire de la poésie française de la Renaissance*, t. I, *L'école des Rhétoriqueurs*, Paris, Champion, 1910.

HAEGHEN, Van der, *Bibliographie des Œuvres de Josse Clichtove*, 1888.

HAMON, A., *Un grand rhétoriqueur poitevin, Jean Bouchet, 1476-1557 ?* Paris, 1901.

HAUVETTE, H., *Un exilé florentin à la cour de France au seizième siècle, Luigi Alamanni (1495-1556) sa vie et son œuvre*, Paris, Hachette, 1903.

HAWKINS, L.R., *Maistre C. Fontaine, Parisien*, Harvard Studies in Romance Languages, vol. II, 1916.

HEARTZ, D., *La Chronologie des recueils imprimés par Pierre d'Attaingnant*, Revue de Musicologie, 1959, p. 176-192.

HERRIOT, E., *Le Manifeste de Joachim du Bellay ; Cahiers français d'information*, n° 147, janvier 1950, p. 3-5.

HOLL, F., *Das politische und religiöse Tendenzdrama des 16. Jahrhunderts in Frankreich*, Erlangen, 1903.

HULUBEI, A., *L'Eglogue en France au seizième siècle*, Paris, Droz, 1938, 2 vol.

HUTTON, J., *The Greek Anthology in France and in the Latin Writers of the Netherlands to the year 1800*, Cornell Studies in Classical Philology, t. XXVIII, Ithaca, Cornell University Press, 1946.

JACOUBET, H., *Les Poésies latines de Jehan de Boyssoné*, Toulouse, 1931.

JEANNERET, M., *Poésie et Tradition biblique au seizième siècle*, Librairie José Corti, Paris, 1969.

JOLLIFE, J.W., *Satyre ; Satura ;* Σατυρος, B.H.R., t. XVIII, 1956, p. 84-95.

JONKER, G.D., *Le Protestantisme et le théâtre de langue française au seizième siècle*, Groningue, 1939.

JOURDA, P., *Un disciple de Marot : Victor Brodeau*, R.H.L.F., 1921, p. 30-59 et 208-28.

— *Un humaniste italien en France, Theocrenus (1480-1536)*, R.S.S., 1929, p. 40-58.

— *Répertoire analytique et chronologique de la correspon-*

*dance de Marguerite d'Angoulême*, Paris, Champion, 1930.
— *Marguerite d'Angoulême*, Paris, Champion, 1930, 2 vol.
JULLEVILLE, L. Petit de, *Répertoire du théâtre comique en France au Moyen Age*, Paris, 1886.
— *La Comédie et les Mœurs en France au Moyen Age*, Paris, 1897.
LACHÈVRE, F., *Bibliographie des recueils collectifs de poésies du seizième siècle*, Paris, 1922.
LAUMONIER, P., *Ronsard, poète lyrique*, Paris, 1909.
LEBÈGUE, R., *Le Mystère des Actes des Apôtres*, Paris, 1929.
LEFRANC, A., *Les idées religieuses de Marguerite de Navarre d'après son œuvre poétique, VII, La complaincte pour un prisonnier, Marguerite de Navarre et Marot*, B.S.H.P.F., t. XLVI, 1897, p. 418 et suiv.
— *Le Tiers Livre et la querelle des femmes, Grands Ecrivains de la Renaissance*, Paris, Champion, 1914.
LENIENT, C., *La Satire en France (seizième siècle)*, Paris, 1886.
LIVINGSTON, C.H., *Un disciple de Marot, B. de la Borderie*, R.S.S., XVI, 1929.
MASSÉNA, V., et MUNTZ, E., *Pétrarque, ses études d'art, son influence sur les artistes, Gazette des Beaux-Arts*, Paris, 1902.
MAYER, C.A., *Satire in French Literature from 1525 to 1560 with particular reference to the sources and the technique*, thèse déposée à la bibliothèque de l'Université de Londres, 1949.
— « *Satyre* » *as a dramatic genre*, B.H.R., t. XIII, 1951, p. 327-333.
— *The Genesis of a Rabelaisian Character : Menippus and Frère Jean*, F.S., 1952, p. 219-229.
— *Rabelais' Satirical Eulogy : The Praise of Borrowing*, dans *François Rabelais*, ouvrage publié pour le quatrième centenaire de sa mort, 1553-1953, Genève, Droz, 1953, p. 147-155.
— *The problem of Dolet's evangelical publications*, B.H.R., t. XVII, 1955, p. 405-414.
— *Ronsard et Molinet*, B.H.R., t. XXVI, 1964, p. 417-418.
— *Le Sermon du bon pasteur : un problème d'attribution*, B.H.R., t. XXVII, 1965, p. 286-303.
— « *La Tierce Epistre de l'Amant verd* » *de Jean Lemaire de Belges*, dans *Mélanges d'Histoire Littéraire en l'honneur de Pierre Jourda, De Jean Lemaire de Belges à Jean Giraudoux*, Paris, Nizet, 1970.
MAYER, C.A. et BENTLEY-CRANCH, D., *Le premier pétrarquiste français, Jean Marot*, B.H.R., t. XXVII, 1965, p. 183-185.
MAYER, C.A. et DOUGLAS, C.M., *Rabelais poète*, B.H.R., t. XXIV, 1962, p. 42-46.
McFARLANE, I.D., *Jean Salmon Macrin (1490-1557)*, B.H.R., t. XXI, 1959, p. 55-84, et p. 311-349, t. XXII, 1960, p. 73-89.
MOORE, W.G., *La Réforme allemande et la littérature française, Recherches sur la notoriété de Luther en France*, Strasbourg, 1930.

MUGNIER, F., *M.C. de Buttet, poète savoisien, Mémoires et documents publiés par la société savoisienne d'histoire et d'archéologie*, t. XXXV, 1896.

— *La vie et les poésies de Jehan de Boyssoné, Mémoires et documents publiés par la société savoisienne d'histoire et d'archéologie*, 1897.

NEIDHART, D., *Das Cymbalum Mundi des Bonaventure des Périers, Forschungslage und Deutung*, Genève, Droz, 1959.

PARIS, Paulin, *Manuscrits de la Bibliothèque du roi*, 1842.

PATCH, H.R., *The Tradition of the Goddess Fortuna in Medieval philosophy and literature*, Smith College Studies in Modern Languages, vol. 3, n° 4, Paris, 1922.

PICOT, E., *Pierre Gringore et les comédiens italiens sous François I$^{er}$*, Paris, 1878.

— *Notice sur J. Chaponneau, metteur en scène du Histoire des Actes des Apôtres*, Paris, 1879.

— *Catalogue des livres de J. de Rothschild*, Paris, 1884-1920, 5 vol.

— *Les Moralités polémiques*, B.S.H.P.F., t. XXXVI, 1887.

— *Sur une statue de Venus envoyée par Renzo da Ceri au roi François I$^{er}$*, Revue archéologique, 1902, t. II, p. 223 et suiv.

PICOT, E. et NYROP, K., *Nouveau recueil de farces françaises des quinzième et seizième siècles*, Paris, 1880.

PIDOUX, P., *Le Psautier Huguenot du seizième siècle*, Bâle, Bärenreiter, 1962.

PLATTARD, J., *Rabelais réputé poète par quelques écrivains de son temps, Revue des Etudes Rabelaisiennes*, t. X, 1912, p. 291-304.

— *L'humaniste Theocrenus en Espagne (1526-1530)*, R.S.S., 1929, p. 68-77.

POIRION, D., *Le Poète et le Prince, L'Evolution du lyrisme courtois de Guillaume de Machaut à Charles d'Orléans*, Paris, Presses Universitaires de France, 1965.

RAYNAUD, G., *Bibliographie des chansonniers français des treizième et quatorzième siècles*, Paris, 1884.

RENAUDET, A., *Erasme et l'Italie*, Travaux d'Humanisme et Renaissance, Genève, Droz, 1954.

RENOUARD, Ph., *Imprimeurs parisiens*, Paris, 1898.

RIEMENS, K.J., *La briefve doctrine pour bien & deuement escripre selon la propriété du langaige françois*, R.S.S., XVII, 1930, p. 146-157.

ROBILLARD DE BEAUREPAIRE, *Les Puys de Palinod de Rouen et de Caen*, Caen, 1907.

ROCHE, L.P., *Claude Chappuis... poète de la cour de François I$^{er}$*, Paris, 1929.

ROSSEL, V., *Histoire littéraire de la Suisse romande des origines à nos jours*, Genève, 1889.

RUTSON, E., *The life and works of Jean Marot*, thèse déposée à la Bibliothèque Bodléienne de l'Université d'Oxford.

SAINTE-BEUVE, *Tableau historique et critique de la poésie française au seizième siècle*, Paris, 1843.

SAULNIER, V.L., *La mort du dauphin Françoys et son tombeau poétique*, B.H.R., t. VI, 1945, p. 50-97.

— *Maurice Scève*, Klincksieck, Paris, 1948, 2 vol.

SCKOMMODAU, H., *Die religiösen Dichtungen Margaretes von Navarra*, Cologne, 1955.

SCOLLEN, C.M., *The Birth of the Elegy in France*, Genève, Droz, 1967.

SCOTT, J.G., *Les sources des sonnets elisabéthains*, Bibliothèque de la Revue de Littérature comparée, Paris, 1929.

SICILIANO, I., *François Villon et les thèmes poétiques du Moyen Age*, Paris, 1934.

SICOTIÈRE, L., article sur Sagon dans le *Bulletin de la société d'histoire et archéologie de l'Orne*, 1883.

SILVESTRE, L.C., *Marques typographiques*, Paris, 1867.

SIMONE, F., *Il Rinascimento francese, Studi e ricerche*, Turin, 1961.

SMITH, P.M., *The Anti-Courtier Trend in sixteenth-century French Literature*, Genève, Droz, 1966.

TELLE, E.V., *Erasme de Rotterdam et le septième Sacrement*, Genève, Droz, 1954.

THEUREAU, L., *Etude sur la vie et les œuvres de Jean Marot*, Caen, 1873.

VIANEY, J., *Le Pétrarquisme en France au seizième siècle*, Montpellier, 1909.

— *Les Odes de Ronsard*, Paris, Société française d'éditions littéraires et techniques, 1946.

VILLEY, P., *Les Sources et l'Evolution des Essais de Montaigne*, Paris, 1908, 2 vol.

VUILLEUMIER, H., *Quelques pages inédites d'un réformateur trop peu connu (Jean Le Comte de la Croix)*, Revue de théologie et de philosophie, t. XIX, 1886.

WEBER, H., *La Création Poétique au seizième siècle en France*, Paris, 1956.

WEINBERG, B., *Guillaume Michel, dit de Tours, the editor of the 1526 Roman de la Rose*, B.H.R., t. XI, 1949.

— *Critical Prefaces of the French Renaissance*, Northwestern University Press, 1950.

WEISS, N., article sur P. Landry dans B.S.H.P.F., t. XXXVII, 1888.

WEISS, R., *The spread of Italian Humanism*, Hutchinson University Library, London, 1964.

WHITE, M., *Petrarchism in the French Rondeau before 1527*, F.S., vol. XXII, 1968, p. 287-295.

WOLEDGE, B., *Bibliographie des Romans et nouvelles en prose française antérieurs à 1500*, Société de publications romanes et françaises, n° XLII, Genève, Droz, 1954.

WULSON DE LA COLOMBIÈRE, *Le vray Théâtre d'honneur et de*

*chevalerie ou le miroir heroique de la noblesse,* Paris, 1648, 2 vol.

## VII. — AUTRES OUVRAGES CONSULTES

BANVILLE, T. de, *Petit traité de poésie française,* Paris, 1872.

BLUNT, A., *Art and Architecture in France 1500-1700,* Londres, 1957.

BOUCHÉ-LERCLERCQ, A., *Histoire de la Divination dans l'antiquité,* Paris, 1879-1882, 4 vol.

BOUCHOT, H., *Le Portrait peint en France au seizième siècle, Gazette des Beaux-Arts,* 1887, p. 108-124.

COTGRAVE, R., *A Dictionarie of the French and English tongues,* Londres, 1611.

ELWERT, W.T., *Französiche Metrik,* Munich, 1961.

FESTUGIÈRE, A.J., *La Révélation d'Hermès Trismégiste,* Paris, 1944-1954, 4 vol.

GAYE, G., *Carteggio inedito d'artisti dei secoli XIV, XV, XVI,* Florence, 1839-40.

GOUGENHEIM, G., *Grammaire de la langue française du seizième siècle,* Lyon et Paris, 1951.

HUGUET, E., *Dictionnaire de la langue française du seizième siècle,* Paris, 1925-1950, 4 vol. (jusqu'à lettre L).

KASTNER, L.E., *Les Rhétoriqueurs et l'abolition de la coupe féminine, Revue des Langues romanes,* XLVI, 1903.

— *A History of French Versification,* Oxford, 1903.

LA FONTAINE, *Œuvres,* éd. H. Régnier, 11 vol., Paris, 1883-1893.

LESURE, F., *Clément Janequin, Musica disciplina,* Rome, 1951, p. 164.

MOLLER, E., *Leonardo's 'Madonna with the yarn winder', The Burlington Magazine,* August, 1926.

MOUTHÉ, A., *Notice sur Maintenon,* 1850.

NICOT, J., *Thrésor de la langue françoyse, tant ancienne que moderne, auquel entre autres choses sont les mots propres de marine, vénerie et faulconnerie, cy devant ramassez par Aimar de Ranconnet... reveu et augmenté... de plus de la moitié par Jean Nicot...,* Paris, P. Douceur, 1606.

REISET, F., *Un bronze de Michel Ange, Athenaeum Français,* 1853.

RICHELET, C.P., *Dictionnaire de la langue française ancienne et moderne,* Lyon, 1728, 3 vol.

SAULNIER, V.L., article dans *Bulletin de la Société historique de Lyon,* t. XVIII, 1952, p. 79-100.

SUCHIER, W., *Französische Verslehre auf historischer Grundlage,* Halle, 1952.

THORNDIKE, L., *A history of magic and experimental sciences,* Columbia University Press, New York, 1923-1941, 6 vol.

TOBLER, A. et LOMMATZSCH, E., *Altfranzösisches Wörterbuch,* Berlin, 1915.

# INDEX

Aigues-Mortes, l'entrevue d', 446 n. 229, 467, 468, 486.

Aisne, 39.

ALAMANNI, Luigi, 196 n. 107, 204.

ALBRET, Henri d', roi de Navarre, 16 n. 31, 37, 38, 276 n. 42, 396, 398, 472, 473.

ALBRET, Jeanne d', 274, 394, 395, 396, 398, 472, 473, 474.

ALBRET, Ysabeau d', Mme de Rohan, 259, 398 et n. 71, 399.

ALEANDRO, Girolamo, 313, 329, 333 et n. 226.

Alençon, 259, 275 n. 35, 398.

ALENÇON, Anne d', 79, 80, 81, 82, 443 et n. 218, 447, 448, 471 et n. 298.

ALENÇON, Charles, duc d', 17, 37, 38, 39, 40, 79.

ALENÇON, Charles, bâtard d', 79.

ALEXANDRE (le Grand), 28 et n. 67.

ALIGRET, 100 n. 54.

ALLÈGRE, Gabriel d', 98, 121 et n. 120.

Allemagne, 295 n. 103.

ALLEN, 341 n. 252.

ALLIGRE, Claude, 320 n. 185.

Alluye, l'hôtel d', 146 et n. 65, 151 n. 86.

Amboise, 130, 131 et n. 155, 263, 267.

AMBOISE, Michel d', 73 et n. 136, 413 et n. 114, 414, 415 et n. 119, 418, 449, 457 et n. 257.

— Les Epigrammes, avecques la vision, la complainte de vertu traduyte du frere Baptiste Mantuan en son livre des Calamitez des temps, et la fable de l'amoureux Biblis et de Caunus traduyte d'Ovide par Michel d'Amboise, dit l'esclave fortuné, escuyer, seigneur de Chevillon, 413, 414 et n. 115.

— Les cent epigrammes, 73.

— Les Bucoliques de Frere Baptiste Mantuan, Nouvellement traduictes de Latin en Rigme Francoyse par Michel d'Amboyse, aultrement dict l'Esclave fortuné, 457 n. 257.

ANACRÉON, 72.

ANEAU, Barthélemy, 215, 216, 222, 223, 257, 418.

— Lyon marchant, Satyre françoise, 216 et n. 175.

— Quintil Horatian, 215, 216, 223.

ANGELIER, les frères, 477.

ANGERIANO, Girolamo, 73, 414.

— Erotopaignion, 73 et n. 138.

Angleterre, 309, 414.

Angoulême, 463.

Annecy, 505.

ANNE DE BRETAGNE, 14, 19, 27, 44 et n. 39, 169 n. 9, 276.

(Anon.), Balade contre les trésoriers et gens de finance sur la mort Sant Blancey, 141.

— Cronique du Roy Françoys Premier de ce nom, 106, 107 n. 75, 142 et n. 49, n. 50, 169 n. 9, 173 n. 19, 269 et n. 24, 313 n. 165, 342 et n. 256, 378 n. 8, 473 et n. 303.

— Pierre de Provence et la belle Maguelonne, 32, 33.

— Roman de Renard, 113.

Anthologie grecque, 72, 73, 74, 414, 415 n. 119, 443.

Anthologie latine, 72 n. 135, 74, 82.

Anvers, 90, 458, 478, 481, 482, 485, 486.

APHTONIUS, 72.

ARCHILOQUE, 415.

Ardres, 38, 39.

ARIANE, 26.

ARIOSTO, 418.

ARMAGNAC, Georges d', évêque de Rodez, 327, 328, 333.

ARNOULLET, Olivier, 139, 227, 229, 431, 432, 433.

ASINIUS POLLIO, 288.

ATTAINGNANT, Pierre d', 66, 69 n. 123, 300 n. 119.
Attigny, 39, 40.
AUGUSTE, l'empereur, 344, 345, 375.
AUMALE, duc d', 404.
AURISPA, 28 et n. 67.
AUTELS, Guillaume des, 418.
AUVERGNE, Martial d', 29.
— Les Arrêts d'amour, 29.
Auxerre, 198 n. 118.
Avignon, 173, 174.
Avranches, 12.

BAEDEKER, 361.
BALAN, P., 98 n. 46.
BALAVOINE, 105.
Bâle, 343 n. 259.
ballades, 34, 52-54, 149, 187-188.
BALME, Pétremande de la, 505.
BARDE, Jacques de la, 128, 129.
BARRE, Jean de la, Conte d'Etampes, 54 n. 72, 100 et n. 52, 121 n. 120, 137, 138, 139.
BAYARD, 155.
BAYET, J., 456 n. 254, n. 256.
BAYLE, P., 463 n. 275.
Bayonne, 172.
BEAULIEU, Eustorg de, 120, 220, 221, 296, 308, 370.
— Les divers rapportz, 220 n. 190, n. 191, 296 n. 111, 371 n. 340.
— Les Gestes des Solliciteurs, 120 et n. 114.
— Le Blason du Cul, 309.
BÉCANIS, Vidal de, 482.
BECKER, Ph.-A., 28 n. 67, 41 n. 29, 45, 56 n. 79, 67 n. 120, 96, 97, 109 et n. 79, 132 n. 2, 137, 168, 200 n. 124, 212 n. 169, 240 n. 257, 271 n. 30, 275 n. 35, 313 n. 165, 315 n. 167, 430 n. 149, 461, 503.
BÉDA, 256, 367.
Bellegarde, château de, 505, 507.
BELLEGARDE, Claude de, 506, 507.
BELLEGARDE, François de, 505, 506, 515.
BEMBO, 59, 311, 418.
— Azolani, 59.
BENRATH, K., 336 n. 239.
BENTLEY-CRANCH, D., 57 n. 84, 58 n. 87, 65 n. 113, 71 n. 132, 92 n. 28, 187 n. 69, 443 n. 220.
BÉRARD, Jacques, seigneur de Chissay, 34 et n. 90.
BÉRAULT, Nicole, 167 et n. 1, 373, 412.
BERGER, S., 101 n. 57.
BERNARD, Gildas, 13 n. 17.
BERNAY, Nicolas de, 82.
BERNIER, J., 146 n. 64.
BERQUIN, Louis de, 96, 372.
BERTONI, G., 276 n. 42, 317 n. 176, 371 n. 341, 374 n. 350.

BESNIERS, 107 n. 73.
BEST, A.M., 309 n. 150.
Beyries, 173.
BÈZE, Théodore de, 328 n. 217, 463 et n. 275.
Bidassoa, 171.
BIEDERMANN, A., 32 n. 85.
BIGGAR, H.P., 472 n. 300.
BIGNON, Jean, 477.
BILLON, 112.
BLANCHARD, J., 99 n. 50.
BLANCHEMAIN, P., 496 n. 62.
blasons, 301-310.
Blois, 41, 146 et n. 64, 147, 148, 151 n. 86, 152 et n. 91, 264, 267, 272, 394, 395, 446.
BOCCACE, 293 n. 96.
— Fiammetta, 293 n. 96.
BOILLEAU, Louis, seigneur de Centimaisons, 175 et n. 32.
— (auteur présumé de) Six Dames de Paris à Clément Marot, 175 et n. 31, 178 et n. 45.
BOIS, Simon du, 256 n. 307.
BOISARD, 12.
BOISSIÈRE, Claude de, 217.
Bologne, 313 n. 165, 316, 326, 328 n. 217.
BONIVARD, François, 504 et n. 74, 505.
BONNARDOT, F., 21 n. 48.
BONNET, J., 277 n. 43, 314 n. 166, 317 n. 177, 319 n. 183, 320 n. 184, n. 185, 323 n. 195, 324 n. 197, n. 198, 326 n. 203, 329 n. 217.
Bordeaux, 17, 18, 89, 171, 172, 173, 248, 267, 269, 274, 331, 368, 491.
BOUCHARD, Jean, 97, 99 et n. 49, n. 50, 100 et n. 54, 102.
BOUCHART, le docteur, 84, 85, 93, 96, 98, 99.
BOUCHART, Nicolas, 96, 97, 99, 102.
BOUCHEFORT, Jehannet de, 276, 313 et n. 164, n. 165, 319, 321, 326, 328, 329 n. 217, 330, 331, 332.
BOUCHET, Jean, 26, 73 n. 136, 151 n. 86, 360 n. 299, 412, 413, 415, 418.
— Le Jugement poetic de l'honneur femenin et sejour des illustres claires et honnestes Dames par le Traverseur, 360 n. 299, 412 et n. 113.
— Panegyric du Chevalier sans reproche, 151 n. 86.
BOULAY, Du, 101 n. 56.
BOULENGER, P., 37 n. 11.
BOULLE, Guillaume, 241 n. 258, 246.
BOURBON, Anne, duchesse de, 99 n. 49.
BOURBON, Antoine de, duc de Vendôme, 474.

BOURBON, Charles, connétable de, 40, 99 n. 49, 402.

BOURBON, François de, comte d'Enghien, 513, 514 et n. 97.

BOURBON, François de, comte de Saint-Pol, 106.

BOURBON, Nicolas, 167, 168, 241 et n. 258, 242, 243, 244, 377, 414.

— Nugae, 168 et n. 5, 241 n. 258.

BOURBON, Suzanne de, 99 n. 49.

BOURDILLON, F.W., 240 n. 257.

BOURGEOIS de Paris, Journal d'un Bourgeois de Paris sous le règne de François Ier, 95 n. 35, 100 n. 54, 106 et n. 71, 107 n. 75, 130 n. 150, 146 n. 63, n. 64, 173 n. 19, 199 n. 118, 218 et n. 185, 341 n. 252, 342 n. 257.

Bourges, 253 et n. 296.

BOURRILLY, V.L., 95 n. 35, 263 n. 12, 486 n. 39.

BOUSSART, Geoffroi, 97.

BOYSSONÉ, Jean de, 20, 377, 399 et n. 75, 400 et n. 76.

Bretagne, 398.

BREZETZ, A. de, 17 n. 33, 268 n. 22.

BRIÇONNET, Guillaume, 38, 83, 101 et n. 57.

BRISSET, Pierre, 167.

BRODEAU, Victor, 38, 384 et n. 28.

Bruges, 28 n. 67.

BRUNET, 493 n. 55.

BUCER, 462 et n. 273.

BUDÉ, Guillaume, 20, 151 n. 86, 373, 412.

BUECHELER, F., 82 n. 175.

Bury, château de, 151 n. 86.

BUTTET, Marc-Claude de, 506 et n. 83.


Caen, 11, 12.

CAEN, la baillive de, 473.

CAEN, « le général de » (voir CHAMBOR, « le général ») 281 et n. 56, 385.

Cahors, 13, 14, 16, 17, 174, 183 n. 58, 267, 399.

CALCAGNINI, Celio, 311.

Calvados, 13.

CALVARIN, P., 73 n. 138.

CALVIN, 224, 328 n. 217, 329 n. 217, 330 et n. 217, 334 n. 226, 462, 493, 497, 503, 505.

— Institutio, 330.

Cambrai, Traité de (« La Paix des Dames »), 38, 170, 171.

Camp du Drap d'or, 38, 39 n. 17, 45, 53.

cantiques, 359-360, 467-468.

CAPOUE, le cardinal de, 332, 333, 335, 340.

Carignano, 513, 514.

CAROLI, Pierre, 97, 101.

CARRÉ, 107 n. 73.

CARRÉ, Jean, 377.

CARTIER, A., 503 n. 71, n. 72, 504 n. 73.

CARTIER, Jacques, 472.

CARTWRIGHT, J., 151 n. 86.

CASTILLON, 145.

CATACH, N., 240 n. 257.

CATANEUS, Ioannes Maria, 72 n. 134.

CATHERINE DE MEDICI, 463 n. 275, 478, 510.

CATULLE, 20, 70 n. 126, 196, 197, 198, 211 et n. 165, 379.

CATURCE, Jean de, 420, 421.

Cerisole, bataille de, 513.

Cessac, 183 n. 58.

CHABOT, l'amiral, 470.

CHABOT, « Madame l'Admiralle », Françoise de Longwy, 470.

CHAMARD, 215 n. 172, 217 n. 179.

Chambéry, 272, 505, 506, 507.

CHAMBOR, « le général » (voir CAEN, « le général de »), 265, 266 et n. 18, 281 et n. 56, 283, 284, 285.

— Epistre du general Chambor responsive à l'epystre de Clement Marot qu'il envoya au Roy treschrestien françoys, 265, 266 et n. 18, 281 et n. 56, 282 et n. 60, 284 et n. 64, 285 et n. 66, 286 et n. 68.

CHAMPION, P., 91 n. 24.

chansons, 66-70.

Chantilly, 198 n. 118, 403, 404, 446 n. 229.

Chantilly, le manuscrit de (Musée Condé 748), 311, 338, 339, 356, 361, 400-420, 440, 442, 496.

chants-royaux, 48-52, 149.

CHAPONNIÈRE, J.-J., 504 n. 74.

CHAPPUYS, Claude, 309 et n. 150, 384 et n. 27.

— Blason du Con, 309.

— Blason du Con de la Pucelle, 309.

CHARITEO, 64, 65 n. 112, 92 et n. 27, 311.

— Opere, 64 n. 111.

— Tutte le opere volgari, 64 n. 111.

— Libro di sonetti e canzoni di Chariteo intitulato Endimione, 92 et n. 27.

CHARLES D'ORLÉANS, 25, 55, 65, 67.

CHARLES VIII, 35, 151 n. 86.

CHARLES-QUINT, 171, 199 n. 118, 315, 316, 317, 339, 403, 463, 467, 468, 486.

CHARLIER, G., 456 n. 254, n. 256.

CHARTIER, Alain, 29, 188, 424, 426.

— La Belle Dame sans Merci, 188.

— Hospital d'Amour, 29.

35

CHARTIER, Matthieu, 121 et n. 117.

Chartres, 84, 110 n. 82, 111, 117.

CHASTEL, F., 13.

CHATEAUBRIANT, Françoise de Foix, Madame de, 105, 248, 398.

CHATEAUBRIANT, Jean de Laval, seigneur de, 105, 248, 398.

Châteaubriant, 105, 248.

Châteaudun, 252.

Châtelet, 15, 84, 93, 94, 96, 98, 100, 102, 103, 106, 110, 116, 117, 121 et n. 120, 124, 256.

Châtellerault, 473.

— Tournoi des Chevaliers Errants (à la Berlandière près Châtellerault), 473, 474.

Châtillon, Maréchal de, 40.

CHAULIEU, l'abbé de, 471.

CHENU, J., 254 n. 296.

CHESNE, Guillaume du, 128, 129.

CHESNEY, K., 23 n. 55, 455 n. 253.

CHISSAY, voir BÉRARD.

CHRISTIE, R. Copley, 420 n. 132, 421, 422 n. 139, 431 n. 158, 492 n. 55.

CHRISTINE DE PISAN, 25, 55.

— Epître d'Othea, 25.

CLAUDE, reine de France, 169 n. 9, 171, 253.

CLAVIER, Etienne, 104 et n. 66, 223, 226 et n. 215, 227.

CLÉMENT VII, le pape, 110, 117, 128.

CLERVAL, A., 112 n. 88.

CLÈVES, Guillaume III, duc de, 472, 473.

CLICHTOVE, Josse, 111 et n. 85, 112 et n. 88.

Cognac, 248.

COHEN, A., 464 n. 279.

COISEL, 13 n. 18.

COLIN, Jacques, 450.

Collège de France, 367 n. 327.

Collège des lecteurs royaux, 367 n. 327, 461.

COLLERYE, Roger de, 141.

— Epitaphe de feu Jacques de Beaulne en son vivant seigneur de Semblancay-lez-Tours, 141.

COLLETET, 272, 483, 484.

COLLIGNON, A., 137 n. 26.

COLONNA, Marco di Alighieri, évêque de Rieti, 326 et n. 201.

COLONNA, Pirro, 513.

COMMINES, 361 n. 306.

COMPAING, le peintre, 373, 412, 421.

Compiègne, 374, 446 n. 229.

complaintes, 47-48, 149-164, 507-510.

Conciergerie, 94, 98 n. 45, 105, 110 . n. 82, 143, 144 n. 58, 152 n. 91.

CONSTANTIN, 430, 433 n. 162, 435, 446, 460, 481.

Constantinople, 361 n. 305.

coq-à-l'âne, 212-223, 290-300, 366-369.

COQUILLART, 29.

— Les Droitz nouveaulx, 29.

CORION (ou COREAU), 101.

CORNELIUS, 328 n. 217.

CORNILLAN, Jean, 320 et n. 184, n. 185, 322, 325, 326, 327 n. 208, 328, 330 et n. 217, 331, 333 n. 222.

CORROZET, Gilles, 475 et n. 306, n. 307.

Coucy, 142 n. 50.

Coucy, Edit de (16 juillet 1535), 326 n. 207, 341, 342, 343 et n. 260, 344, 372, 486.

COUILLARD, Antoine, seigneur du Pavillon les Lorriz, 271 et n. 30, 272, 273, 274.

— Les Contredicts du Seigneur du Pavillon lez Lorritz en Gastinois, aux faulses & abusifves propheties de Nostredamus, & autres astrologues. Adjousté quelques œuvres de Michel Marot, fils de feu Clement Marot, prince des poetes François, 271 et n. 31.

Coutras, bataille de, 463.

CRESPIN, 342 n. 258.

CRÉTIN, Guillaume, 23 et n. 55, 26, 356 n. 290, 455.

— (avec Octovien de Saint-Gelais et François Robertet), L'Arrest de la louange de la dame sans si, 356 n. 290.

CRISTIANI, 111 n. 85.

CUPIDO, 30, 31.

CURIONE, Celio Secundo, 336 et n. 239.

DANDOLO, le doge, 361 n. 305.

DANTE, 361 et n. 306.

— Divina Comedia (Inferno), 361 n. 306.

DARU, 361 n. 305.

DE BUYSSON, 399 n. 75.

DECRUE, F., 402 n. 88.

DE LA RUE, l'abbé, 12.

DELARUELLE, L., 151 n. 86, 167 n. 1.

DELEAU, Mery, 103, 105.

DELISLE, L., 97 n. 39, n. 43, 101 n. 58, 112 n. 87.

DELPIT, J., 17 n. 33, 268 n. 22.

DENONVILLE, Charles Hémard de, évêque de Mâcon, 325, 326.

DESCHAMPS, Eustache, 66 n. 118.

DESIRÉ, Artus, 219 n. 189.

— Le Contrepoison des cinquante deux Chansons de Clement Marot, faulsement intitulées par *luy Psalmes de David.* 219 n. 189.

Des Périers, Bonaventure, 38, 122 n. 123, 257, 377, 382, 385, 394, 395.

— *Nouvelles Recreations ou joyeux Devis,* 122 n. 123.

Dexter, G.R., 400 n. 77.

D'Héricault, Charles, 183 n. 58.

Diane de Poitiers, 469, 470.

Dixhommes, Jacques, 100 n. 54.

Dolet, Etienne, 20, 38, 90, 92, 98, 243 n. 261, 373, 377, 384, 401, 410, 411, 412, 420 et n. 132, 421 et n. 138, 422, 423, 425 et n. 142, 431 et n. 159, 434, 435, 444, 445, 446 et n. 277, 447, 475, 477, 481, 485, 490, 491, 492 n. 55.

— *Axiochus,* 420.

Donatus, 216.

Doucet, R., 98 n. 45, 99 n. 51, 121 n. 119, 136 n. 18, 141 n. 44.

Douen, O., 458 n. 259, 463 n. 275.

Douglas, C.M., 23 n. 58, 153 n. 94, 191 n. 89, 385 n. 29.

Doumergue, 314 n. 165.

Drion, C., 491 n. 51.

Droz, E., 66 n. 118, 223 n. 202, 502, 503 n. 70, 505 n. 75, 506 et n. 81.

Du Bellay, Jean, le cardinal, 263 n. 12, 294 n. 103, 315, 316, 317 n. 175, 486 et n. 39, 490.

Du Bellay, Joachim, 65, 214, 215, 217 n. 179, 222, 223, 257, 311, 345, 357, 358 n. 293, 372, 418, 443, 444, 466, 475.

— *La Deffence et Illustration de la langue françoise,* 65, 67, 214, 215 et n. 172, n. 173, 217 n. 179, 257, 418, 465.

— *L'Olive,* 311, 443, 444.

— *Les Regrets,* 345, 358 n. 293.

Du Bellay, Guillaume, seigneur de Langey, 40, 294 n. 103, 467 n. 284, 486 et n. 39, 491.

Du Bellay, Martin, 40, 467 n. 284, 473 et n. 302.

— *Mémoires de Guillaume et Martin Du Bellay,* 40, 467 n. 284, 473 et n. 302.

Dufour, Théophile, 458 n. 259.

Dulin, Hélouin, 342, 490.

Du Mont, Ch.-Ph., 335 et n. 234, 361 n. 303.

Dupire, N., 25 n. 60, 29 n. 77.

Du Plessis d'Argentré, 97 et n. 40, 128 n. 136, 293 n. 100, 294 n. 102, 482 n. 25, 492 n. 53.

Du Plessis, Dom Toussaint, 98 n. 46.

Duprat, le chancelier, 136.

Du Tillet, 330 n. 217.

Duval, Jean, 447.


Ecosse, 378.

églogues, 199-212, 288-290, 449-458.

élégies, 80, 190-196, 245-246, 380-381.

Eléonore d'Autriche, reine de France, 171, 172, 246, 248, 374, 394, 418.

Emmanuel, roi de Portugal, 171.

épigrammes, 70-74, 79-82, 411-420, 440-444.

épitaphes, 74, 253-254.

épithalames, 169, 196-198, 378-379.

épîtres, 25-26, 74-78, 112-116, 134-137, 164-166, 179-186, 246-253, 277-280, 344-359, 361-366, 394-398, 515-516.

Erasme, 20, 156 n. 102, 161, 197 et n. 113, 198, 293, 313, 341 n. 252, 420, 466, 475, 490 n. 46.

— *Colloques,* 293.

— *Eloge de la Folie,* 156 n. 102.

— *Funus,* 156 n. 102.

— *Proci et Puellae,* 197 et n. 113.

Escaut, 40.

Espagne, 38, 259, 467.

Espiner-Scott, J., 45 n. 42.

Este, Alfonso d', 288, 316 et n. 173.

Este, Anna d', 288, 316 et n. 172.

Este, Ercole d', duc de Ferrare, 168, 169 et n. 9, n. 11, 196, 276, 290 n. 80, 313, 314, 315, 316, 317 et n. 175, 319 et n. 183, 321, 322, 323, 324, 326, 327, 328, 329, 330, 331, 332, 333, 334 n. 226, 335, 336, 339, 340, 346.

Este, Lucrezia d', 316 et n. 171.

Etampes, duchesse d', Anne de Pisseleu, 93, 484.

Etaples, Lefèvre d', 83, 112, 461.

étrennes, 82, 468-471.

Euripide, 454 n. 252.


Farel, 342.

Fauchet, Claude, 44, 45 n. 42, 367 n. 328.

Febvre, L., 263 n. 12.

Ferrare, 57, 65, 71, 169, 213, 267, 272, 275, 276, 277, 306 n. 145, 308, 309, 311, 313 et n. 165, 314, 317, 319, 322, 324 n. 199, 325, 326, 327, 328 n. 217, 329 et n. 217, 330 et n. 217, 331, 332, 333, 334 n. 226, 335, 336, 337, 338, 339, 340, 341, 345, 371, 402, 408, 449, 475, 510.

Feruffini, Hieronimo, 319, 326, 327, 329, 371, 373, 374.

Flaubert, Gustave, 217, 298.

— *Dictionnaire des Idées reçues*, 217.
— *L'Education sentimentale*, 298.
Florence, 212 n. 169.
FONTAINE, Charles, 377, 385, 496.
Fontainebleau, 394, 418, 446 n. 229, 468, 478, 479.
FONTANA, B., 275 n. 36, 313 n. 164, 314 n. 166, n. 167, 317 n. 175, n. 176, 319 n. 183, 320 n. 184, n. 185, 321 n. 186, n. 188, 322 n. 190, n. 191, 323 n. 195, 324 n. 196, 325 n. 200, 326 n. 201, n. 202, n. 204, n. 207, 327 n. 209, 328 n. 217, 329 n. 217, 330 n. 217, 333 n. 223, n. 226, 334 n. 226, 335 n. 229.
Fontarabie, 171.
FOULET, 91 n. 24.
FRAIKIN, J., 98 n. 46.
France, 16, 17, 35, 41, 44 n. 39, 57, 64, 73, 111, 130, 167, 168, 186, 243, 263, 266, 269, 271, 280, 294 n. 103, 309, 311, 314, 315, 319, 322, 326 n. 207, 327, 335, 336, 337, 339, 340, 341, 344, 345, 346, 356, 364, 369, 372, 373, 387, 446, 449, 457 et n. 257, 467, 473, 483, 484, 486, 487, 493, 497, 498, 514.
FRANÇOIS Ier, 18, 21 n. 51, 35, 36, 38, 40, 41, 46, 57, 95, 100, 104 et n. 65, 105, 106, 110, 124, 132, 133, 134, 135 et n. 14, 136, 137, 138, 139, 140, 143, 144, 164, 165, 168, 169 n. 9, 170, 171, 172, 173, 179, 181, 183, 184 et n. 59, 198, 208 n. 160, 213 n. 169, 246, 248, 258, 263, 267, 270, 294 n. 103, 305, 311, 313, 314 n. 165, 315, 316, 317, 319, 324 et n. 199, 325, 326 et n. 207, 327, 339, 341 et n. 252, 342, 343 et n. 259, 344 et n. 261, 350, 364, 367 n. 327, 370, 372, 374, 376, 377, 378, 394 et n. 57, 398, 403, 404, 413, 421, 422, 423, 427, 446 n. 229, 448, 449, 450, 453, 455, 467, 468, 472, 473, 479, 483, 484, 485, 486, 487, 488, 489, 490, 491, 505, 510.
FRANÇOIS, le dauphin, duc de Bretagne (fils de François Ier), 34 et n. 90, 171, 306 n. 145, 344 et n. 263, 364 et n. 317, 365 et n. 318, 411.
FRANÇOIS, le dauphin, fils de Henri II (le futur François II), 510.
FRANÇOIS, A., 105 n. 67, n. 70, 106 n. 72, 107 n. 74, n. 75, 109 n. 81, 213 n. 169, 223 n. 206, 224 n. 208, 225 n. 212.
FRANÇOIS, M., 171 n. 16.

FRANÇON, M., 90 n. 19, 306 n. 145, 360 n. 301.
FRAPPIER, J., 27 n. 63, 29 n. 73.
FREYMOND, J., 505 n. 77.
FRIAS, duc de, connétable de Castille, 171.
FROMAGE, R., 177 n. 38.

GAGUIN, Robert, 151 n. 86.
GAIFFE, F., 22.
GAILLARD, G.H., 208 et n. 160.
GAIRDNER, J., 472 n. 300.
GALIOT DU PRÉ, 29 n. 75, n. 76, 235 n. 255, 240 n. 257.
Gand, 467.
GARAPON, R., 369 n. 335.
GAYE, G., 151 n. 86.
Genève, 107, 147, 223, 225, 329 n. 217, 371, 372, 373, 458 n. 259, 460, 481, 484, 493, 494, 496, 497, 500, 502, 503, 504, 505.
GÉNIN, 380, 394 n. 58, 397 n. 63, 398 n. 67.
GÉRARD, J., 458 n. 259.
GOIS, A. des, 458, 481.
GONIN, Martin, 342.
GONZAGUE, cardinal de Mantoue, 317 n. 177.
GRENET, Gilbert, 287 n. 72, 479, 502.
Grenoble, 127, 342.
Grez, 198, 199 n. 118.
GRINGORE, 462 n. 272.
GRYPHIUS, Sébastien, 102 n. 59, 425 et n. 142, 431, 435 n. 168, 444, 445, 475.
GUÉRIN, P., 21 n. 21.
GUIFFREY, G., 173, 174, 212 n. 169, 224 n. 210, 272 et n. 32, 361, 475 n. 312.
GUIFFREY, Guigues, seigneur de Boutières, 324 et n. 199.
GUILLARD, Louis, évêque de Chartres, 84, 98, 106, 109 n. 79, 110 et n. 82, 111, 112.
GUILLET, Pernette du, 296.
Guines, 38, 39.
GUISE, Claude de Lorraine, duc de, 247.
GUY, Henri, 22, 23, 24, 25, 109, 151 n. 86, 259 n. 1, 400 n. 79.
Guyenne, 491.

HAEGHEN, VAN DER, 111 n. 85.
Hainaut, 17, 39, 40 n. 21, 45.
HALLE, Adam de la, 310.
— *Jeu de la Feuillée*, 310.
HAMON, A., 151 n. 86.
HARI, R., 263 n. 12, 269 n. 25.
HAUSER, H., 127 n. 134, 128 n. 135.
HAUVETTE, H., 196 n. 107.
HENRI DE NAVARRE, (le futur Henri IV), 463.
HENRI, duc d'Orléans (le futur

Henri II), 171, 305, 463, 470, 474 n. 304, 479, 484 et n. 33, 513 n. 94.
HENRY VIII d'Angleterre, 38, 39, 332.
HERMINJARD, A.L., 97 n. 43, 294 n. 103, 328 n. 217, 335 n. 234, 341 n. 252, 342 n. 258, 343 n. 259, 361 n. 303, 463 n. 274, 486 n. 38, 491 n. 47, 493.
HEROET, Antoine, 55, 384.
HOMÈRE,
— *Iliade*, 257.
HORACE, 195, 198, 211, 257, 418, 457, 458.
— *Odes*, 257.
Houlgate, 13.
HOURS, H., 128 n. 137.
HUET, P.-D., 11, 12 n. 11.
HUETTERIE, Charles de la, 112, 385, 386, 389.
— *Responce à Marot, dict Frippelippes*, 386 et n. 33.
HUGO, Victor, 458.
HULUBEI, A., 199 n. 119, n. 120, 200 n. 126, 413 n. 114, 457 n. 257.
HUTTON, James, 73 n. 136, n. 139, 413 n. 114, 414, 415 n. 119.

Ile-de-France, 20, 446 n. 229.
IMBART DE LA TOUR, 130 n. 151.
INQUISITEUR de Ferrare, 321, 322, 323, 324, 325, 330, 331, 332, 341.
ISAMBERT, 98 n. 46.
Italie, 45, 64, 271, 273 et n. 33, 297, 309, 311, 317, 331, 344, 353, 372, 394 n. 57, 513.
IZAAC, H.J., 418 n. 127.

JACOUBET, H., 399 n. 75, 400 n. 76.
JACQUES V, roi d'Ecosse, 378, 379 et n. 9.
JAMES, M.A., 125 n. 130, 191 n. 87.
JAMET, Lyon, 42, 84, 85, 93, 102, 103, 112, 113, 114, 212 et n. 169, 213, 222, 276, 313, 316, 326, 331, 334 n. 226, 514, 515 n. 99.
JEANNERET, M., 463 n. 278.
JOLLIFFE, J.W., 216 n. 174.
JONAS, JUST, 295 n. 103.
JOURDA, P., 38 n. 13, 69 n. 123, 222 n. 200, 259 n. 4, 262 n. 10, 270 n. 27, 275 n. 35, 317 n. 174, 324 n. 196, 336 n. 238, 344 n. 264, 384 n. 28, 394 n. 58, 398 n. 69, 399 n. 72, n. 74, 463 n. 277, 473 n. 301, 503 n. 70.
JOYEUSE, le duc de, 463.
JUSTE, François, 176, 235, 241 n. 258, 246, 255 n. 298.

KINCH, C.E., 222 n. 200, 223 n. 201.
KUTTER, M., 336 n. 239, n. 240.

LACOMBE, P., 259 n. 1, 393 n. 55.
LAFAYE, G., 196 n. 110.
LA FONTAINE, 114, 115.
LALLEMANT, Jean, l'aîné, 254 n. 297.
LALLEMANT, Jean, le jeune, 254 n. 296, n. 297.
LANDRY, Pierre, 490, 491.
LANGE, Jean, 117.
LANGEAC, Jean de, évêque de Limoges, 315 et n. 169, n. 170.
LANGLOIS, E., 25 n. 61, 310 n. 156.
LANOY, J. de, 97 n. 39.
LA PALICE, 155.
LARCHER, Benoist, 145.
LA TRÉMOILLE, 40, 155.
LAUMONIER, 23 n. 56, 465 et n. 280.
LAURE de NOVES, 173, 174, 309.
LAVAL, Antoine de, 483, 484.
LEBLANC, P., 170 n. 13, 197 n. 115.
LEBLOND, Jean, seigneur de Branville, 281 et n. 56, n. 57, 283, 284, 385.
— *Epistre à Clement Marot responsive de celle parquoy il se pensoyt purger d'heresie lutheriane*, 281, 283 n. 63.
— *Le printemps de l'humble esperant aultrement dict Jehan Leblond Seigneur de Branville où sont comprins plusieurs petitz œuvres semez de fleurs, fruict & verdure qu'il a composez en son jeune aage fort recreatifz comme on pourra veoir à la table*, 281 n. 56, n. 57, 282 n. 60, 283 n. 63, 285 n. 66, 286 n. 68.
LECLERC, Nicole, 128, 129.
LECT, Jacques de, 20.
LEFRANC, Abel, 37 n. 11, 79, 80.
LEGRAND, Ph.E., 200 n. 127, 201 n. 136.
LEHOUX, F., 111 n. 85.
LELEU, Jean, dit LUPI, 300.
Le Lieu Marot, 13 et n. 18.
LEMAIRE de BELGES, Jean, 18, 19, 23, 26, 27 et n. 63, 29, 48, 152 n. 91, 153, 199, 204, 205, 207 et n. 158, 209, 455, 456 et n. 254, 457.
— *Chansons de Namur*, 23, 207 et n. 158.
— *Epitres de l'amant vert*, 26, 209.
— *Illustration de Gaule et singularitez de Troye*, 19, 455.
— *La Concorde des Deux Langages*, 27 n. 63, 29 n. 73.
— *La Plainte du Désiré*, 152 n. 91, 153.
— *Le Temple de Vénus*, 29.

— *Temple d'Honneur et de Vertu,* 205.
LENGLET-DUFRESNOY, 45, 192.
LEONARDO DA VINCI, 151 n. 86.
LE POULBIAC, l'abbé, 13.
LEROY, André, 103, 104.
LESCUN, 155.
LESURE, F., 69 n. 124, 70 n. 126.
Limoges, 399.
LIZET, Pierre, 99 n. 49.
Loire, 16, 20, 42, 152 n. 91, 174, 446 n. 229.
Longefan, Château de, 505.
LONGIS, J., 73 n. 137.
LORRAINE, Antoine, duc de, 246, 247.
LORRAINE, Jean, cardinal de, 137 et n. 26, 138, 496.
LORRAINE, Renée de Bourbon, duchesse de, 55, 247.
LORRIS, Guillaume de (avec J. de Meung), *Roman de la Rose,* 24, 29, 240 n. 257.
Lorris, 272, 273.
LOTHIER, de, 100 n. 54.
LOTRIAN, Alain, 73 n. 137, 477.
LOUIS XII, 35, 168, 169 n. 9, 314.
LOUISE DE SAVOIE, 98 n. 46, 99 n. 49, 127, 128, 129, 140, 141, 163, 170, 186, 198, 199, 203, 204, 208, 320 n. 185.
LUCIEN de SAMOSATE, 28 et n. 67, 156 n. 102, 161, 466.
— *Dialogue des Morts,* 28.
— *De luctu,* 156 n. 102.
LUCRESSE, 470, 471.
LUNA, 86, 92, 93, 118.
LUTHER, 83 et n. 1, 112, 127, 148, 190 n. 78, 219 n. 189, 294 n. 103, 313, 462, 503.
— *De votis monasticis,* 190 n. 78.
Luthériens, Luthéranisme, 96, 102, 109, 111, 112, 127, 128, 129, 130, 143, 225, 266, 267, 269, 271, 270, 314, 319, 321, 322, 326, 327, 330, 331, 338, 339, 340, 341 et n. 252, 342, 343 n. 259, 407, 486, 487, 489, 491.
— *Lettres d'Abolition, 31 mai 1536.* « Abbolition Générale » (deuxième édit de tolérance), 343 et n. 259, 344, 372, 486.
— *Edit du 16 décembre 1538, contre les luthériens,* 486, 487 et n. 40, 488, 489.
— *Edit du 24 juin 1539, contre les luthériens,* 488 et n. 41, 489, 492.
— *Edit du 14 avril 1540, contre les luthériens,* 489 et n. 43, 492.
— *Edit du 1er juin 1540, contre les luthériens,* 489 et n. 43, 492.

— *Edit du 29 août 1542, contre les luthériens,* 491, 492 et n. 52.
— *Edit du 30 août 1542, contre les luthériens,* 491, 492 et n. 52.
Lyon, 42, 55, 108, 127, 128, 235, 246, 255 n. 298, 317, 334 n. 226, 370, 371, 372, 373, 379, 383, 400, 401, 412, 420, 422, 425, 427, 429, 430, 431, 475.

MACAULT, Antoine, 167, 168, 200, 241 et n. 258, 242 et n. 259, 243.
MACFARLANE, I.D., 168 n. 4.
MACON, G., 170 n. 14, 402.
MACRIN, Salmon, 167, 168 et n. 4, 241, 242 n. 259, 243, 244, 377, 414.
MADELEINE DE FRANCE (fille de François Ier), 311, 374, 378, 379 et n. 9.
Madrid, 41 n. 30, 111, 171.
MAGRINI, 71 n. 132.
MAILLART, Gilles, 98, 102, 122 et n. 122, n. 123, 141, 142.
MALINGRE, Thomas (ou Mathieu), 147 et n. 68, 148, 162, 225, 371, 388, 497, 498, 499, 500, 502.
— *L'Epistre de M. Malingre, envoyee a Clement Marot,* 225 et n. 214, 371 et n. 342, 497, 498, 499, 500, 501, 502.
MARCILHAC, François de, 145.
MARGUERITE D'ANGOULÊME, duchesse d'Alençon, reine de Navarre, 16 n. 31, 17, 22, 34 n. 90, 36 et n. 7, 37 et n. 11, 38 et n. 12, n. 13, 39, 41, 42, 46, 47, 54 n. 72, 78, 79, 81, 83, 104 et n. 66, 112, 124, 127, 138, 139, 140 et n. 43, 161, 170, 223, 256, 259, 260, 263, 267, 269, 270, 272, 273 et n. 33, 274, 275 et n. 38, 276 et n. 42, 317, 323, 327, 334, 344 et n. 262, 352, 353, 356, 359, 364, 382, 394, 395, 396 et n. 61, 398, 399, 400, 446 n. 229, 463 n. 275, 472, 473, 490.
— *Miroir de l'Ame pécheresse,* 161, 256.
MARGUERITE D'AUTRICHE, 26, 170.
MARGUERITE DE FRANCE (fille de François Ier), 374, 396 et n. 60.
MARIE DE HABSBOURG, reine de Hongrie et régente des Pays-Bas, 468.
MARNEF, les frères Jehan et Enguilbert de, 412, 417 n. 123, 494, 496.
MAROT, Clément, mère, 10-13, père,

10-15, naissance, 15, quitte le Midi avec son père pour la Cour d'Anne de Bretagne, 13-14, 16-17, page au service de Nicolas de Neufville, 20-22, clerc à la Chancellerie de Paris, 22, débuts poétiques, 26, premières traductions, 27-28, œuvres de jeunesse, *Le Temple de Cupido* et l'*Epistre de Maguelonne*, 29-34, au service de Marguerite de Navarre, 36-38, au Camp du drap d'or, 38-39, accompagne le duc d'Alençon en Hainaut, 39-40, œuvre poétique de sa jeunesse (1519-1526), 47-82, son pétrarquisme, 56-66, 71-74, 309-311, 442-444, amitié avec Anne d'Alençon, 79-82, premier emprisonnement, 84-102, 110, *L'Enfer*, 86, 102, 116-127, « Ysabeau » et « Luna », 87-93, deuxième emprisonnement, 103-110, 223, son amitié avec Lyon Jamet, 112-113, *L'Epistre à son amy Lyon*, 85, 114-116, valet de chambre du roi, 132-140, son attitude devant l'exécution de Semblançay, 140-143, emprisonnement dans la Conciergerie (« pour recourir un prisonnier »), 143-146, la *Déploration de Florimond Robertet*, 148-163, amis littéraires, 167-168, poésie de cour, 168-173, les *Gracieux Adieux aux Dames de Paris*, 174-178, sa femme, 178-179, ses enfants, 178, l'*Epitre au Roy pour avoir esté desrobé* (« Le Valet de Gascongne »), 179-187, maladie, 181, 186-187, *Second Chant de l'amour fugitif*, 161-162, 188-190, l'*Eglogue sur le trespas de ma Dame Loyse de Savoye*, 198-212, 1er *coq-à-l'âne*, 212-223, l'Affaire de 1532, 223-227, publications subreptices, 227-231, l'*Adolescence Clementine*, 231-235, l'édition de Villon, 235-240, la *Suite de l'Adolescence Clementine*, 240-255, le *Premier livre de la Metamorphose d'Ovide*, 255-257, querelle avec Sagon, 258-263, fuite après l'Affaire des Placards, 263-267, refuge chez Marguerite de Navarre, 267-275, refuge à Ferrare, 275-277, *Au Roy du temps de son exil à Ferrare*, 277-280, 286-287, *A deux sœurs savoisiennes*, 287-288, 2e *coq-à-l'âne*, 290-300, le concours des *blasons*, 303-309, persécutions à Ferrare, 313-331, fuite et séjour à Venise, 331-369, 3e *coq-à-l'âne*, 335, 366-369, 4e *coq-à-l'âne*, 335, 366, rentrée en France, 369, abjuration, 370-373, rentrée à la Cour, 374, 376-378, le *Dieu gard de Marot à la Court de France*, 374-375, renouvellement de la querelle avec Sagon, 381-394, l'*Epître de Frippelippes*, 383-388, voyage dans le Midi, 394-400, visite à Cahors, 399, visite à Toulouse, 399-400, à Lyon, 400-401, présente un recueil manuscrit à Montmorency (le manuscrit de Chantilly), 402-420, les épigrammes et l'influence de Dolet, 411-420, les *Œuvres de 1538*, Dolet et Gryphius, 422-446, la traduction des *Psaumes*, 446-447, don d'une maison par François Ier, 448-449, Marot le remercie par l'*Eglogue de Marot au Roy soubz les noms de Pan & Robin*, 449-458, premières éditions des *Psaumes*, 458-461, Marot présente un manuscrit de ses *Psaumes* à Charles-Quint, 467, poésie de cour pour la visite de Charles-Quint, 467-468, *Les Etrennes aux Dames de la Court*, 468-471, les *Perrons* pour le Tournoi des Chevaliers errants à Châtellerault, sa traductions de Pétrarque, Museus, Ovide et Erasme, 474-475, attribution à Marot du *Sermon du bon pasteur et du mauvais*, 481-482, seconde fuite et exil, 482-497, séjour à Genève, 497-505, séjour aux châteaux de Longefan et Bellegarde, 505-507, mort à Turin, 514-515.

MAROT, Clément (œuvres).

*Les Opuscules* (1531 ?), 227 et n. 217, 229, 234, 243, 431.

*Petit Traicté* (1532), 229 et n. 218, n. 219, 234, 243.

*Adolescence Clementine* (1532), 18 et n. 37, 26, 27, 42, 47, 52, 54 n. 72, 55, 69, 70, 71, 72 n. 135, 138, 139, 149, 155, 160, 163 n. 124, 167, 168, 175, 176, 179 n. 48, 190, 195, 199, 230 et n. 222, 231, 234, 235, 243, 244, 245, 246, 253, 258, 280 n. 54, 302, 310, 384, 388, 410, 431, 432, 433, 434, 435, 437, 438, 439, 440 et n. 181, 478 n. 13.

Suite de l'Adolescence Clementine (1533), 55 et n. 76, 71, 81, 164 n. 127, 167, 176, 190, 191 n. 83, 192, 240, 241 et n. 258, 242 n. 259, 243, 244, 245, 246, 253, 255 n. 298, 258, 402, 416, 434, 438, 439, 441.

Le Menu (section de la Suite), 245, 439, 441.

Le Premier Livre de la Metamorphose d'Ovide (1534), 89 et n. 17, 94, 102 n. 59, 130, 244, 255, 256 n. 309, 438.

Œuvres (1538), 20, 69 n. 123, 71, 81, 90, 102 n. 59, 110, 163 n. 124, 235, 401, 408, 410 et n. 106, 411, 421, 423, 425 n. 142, 430, 431, 434, 438, 444, 445, 446, 447, 460, 462, 475, 477, 496.

Cantiques de la Paix (1540), 430 et n. 153, 467, 474, 477.

Etrennes aux Dames de la Court (1541), 430 et n. 155, 468 et n. 291, 469, 474.

Les Psaumes, 431, 458 et n. 259, n. 260, 459 et n. 261, n. 262, 477, 481, 485, 490 n. 46, 493 et n. 57, 504.

Trente Pseaulmes de David, 459 et n. 262, 460, 461, 486, 492 et n. 54.

Vingt Psaumes, 459 et n. 263, 460, 461.

Cinquante pseaumes, 460 et n. 264.

Les Deux Livres d'Epigrammes (section des Œuvres de 1538), 438, 440.

Le Premier Livre des Epigrammes (section des Œuvres de 1538), 71, 439, 442.

Le Second Livre des Epigrammes dédié à Anne (section des Œuvres de 1538), 442, 443.

Epigrammes de Clement Marot faictz à l'imitation de Martial (1547), 447 et n. 237, 494 et n. 59.

**Ballades**

Des enfans sans soucy (Ballade I, O.D., LXVII), 53.

Le cry du jeu de l'Empire d'Orleans (Ballade II, O.D., LXVIII), 53.

D'ung qu'on appelloit Frere Lubin (Ballade III, O.D., LXIX), 53, 54 et n. 71, 187.

De soy mesme du temps qu'il apprenoit à escrire au Palais à Paris (Ballade IV, O.D., LXX), 22, 34, 138 n. 37.

A ma dame la duchesse d'Alençon laquelle il supplie d'estre couché en son estat (Ballade V, O.D., LXXI), 54 n. 72, 138 et n. 36, 228.

D'ung Amant ferme en son amour quelcque rigueur que sa Dame luy fasse (Ballade VI, O.D., LXXII), 53 n. 67.

De la naissance de Monseigneur le Daulphin (Ballade VII, O. D., LXXIII), 34, 138 n. 37.

Du triumphe d'Ardres & Guynes faict par les Roys de France & d'Angleterre (Ballade VIII, O.D., LXXIV), 39 et n. 17, 53 n. 66, 139 n. 37.

De l'arrivée de Monsieur d'Alençon en Haynault (Ballade IX, O.D., LXXV), 40, 139 n. 37.

De Paix & de Victoire (Ballade X, O.D., LXXVI), 40 et n. 26, 139 n. 37.

Du Jour de Noel (Ballade XI, O.D., LXXVII), 52, 53.

De Caresme (Ballade XII, O.D., LXXVIII), 53.

De la passion nostre Seigneur Jesuchrist (Ballade XIII, O.D., LXXIX), 53.

Contre celle qui fut s'amye (Ballade XIV, O.D., LXXX), 86, 87 et n. 12, 90, 91, 102, 108, 225 et n. 302, 478 n. 12.

Chant Pastoral en forme de Ballade à Monsieur le Cardinal de Lorraine qui ne pouvoit ouyr nouvelles de Michel Huet, Parisien, son Joueur de Flustes le plus souverain de son Temps (Ballade XV, O.D., LXXXI), 187 et n. 69, n. 71, 244.

Chant de joye composé la Nuict qu'on sceut les nouvelles de la venue des Enfans de France retournantz des Hespaignes (Ballade XVI, O. D., LXXXII), 172, 173 et n. 17, 187 n. 69, n. 72, 244.

Ballade d'une Dame et de sa beaulté par le nouveau serviteur (Ballade XVII, O.D., LXXXIII), 61 et n. 101, 187 et n. 69, n. 73, 188.

**Cantiques**

Cantique de Clement Marot banny premierement de France, depuis chassé de Ferrare par le Duc et retiré à Venise (Cantique I, O.L.,

LXXVI), 335 et n. 237, 359 et n. 296, n. 297, 360, 410 et n. 106.

*Les Adieux de Marot à la ville de Lyon* (Cantique II, *O.L.*, LXXVII), 373 et n. 344.

*Le Dieu Gard de Marot à la Court de France* (Cantique III, *O.L.*, LXXVIII), 360, 374 et n. 351, 375, 381, 478 et n. 12.

*La Chrestienté à Charles empereur et à Françoys, roy de France* (Cantique V, *O.L.*, LXXX), 468 et n. 288.

*Clement Marot à la Royne de Hongrie venue en France S.* (Cantique VI, *O.L.*, LXXXI), 468 et n. 289.

*Le canticque de la Royne sur la maladie et convalescence du roi* (Cantique VII, *O.L.*, LXXXII), 468 et n. 290.

*Clement Marot sur la venue de l'empereur en France* (Cantique VIII, *O.L.*, LXXXIII), 467 et n. 286.

**Chansons**

*Chanson XXIV* (*O.L.*, XXXIII), 69 et n. 122.

*Chanson de Noel, sur le chant de la precedente* (Chanson XXV, *O.L.*, XXXIV), 69 et n. 122.

*Chanson XLII* (*O.L.*, LI), 441 et n. 200.

**Chants-royaux**

*Chant Royal de la Conception nostre Dame* (Chant-royal I, *O.D.*, LXXXVI), 48 et n. 55, 244.

*Chant royal de Marot* (Chant-royal II, *O.D.*, LXXXVII), 227, 233.

*Le Chant Royal dont le Roy bailla le refrain* (Chant-royal III, *O.D.*, LXXXVIII), 57 n. 85, 187 n. 69, 227, 228, 233.

**Complaintes**

*Complaincte du Baron de Malleville* (Complainte I, *O.L.*, III), 47 et n. 51, 48.

*Complaincte d'une Niepce, sur la mort de sa Tante* (Complainte II, *O.L.*, IV), 47.

*La complainte du riche infortuné messire Jaques de Beaune, seigneur de Samblançay* (Complainte III, *O. L.*, V), 141 et n. 47, 150, 163, 164, 229.

*Déploration de Florimond Robertet* (Complainte IV, *O.L.*, VI), 35 et n. 2, 48, 76, 96, 148 et n. 71, 150, 152 et n. 91, 153-160, 161, 162, 163 et n. 124, 227, 228, 229, 230, 231, 232, 416.

*De Monsieur le General Guillaume Preudhomme* (Complainte VII, *O.L.*, IX), 15, 136 et n. 25, 163, 229, 416, 507-510.

**Coq-à-l'âne**

*L'epistre du Coq en l'Asne à Lyon Jamet de Sansay en Poictou* (1er coq-à-l'âne) (*O. S.*, VII), 212 et n. 169, 213, 217 et n. 180, 218 et n. 182, n. 183, 219 et n. 187, 222 et n. 199, 228, 233, 295, 296, 300, 478 et n. 12.

*La seconde Epistre du Coq en l'asne envoyée audict Jamet* (2e coq-à-l'âne) (*O.S.*, VIII), 20, 213, 220 et n. 193, 290-295, 297, 298, 299, 300, 366, 408, 430 n. 151, 478 et n. 12.

*Du coq à l'asne faict à Venise par ledict Marot le dernier jour de juillet MVXXXVI* (3e coq-à-l'âne) (*O.S.*, IX), 213, 214 et n. 170, 216 et n. 177, 220, 264 et n. 14, 268 et n. 23, 335, 366, 367-369, 408, 430 n. 151, 478.

*Epistre A Lyon Jamet M.D. XXXVI Par Cl. Marot* (4e coq-à-l'âne) (*O.S.*, X), 213, 335 et n. 236, 366, 408.

**Eglogues**

*Eglogue sur le Trespas de ma Dame Loyse de Savoye* (Eglogue I, *O.L.*, LXXXVII), 163, 199 et n. 121, 200-205, 208-211, 231, 232, 234 n. 248, 438, 449.

*Avant-naissance du troiziesme enffant de madame Renée, duchesse de Ferrare, composé par Clement Marot, secretaire de ladicte dame, en juillet V° xxxvj, estant audict Ferrare* (Eglogue II, *O. L.*, LXXXVIII), 288 et n. 75, 289, 290, 338, 405 n. 93, 449.

*Eglogue de Marot au Roy,*

soubz les noms de Pan & Robin (Eglogue III, O.L., LXXXIX), 10 et n. 7, 18, 19, 446, 449-453, 454, 455, 456 et n. 254, n. 256, 457, 458, 474, 476.

Eglogue sur la Naissance du filz de Monseigneur le Daulphin Composée par Clement Marot (Eglogue IV, O.L., XC), 484 n. 33, 510-512, 513 et n. 94.

Elégies

La première Elegie en forme d'Epistre (Elégie I, O.L., LII), 42 et n. 34, 190 et n. 81, 193 et n. 95.

La Seconde Elegie (Elégie II, O.L., LIII), 191.

La Troisieme Elegie, en maniere d'Epistre (Elegie III, O.L., LIV), 191 n. 87.

La Huictiesme Elegie (Elégie VIII, O.L., LIX), 191 n. 84.

La Neufviesme Elegie (Elégie IX, O.L., LX), 192 et n. 93.

La quatorziesme Elegie (Elégie XIII, O.L., LXIV), 191 et n. 88.

La Quinziesme Elegie (Elégie XIV, O.L., LXV), 191 et n. 88.

La dixseptiesme Elegie (Elégie XVI, O.L., LXVII), 191 n. 87.

La dixhuitiesme Elegie (Elégie XVII, O.L., LXVIII), 191 n. 84, 192 et n. 92.

La dixneufiesme Elegie (Elégie XVIII, O.L., LXIX), 191 n. 84, n. 86, 192 n. 92, 194 n. 102.

La Vingtuniesme Elegie (Elégie XX, O.L., LXXI), 191 n. 85, 192.

Epistre faict par Marot (Elégie XXIV, O.L., LXXV), 80 et n. 165, 193 n. 97, 380 et n. 13, 381.

Epigrammes

De Barbe et de Jacquette (Epigrammes, II), 42 n. 32, 440 et n. 182.

De Dame Jane Gaillarde Lyonnoise (Epigrammes, III), 42 n. 33, 440 et n. 183.

Le dizain du monstre, à Madame la Duchesse d'Alençon (Epigrammes, IV), 440 et n. 184.

Le Dizain de Fermeté (Epigrammes, V), 440 et n. 185.

Le Dizain des Innocens (Epigrammes, VI), 441 et n. 186.

D'ung Songe (Le Dizain du Songe) (Epigrammes, VII), 72 n. 135, 441 et n. 187.

Du moys de May & d'Anne (Le Dizain de May) (Epigrammes, VIII), 71, 72 et n. 133, 149 n. 77, 441 et n. 188.

Le Dizain du baiser reffusé (Epigrammes, IX), 441 et n. 189.

Des Statues de Barbe & de Jaquette (Epigrammes, X), 42 n. 32, 302, 441 et n. 190.

De la rose envoyée pour Estreines (Epigrammes, XI), 72 et n. 135, 73, 302 et n. 131, 441 et n. 191.

De Madamoyselle du Pin (Epigrammes, XII), 303 et n. 132, 441.

De Madamoyselle de la Chappelle. Vers Alexandrins (Epigrammes, XIII), 303 et n. 133, 441.

Du Roy. Vers Alexandrins (Epigrammes, XIV), 303 et n. 134, 441.

Pour estrener une Damoyselle (Epigrammes, XV), 441 et n. 195.

A Lynote, la Lingere mesdisante (Epigrammes, XVI), 441 et n. 196.

Marot à Abel (Epigrammes, XVII), 441 et n. 197.

A Maistre Grenoille, Poete ignorant (Epigrammes, XVIII), 441 et n. 198.

A ung nommé Charon qu'il convie à souper (Epigrammes, XIX), 441 et n. 199.

Au Roy (Epigrammes, XX), 442 et n. 203.

A Monsieur le grant Maistre pour estre mis en l'Estat (Epigrammes, XXI), 139 et n. 41, 442.

Le Dixain de May qui fut ord Et de Febvrier qui luy feit tort (Epigrammes, XXII), 442 et n. 205.

Du depart de s'Amye (Epigrammes, XXIII), 442 et n. 206.

D'Anne qui luy jecta de la neige (Epigrammes, XXIV), 81 et n. 173, 82, 442.

A Anne (Epigrammes, XXV), 81, 442 et n. 208.

De la Venus de Marbre presentée au Roy (Epigrammes, XXVI), 442 et n. 209.

*La mesme Venus de Marbre, dit en Vers Alexandrins (Epigrammes, XXVII),* 442 et n. 210.

*Une Dame à ung qui luy donna sa Pourtraicture (Epigrammes, XXVIII),* 442 et n. 211.

*Estreines envoyées avec ung Present de couleur blanche (Epigrammes, XXIX),* 442 et n. 212.

*Sur la devise : Non ce que je pense (Epigrammes, XXX),* 442 et n. 213.

*A Anne (Epigrammes, XXXI),* 81, 442 et n. 214.

*Pour Estreines (Epigrammes, XXXII),* 442 et n. 215.

*Pour Estreines (Epigrammes, XXXIII),* 442 et n. 216.

*De la Statue de Venus endormie (Epigrammes, XXXIV),* 442 et n. 217.

*Du Lieutenant Criminel de Paris et de Samblançay (Epigrammes, XLIII),* 141 et n. 48, 142, 143.

*A ung quidem (Epigrammes, XLIX),* 444 et n. 225.

*A Benest (Epigrammes, L),* 444 et n. 226.

*Du Ris de ma Damoyselle d'Allebret (Epigrammes, LI),* 443 et n. 222.

*Le Blason du beau tetin (Epigrammes, LXXVII),* 301, 302 et n. 127, 303, 304, 306, 309.

*Du laid Tetin (Epigrammes, LXXVIII),* 307, 308 et n. 147.

*A Anne (Epigrammes, LXXIX),* 443 et n. 219.

*A Françoys Daulphin de France (Epigrammes, LXXXIII),* 411 et n. 111.

*Du Roy & de Laure (Epigrammes, LXXXIX),* 173 et n. 21, 174.

*Il convie troys Poetes à disner (Epigrammes, CXXVI),* 400 et n. 78.

*Du Sire de Montmorency, Connestable de France (Epigrammes, CXXVII),* 404 et n. 90.

*A Maurice Seve, Lyonnoys (Epigrammes, CXXXIV),* 70 n. 127.

*De l'Entree des Roy & Royne de Navarre à Cahors (Epigrammes, CXLIV),* 16 n. 31, 399 et n. 73.

*De son Feu et de celluy qui se print au Bosquet de Ferrare (Epigrammes, CXLVIII),* 301 et n. 126.

*Au Roy (Epigrammes, CXLIX),* 224, 376 n. 2, 400 n. 80.

*A M. Guillaume Preudhomme, Tresorier de l'Espergne (Epigrammes, CL),* 136 n. 20, 376 et n. 3, 377, 400 n. 80.

*A Anne (Epigrammes, CLI),* 443 et n. 220.

*De la chienne de la Royne Elienor (Epigrammes, CLIV),* 418 et n. 127.

*De Jehan Jehan (Epigrammes, CLIX),* 419 et n. 130, 420.

*A F. Rabelais (Epigrammes, CLXXXIII),* 418, 419 et n. 128.

*De Marot sorty du service de la Royne de Navarre et entré en celluy de Madame de Ferrare (Epigrammes, CLXXXIX),* 277 et n. 44.

*Au Roy (Epigrammes, CXCIII),* 376 et n. 1.

*Contre Sagon (Epigrammes, CXCV),* 388 et n. 42, 392 n. 50, 411.

*Mommerie de quatre jeunes Damoyselles faicte de madame de Rohan à Alençon (Epigrammes, CXCVIII),* 398 et n. 71.

*(Janeton) (Epigrammes, CCIII),* 408 et n. 97, 411.

*Huictain (Epigrammes, CCVIII),* 79 n. 162, n. 163, 80, 81, 447 et n. 232, n. 238.

*A Anne (Epigrammes, CCIX),* 81, 447 et n. 233.

*De Monsieur du Val, Tresorier de l'espargne (Epigrammes, CCX),* 447 et n. 234.

*Pour le Perron de mon seigneur le Daulphin au tournoy des Chevaliers errants à la Berlandière près Chatelerault (Epigrammes, CCXII),* 474 et n. 304.

*Pour le Perron de Monseigneur d'Orleans (Epigrammes, CCXIII),* 474 et n. 304.

*Pour le Perron de monsieur de Vendosme (Epigrammes, CCXIV),* 474 et n. 304.

*Pour le Perron de monsieur d'Anguien dont la superscription estoit telle : Pour le Perron d'un chevalier qui ne se nomme point (Epigrammes, CCXV),* 474 et n. 304.

*Pour le Perron de monsieur de*

Nevers (Epigrammes, CCXVI), 474 et n. 304.

Pour le Perron de monsieur d'Aumale qui estoit semé des lettres L & F (Epigrammes, CCXVII), 474 et n. 304.

D'Ysabeau (Epigrammes, CCXXIII), 227 et n. 216.

Dizain de Cl. Marot envoyé audit Malingre, demourant à Yverdon (Epigrammes, CCXXVII), 147 et n. 67.

A Madame de la Barme, pres de Necy en Genevois (Epigrammes, CCXXVIII), 505 et n. 76.

Dizain au Roy, envoyé de Savoye, 1543 (Epigrammes, CCXXIX), 484 n. 33, 510.

Salutation du camp de Monsieur d'Anguien à Sirisolle (Epigrammes, CCXXXI), 513 et n. 95.

(Au Roy) (Epigrammes, CCXXXIV), 510 et n. 93.

Clement Marot à Salel sur les Poetes Françoys mortz avant eulx deux (Epigrammes, CCLXXXI), 10 et n. 6.

### Epitaphes

De frere Jehan Levesque Cordelier natif d'Orleans (Epitaphe VII, O.D., XCVI), 74 et n. 140.

Epitaphe de la dicte dame en vers Alexandrins (Epitaphe XV, O.D., CIV), 233.

De la Royne Claude (Epitaphe XVI, O.D., CV), 253 et n. 294.

Epitaphe des Allemans de Bourges, recitée par la Deesse Memoire (Epitaphe XXI, O.D., CX), 253 et n. 296, 254 et n. 297.

Du Cheval du Vuyart (Epitaphe XXXII, O.D., CXXI), 247 n. 274, 253.

D'Alix (Epitaphe XXXIII, O.D., CXXII), 254 et n. 298.

De Monsieur le General Preud'homme (Epitaphe XLIV, O.D., CXXXIII), 136 n. 25, 507 et n. 86.

### Epithalames

Chant nuptial du Mariage de Madame Renée, Fille de France, & du Duc de Ferrare (Epithalame I, O.L., LXXXV), 169 et n. 8, 196-198, 244, 245, 276.

Chant nuptial du Roy d'Escoce & de Madame Magdeleine Premiere Fille de France (Epithalame II, O.L., LXXXVI), 378 et n. 7, 379.

### Epîtres

Petite Epistre au Roy (Epîtres, I), 36 et n. 5, 75, 76, 132, 133.

Epistre du despourveu (Epîtres, II), 36 et n. 7, 75, 114.

L'Epistre du Camp d'Atigny, A ma dicte Dame d'Alençon (Epîtres, III), 39 et n. 19, 75.

Epistre à la Damoyselle negligente de venir veoir ses Amys (Epîtres, IV), 75 et n. 144, 77, 437.

Epistre pour le Capitaine Bourgeon, A Monsieur de la Rocque (Epîtres, V), 75 et n. 145, 76.

Epistre faicte pour le Capitaine Raisin audict Seigneur de la Rocque (Epîtres, VI), 75 et n. 146, 77, 434, 435.

L'epistre des Jartieres blanches (Epîtres, VII), 75 et n. 147, 77.

Epistre en laquelle Margot se dresse sur le maistre argot pour tanser comme une insensée le gros Hector qui l'a laissée (Epîtres, VIII), 75 n. 147.

A Monsieur Bouchart (Epîtres, IX), 84 et n. 3, 85, 94, 96, 97, 99, 102 et n. 59, 234, 255 et n. 303, 256.

A son amy Lyon (Epîtres, X), 84 et n. 4, 85, 86, 102, 108, 112, 113, 114, 115, 116, 234, 255, 478 n. 12.

Marot, Prisonnier, escript au Roy pour sa delivrance (Au Roy, pour le deslivrer de prison) (Epîtres, XI), 143 et n. 54, 144, 164, 165, 166, 228, 233, 431, 432, 433.

Au Roy (Au Roy, pour succeder en l'estat de son pere) (Epîtres, XII), 10 et n. 4, 134, 135, 435, 436.

Au Chancellier du Prat, nouvellement Cardinal (Epîtres, XIII), 22 et n. 53, 136 n. 19, 228, 233.

Audict Seigneur pour se plaindre de Monsieur le Tresorier Preudhomme, faisant difficulté d'obeir à l'Acquit depesché (Epitres, XIV), 136 et n. 23, 228, 233.

Au Reverendissime Cardinal de Lorraine (Epitres, XV), 137 et n. 26, 138, 228, 233, 433, 436, 437, 495, 496.

L'Epistre qu'il perdit à la Condemnade contre les couleurs d'une Damoyselle (Epitres, XVI), 249 et n. 281, 250, 300.

Epistre qu'il feit pour ung vieil gentil homme respondant à la Lettre d'un sien Amy (Epitres, XVII), 250 et n. 284, 251.

A une jeune Dame laquelle ung Vieillard marié vouloit espouser & decevoir (Epitres, XVIII), 253 n. 292.

A celluy qui l'injuria par escript & ne se osa nommer (Epitres, XIX), 253 n. 292.

Pour ung gentil homme de la Court escrivant aux Dames de Chasteaudun (Epitres, XX), 251 et n. 288, 252, 253.

A la Royne Elienor nouvellement arrivée d'Espaigne avec les deux Enfans du Roy, delivrez des mains de l'Empereur (Epitres, XXI), 188 et n. 76.

Epistre à Monseigneur de Lorraine nouvellement venu à Paris, par laquelle Marot luy presente le premier Livre translaté de la Metamorphose de Ovide (Epitres, XXII), 246 et n. 269, 247.

Pour Pierre Vuyart à Madame de Lorraine (Epitres, XXIII), 247 et n. 272.

Au Roy (Au Roy, pour avoir esté desrobé) (Epitres, XXV), 179 et n. 48, 180 et n. 52, 181, 182, 183 et n. 59, 185, 186, 229 et n. 219, 233, 296.

A un sien amy sur ce propos (Epitres, XXVI), 229 et n. 219, 233.

A ung qui calumnia l'Epistre precedente (Epitres, XXVII, 233 et n. 246.

Au lieutenant Gontier (Epitres, XXVIII), 187 et n. 68.

A Vignals, Thoulousan (Epitres, XXIX), 187 et n. 68.

A mon Seigneur de Guise passant par Paris (Epitres, XXX), 187 et n. 68.

A Guillaume du Tertre, Secretaire de Monsieur de Chas-

teaubriant (Epitres, XXXI), 187 et n. 68, 248.

L'Epistre à Monseigneur le grand Maistre de Montmorency, par laquelle Marot luy envoye ung petit Recueil de ses Œuvres, & luy recommande le Porteur (Epitres, XXXII), 248 et n. 278, 249, 402.

Epistre presentée à la Royne de Navarre par Madame Ysabeau et deux autres damoyselles habillées en Amazones en une mommerie (Epitres, XXXIII), 260 et n. 5.

Marot arrivé à Ferrare escript A Madame La Duchesse (A la Duchesse de Ferrare) (Epitres, XXXIV), 276 et n. 40, 338.

(A deux sœurs savoisiennes.) Aultre espitre de Marot qui mandoit aux Damoiselles (Epitres, XXXV), 287 et n. 70, n. 71, n. 72, 288, 408.

Epistre au Roy, du temps de son exil à Ferrare (Epitres, XXXVI), 37 et n. 10, 41, 104, 264, 265, 267 n. 21, 269, 270, 277, 278, 279, 280, 285 n. 67, 286, 289, 338, 478, 483.

Au Roy nouvellement sorty de maladie (Epitres, XXXVII), 311 et n. 161, 312.

Epistre perdue au jeu contre Madame de Ponts (Epitres, XXXVIII), 300 et n. 123, 301, 302 n. 129, 410.

A ceulx qui apres l'Epigramme du beau Tetin en feirent d'aultres (Epitres, XXXIX), 174 et n. 22, 303 n. 135, 304, 305, 306, 307, 308.

Epistre à Madame de Soubize partant de Ferrare pour s'en venir en France (Epitres, XL), 14 n. 22, 318 et n. 178, 410.

A Mademoiselle Renée de Parthenay partant de Ferrare pour aller en France (Epitres, XLI), 318 et n. 181, 319, 410.

A Madame de Ferrare (Epitres, XLII), 337 et n. 241, 338, 339, 340.

Epistre envoyée de Venize à Madame la Duchesse de Ferrare par Clement Marot (Epitres, XLIII), 335 et n. 232, 338, 339, 361 et n. 303, 362, 363, 364, 405, 406, 407.

Au Roy (Au Roy, de Venise)

(Epîtres, XLIV), 20, 335 et
n. 230, 344, 345, 346, 347,
348, 349, 350, 351, 410.
*Au tresvertueux prince, Fran-
coys, Daulphin de France*
(Epîtres, XLV), 113 et n. 93,
335, 344, 345, 364, 365, 366,
410 n. 106, 419 et n. 129.
*A la royne de Navarre* (Epîtres, XLVI), 270 et n. 28, 273
n. 33, 275, 334, 335, 341 et
n. 251, 344, 345, 352, 353
et n. 285, 354, 355, 356, 357,
358, 359, 410.
*A Monseigneur le Cardinal de
Tournon estant à Lyon* (Epîtres, XLVII), 369 et n. 336,
370.
*A une Damoyselle malade*
(Epîtres, L), 394, 395 et
n. 59.
*Pour la petite Princesse de
Navarre, à Madame Margue-
rite* (Epîtres, LI), 395, 396,
397 et n. 66, 398.
*Au Roy pour luy recommander
Papillon, Poete François estant malade* (Epîtres, LII),
481 et n. 19.
*A son amy, en abhorrant folle
amour* (Epîtres, LIII), 481 et
n. 18.
*De Madame la Daulphine es-
cripvant à Madame Margue-
rite* (Epîtres, LV), 478 et
n. 16, 479, 480, 481.
*A ung sien Amy* (Epîtres, LVI),
506 et n. 79, 515, 516.
*Epistre envoyée par Clement
Marot à Monsieur d'Anguyen,
Lieutenant pour le Roy de
là les Montz* (Epîtres, LVII),
514 et n. 96.
*A son amy Couillard* (Epîtres, Appendice II, 1), 9
n. 2, 92, 93 et n. 29, 485 et
n. 35.
*A Monsieur Pelisson President
de Savoye, 1543* (Epîtres,
Appendice II, 2), 9 n. 2,
494, 495 et n. 60, 496.

Etrennes

*A Madame de Nevers* (Etrenne
V, O.D., CXXXVIII), 470 et
n. 295.
*A Madame l'Admiralle* (Etren-
ne X, O.D., CXLIII), 470 et
n. 294.
*A Madame la grand'Seneschale*
(Etrenne XI, O.D., CXLIV),
469 et n. 293.
*A Madame de Bressuyre*
(Etrenne XIV, O.D., CXLVII),
469 et n. 292.
*A Lucresse* (Etrenne XXXII,
O.D., CLXV), 470, 471 et
n. 296.
*A Bye* (Etrenne XXXIII, O.D.,
CLXVI), 471 et n. 297.
*A ma Dame de Bernay dicte
Sainct Pol* (Etrenne XLI,
O.D., CLXXIV), 82 et n. 176,
471 et n. 299.

Œuvres lyriques

*Le Temple de Cupido* (O.L., I),
21 et n. 49, n. 51, 29, 30, 31,
32, 47, 228, 229, 232, 401,
440 n. 181.
*L'Epistre de Maguelonne* (O.L.,
II), 29, 32, 47, 180 n. 52, 195,
228, 229.
*L'Adieu aux Dames de Court*
(O.L., Appendice 1), 80 et
n. 167.

Œuvres satiriques

*L'Enfer* (O.S., I), 15 et n. 28,
17, 46, 76, 86, 89, 90, 91, 92,
93, 102, 110, 114, 116, 117-
120, 121 et n. 120, 122-127,
133, 142 n. 51, 154, 234, 278,
289, 430 n. 151, 478 et n. 12,
485, 504.
*Epistre des Excuses de Marot
faulsement accusé d'avoir
faict certains Adieux au desadvantage des principales
Dames de Paris* (O.S., II), 175
et n. 30, 176, 177.
*Aux Dames de Paris qui ne
vouloient prendre les precedentes excuses en payement*
(O.S., III), 175, 176 et n. 33,
177, 178, 302 n. 129.
*Le Second Chant d'Amour fu-
gitif* (O.S., IV), 83 n. 1, 161,
188, 189, 190, 244, 245.
*Le valet de Marot contre Sagon,
Cum Commento...* (L'Epitre
de Frippelippes) (O.S., VI),
262 et n. 9, 383, 384, 385, 386,
387, 388, 389.
*Les Gracieux Adieux aux Da-
mes de Paris* (O.S., Appendice II), 174 et n. 25, 175,
176.

Rondeaux

*De celluy qui incite une jeune
Dame à faire Amy* (Ron-
deau IV, O.D., IV), 58 et
n. 90.

*De l'amoureux ardant* (Rondeau V, *O.D.*, V), 309 et n. 154.

*De l'amant doloreux* (Rondeau XI, *O.D.*, XI), 61 et n. 99, 65.

*De la mort de Monsieur de Chissay* (Rondeau XIII, *O.D.*, XIII), 34 et n. 89.

*Response dudict Marot au dict Clavier* (Rondeau XVII, *O.D.*, XVII), 226 et n. 215.

*A ma Dame Jehanne Gaillarde de Lyon, Femme de bon sçavoir* (Rondeau XVIII, *O.D.*, XVIII), 42 n. 33.

*A ses Amys ausquelz on rapporta qu'il estoit prisonnier* (Rondeau XXI, *O.D.*, XXI), 83, 84 et n. 2.

*Du confict en douleur* (Rondeau XXV, *O.D.*, XXV), 62 et n. 106, 63, 66.

*Rondeau par contradictions* (Rondeau XXVI, *O.D.*, XXVI), 57, 58 et n. 86.

*De la veue des Roys de France & d'Angleterre entre Ardres et Guynes* (Rondeau XXX, *O.D.*, XXX), 39 et n. 16.

*De ceulx qui alloient sur Mulle au Camp d'Attigny* (Rondeau XXXI, *O.D.*, XXXI), 40 et n. 24.

*De celluy qui nouvellement a receu Lettres de s'Amye* (Rondeau XL, *O.D.*, XL), 63 et n. 108.

*D'ung soy deffiant de sa Dame* (Rondeau XLII, *O.D.*, XLII), 62 et n. 105, 66.

*De celluy qui ne pense qu'en s'Amye* (Rondeau XLIII, *O.D.*. XLIII), 60 et n. 96.

*De celluy qui est demeuré et s'Amye s'en est allée* (Rondeau XLVI, *O.D.*, XLVI), 62, 63, 66.

*D'Alliance de Sœur* (Rondeau XLIX, *O.D.*, XLIX), 60 et n. 97, 61.

*A une Dame pour lui offrir cueur & service* (Rondeau LII, *O.D.*, LII), 59 et n. 93.

*A la fille d'ung Painctre d'Orléans belle entre les autres* (Rondeau LIV, *O.D.*, LIV), 42 n. 32.

*Du baiser de s'Amye* (Rondeau LV, *O.D.*, LV), 61 et n. 102.

*Pour ung qui est allé loing de s'Amye* (Rondeau LVI, *O.D.*, LVI), 59 et n. 95, 60.

*De la Paix traictée à Cambray par trois Princesses* (Rondeau LVII, *O.D.*, LVII), 170, 171 et n. 15, 188, 441 et n. 202.

*A Monsieur de Belleville* (Rondeau LVIII, *O.D.*, LVIII), 441 et n. 202.

*Sur la devise de Madame de Lorraine, Amour et Foy* (Rondeau LIX, *O.D.*, LIX), 55 et n. 74, 441 et n. 202.

*De l'inconstance d'Ysabeau* (*Le Rondeau qui fut la cause de sa prise*) (Rondeau LXIII, *O.D.*, LXIII), 87 et n. 13, 90, 255 et n. 301, 478 n. 12.

*Rondeau parfaict A ses Amys apres sa delivrance* (Rondeau LXIV, *O.D.*, LXIV), 88 et n. 14, 111, 225 et n. 304, 478 n. 12.

*Rondeau duquel les lettres capitalles portent le nom de Lacteur* (Rondeau LXVI, *O.D.*, LXVI), 228.

## Sonnets

*Sonnet A Madame de Ferrare* (Sonnet I, *O.D.*, CLXXVII), 360 et n. 300, 411 et n. 110.

*Pour le May Planté par les Imprimeurs de Lyon devant le logis du Seigneur Trivulse* (Sonnet III, *O.D.*, CLXXIX), 400, 401 et n. 81.

## Traductions

*La première Eglogue des Bucoliques de Virgile*, 27, 232, 440 n. 181.

*Le Jugement de Minos sur la preference de Alexandre le Grant, Hanibal de Cartage & Scipion le Romain, ja menez par Mercure aux lieux inferieurs devant iceluy Juge*, 28, 232, 440 n. 181.

*Oraison contemplative devant le Crucifix*, 28, 232, 440 n. 181.

*Les tristes vers de Philippes Beroalde sur le jour de vendredy sainct*, 28, 232, 440 n. 181.

*Le Chant de l'Amour fugitif*, 244.

*Le Second Livre des Métamorphoses d'Ovide*, 474, 475.

*Le Chant des visions de Petrarque*, 244.

*Six Sonnetz de Petrarque sur la mort de sa dame Laure, traduictz d'Italien en François par Clément Marot*, 474, 475 et n. 306.

*L'Histoire de Leander et de Hero*, 430, 474, 475 et n. 307.

*Trois Colloques d'Erasme*, 475.

— *Dialogue de la vierge repentie*, 475.

*Psaume I*, 458.

*Psaume II*, 458, 459.

*Psaume III*, 458.

*Psaume IV*, 459.

*Psaume V*, 459.

*Psaume VI*, 190, 230, 459, 461.

*Psaume VII*, 459.

*Psaume VIII*, 459.

*Psaume IX*, 459.

*Psaume X*, 459.

*Psaume XI*, 459.

*Psaume XII*, 459.

*Psaume XIII*, 459.

*Psaume XIV*, 459.

*Psaume XV*, 458, 464, 465.

*Psaume XIX*, 459.

*Psaume XXII*, 459.

*Psaume XXIV*, 459.

*Psaume XXXII*, 458.

*Psaume XXXVI*, 459.

*Psaume XXXVIII*, 459.

*Psaume LI*, 458.

*Psaume CIII*, 458.

*Psaume CIV*, 459.

*Psaume CXIII*, 459.

*Psaume CXIV*, 458.

*Psaume CXV*, 458.

*Psaume CXXVIII*, 463.

*Psaume CXXX*, 458.

*Psaume CXXXVII*, 458.

*Psaume CXLIII*, 458.

*Le Cantique de Simeon*, 459 et n. 263, 461.

MAROT, Jean, 10 et n. 3, 11, 12 et n. 11, n. 12, 13, 14, 15, 20, 22, 27, 56, 57 et n. 24, 59, 133, 134, 151 n. 86, 179, 276, 435, 436, 450, 507, 508, 509.

— *Sur les deux heureux voyages de Gênes et Venise victorieusement mys à fin par le Treschrestien roy Loys, douziesme de ce nom, Pere au peuple*, 14, 436 n. 172.

MAROT, Michel, 271, 272, 274, 507.

MAROT, Pierre, 13.

Marseille, 173, 174.

MARTIAL, 409, 411, 416, 417, 418, 419 et n. 131, 443, 474, 476, 494.

MASSÉNA, V., 154 n. 95, 192 n. 89.

Mathieu, 12 et n. 11, n. 12, 13.

MAUGIS, E., 99 n. 49, n. 50.

MAYER, C.A., 23 n. 57, 44 n. 37, 57 n. 84, 58 n. 87, 65 n. 113, 71 n. 132, 73 n. 136, 82 n. 174, 92 n. 28, 98 n. 44, 121 n. 120, 186 n. 64, 187 n. 69, 216 n. 174, 223 n. 203, 229 n. 218, 276 n. 39, 281 n. 56, 290 n. 80, 313 n. 165, 321 n. 187, n. 189, 322 n. 192, 324 n. 199, 326 n. 206, 328 n. 215, n. 216, 342 n. 255, 360 n. 299, 366 n. 323, 384 n. 28, 385 n. 29, 410 n. 100, 411 n. 110, 413 n. 114, 421 n. 138, 430 n. 152, 434 n. 165, 443 n. 220, n. 221, 445 n. 227, 459 n. 261, 460 n. 263, n. 266, 461 n. 270, 475 n. 308, 482 n. 28, 483 n. 31, 490 n. 46, 493 n. 55, 503 n. 68, 507 n. 88.

Meaux, 101.

MEIGRET, Aimé, 127 et n. 134, 128 et n. 137.

MEIGRET, Jean, 107 n. 75.

MEIGRET, Lambert, 107 et n. 73, n. 75.

MEIGRET, Laurent, 103, 104, 105 et n. 67, 106, 107 et n. 75, 109 et n. 79, n. 81, 110 et n. 82, 130 n. 150, 212 n. 169, 213 n. 169, 223, 224, 225, 403, 502.

MEIGRET, Louis, 103, 105.

MELANCHTHON, 294 et n. 103, 341 n. 252, 372, 466.

MÉTIVIER, Jean de, 17, 268 n. 22, 491 n. 48.

MEUNG, Jean de, (avec G. de Lorris), *Roman de la Rose*, 24, 29, 240 n. 257.

MEYLAN, H., 220, 222 n. 200, 378 n. 6, 483 n. 30.

MICHEL, J., 481.

MICHEL ANGELO, 151 n. 86.

MICHELET, 38.

MIÉLOT, Jean, 28 et n. 67.

Milan, 317 n. 176.

MINARD, Antoine, 99 n. 50.

MOLIÈRE, 244.

— *Les Précieuses ridicules*, 244.

MOLINET, Jean, 23, 24, 29, 49, 151 n. 86, 199.

— *Les Faictz et Dictz*, 25 n. 60, 29 n. 77, 151 n. 86.

— *Le Temple de Mars*, 29.

— *Le Throsne d'honneur*, 25.

MOLLER, E., 151 n. 86.

MONTAIGNE, Michel de, 124, 236, 362.

Montargis, 273.

Montfaucon, 141, 142, 153 n. 91.

MONTHELON, François de, 99 n. 49.

MONTMORENCY, Anne de, 104, 107, 138, 139, 140, 141, 170, 171, 213 n. 169, 248, 326, 327, 338, 339, 340, 370, 397 n. 63, 398, 402 et n. 88, 403, 404, 405, 407, 408, 409, 410.

Morawski, J., 295 n. 108.
More, Thomas, 151 n. 86, 257, 466.
Morin, Jean, 383.
Morin, le lieutenant criminel, 297.
Moschos, 200, 205, 454.
Moulins, 422.
Mugnier, F., 399 n. 75, 506 n. 83, n. 84.
Munich, 458 n. 260.
Muntz, E., 154 n. 95, 192 n. 89.
Muratori, 328 n. 217.
Museus, 474.
Musset, Alfred de, 458.

Naples, 64, 315, 316.
Navarre, Collège de, 91, 96, 97, 99.
Navarre, 267, 269, 270, 271, 273 et n. 33, 275, 352, 353.
Nérac, 273.
Neufville, Nicolas de, Seigneur de Villeroy, 17, 20, 21, 26, 29, 401.
Neufville, Simon de, 420.
Nevers, duchesse de, Marguerite de Bourbon-Vendôme, 470.
Nice, la trève de, 446 n. 229, 467, 468.
Nicéron, J.F., 413 n. 114.
Normandie, 13, 259.

Olimpo di Sassoferrato, 64, 65, 92, 310, 311.
— Gloria d'amore, 310.
— Pegasea, 310.
— Strambotti d'amore, 64 n. 110.
Olivero, A., 515 n. 100.
Olivétan, 461, 462.
Orbe, 463 n. 274.
Orléans, 42, 100, 152 n. 91.
Orry, Mathieu, 490.
Ovide, 20, 26, 27, 29, 32, 33, 130, 194, 195, 196, 203 et n. 145, 255, 257, 344, 345, 346, 349 n. 274, 350 et n. 274, n. 276, 352, 354 et n. 288, 355 n. 289, 356, 357 et n. 292, n. 293, 358 et n. 294, 359 n. 295, 375, 379, 380, 475.
— Amores, 194.
— Ars amatoria, 29.
— Héroides, 27, 32, 33, 194, 195.
— Métamorphoses, 29, 130, 255, 257, 379, 475.
— Pontiques, 345, 354 et n. 288, 355 n. 289, 357 et n. 292, n. 293, 358 n. 294.
— Tristes, 345, 346, 347 n. 272, 348, 350 n. 274, n. 276, 351 n. 277, n. 278, n. 279, n. 280, 359 n. 295.
Owen, S.G., 347 n. 272, 354 n. 288.
Oystreham, 13.

Padoue, 340, 420.
Palice, maréchal de la, 40.

Pannier, J., 113 n. 92, 179 n. 47.
Papillon, Almanque, 83 n. 1, 384 et n. 28, 459 n. 261, 481, 482.
— Le Sermon du bon pasteur & du mauvais (Bergerie), 384 n. 28, 459 n. 261, 481, 482 et n. 26, n. 28, 485, 486, 493.
Pas-de-Calais, 38.
Paris, 19.
Paris, 18, 21, 40, 41, 47, 73, 91, 96, 98, 99, 100 et n. 52, n. 54, 102, 103, 110 et n. 82, 121 et n. 120, 122 et n. 122, 128, 129, 137, 142 n. 50, 146 et n. 63, n. 64, 148, 152 et n. 91, 165 n. 130, 169, 173, 175, 213, 218, 219, 229, 240 n. 257, 247, 256, 263, 269, 295 n. 103, 313, 342, 373, 383, 400, 401, 414, 420, 422, 435, 446 et n. 229, 448, 459, 463, 467, 468, 475, 495.
Parlement de Paris, 41, 97, 98 n. 45, n. 46, 99 n. 49, 101, 103, 110 n. 82, 128, 129, 143, 145, 259, 264, 265, 278, 281, 421, 422, 489, 491.
Pasquier, Etienne, 121 n. 117.
Pastoureau, Antonius, 44 et n. 39.
Pau, 274, 275 n. 35.
Paul III, le pape, 315.
Pavie, bataille de, 42, 43, 44, 45, 46, 47, 109 n. 79, 171, 190, 192, 193, 212 n. 169.
Pays-Bas, 313, 467, 468, 489.
Pegg, M.A., 296 n. 111.
Peletier, Jacques, 216 et n. 176, 217, 221 n. 195, 222.
Pélisson, président du Parlement de Savoie, 224, 493, 494, 496.
Pénélope, 26, 33.
Percopo, E., 92 n. 27.
Perpignan, siège de, 479.
Perrière, Guillaume de la, 400 et n. 77.
Perrin, Ami, 224.
Petit de Julleville, 223 n. 202.
Petitot, 151 n. 86.
Pétrarque, 23, 56, 57 n. 85, 62, 64, 153, 154 n. 95, 174, 187 n. 69, 192 n. 89, 309, 444, 474, 475.
— Triomphes, 153, 191, 192 n. 89.
Pétrone, 72 n. 135, 82, 254 n. 298.
— Satiricon, 254 n. 298.
Philippe II, 489.
Picot, E., 220, 222 n. 200, 223 n. 202, 259 n. 1, 393 n. 55
Picot, Loys, 145.
Pidoux, P., 463 n. 274.
Piémont, 324 n. 199, 394 n. 57, 398, 513.
Pindare, 418, 464.
Pio, Marco, seigneur de Carpi, 317 n. 177.

Placards, l'Affaire des, 17, 89, 243, 263, 264, 265, 266, 267, 271, 272, 274, 294 n. 103, 313 et n. 165, 372, 483.
PLAN, P.-P., 502, 503 n. 70, 505 n. 75, 506 et n. 81.
PLATON, 421.
PLATTARD, J., 113 n. 92, 222 n. 200, 262 n. 10, 344, 463 n. 277, 482 n. 26.
Pléiade, 23, 72.
POIRION, D., 58 n. 87, 65 n. 113.
Poitiers, 494.
PONCHER, 107 n. 73.
PONS, Anne de Saubonne, Mme de, 277, 300.
POT, Philippe, 128.
POUJOL, J., 27 n. 66.
POYET, Guillaume,, 99 n. 49.
PREUDHOMME, Guillaume, sieur de Fontenay-Trésigny et de Panfon, Trésorier de l'Epargne, 136 et n. 20, 164, 376, 447, 507.
PROPERCE, 195.
PROUST, Marcel, 438.
Provence, 214 n. 170, 403.
PYRRHUS, 28 n. 67.

Quercy, 16, 183 n. 58, 267.

RABELAIS, François, 120, 144 n. 57, 180 n. 50, 221, 256, 291 n. 86, 292 n. 94, 315 et n. 168, 373, 384, 385 et n. 29, 412, 418.
— Gargantua, 77 et n. 157, 221, 256, 292 n. 94, 384.
— Pantagruel, 180 n. 50, 289, 291 n. 86.
— Tiers Livre, 120 n. 113.
— Quart Livre, 144 n. 57.
RACINE, 144 n. 57.
— Les Plaideurs, 144 n. 57.
RAFFIN, Antoine, dit POTHON, sieur de Puycalvary, sénéchal d'Agenais et de Gascogne, 36, 37.
RÉGNIER, H., 114 n. 96.
REGIUS, K., 257 n. 312.
Reims, 137.
REISET, F., 151 n. 86.
RENAUDET, A., 101 n. 54, 117 n. 104.
RENÉE DE FRANCE, duchesse de Ferrare, 168, 169 et n. 9, n. 11, 170 et n. 13, 196, 275 et n. 36, n. 38, 276 et n. 40, n. 42, 277, 288, 301, 303 et n. 135, 301, 304, 311, 314, 316, 317 et n. 175, 319, 320 et n. 185, 322, 323, 324 et n. 199, 325, 326, 328 n. 217, 330 n. 217, 331, 332, 334 n. 226, 335, 336, 337, 338, 339, 340, 353, 359, 360, 361, 388, 402, 405.
RENOUARD, Ph., 29 n. 72.
REUBEN, C., 462 n. 273.

RHÉTORIQUEURS, 10, 22-26, 29, 31, 34, 48, 49, 56, 70, 75, 78, 114, 115, 116, 149, 150, 152, 163, 187, 205, 208, 259, 412, 414, 418, 434, 439, 466, 468, 508.
RIEMENS, K., 240 n. 257.
RIESE, A., 82 n. 175.
ROBERTET, Claude, 136.
ROBERTET, Florimond, seigneur d'Alluye, 35 et n. 2, 36, 136 n. 22, 146 et n. 63, n. 64, 148, 151 et n. 86, n. 87, 152 et n. 91, 155.
ROBERTET, François, 23 n. 58, 153 n. 94, 191 et n. 89, 356 n. 290.
— (avec G. Crétin et O. de Saint-Gelais) L'Arrest de la louange de la dame sans si, 356 n. 290.
ROBERTET, Jean (père de Florimond et François Robertet), 23 et n. 58, 49, 153 n. 94, 191 et n. 89.
ROBERTET, Jean (neveu de Florimond), 151 et n. 87.
ROBILLARD DE BEAUREPAIRE, E., 48 n. 56, 259 n. 3.
ROCHÈTE, Louis de, 486.
RODI, Filippo, 314, 327, 328, 332, 333, 336.
RODOCANACHI, E., 275 n. 36, 276 n. 42, 314 n. 165, 330 n. 217, 336 n. 239.
ROFFET, Estienne, 102 n. 59, 255, 431, 459 et n. 262, n. 263, 460, 467, 486, 492 n. 54.
ROFFET, Pierre, 18 n. 37, 27 n. 62, 168, 230 et n. 222, 231, 235, 240, 255, 435, 436 n. 172, 440 n. 180.
ROFFET, la veuve Pierre, 240, 241 n. 258, 243, 246, 441 n. 201.
ROHAN, René, vicomte de, 259, 398.
ROJAS, Fernando de, 293 n. 98.
— Celestina ou Calisto y Malibea, 293 n. 98.
ROLLIN, J., 66 n. 117, 67 n. 120, 69 n. 123, n. 125, n. 126.
Rome, 129, 130, 196, 297, 314, 319, 322, 326, 327, 331, 339, 344, 345, 372.
rondeaux, 34, 55-56, 57-66, 149.
RONSARD, Pierre de, 23, 63, 155, 185, 198 et n. 116, 211, 300, 410, 418, 438, 443, 444, 464, 465, 466, 468, 474, 514.
— Cartels et Masquarades, 474.
— Hymne de la Mort, 155.
— Hymnes, 410.
— Les Amours, 444.
— Les Quatre premiers livres des Odes, 410, 443.
— Ode à la Fontaine Bellerie, 198.
— Ode à Madame Marguerite, 289.
— Sonnet pour Hélène, 300.

Rouen, 48, 50, 259.
Roussel, Gérard, 38, 83, 256.
Rozière, Cleriadus de la, 145.
Ruelle, Jean, 477.
Rutson, E., 14 n. 26.
Ruzé, 107 n. 73.
Rychner, J., 29 n. 74.

Sagon, François, 51 et n. 60, 109
  et n. 80, n. 81, 110, 112, 113,
  225 n. 213, 259 et n. 1, n. 3,
  262, 263, 265, 266, 267, 280 et
  n. 55, 281, 282, 284, 367, 377,
  381, 382, 383, 385, 386, 387,
  388, 392, 393 n. 55, 411.
— Coup d'Essay, 109 n. 80, 265
  et n. 17, 266, 280 et n. 55, 283
  et n. 62, 285 et n. 65, 367, 387.
— Defense de Sagon contre Clement Marot, 260, 261, 262 n. 8,
  392 et n. 52.
— Elegie par Françoys de Sagon
  se complaignant à luy mesmes d'aucuns qui ne prennent
  bien l'intention de son Coup
  d'essay dont il frappa Marot,
  392 et n. 53.
— Epistre à Marot par Francois
  de Sagon pour luy monstrer
  que Fripelippes avoit faict
  sotte comparaison des quatre
  raisons dudit Sagon à quatre
  Oysons, 392 et n. 51.
— Le rabais du caquet de Frippelippes..., 51 n. 60, 259 n. 3,
  382 et n. 18, 388 et n. 41, 390,
  391, 392.
— Pour les disciples de Marot. Le
  page de Sagon parle à eulx,
  392 et n. 54.
Saint-Cloud, 382, 389.
Saint-Denis, E. de, 201 n. 139.
Saint-Denis, Jean, 29, 229.
Sainte-Marthe, Charles de, 38.
Saint-Evroult, Félix de Brie, l'abbé de, 259 et n. 2, 382.
Saint-Gelais, Mellin de, 56, 304 n.
  135, 305, 306 et n. 145, 311,
  360 n. 301, 384, 496 et n. 62.
— A une malcontente d'avoir esté
  sobrement louée & se plaignant
  non sobrement, 496.
Saint-Gelais, Octovien de, 26, 27,
  32, 257, 356 n. 290.
— Les Eneydes, 27.
— Les XXI Epistres (Les Héroi-
  des d'Ovide), 26, 27, 32, 33.
— (avec G. Crétin et F. Robertet)
  L'Arrest de la louange de la
  dame sans si, 356 n. 290.
Saint Jérôme, 462.
Saint-Marc, B., 71 n. 132.
Saint-Omer, 40 n. 26.
Saint-Quentin, 170.

Salel, Hugues, 55, 257, 415.
Sannazaro, 204, 210.
— Libro Pastorale Nominale Ar-
  cadio (Arcadia), 210 et n. 164.
Sanuto, 199 n. 118.
Sanxay en Poitou, 113.
Saragosse, 28 n. 67.
Saubonne, Charlotte de, 277.
Saubonne, Michelle de, baronne de
  Soubise, 14, 276, 277 n. 43,
  300, 315, 316, 317 et n. 175,
  n. 176, 318 et n. 178, 323.
Saubonne, Renée de, Mlle de Par-
  thenay, 277, 318 et n. 181.
Saulnier, V.L., 44 n. 39, 70 n.
  126, 302 n. 128, 303 n. 135,
  365 n. 318, 388.
Savoie, duc de, 505.
Savoie, 224, 287, 493, 495, 496, 497,
  505, 506, 507.
Scève, Maurice, 55, 70 n. 127, 174,
  304, 305, 311, 384, 415, 443.
— Délie, 443.
Scipion, 28 n. 67.
Scollen, C., 195 n. 105.
Sebillet, Thomas, 22, 49 et n. 57,
  55, 67, 68, 193 et n. 98, 194,
  214 et n. 171, 215, 217, 221,
  222, 223, 245, 415 et n. 118.
Seine, 152 n. 91.
Selve, Georges de, évêque de La-
  vaur, 319 et n. 183, 323, 324,
  333, 335, 336.
Semblançay, seigneur de, Jacques
  de Beaune, 103, 104 n. 64, 140,
  141 et n. 44, 142 et n. 50, n.
  52, 143, 150, 163, 403.
Serafino Aquilano, 57, 58, 59, 63,
  64, 65 et n. 112, 92, 309, 311,
  444.
Sermisy, Claudin de, 300.
Seyssel, Claude de, 27 et n. 66,
  257.
Sicile, 28 n. 67.
Simone, F., 57 n. 83.
Sinapius, Jean, 328 n. 217.
Smith, P.M., 73 n. 136, 413 n. 114.
Soissons, 269.
sonnets, 360, 400-401.
Soquand, G., 73 n. 138.
Sorbonne, 97, 98, 99, 100, 101, 102,
  112, 117, 127, 128, 129, 256,
  257, 259, 260, 264, 278, 282,
  283, 284, 286, 293, 294 et n.
  103, 313, 367, 372, 421, 482,
  486 n. 39, 490, 492.
Spagnuoli, Battista (dit Le Man-
  touan), 457 et n. 257.
— Bucolica, 457 n. 257.
Spengel, L., 72 n. 135.
Spifame, 107 n. 73.
Spitzer, L., 456 n. 256.
Spont, A., 104 n. 64, 141 n. 44.

Stécher, 19 n. 44, 24 n. 59, 456 n. 254.
Steels, 478.
Strasbourg, 458.
Sturm, Jean, 294 n. 103, 338 n. 252.

Tebaldeo, 58, 65 et n. 112, 309, 311, 444.
Tebaldi, Giacomo, 313, 324.
Temple, Etienne du, 200.
Tertre, Guillaume du, 248 et n. 277.
Théocrite, 200, 201 et n. 136, 202, 203, 205 et n. 155, 379, 454.
Thésée, 26.
Theureau, L., 151 n. 86.
Thibault, Jacques, 221.
Thuasne, L., 151 n. 86.
Tibulle, 195.
Torfou, 153 n. 91.
Tory, Geoffroy, 18 n. 37, 27 n. 62, 167, 168 n. 2, 230 n. 222, 231, 435, 436 n. 172.
— Champfleury, 168 et n. 2.
Toulouse, 20 n. 47, 174, 399, 400, 420, 487.
Touraine, 398.
Tour Carrée, Chambre de la, 103, 105, 106, 403.
Tournay, 117, 313.
Tournes, Jean de, 431.
Tournon, cardinal de, 171, 172, 320 n. 185, 326, 327, 339, 344, 369 et n. 336, 370, 423, 490.
Tours, 395, 397 n. 63, 398.
Tours, Pierre de, 216 n. 135.
Trivulce, Pomponio, gouverneur de Lyon, 400, 401.
Tuetey, A., 219 n. 186.
Turin, 430, 483, 514, 515 n. 99, n. 100.

Ulysse, 26, 33, 357, 358.

Valenciennes, 40.
Valfernière, F. Bohier de, 184 n. 59.
Vasto, marquis del, 513.
Vatable, 461.
Vatellus, 73 n. 138.
Vaucelles, Catherine de, 91.
Venise, 113, 214 n. 170, 275, 313, 319, 323, 324, 327, 331, 332, 333, 334 et n. 226, 335, 336, 337, 338, 339, 340, 341, 344,

345, 361 et n. 305, n. 306, 362, 365, 366, 372, 475.
Verjus, André, 128, 129.
Vianey, J., 56 et n. 80, n. 81, 57, 63 n. 109, 65 n. 112, 71 et n. 132, 180 n. 52, 309, 310 et n. 155, 311 n. 159.
Villas (ou Villars), 399, 400.
Villemadon, 463 n. 275.
Villeneuve, Martin de, 103, 104.
Villey, P., 29 n. 72, 44, 93, 200 n. 123, 212 n. 169, 213 n. 169, 222 n. 200, 259 n. 1, 417, 430, 465 et n. 282, 466, 495.
Villon, François, 25, 56 n. 81, 91 et n. 24, 150, 155, 176, 182, 235, 236, 237, 238, 239, 240, 300, 310, 458.
— Autre Ballade à ce propos en vieil langage Françoys, 239.
— Lais, 91 et n. 24, 239.
— Les Regrets de la belle Heaulmiere, 56 n. 81, 310.
— Testament, 91 et n. 25, 239.
Vincennes, 149 n. 77.
Viret, 493.
Virgile, 20, 27, 70 n. 126, 125, 200, 201 et n. 139, 209, 210, 288, 293 n. 97, 352, 380, 454 et n. 252, 475, 507.
— Enéide, 27, 257.
Visagier, Jean, 377, 414.
Visconte, Ph.M., 184 n. 59.
Voiture, 114 n. 96.
Voltaire, 124, 143, 415.
Von Hutten, Ulrich, 97 n. 39.
Vuyart, Pierre, 247 et n. 273, 253 et n. 295.

Wallop, John, 471, 472.
Weinberg, B., 240 n. 257.
Weiss, N., 127 n. 134, 128 n. 137, 263 n. 12, 342 n. 258, 486 n. 39, 488 n. 41, 489 n. 42, 490 n. 44.
Weiss, R., 57 n. 82, 65 n. 112, 309 n. 152.
Wittenberg, 294 n. 103.
Worms, 313.
Wyatt, Thomas, 309, 414.

Yabsley, 152 n. 91.
Ysabeau, 87, 88, 90, 91, 92, 93.
Yverdon, 147, 497.
Yvetey, A., 21 n. 48.

# TABLE DES MATIERES

I. — *Naissance, Jeunesse, Premières compositions* ....... 9
Les Rhétoriqueurs ................................. 22
Débuts poétiques ................................. 26

II. — *Au Service de Marguerite* ....................... 35

III. — *Premières Persécutions* ....................... 83

IV. — *1527* ......................................... 132

V. — *La Gloire (1528-1534)* ........................... 167
Amis littéraires ................................. 167
Le valet de chambre du roi ......................... 168
Les Dames de Paris et le valet de Gascogne .......... 174
Les nouveaux genres ................................. 187
L'affaire du lard mangé en carême en 1532 ............ 223
Publications subreptices ........................... 227
L'Adolescence Clementine ........................... 231
L'édition de Villon ................................. 235
La Suite de l'Adolescence Clementine ................ 240
Le Premier Livre de la Metamorphose ................ 255

VI. — *Le Premier Exil* ................................. 258
Sagon ............................................. 258
L'affaire des Placards ............................. 263
Fuite et refuge en Navarre ......................... 267
Fuite à Ferrare ................................... 275
Séjour à Ferrare ................................... 276
Fuite à Venise ..................................... 336
Rentrée et abjuration ............................. 369

VII. — *Nouvelle Gloire* ............................... 376
Rentrée à la Cour ................................. 376
Sagon ............................................. 381
Voyage dans le Midi ................................. 394
Le manuscrit de Chantilly ......................... 402
Etienne Dolet et l'édition des Œuvres de 1538 ........ 420
  1. Dolet ......................................... 420

2. Marot et Dolet .................................... 422

L'Eglogue de Marot au Roy, soubz les noms de Pan &
Robin ............................................ 446

Les Psaumes ........................................ 458

La Poésie de Cour .................................. 467

Les Traductions .................................... 474

VIII. — *Second Exil et Mort* ........................ 477